pour G…
cette…
avec…
amical souvenir,
Philippe Lejeune

LE MOI DES DEMOISELLES

Du même auteur

L'Autobiographie en France
A. Colin, 1971

Exercices d'ambiguïté
Lectures de « Si le grain ne meurt »
Lettres modernes, 1974

Lire Leiris
Autobiographie et langage
Klincksieck, 1975

Le Pacte autobiographique
Éd. du Seuil, 1975

Je est un autre
Éd. du Seuil, 1980

Moi aussi
Éd. du Seuil, 1986

La Mémoire et l'Oblique
Georges Perec autobiographe
POL, 1991

EN COLLABORATION

Xavier-Édouard Lejeune, *Calicot*
Enquête de Michel et Philippe Lejeune
Éd. Montalba, 1984

« Cher cahier... »
Témoignages sur le journal personnel
coll. « Témoins », Gallimard, 1989

PHILIPPE LEJEUNE

LE MOI DES DEMOISELLES

Enquête sur le journal de jeune fille

OUVRAGE PUBLIÉ AVEC LE CONCOURS DU
CENTRE NATIONAL DES LETTRES

ÉDITIONS DU SEUIL
*27, rue Jacob, Paris VIe*

Cet ouvrage est publié dans la collection « La couleur de la vie »
dirigée par Évelyne Cazade-Havas

ISBN 2-02-019597-6

Sommaire

Avant-propos

Ce livre est un récit de voyage. Il raconte, sous la forme de mon propre journal, un an d'exploration au pays des journaux de jeunes filles.

Je venais de publier *« Cher cahier... »* (Gallimard, 1990). Un livre de témoignages entraîne de nouveaux témoignages.

Un jour j'ai reçu une lettre postée à Bourg-en-Bresse dans les années 1860. Une jeune fille m'écrivait pour me parler de ses cahiers. Elle s'appelait Claire Pic. Elle était née en 1848. Son arrière-petite-fille, Chantal Chaveyriat-Dumoulin, s'était chargée de me faire suivre le courrier. Elle m'envoyait quatre pages d'extraits : les passages où Claire commentait son journal, comme si elle répondait à mon enquête.

Ces quatre pages m'ont ébloui. C'était fin, sensible. J'ai voulu tout lire. Chantal m'a alors envoyé la transcription des mille pages du journal. L'enchantement s'est poursuivi. J'ai décidé d'étudier la manière dont cette jeune fille se peignait elle-même dans une série d'autoportraits moraux et physiques qui jalonnaient la première partie de son journal.

Claire Pic était-elle la seule jeune fille à s'être ainsi peinte ? Certainement pas : dès les premières pages de son journal, elle signale que toutes ses amies en tiennent un.

Mais où sont les journaux d'antan ?

J'ai consulté les livres spécialisés sur le journal intime. Leurs auteurs n'avaient lu que deux ou trois journaux de jeunes filles du XIXe siècle et, sortis de Marie Bashkirtseff, ne connaissaient pas grand-chose.

Il fallait combler cette lacune.

J'ai inauguré mon enquête le 1er juillet 1991 en lançant un

appel sur France-Culture. En même temps j'ai commencé à passer au peigne fin la cote Ln[27] à la Bibliothèque nationale. En octobre 1991, à Poitiers, j'ai fait le point à l'occasion d'un colloque sur la dynamique des genres. Mes jeunes filles n'étaient alors qu'une trentaine. Elles sont aujourd'hui plus de cent.

Demain, grâce à ce livre, elles seront encore plus nombreuses, car j'espère que d'autres répondront à ce livre comme Claire a répondu à « *Cher cahier...* ».

Peut-être sera-t-il alors temps de faire une synthèse.

Pour l'instant j'ai préféré raconter cette année d'enquête, faire partager mes surprises, mes hypothèses, et donner un coup d'œil direct sur les paysages que j'ai traversés.

Dans mon esprit, pendant que j'y travaillais, cette étude s'est d'abord appelée *Psyché*. C'était son petit nom, son nom de jeune fille. Maintenant qu'elle est grande, et qu'elle sort dans le monde, c'est *Le Moi des demoiselles*.

On lira donc d'abord mon journal d'enquête de juillet 1991 à juillet 1992. J'avais pris quelques notes pour débrouiller le sujet : ces notes, datées, ont peu à peu fait place à un vrai journal, qui accompagne, tout au long de l'année, ma découverte de ceux des jeunes filles.

Je propose ensuite au lecteur de suivre avec moi le déroulement de neuf journaux inédits choisis parmi ceux, nombreux, qui m'ont été communiqués par des familles. Qu'elles soient toutes ici chaleureusement remerciées pour leur générosité : sans elles, ce livre n'aurait pu voir le jour. Donc, sept « croquis » d'ensemble, et deux études plus particulières des autoportraits tracés dans leur journal par Claire Pic et Catherine Pozzi.

La troisième partie présente de manière systématique le corpus que j'ai rassemblé : le Répertoire, dont les notices décrivent plus d'une centaine de journaux, constitue une sorte de fresque qu'on pourra lire à la suite ; puis un choix de textes montre la pratique du journal envisagée du dehors (par les éducateurs), ou du dedans (par les jeunes filles elles-mêmes).

On reviendra enfin rapidement à mon journal : un dernier mois, en octobre-novembre 1992, pour boucler provisoirement l'enquête.

C'est donc un livre ouvert qu'on pourra interpréter et prolonger comme on voudra. Je ne sais trop à quelle discipline il appartient.

A l'histoire littéraire, certainement. Mais abandonnez toute idée de chef-d'œuvre. Je n'ai découvert aucun génie inconnu. J'ai lu des kilos de cahiers que beaucoup jugeraient illisibles. C'est un portrait de groupe que je fais. Je reconstitue une immense tapisserie d'écriture. Ces cahiers sont des « ouvrages de jeunes filles » comme leurs broderies, comme leurs cahiers d'études. Elles y composent leur image morale comme celle de leur silhouette dans la psyché.

C'est donc, au fond, de la psychosociologie. Car le miroir dans lequel elles se regardent n'est pas vraiment un miroir. Leur moi y est peint d'avance. On leur demande de conformer leur image à des modèles. Elles entrent dans ce jeu, comment faire autrement ? Certaines essaient de l'infléchir à leur profit, de se créer une identité... personnelle. C'est ce qui m'avait frappé en lisant Claire Pic.

Mais c'est avant tout de l'histoire. Ces jeunes filles sont toutes bourgeoises ou nobles, toutes à marier. Le modèle du journal leur est proposé par leurs éducatrices, dès l'époque de la première communion. Elles le reprennent à leur compte vers quatorze ou quinze ans quand, leur éducation terminée, elles entrent dans la période prénuptiale. Elles l'abandonnent la veille de leur mariage. Toutes ne se marient pas. Certaines entrent en religion. D'autres se vouent au célibat. Entre quinze et vingt ans, elles sont au carrefour de leur vie, s'interrogent sur la voie à suivre, accepter le mariage ou tenter une autre route vers une existence plus personnelle...

Cette histoire est en mouvement. J'ai cru distinguer des périodes. La jeune fille romantique. La jeune fille « ordre moral » — ce sont mes gros bataillons, entre 1850 et 1880. La jeune fille Troisième République. Ce mouvement épouse celui des systèmes éducatifs : de l'institutrice au pensionnat, du pensionnat au lycée...

C'est donc un chapitre de l'histoire des femmes. Peut-être même un livre féministe... En tout cas un livre militant : qu'on accorde aux écritures ordinaires l'attention qu'elles méritent.

La forme de ce livre est destinée à vous faire participer à une expérience de lecture. Lisez mon journal, à défaut de pouvoir lire directement ceux de ces jeunes filles, presque tous inaccessibles. Mais lisez aussi, par-dessus mon épaule, ces journaux eux-mêmes, grâce aux aperçus que j'en donnerai ensuite.

N'y a-t-il pas indiscrétion, presque effraction, à lire ces textes intimes ? Je ne crois pas. Simplement, il faut les lire avec sympathie, avec respect. Je reviens à Bourg-en-Bresse, vers 1860. Claire Pic m'écrit que toutes ses amies « voudraient bien qu'après leur mort ou à la fin de leur vie, quand elles seront vieilles, on trouvât leur journal de jeune fille ». Claire est d'un avis tout différent. « Quoi ! quelque indiscret viendrait lire mes plus secrètes pensées, blâmer mon style, rire de mes désirs de devenir bonne et pieuse ! Oh non ! je l'espère, si je savais que cela fût, je jetterais ce cahier au feu, et tout serait fini là. » Elle se promet, quand elle sera vieille, de brûler ce journal ... mais seulement quand elle jugera sa position désespérée ! En fait, elle ne l'a pas détruit, elle l'a laissé parmi ses autres papiers personnels. Il a été soigneusement conservé, jusqu'à ce que Chantal Chaveyriat-Dumoulin le transcrive, et me le communique. En lisant ces journaux, nous accomplissons plusieurs de leurs fonctions : assurer la survie du passé, prolonger la mémoire de leurs auteurs ; mais peut-être aussi leur offrir, à notre manière, l'écoute et la compréhension qui leur manquaient.

JOURNAL D'ENQUÊTE 1

juillet 1991-juillet 1992

juillet-août 1991

notes préparatoires

24 juillet 1991

L'idée initiale était de présenter une « étude de cas » au congrès des anglicistes de Poitiers sur la dynamique des genres, le 19 octobre prochain. En fait, il suffira de raconter ma recherche.

Au départ, un paradoxe, un trou d'information surprenant.

On dit souvent que la pratique du journal est caractéristique de l'adolescence, et de la féminité. Les statistiques réunies lors de mon enquête prouvent que c'est vrai. Ce fait, qui est dominant au XXe siècle, de quand date-t-il ? Quand on regarde les débuts du journal intime en France, on s'aperçoit qu'il a été surtout le fait d'hommes, et d'adultes – Stendhal est, pour l'âge, la seule exception. Les gens vont vous citer bien sûr Marie Bashkirtseff, et, remontant un peu plus loin, Eugénie de Guérin, mais ils n'iront pas plus avant... Dans les livres d'Alain Girard et de Béatrice Didier on trouve quelques généralisations hasardeuses fondées sur trois ou quatre textes, toujours les mêmes, justement ceux dont parlait déjà Michèle Leleu. Ils ne se comportent pas comme des historiens : ils raisonnent uniquement d'après, je ne dirai même pas les livres publiés, mais les rares livres disponibles de nos jours. Ils n'ont pas eu l'idée de chercher les journaux réellement publiés au XIXe siècle. Ne parlons pas des journaux inédits...

La seule personne qui se soit intéressée à ce champ est Michelle Perrot. Elle a édité Caroline Brame, ébauché des perspectives dans un article d'*Adolescence*. Il faut s'engouffrer dans cette brèche.

Méthode : je vais délimiter un champ d'investigation, et

observer quels objets génériques se construisent à l'intérieur. Mon titre (« Journaux de jeunes filles au XIXe siècle ») ne désigne donc pas un genre, mais le champ observé. Distinction capitale.

Les « jeunes filles » : enfance (pas de limite d'âge vers le bas) et adolescence. Ce qui limite l'adolescence, socialement, pour les filles, au XIXe siècle, c'est le mariage ; et si elles ne se marient pas, il y a une autre limite, évoquée dans je ne sais plus quel journal : la Sainte-Catherine. « Coiffer sainte Catherine », c'est n'être pas mariée à vingt-cinq ans. Donc nous dirons : jusqu'au mariage, ou jusqu'à la Sainte-Catherine. Je prends d'autre part « le XIXe siècle »...

27 juillet 1991

... je continue ces notes cursives...

... les jeunes filles du XIXe siècle, c'est-à-dire depuis..., depuis quand ? Deux choses m'ont frappé, pour la périodisation *amont* :

a) L'existence de deux journaux de jeunes filles *avant* la Révolution, celui de Lucile (future Desmoulins) et celui de Germaine (future Staël) : donc la preuve d'une pratique réelle de ce genre d'écriture chez des jeunes filles à l'époque. Ces journaux n'ayant été conservés que parce que ensuite, pour différentes raisons, leurs auteurs sont devenues célèbres, on peut les considérer comme un coup de sonde dans les écritures ordinaires de l'époque, dans les classes dirigeantes. Mais *après 1789*, rien... D'où une hypothèse générale : la Révolution française, en bouleversant la société, les classes dirigeantes et l'éducation, aurait donné un coup d'arrêt à cette pratique, de même qu'elle a, d'une manière générale, freiné le mouvement littéraire « préromantique » qui en revanche a pu se développer librement en Angleterre et en Allemagne. Hypothèse à vérifier : les jeunes Allemandes ou Anglaises ont tenu des journaux plus tôt que les Françaises. Mais le raisonnement est fragile : raisonner sur deux exemples juste avant la Révolution, et aucun pendant ni après... Il suffirait que deux autres textes ressortent, pour qu'au contraire je voie une continuité que la Révolution n'a pas réussi à entamer !... Nous raisonnons sur un nombre si faible de textes...

b) L'absence de tout exemple de journaux tenus par des jeunes filles avant la fin de la monarchie de Juillet : les premières écritures que j'ai repérées datent du début du Second Empire (Netty du Boÿs semble commencer en 1852, Tourtoulon en 1855). Disons en gros que c'est au début des années 1850 que la pratique semble s'établir. Je ne connais aucun exemple dans la première moitié du siècle. Cela ne veut pas dire que ça n'existait pas : simplement on ne l'a pas conservé. Des activités de ce genre sont attestées par George Sand, que ses camarades de couvent appelaient « Calepin », et Marie d'Agoult, qui dit que cette pratique lui venait de la tradition allemande. Mais peut-être ne s'agissait-il pas de journaux *rédigés* comme ceux que nous voyons après 1850 ? — Autre signe : c'est seulement à partir du début des années 1850 qu'on voit apparaître les romans ou livres pédagogiques qui proposent aux jeunes filles des modèles de journaux. Signe ambigu, car on pourrait aussi bien dire que de tels exercices ne peuvent se développer que comme reflet et démultiplication d'une pratique préexistante. Le *Journal de Marguerite* (1858) aura une influence déterminante, il sera pour la seconde moitié du XIXe siècle ce que le journal d'Anne Frank a été pour la seconde moitié du XXe, — reste qu'il suppose déjà établie la pratique qu'il codifie et vulgarise...

Ce « trou » de la première moitié du siècle peut avoir différentes explications : le système d'enseignement appliqué aux filles, le retard du romantisme français... — Mais attention, attention à la « dent d'or » !...

En aval ma périodisation est arbitraire, et ne pose guère de problèmes (1914).

Le problème sera plutôt d'établir, dans cette grande période (1850-1914), une périodisation interne. Il y a eu une évolution, qui est celle même de la société. Au fond, il y a un journal « Second Empire », et un journal « Troisième République ».

19 avril 1863

Mon journal, c'est une mosaïque dans laquelle je glisse une pierre de n'importe quelle couleur; c'est l'arbre sur lequel Robinson faisait chaque jour une fente, et qui lui servit à compter les années d'exil; c'est un composé de riens... Cependant il m'est précieux, comme tout ce qui est unique et dont la perte ne saurait se réparer.

J'avais pensé mettre en exergue de mon étude ce petit paragraphe si joli de Marie-Edmée Pau, – mais en fait, c'est peut-être choisir mon camp ?

Ce qui me frappe au terme de ces quinze jours d'exploration intensive à la BN, c'est qu'il y a deux pôles extrêmes : l'un (pour lequel je fourmille d'exemples), celui du journal spirituel, fondé sur l'oubli du moi, la fusion en Jésus, etc., qui est le fait soit de jeunes filles laïques (tentation) ou de jeunes religieuses, – et l'autre (pour lequel je n'ai qu'un seul exemple, mais tonitruant, celui de Marie Bashkirtseff), celui du journal laïque du MOI. Ces deux extrêmes dessinent les lignes de force du champ. Et puis il y a les journaux du milieu, hésitant entre les deux. Celui de Claire Pic me semble être exactement au centre d'équilibre, – mais il y a d'autres journaux humains et modérés, des jeunes filles à tentation littéraire et romantique, etc. Il faudra que je fasse une cartographie des différents types de journaux. Éviter de donner à croire qu'il existerait *un* modèle de journal de jeune fille au XIXe siècle : il y a au contraire deux modèles absolument opposés. Ce qui définit cette pratique (qui n'est pas vraiment un « genre »), c'est la tension entre des choses qui, elles, peuvent être définies effectivement comme des genres (avec une tradition, une poétique, etc.).

Il faudra aussi soigneusement distinguer le journal d'enfant du journal d'adolescente.

Le *journal d'enfant.* Trois exemples merveilleux dans mon corpus actuel : Marie Lenéru, Élisabeth Leseur, et Jeanne G. C'est un ensemble relativement autonome, mais qui en même temps forme une sorte de modèle proposé par avance à toutes les adolescentes. C'est d'ailleurs ce modèle qui est codifié par le roman-culte *Le Journal de Marguerite* (1858).

Il est lié à l'éducation des filles à la maison par leur mère ou par leur institutrice. Rien à voir avec les pensionnats, où l'on entrait plus tard, d'ailleurs. Ce journal ne serait certainement pas possible dans une collectivité, en tout cas comme système. (Tout cela à vérifier, c'est ce qu'il me semble maintenant.) Il est fondé sur une relation interindividuelle forte : la mère (ou l'institutrice, « Mademoiselle ») donne les règles du journal, semble le plus souvent en faire la lecture, etc. – J'ai eu au début beaucoup de mal à envisager ce système. Pour moi, comme pour la plupart des adolescents du XXe siècle, le journal est par définition anti-institutionnel, il est le lieu où l'on récupère et construit son identité contre les parents et l'école, etc. Je me souviens de mon étonnement devant les premières phrases de Marie Lenéru, disant qu'elle écrit *parce que sa mère la force !* Et ajoutant quelques jours plus tard : « *Que ce journal m'assomme ! Il me scie, mais absolument* » (13 décembre 1886). Et cette pratique continuera jusqu'au début de notre siècle. Voici comment la petite Jeanne G., qui, elle, s'est portée volontaire, raconte le contrat initial fait avec sa mère :

9 juillet 1895

J'ai lu qu'une petite fille de 10 ans, à Paris, faisait le sien ; alors, j'ai demandé à Maman de le faire, moi aussi ; elle m'a dit : « Oui, si cela te plaît, mais à beaucoup de conditions : tu ne le feras ni pendant la classe, ni pendant la récréation parce qu'il faut jouer et courir à ton âge ; tu le feras quand il pleuvra, quand tu seras en avance de tes devoirs, le soir, à la veillée ; tu ne le montreras à personne et tu écriras toujours la vérité. » Elle m'a expliqué que c'était comme un marchand qui tient ses livres ; un journal, ça doit servir à connaître ses défauts, à les corriger ; écrire des mensonges serait très mal, et plus tard, quand je serais grande, mariée, en le relisant, je rougirais d'avoir trompé ma conscience. Ni Papa, ni Marthe, ni personne ne le lira ; rien que Maman ; mais, elle, cela m'est égal; elle me prépare mes confessions; et puis, elle ne répète jamais rien; elle fait semblant toujours de ne rien savoir; elle est sévère pour les leçons; elle gronde quand nous sommes sottes, mais jamais pour les confidences; et un journal, c'est un secret; elle corrigera seulement les fautes d'orthographe, sans me donner de mauvais points pour cela.

Le journal est une pratique éducative parmi d'autres. Il doit contribuer à l'éducation morale (c'est l'examen de conscience quotidien), et apprendre à écrire (c'est l'exercice de rédaction). On a un cahier pour cela à côté des autres cahiers... On fait des progrès en vertu et en style (ou du moins en orthographe).

Il est dramatiquement organisé autour de la première communion, qui est la grande épreuve d'initiation à la fois spirituelle et sociale pour les petites filles de cette classe. On commence son journal à dix ans, avant la communion. On attend, on se prépare... Vient le grand jour (vers onze ans). Puis les suites, ou la retombée, un moment de creux avant l'adolescence... Donc c'est un journal des dix à douze-treize ans, en gros. Après on abandonne, ou bien le journal entre un peu en sommeil, ou il fait place peu à peu à un journal différent...

Il faudrait savoir d'où vient cette pratique pédagogique. Une de mes stupeurs est de ne la voir jusqu'à présent évoquer dans aucun des livres sur l'éducation des filles que j'ai lus — il est vrai que je ne suis, pour cette recherche documentaire, qu'au début. Est-ce une pratique introduite par imitation de l'éducation anglaise ou allemande ? Cela a-t-il un rapport avec les livres de Marc-Antoine Jullien (qui a produit sa « méthode », en fait inspirée de Locke et de Franklin, dans toute une série de livres à la fin de l'Empire et sous la Restauration) ? — Je dois dire que je donnerais cher pour comprendre cela. Comment un usage pareil s'établit... Cela apparaît sans doute au moment où les mères ou institutrices prennent en main sérieusement l'instruction des filles, — quand, comment ?

Tout ceci, je ne l'ai pas assez dit jusqu'ici :

a) ne concerne que la bourgeoisie et la noblesse, en gros les classes dirigeantes; il faudra faire, si j'ai le temps, une petite étude des classes sociales dans mon corpus (quoique souvent ce soit bien difficile par l'analyse interne du texte, en particulier dans les journaux spirituels, si éthérés...). Réfléchir aussi sur l'évolution : à partir de quand ces choses-là se sont-elles démocratisées ? C'est l'un des enjeux de l'article de Marie Rauber (1896), sa réflexion sur l'emploi de cette technique dans l'enseignement laïque, emploi auquel elle s'oppose véhémentement.

b) ne concerne que les filles : aucun journal de garçon, aucun roman qui fasse le pendant du *Journal de Marguerite*, alors qu'après tout on ne voit pas pourquoi les petits garçons n'auraient pas eu à améliorer leur vertu et à former leur style. Ce type de journal est vraiment « mère-fille ». Le garçon, lui, apprend le latin, des choses qui ne sont pas pour les filles, et ses relations avec son précepteur ne sont pas du même ordre...

Ce protocole pédagogique peut en fait servir de base au développement des deux tendances que j'ai évoquées plus haut, celle du journal spirituel et celle du journal profane, puisqu'il a les deux aspects : on apprend certes à l'enfant à améliorer son âme, mais aussi à regarder autour de lui, à raconter de manière fidèle ce qui arrive, etc. D'autre part il donne à l'enfant l'habitude de ces gestes d'écriture et de relecture qui lui feront éprouver (même si ce n'est absolument pas le but de la pratique) certaines dimensions de sa personnalité : son développement dans le temps, l'expression de sa singularité, ses émotions, le plaisir d'avoir un équivalent de soi par écrit... Donc c'est un « terrain » sur lequel toutes les formes de journaux d'adolescence pourront germer.

Malheureusement, il faudra que je fasse un tableau de cette pratique à partir d'une fiction, puisque mes trois exemples de journaux d'enfants sont tardifs, et c'est le *Journal de Marguerite* qui est le premier et le plus détaillé des tableaux de cette pratique (reflet des pratiques antérieures, modèle des pratiques ultérieures). Pourquoi avons-nous si peu de ces journaux, qui ont dû être si nombreux ? — On ne les gardait pas, on devait les jeter, comme des cahiers d'exercices ou de brouillons ?

Peut-être paraissaient-ils ensuite à la jeune fille comme quelque chose de puéril et de conventionnel, dont elle se détachait facilement ? — La rédaction imposée de ce journal pouvait aussi apparaître comme un pensum, une contrainte, à laquelle on ne s'identifiait pas.

Mais ma question est sotte, puisque de toute façon il ne reste pas beaucoup de journaux d'adolescentes non plus.

Journaux d'adolescence

Voir comment ils se greffent sur des journaux d'enfance, ou quelles sont les circonstances ou déclarations du début. Il y a deux modèles qui s'affrontent (cf. le texte essentiel de l'abbé Laplace, sur le journal de Mathilde de Nédonchel, et le texte de Dupanloup) :

— Le modèle du journal spirituel fondé sur la négation, et même la *haine* du moi (l'expression est de l'abbé Laplace). Ce sont des journaux examens de conscience et des journaux effusions, qui ne se donnent pas pour objet de raconter, peindre ou analyser quoi que ce soit. Je dois avouer que leur lecture est pour moi bien aride, parce que leur langue, très pauvre, parle de choses que je ne comprends pas.

— Le modèle du journal profane fondé sur le respect du moi, et qui se donne pour principale fonction de refléter la vie. C'est à ce modèle que se rattachent toute une série d'interrogations ou de méta-discours qui sont exclus par le journal spirituel : sur le temps, l'individualité, la mémoire, la curiosité psychologique ; et c'est à lui aussi qu'on peut rattacher le journal « chronique » de vie sociale et mondaine, le portrait des autres, etc.

Mais avant d'aller plus loin, soulever le problème du type de connaissance que nous avons de ces textes.

Un fait, d'abord : la conservation de la plupart des textes publiés au XIXe siècle est due à la mort précoce de leur auteur. Il semble que la tuberculose ait souvent, en tuant la diariste, immortalisé son journal. C'est vrai aussi bien dans le domaine religieux que dans le domaine profane. Faire le compte dans mon corpus. C'est vrai même pour Marie Bashkirtseff : elle aurait de toute façon été publiée, c'est la mort qui lui a permis de l'être si tôt... En revanche les diaristes qui ont survécu ont eu le temps de tuer leur journal, de le perdre... Autre conséquence de ce fait : ces journaux publiés ont tous été recomposés ou réécrits, ou du moins stylisés. Faire un inventaire des explications données sur ce point dans un certain nombre de préfaces. Les éditeurs sont les coauteurs de ces textes, soit qu'ils les hachent en morceaux pour les intégrer à des biographies édifiantes (cas des curés qui écrivent sur les jeunes religieuses), soit qu'ils les recomposent en les épurant, en les sculptant... L'admiration que j'éprouve pour certains de ces textes (en particulier pour celui de Marie-Edmée Pau, qui pour moi est un vrai chef-d'œuvre), l'aurais-je eue devant le journal authentique ?

Et question : comment faire pour retrouver le journal authentique ? On imagine mal que des journaux qui ont été admirés au point que les survivants en fassent un livre, n'aient pas été eux-mêmes conservés avec piété ? — D'où une idée, chimérique sans doute : retrouver les familles des demoiselles... et les manuscrits originaux.

28 juillet 1991

Je reprends le fil de l'exposé pour Poitiers. Il faudra faire apparaître que la définition des « genres » est autant un fait de *lecture* que d'écriture. Le but de cette enquête, déclenchée par ma découverte de Claire Pic, serait de reconstituer une sorte de tableau des pratiques réelles des jeunes filles, indépendamment des publications. C'est donc une recherche archéologique. Ensuite, je pourrai montrer comment les « éditeurs » de l'époque ont sélectionné certaines catégories de journaux pour les publier, et ont abandonné à leur sort les autres, construisant ainsi une première image publique du journal. Ils ne se sont pas donné le mot, ça s'est fait tout seul. C'est une sorte d'exemple de la sélection naturelle en littérature.

De fait, il n'y a que trois catégories de journaux qui avaient une chance d'être publiées :

1. Le *journal spirituel* (presque toujours enrobé dans une biographie). Plus il est spirituel, mieux ça vaut. Il est évident que les éditeurs gomment le profane et l'anecdotique, pour rapprocher le plus possible le texte de la jeune fille ou de la religieuse du modèle idéal. En général les éditeurs sont des prêtres.

2. Le *journal « littéraire »* de jeunes filles ayant une certaine

ambition d'écrire (je vais y revenir). Après leur mort, les proches trouvent que c'est bien écrit, et le publient. C'est visiblement le cas de Caroline Normand, de Renée de Saint-Pern, par exemple. Là, c'est la famille qui prend l'initiative.

3. Éventuellement le *journal-témoignage* — guerre de 70, etc., mais ce n'est plus qu'un cas particulier de tout autre chose, qui n'a rien à voir avec le fait « jeune fille ».

Au fond, toute une zone moyenne échappe à cela. Si Claire Pic était morte jeune, aurait-on publié son journal ? — Peut-être, mais en le sculptant, en en dégageant un bel objet, comme on l'a fait pour le journal de Marie-Edmée Pau... Mais Gasparine Barrelier ?...

Il y a cette sélection au premier degré, sur le moment (XIXe siècle).

Et puis il y a une sélection au second degré : qu'est-ce qui survit de tout cela un siècle plus tard ? Les extrêmes : Marie Bashkirtseff, à cause de son génie, et parce qu'elle est devenue la patronne d'une sorte d'émancipation féminine ou féministe ; et les journaux spirituels les plus spirituels, qui ne sont plus édités, mais qui sont fidèlement recensés dans les ouvrages de spiritualité. Ce qui est frappant, c'est l'oubli total dans lequel est tombée par exemple Marie-Edmée Pau !

Après la sélection au second degré, il y a une épreuve de rattrapage : c'est celle à laquelle je participe, celle du « manuscrit retrouvé ». Quel dommage que ça ait commencé par le journal de Caroline Brame, certes représentatif, mais d'une destinée conformiste et médiocre... Dans cette recherche du manuscrit perdu, nous ne sommes pas neutres, en tout cas je ne le suis pas, on est sensible à un certain type de texte, à certains profils, — moi j'ai été séduit par Claire Pic.

(Donc reprendre mon corpus, et faire une étude plus systématique en particulier du paratexte, préfaces, etc., qui justifient la publication, au XIXe siècle.)

Suite à développer : revenir sur les différents types de journaux d'adolescents, les modèles littéraires, la quête d'identité, etc.

Il faudra de toute façon relire un à un les journaux, ou les reparcourir, pour faire pour chacun une notice non pas simplement factuelle, comme maintenant, mais descriptive du contenu et du ton, — puisque le lecteur auquel je m'adresserai n'aura aucune idée de ces textes.

Une des choses les plus intéressantes de cette enquête est la prise de conscience de mon ignorance. Pas à pas je découvre des textes, des discours, dont je n'avais pas idée. Je pouvais parler des journaux de jeunes filles sans les connaître ! C'est extravagant. Et j'ai le sentiment que ce n'est qu'un début. Parti pour un simple article (Poitiers), je me trouve devant un continent englouti dont je veux être l'explorateur...

1er août 1991

Bribes de réflexions :

1) Il faudra que je fasse une étude plus systématique des fonctions (réelles, et analysées dans les journaux mêmes) de ces textes. Par exemple :

— la fonction de communication : on est dans une relative solitude, sans interlocuteur. Elle semble au point de départ du journal de Laure Frémont. Elle est évoquée de manière très fine au début de *Mon cher petit cahier* par cette ouvrière lyonnaise, qui souligne le paradoxe du journal spirituel : puisque Dieu sait tout de nous, pourquoi prendre un confident en papier ?

— l'idée de la valeur de l'unique, de l'irremplaçable. Deux aspects : soi, on est différent de tous les autres ; et d'autre part le moment présent du moi est différent de tous les autres. Cela apparaît chez Marie-Edmée Pau ;

— le plaisir de se voir, de constituer un objet qui est soi (Claire Pic) ;

— la fonction de relecture, dans un but d'auto-édification (*Mon cher petit cahier*, pour se maintenir dans la bonne voie) ;

— ou au contraire dans un but nostalgique, maintenir la continuité du moi ;

— le plaisir d'écrire, etc.

2) Problème du journal spirituel comme forme codée, stéréotypée, exercice d'assimilation personnelle d'attitudes et de discours qui sont donnés d'avance (c'est mon impression : le journal spirituel est soit recherche de la perfection, soit chant d'amour, mais d'une perfection et d'un amour qui sont modélisés d'avance, – il n'y a pas invention de quoi que ce soit, – les seuls doutes qu'on a, c'est sur la possibilité personnelle d'atteindre le modèle), soumission, humilité donc, les jeunes filles qui se lancent dans cette direction sont nourries d'une tradition mystique qu'elles réinventent en partie, mais qui leur est tout de même en gros imposée – et c'est aussi ce qui fait que, vu de mon œil profane, tous ces journaux 1) se ressemblent entre eux ; 2) se ressemblent à eux-mêmes (se répètent de manière incroyable – c'est noté par la petite ouvrière lyonnaise !).

Les journaux profanes, eux, ont un peu plus à inventer quelque chose, une destinée dont le modèle n'est pas donné d'avance, où palpite une liberté qui n'a pas été piégée, – cela ne veut pas dire qu'elle n'ait pas de modèle, mais elle en a *plusieurs*, donc peut hésiter, mélanger des discours, etc.

3) J'ai eu tendance à laisser de côté toutes les formes et fonctions non personnelles du journal, en particulier le *journal de voyage* (or un certain nombre de jeunes filles ou de femmes partant en voyage, aux eaux, ou ailleurs, ont dû avoir tendance à tenir un carnet, – il faudra que j'explore cela en reprenant les livres théoriques sur le journal de voyage), et le *journal-chronique historique* (quand on est le témoin d'événements historiques exceptionnels, guerres, révolutions, etc.). Donc tous les cas où l'histoire ou la géographie font de vous un « je » qui est légitimé à prendre la plume par autre chose que son « moi ». – Femmes et jeunes filles le font-elles aussi souvent que les hommes ?

4) En lisant le *Journal de Marguerite*, j'ai été frappé par le problème des conditions matérielles d'écriture d'un journal au XIXe siècle : nécessité de la plume et de l'encrier, on ne pouvait pas écrire n'importe où, il fallait être installée, et ce n'était pas une activité discrète ; très faible probabilité, pour une jeune fille,

d'avoir un journal « secret »; et probablement impossibilité d'écrire un journal *en pension* : il n'y en a aucun exemple dans mon corpus; même Laure Frémont n'est pas vraiment « en pension », mais dans une sorte d'internat où elle a une chambre ; le journal semble plutôt se tenir au sortir de pension, c'est une activité qui suppose qu'on soit « à la maison », chez soi.

Quand on lit dans George Sand qu'elle était appelée « Calepin » par ses amies de pension, cela ne veut pas dire forcément qu'elle tenait un journal, mais qu'elle prenait des notes au crayon sur un petit carnet (différent de la *rédaction* d'un journal). Voir à « calepin » dans Bescherelle. Le calepin est fait pour les situations inconfortables : voyage, pension.

5) Journaux de *femmes*. Une des tendances de l'édition, pour les femmes écrivains ou pour les femmes à vie spirituelle, est de considérer le journal comme une carrière de « pensées » ou de « méditations » profondes que l'éditeur doit dégager de la gangue des faits quotidiens. C'est le cas pour les *Choses d'âme* de Mme Goyau (qui n'a même plus la forme d'un journal), pour Louise Ackermann (qui a fait ce travail elle-même sur son journal de son vivant), pour Mme J. du Rochay. Mais c'est cela qui guide le « sculptage » des autres journaux publiés.

octobre 1991-juillet 1992

journal

29 octobre 1991

Ces notes m'ont servi à faire ma (courte) conférence à Poitiers.

La manière dont mes recherches ont progressé depuis juillet m'a convaincu qu'à l'horizon de ce travail il y a un livre. Je l'imagine sans prétention, documentaire et informatif, avec beaucoup de citations...

Et m'a convaincu que ce livre n'est pas pour tout de suite. Je vais de découverte en découverte. Je découvre même l'Amérique : j'ai lu pendant mes vacances en Suisse le journal d'Eugénie de Guérin ! C'est un livre, et une femme, admirables. Pourquoi n'en avais-je jamais approché ? Parce qu'il n'en existe plus aujourd'hui aucune édition en librairie. Parce que les programmes scolaires et universitaires excluent systématiquement les journaux. Parce que j'avais, il faut bien le dire, une certaine méfiance pour ce romantisme catholique... Tout cela a été balayé par la lecture de quelques pages... Mais en même temps que je découvre les chefs-d'œuvre du genre, je prends conscience de l'immense pays qui est au pied de ces sommets, noyé dans l'ombre. Il faudra du temps pour cette longue traque, cette pêche à la ligne. J'ai deux techniques : l'acharnement bibliographique (en particulier la cote Ln[27]) et le harcèlement convivial : partout où je vais en société, je parle de ma recherche, attendant que les gens me donnent des pistes, et, une fois sur deux, quelque chose se passe...

Hier à la Nationale, deux « découvertes », très prometteuses, par exemple.

D'abord, parce que j'ai eu la bonne idée à Bergame au début du mois d'octobre de parler de ma recherche à Laura Kreyder, elle m'a indiqué d'abord les cahiers de Thérèse de Lisieux (que j'irai peut-être voir demain à la BN de Versailles dans la revue *Carmel...* moi !), puis conseillé les recueils de biographies du couvent des Oiseaux, — où je trouve des témoignages directs sur des pratiques dont je connaissais bien l'existence, mais que je n'avais jamais vues directement : le cahier de retraite (tenu pendant la semaine de retraite, avec des notes sur les sermons entendus, des méditations personnelles, et surtout des résolutions et des plans de vie), les cahiers quotidiens d'examen de conscience, etc. — qui sont à mon avis différents du journal tel qu'on l'impose à la maison, parce que la dimension « style » en est totalement absente. Me voilà mieux armé pour décrire, à la maison et au couvent, la manière dont les petites filles étaient formées à l'écriture périodique. Me voilà aussi avec une nouvelle piste de recherche, les archives des communautés religieuses enseignantes, le couvent des Oiseaux, mais aussi les communautés de Lyon, etc. Car il est fort possible que les textes qui ont servi de matériaux à ces biographies pieuses aient été conservés.

Ensuite, parce que j'ai eu l'idée de demander des idées à Anne Martin-Fugier, qui m'a indiqué Lionel Mirisch, dont j'ai retrouvé l'adresse par une traque sur Minitel, qui m'a donné à lire son montage (fort bien) du journal de Lucile Le Verrier, qui indiquait dans une entrée du journal qu'elle lisait un roman, *Récit d'une sœur*, où des fiancés se montraient leur journal, roman que j'ai retrouvé hier à la BN, qui n'est pas du tout un roman, mais un livre autobiographique de Mme Craven (Pauline de La Ferronnays). Il m'a révélé une vraie gerbe de journaux intimes tenus dans les années 1830, pour lesquelles je n'avais aucun exemple jusqu'alors ! — au point que j'avais l'idée qu'au fond le journal intime ne s'était développé qu'après 1850, idée qui va être à réviser. Mais pas totalement à abandonner. C'est une affaire de milieux sociaux. Les La Ferronnays appartiennent à la noblesse aisée — et l'histoire de *Récit d'une sœur* m'a paru être une sorte de variante en noblesse parisienne riche de l'histoire d'Eugénie de Guérin en noblesse provinciale pauvre. L'adulation du frère plus jeune, sa mort après le mariage, les cohortes de sœurs, l'exaltation religieuse, la fascination de la mort, ces cahiers que tout le monde écrit, et qui circulent... Peut-être le succès d'Eugénie de Guérin en 1862 a-t-il donné à Pauline l'idée de reprendre ce mémorial en attente depuis des années et d'en faire un livre, un peu touffu, mais tout compte fait assez beau, et qui semble avoir à son tour connu le même succès, puisqu'il a eu une vingtaine de rééditions. Toutes ces jeunes filles semblent avoir une faculté et une liberté d'expression remarquables. Je n'ai pas très bien compris comment elles avaient été élevées, si elles avaient été dans un pensionnat ou avaient eu une mademoiselle, ou avaient été élevées par leur mère. D'après les lettres, les parents, eux aussi, semblent assez remarquables. Rien du piétinement scolaire, de l'enfermement de mes petites-bourgeoises des années 1850-1860. Mais il faut bien que je réalise qu'Alexandrine, Pauline et Eugénie ont déjà vingt-quatre ans, et on ne sait rien des origines de leur journal. Seul le journal d'Olga nous est connu depuis son début, elle a dix-huit ans, et Pauline le trouve bien « enfantin ». Ce qui frappe dans les journaux de ces demoiselles, c'est leur maturité. Enfin me voilà avec de l'information nouvelle à digérer, et surtout l'idée que bien d'autres surprises du même genre doivent m'attendre si j'ai la patience et l'obstination nécessaires.

Tout se fait de fil en aiguille. C'est dans les notes de Chantal sur le journal de Gasparine Barrelier que j'avais vu la première mention du *Journal de Marguerite* de Mlle Monniot, si important pour l'histoire du genre. Il faut ne lâcher aucune piste.

20 novembre 1991

Nouvelle petite découverte, qui montre la fragilité de tout cela. Par acquit de conscience, je sors à la bibliothèque de l'ENS le journal de Mme de Lamartine, quoiqu'il ne s'agisse pas d'un journal de jeune fille : née en 1766, elle a trente-cinq ans et cinq enfants quand elle commence en 1801 ce journal qui semble être plutôt une chronique familiale. En voici les premières lignes (11 juin 1801) : *« J'avais commencé dans ma jeunesse à faire un journal exact de tout ce qui m'arrivait, et de toutes les réflexions que les divers événements me suggéraient. Je l'ai brûlé. Et j'ai perdu cet usage depuis longtemps, ce qui me fâche parce que cela peut m'être utile. »* Elle ne dit pas clairement à quelle époque ce premier journal a été tenu, – avant son mariage ou après (elle s'est mariée en 1790, à vingt-quatre ans). L'éditeur dit qu'elle était « jeune fille », mais il n'en sait rien, puisque la phrase initiale ne précise pas. Disons que c'est probable. Mme de Lamartine ne dit pas non plus pourquoi elle l'a brûlé, ni quand. Reste une chose importante : très probablement cette jeune fille ordinaire (mais pas si ordinaire, fille d'un administrateur des biens de la famille d'Orléans, elle vit dans un contexte aristocratique même si elle n'est pas elle-même noble) a tenu son journal, qui était peut-être simplement un journal-chronique ? ou bien avait-il aussi une fonction psychologique ?

L'existence de ce journal de jeunesse et celle du journal adulte ne sont venues à notre connaissance que parce que le fils de cette dame est devenu un poète célèbre, et a eu, sur le tard, l'idée de réécrire le journal de sa mère. Mais en 1801, ou avant 1790, Alix était simplement une jeune bourgeoise-aristocrate de base, si je puis dire.

Je vais donc lire ce journal. Comme Alix a quatre filles, peut-être vais-je trouver des indications sur la manière dont elle les élève ? et voir si elle leur a proposé de tenir, à leur tour, un journal ?

25 novembre 1991

Passé hier la journée à Saint-Martin-de-la-Place, près de Saumur, dans la demeure des du Boÿs, à lire, ou essayer de lire, le journal de Netty. Première expérience de ce genre. Découverte d'une famille de l'aristocratie, qui a ses archives bien en ordre, grâce au travail du père d'Antoine du Boÿs, — archives impressionnantes pour le XIXe siècle. Ils connaissent justement mes Saint-Pern d'Angers. Ils étaient, au XIXe siècle, apparentés aux Lamartine. Mme du Boÿs me parle de Mme Craven comme d'une figure familière (heureusement que j'étais de ce côté-là opérationnel, même si de fraîche date !). Ils me donnent toute une série de pistes de recherches qui seront certainement fécondes, d'entrées dans les réseaux de ce petit milieu, et tout se termine par une consultation du Bottin mondain 1991, qui devrait devenir mon principal instrument de travail !

Le journal de Netty se compose de neuf cahiers du commerce, en fait je n'en lirai que trois (et encore pas totalement) et ne ferai que jeter un coup d'œil aux autres. Mais il faut bien le reconnaître, ma méthode de lecture diagonale, très au point, économique et efficace, ne peut pas marcher pour ce genre de documents. Antoine, en posant devant moi les neuf cahiers, avait l'air de dire qu'au bout de deux heures j'aurais fini, tant c'était bref... Le soir je n'en avais encore regardé qu'un tiers, et j'étais épuisé. Il y a l'écriture, fine, penchée, en permanence rétive, avec ses lances et ses boucles, à mes balayages diagonaux ; il y a surtout, et c'est la première fois que je voyais cela de manière si dramatique, l'encre en train de pâlir, de s'effacer, de disparaître. C'est un journal fantôme. L'œil s'épuise à redonner corps aux lettres, aux jambages, du moins dans certaines parties.

Dans trente ans, il ne restera plus que du papier jauni. J'ai poussé un cri d'alarme, leur ai expliqué la nécessité de transcrire le journal pendant qu'on voit encore quelque chose. Mais c'est un énorme travail. Qui tiendra assez au journal de Netty pour s'y coller ? Sinon il va disparaître. Il n'en restera plus comme trace que les extraits rassemblés dans le livre de 1912 sur Netty, qui sont peu nombreux, arbitrairement choisis, et ne donnent pas une idée juste de l'histoire de Netty : ils écrasent complètement la chronologie, c'est-à-dire la manière dont elle-même a vécu le temps de sa jeunesse, ses interrogations, la succession de ses plans et de ses projets. — J'ai réalisé la chance que j'ai eue de lire le journal de Claire Pic dans la version dactylographiée de Chantal — qu'aurais-je saisi devant le manuscrit brut ? — Et plus mon enquête va avancer, plus je vais me trouver devant ce problème. J'ai mangé mon pain blanc en premier. A partir de maintenant, le domaine des imprimés étant en gros défriché, mon corpus ne pourra plus guère s'enrichir que de manuscrits à la lecture lente et difficile. — J'étais un peu accablé par cette évidence, moi qui aime aller vite, qui ai besoin d'aller vite aussi pour prendre une vue synthétique de ces textes foisonnants. — Entre la lecture d'un journal manuscrit et celle d'un journal imprimé, il y a la même différence qu'entre un trajet à pied et un trajet en voiture. — Mais à certains moments, j'avais envie de venir passer une semaine avec un ordinateur portable pour transcrire tout cela et le sauver de la destruction.

Netty est une forte personnalité, mais pas une styliste. Sa prose est ordinaire, rhétorique. Cela m'a frappé en la comparant à Marie-Edmée Pau, qui, elle, a de la finesse, de la rapidité d'écriture. Rien non plus du génie d'Eugénie de Guérin (dont, entre parenthèses, j'ai réussi à retrouver un exemplaire d'occasion). — C'est une intellectuelle avant la lettre. Il y a chez elle le désir de compenser ses disgrâces physiques (sa scoliose, ses corsets, sa petite taille, etc.), mais rien ne la pousse vers l'expression artistique personnelle, même si elle s'intéresse à l'art chrétien. Elle a foncé du côté de l'érudition historique et de la spéculation philosophique. Elle vit dans une société qui accepte (mal, mais accepte) la femme auteur, sans lui offrir aucun statut social possible. Mais les du Boÿs ont de l'argent, donc pas de problème. — Ce qui m'a frappé, c'est son absence de talent pour écrire, mais aussi le fait que la dimension spirituelle et mystique était subordonnée au projet intellectuel. Dans sa discussion avec Mme Perdreau, elle argumente en disant que l'église « éteint » la pensée ; Mme Perdreau lui montre le contraire, mais au fond j'ai l'impression que Netty s'est tenue à l'écart de la vie de couvent pour garder sa liberté d'intellectuelle et pouvoir se consacrer entièrement à ses études. — De ce point de vue, son aventure est passionnante, elle doit être mise en parallèle avec celle d'Eugénie, de Marie-Edmée et de bien d'autres : le choix d'une sorte de célibat laïque, échappant à toutes les contraintes. Une des raisons de ce choix, donnée souvent, est la nécessité de se consacrer à élever de jeunes frères, ou de s'occuper de ses vieux parents, etc., ce qui est certainement sincère, mais il se trouve que cet apparent « sacrifice » correspond *de facto* à la seule voie ouverte à la jeune fille pour conserver une existence intellectuelle, morale ou artistique autonome. C'est le problème de Marie Bashkirtseff, de Claire Pic (qui, elle, sombrera dans le mariage), etc. C'est le problème central plus ou moins évident de tous ces journaux de filles. Aussi n'y a-t-il pas grand sens à les comparer à des journaux de garçons dont les problèmes sont totalement différents.

Je m'attendais à ce que la lecture du journal de Netty m'éclaire le problème pédagogique autour duquel je tourne (le journal comme technique éducative). Erreur, rien du tout ! La seule indication pédagogique venue de Mgr Dupanloup semble être l'incitation à prendre des notes sur ses lectures, à résumer ses lectures. Or justement son journal ne comprend pratiquement aucune note de lecture, probablement parce qu'elle avait d'autres cahiers pour cela. Il ne semble pas qu'on l'ait incitée vers dix ans à tenir un journal. Ni que plus tard on l'en ait dissuadée. Elle-même commente fort peu son journal, il semble pour elle chose naturelle, au milieu d'un océan d'autres écritures (lettres et notes de travail), avec lesquelles il communique. Ses pages de notes sur les Salons à Paris sont en fait un travail sur la peinture, etc. Son journal n'est pas une activité quotidienne, à laquelle elle serait accrochée par une sorte d'hygiène nécessaire. Elle fait, à plusieurs reprises, des « emplois du temps » : jamais elle n'y mentionne un moment réservé au journal. Elle le tient irrégulièrement, de loin en loin, quand elle en a le temps et le besoin. Après les périodes de silence, elle résume, ou elle saute carrément. – Cela m'a donné envie de suivre l'idée qui m'était venue en travaillant sur les journaux d'Anne Frank : faire une analyse quantitative de rythme (tous les combien, combien de lignes), et une analyse rhétorique axée sur le problème de l'unité ou de la multiplicité des sujets traités dans chaque « entrée », et leur tressage.

Une autre hypothèse m'est venue à l'esprit. Deux univers différents coexisteraient : celui de l'aristocratie, où l'écriture de journaux par les jeunes filles ne serait pas le fruit d'un endoctrinement, mais simplement de l'habitude et de la liberté d'écrire, le prolongement de l'activité épistolaire, et se serait développée sans problème, mais aussi sans théorisation, depuis la fin du XVIIIe siècle (et c'est à cet univers que je rattache le groupe La Ferronnays, les Guérin, Netty, il doit y en avoir d'autres) ; et celui de la bourgeoisie, où au contraire c'est la technique éducative du journal qui aurait poussé tant de jeunes filles à l'écriture. Hypothèse un peu grossière, avec un fond de vrai.

30 novembre 1991

Je reçois ce matin un nouveau « corpus », que j'attendais avec gourmandise, et devant lequel je suis à moitié déçu. Une jeune étudiante perecquienne, m'ayant entendu le 1er juillet à France-Culture, me confie différents documents familiaux : les deux cahiers d'une jeune fille protestante née vers 1860, Jeanne Cruse, et une sorte d'agenda perpétuel intitulé *Jour après jour*. Le journal, dont j'ai lu (vite) les premières années, m'a semblé fade, peu de personnalité, peu d'intérêt, j'ai eu les réactions conformes aux préjugés que je combats, une sorte de nausée devant cette prose convenue, cette soumission insipide au destin de jeune fille à marier... Je suis trop fasciné par les filles qui se débattent, cherchent une issue, sont insatisfaites de leur condition, se posent des questions. Elles étaient peut-être des exceptions... La plupart étaient consentantes et satisfaites, leur journal ne reflète pas l'éveil d'une conscience, c'est plutôt un oreiller où restent imprimées les traces de leur sommeil...

Mais j'ai été intéressé par le *Jour après jour*. Une page par jour de l'année, agrémentée de citations pieuses et d'aphorismes. Cela peut servir un siècle, ou plus. Ce « livre blanc », offert comme support à des inscriptions collectives, enchaîne les générations et organise la célébration des anniversaires. Au jour dit, il suffit de noter le millésime et le nom de la personne décédée, car bien souvent ces inscriptions sont funéraires...

1er décembre 1991

J'ai écrit ceci hier, samedi après-midi, après un premier coup d'œil sur le journal. Nous sommes dimanche soir, je viens de passer vingt-quatre heures à lire Jeanne, et j'ai changé d'avis. Le mérite en revient à la pâleur de l'encre, qui, interdisant le survol, m'a forcé à tout déchiffrer, et à l'ordinateur, qui m'a permis de prendre rapidement dix pages de notes lisibles et détaillées. Conversion due aux imperfections du XIXe siècle et aux miracles techniques d'aujourd'hui... — D'un autre côté on voit le coût de ce travail : un week-end entier pour un journal assez bref et tout de même ordinaire... — Mais les entrées du journal ne sont que des indices, des expressions figurées, souvent elliptiques, d'un immense contexte. La lenteur du déchiffrement force à l'empathie et à l'imagination. Jeanne Cruse n'est plus pour moi la fade jeune fille. C'est une enfant trop protégée qui rêve de reproduire la mère avec laquelle elle vit en symbiose. A sa mort, elle restera totalement désemparée. Les deux cahiers s'opposent : le premier, cinq ans de quiétude, de seize à vingt et un ans, un bassin d'eau calme ; dans le second, en quelques semaines, l'eau se vide brusquement avec un horrible bruit de siphon... Le premier cahier se termine parce que pour ses vingt et un ans on lui offre un beau livre blanc à serrure ; et ce beau livre se terminera, deux ans plus tard, parce qu'on lui offre un mari, cahier vivant... Dans le bonheur, elle n'effleure son journal que de loin en loin. Dans le malheur elle s'y cramponne... J'avais l'œil humide en lisant l'entrée la plus longue du journal, vingt-sept pages, écrites un mois après la mort de sa mère : le texte se développe par longues vagues, comme si Jeanne découvrait une nouvelle fonction de l'écriture, comme si arrêter d'écrire, ce soir-là, équivalait à voir mourir sa mère une seconde fois...

L'idée m'est venue d'étendre mon enquête en proposant à *Lire* d'insérer un écho sur ma recherche... Mais il me faut traiter d'abord les documents que j'ai reçus sans avoir encore trouvé le temps de les ... *lire*.

3 décembre 1991

Je n'ai pas fait état de ma lecture des journaux d'Adèle Hugo, tout à fait atypiques. D'une part la chronique du grand homme (c'est presque un travail de groupe), d'autre part ses petits carnets personnels. C'est la première fois que je vois l'usage d'un code secret (si jamais je fais une exposition, il faudra montrer une page du « verlan » d'Adèle !), la première fois aussi que je vois une jeune fille consacrer de manière aussi directe des pages de carnet à ses petites aventures amoureuses, ses flirts un peu provocants, etc. Un journal dégagé de l'emprise chrétienne, de la langue de bois religieuse, — un grand courant d'air frais. En fait, il n'y a qu'elle jusqu'à présent qui annonce Marie Bashkirtseff. Liberté d'esprit et de mœurs (relative — on ne comprend pas très bien jusqu'où elle va avec Pinson...). Liberté souveraine surtout par rapport à l'écriture. Elle n'est pas ficelée. Y a-t-il eu d'autres journaux de ce genre ? — Peut-être, mais ils ont sans doute beaucoup plus de chance que d'autres d'avoir été détruits ou perdus. Ils n'ont rien d'exemplaire, ont pu être gênants pour l'intéressée ensuite (donc destruction). — Ceux d'Adèle Hugo ont eu un sort étrange : ils étaient simplement restés à Hauteville House, et ont été vendus presque au kilo comme papiers sans intérêt après la mort de V.H. !

6 décembre 1991

Petit « coup de filet » ce matin à la BN — je veux dire simplement que je trouve deux journaux *a priori* irrepérables (celui d'Anne de Fallois et celui de Caroline de K.), et que j'explore deux autres journaux que j'aurais dû regarder depuis longtemps (Isabelle Eberhardt et Élisabeth de la Trinité). Ma liste comporte donc ce soir 46 entrées au lieu de 42 ce matin. Mais plus elle augmente, plus elle devient confuse. Des journaux de type, de taille et de qualité très différents sont juxtaposés. Ça fera une drôle d'impression aux gens qui consulteront ce fatras. Mais je ne démordrai pas de mon classement chronologique. Simplement il faudra faire deux choses :

1) revoir les notices, les rendre plus précises et explicites, et introduire tout de même quelques indications sur l'intérêt des textes ;

2) adjoindre au répertoire un index alphabétique, et surtout un index par type de journaux (journal spirituel, journal de voyage, journal de lecture, chronique historique, etc.).

10 décembre 1991

Une note de gaieté, un petit éclat de rire.

Coup de téléphone d'Arnaud de Maurepas.

Il a conçu une nouvelle collection, qu'il propose à des éditeurs, et pour laquelle il cherche des auteurs. Il s'agirait de Mémoires fictifs de personnages imaginaires, mais typiques d'une époque et d'une situation sociale. La collection s'appellerait « Je suis ». On aurait, par exemple, *Je suis un paysan languedocien*, par X. Ou bien *Je suis un avocat au XVIIIe siècle*, par Y., etc. Sachant que je travaille sur les journaux de jeunes filles du XIXe siècle, il me propose d'écrire *Je suis une jeune fille modèle* (!).

En fait, je crois que je suis plutôt un bon petit diable...

14 décembre 1991

Lu cette semaine les *Journaliers* d'Isabelle Eberhardt. C'est admirable. J'ai eu un peu honte de moi. Je connaissais depuis longtemps l'existence de ce journal, mais me faisais de son auteur une idée désagréable et pleine de préjugés, une idée brouillée : comment pouvait-on être à la fois libertaire et musulmane ? — Peut-être aussi avais-je les mêmes problèmes avec son profil qu'avec celui de Jacqueline Arnaud, qui d'une certaine manière a répété sa destinée. — Il y a trois semaines j'ai réussi à trouver dans une librairie d'occasion un exemplaire du journal d'Eugénie de Guérin, et je l'ai donné à relier. — Je voudrais faire la même chose avec celui de Marie Bashkirtseff. — Ce sont certainement pour moi les trois figures les plus fortes rencontrées au cours de cette exploration. Je pourrais bien sûr en rajouter quelques autres. — Mais quel rapport entre ces textes si puissants, purs, originaux, et tous ces journaux conventionnels de jeunes filles pieuses que je collectionne ? — C'est la question que se — et me — poseront les lecteurs de mon répertoire. Il faut résister à la tentation anthologique. C'est justement par cette juxtaposition des extrêmes que le drame de la condition féminine au XIXe siècle apparaîtra. De toute façon je ne dois ni choisir ni hiérarchiser. La valeur de mon travail tient à sa non-sélectivité.

J'ai fait une autre découverte cette semaine, le journal de Mary Ourousov, jeune princesse russe pianiste, morte à vingt-sept ans, dont le journal a l'air très vivant et spontané. — Tout se passe comme si la liberté dans l'expression ne pouvait être que le fait des aristocrates, ou des étrangères (en fait trois Russes ! — Bashkirtseff, Ourousov, Eberhardt !). Les jeunes bourgeoises françaises sont ficelées et ligotées... C'est mal de généraliser ainsi...

Plus j'avance, plus le terme de cette recherche s'éloigne. Je découvre des pistes de recherches qui seront longues à explorer...

Y a-t-il un livre à l'horizon ? Oui, sans doute. Quand j'ai vu en novembre Paul Otchakovsky pour récupérer le manuscrit (refusé) du colloque « Journal personnel », je lui ai parlé de ce projet, il était intéressé, voulait qu'on pense à signer un contrat. J'ai dit que ce n'était pas mûr. Je veux d'abord faire un livre à mon idée, et chercher *après* un éditeur qui l'accepte. Si je signais avec POL, il aurait droit de regard, pourrait me demander de retravailler le livre dans son sens, etc. Je veux être libre, et ce d'autant plus que j'ai cru sentir qu'il ne voyait pas le même livre que moi. Il pensait à un essai brillant, des analyses, une digestion subtile de l'information. Moi, j'ai des idées à ras de terre. Mon livre sera avant tout documentaire. Je veux présenter une information détaillée et riche qui permette à tout le monde de se faire une idée, et de travailler dans les directions les plus différentes. Et je voudrais laisser cette information *ouverte*. — Il y a des moments même où j'imagine que je pourrais fort bien auto-éditer mon étude, la réaliser entièrement moi-même, à partir de mon ordinateur...

15 décembre 1991

Problèmes des journaux spirituels : je peine à les lire, ou plutôt à les survoler. Même problème avec les biographies exemplaires dans lesquelles ils sont souvent sertis. Je n'arrive pas à croire qu'on ait pu sérieusement écrire tout cela, et le consommer... J'ai parlé, dans un moment d'exaspération, de langue de bois. D'autres fois, je suis convaincu de mon indignité, et je vois cela plutôt comme une algèbre. Dieu, Incarnation, Trinité, etc., me semblent simplement être une série de *x, y* ou *z*. Il y a des gens qui arrivent à communiquer entre eux par cette algèbre, langage tout à fait abstrait mais efficace qui gouverne leur rapport aux autres, à eux-mêmes et au monde. Moi je n'y vois goutte, et tout finit par me sembler, comme à la fin des équations, égal à zéro. Alors que j'arrive à m'intéresser à des gens qui notent la couleur du ciel, ou leur emploi du temps de la journée...

Le problème est de savoir si le discours religieux est le grand modèle de l'écriture diariste, même chez ceux qui ne croient plus. C'est mon débat avec Georges Gusdorf qui est en jeu. Savoir si le journal intime, comme il dit, descend du ciel...

16 décembre 1991

Assisté ce matin à la soutenance de Brigitte Galtier. La thèse était visiblement intéressante, le jury solide et brillant. — Jean Perrot, parlant du journal d'Alice James, évoque (par contraste) le cas classique du journal de jeune fille, qu'elle n'écrit que pour pouvoir le remettre à son mari le jour du mariage, dit-il. D'où tient-il cela ? Sans doute tout cela a-t-il été mieux étudié dans le domaine anglo-saxon qu'en France. Mais je me méfie. Dans ce domaine le nombre des préjugés, des connaissances sommaires, est énorme. — D'une manière plus générale le jury s'intéresse surtout à la littérature, et semble réticent devant l'idée du journal endémique, — parle du journal sans se sentir visiblement concerné. — Tout cela est normal.

21 décembre 1991

Une dame de province m'écrit à retardement pour me proposer, suite à mon appel du 1er juillet, le journal de l'arrière-grand-mère de son mari. Elle m'en envoie quelques pages dactylographiées. Journal typique, d'après couvent, d'avant mariage. Mon étude précédant le répertoire aura certainement un chapitre pour faire le portrait-robot de ce genre de journal. La technique à suivre serait peut-être de décrire un journal « moyen » typique, et de greffer sur la description, comme des variantes, les écarts des autres journaux. Je pourrai avoir : un chapitre sur le journal d'enfant ; un chapitre sur le journal de jeune fille standard ; un chapitre sur la jeune fille plus littéraire ou émancipée ; un chapitre sur le journal spirituel (et j'ai idée que je pourrai dresser le portrait-robot à partir de celui de la petite ouvrière lyonnaise, auteur de *Mon cher petit cahier*). Et puis peut-être des chapitres sur quelques cas si spéciaux qu'ils n'entrent dans aucun portrait-robot, comme Marie-Edmée Pau, Marie Bashkirtseff, Isabelle Eberhardt ? — Mais suis-je capable de parler d'elles ?

Hier, passé la matinée rue d'Ulm devant un lecteur de microfilm pour prendre connaissance du journal de Marie-Charlotte de Tourtoulon (il est aux Archives des Bouches-du-Rhône). Je me demande comment on peut lire cela sans le transcrire... On ne voit que des hachures évanescentes, une dentelle décorative qui a l'air d'être une écriture vue dans un miroir, tant on y reconnaît peu de signes connus. La seule chose qui accroche l'œil, ce sont de splendides « D » majuscules : Dieu, bien sûr.

24 décembre 1991

Une chose ne figure pas dans ce journal, qu'il faut enfin dire : cette recherche s'est développée depuis le mois de juillet *contre* une autre. Elle doit beaucoup à mon blocage devant la nécessité d'écrire une étude sur la genèse des *Mots* de Sartre. Écœurement, satiété devant les piles de photocopies et de transcriptions, entassées dans un coin de mon bureau. Chaque matin, en juillet, je fuyais vers la Bibliothèque nationale... Et dans ces vacances de Noël qui devraient être consacrées à reprendre en main pour de bon le dossier des *Mots*, je me suis jeté à corps perdu dans la lecture du journal de Renée Berruel, la fille de Gabrielle Laguin... Le journal de cette petite fille me charme. J'y reconnais exactement l'univers, le son de la voix de Colette Vivier et de ses héroïnes. C'est le journal de Didine... J'imaginais en lisant qu'on pourrait publier le journal de sa treizième année...

25 décembre 1991

... et celui de sa seizième année, puisqu'elle raconte, comme d'ailleurs sa mère, une merveilleuse histoire d'amour. J'ai de nouveau été frappé du charme qu'il y a à lire un journal en manuscrit. Je puis entrer dans la dynamique du temps vécu. J'ai sous les yeux des caractères qui ont vraiment été écrits dans l'ignorance de l'avenir, et qui ont été écrits ce jour-là. Le même texte imprimé deviendrait abstrait, rétrospectif. Je saurais que quelqu'un a recomposé tout cela, typographiquement, a donc connu la suite. — Devant le journal original, c'est à moi de construire l'expérience du temps qu'il manifeste. Je vis, j'accompagne, je participe. Je mesure les intervalles entre les entrées. J'imagine les développements possibles de cette vie qui est pour moi aussi inconnue que pour la personne qui la vivait. Le journal n'est peut-être pas fait pour être imprimé...

26 décembre 1991

Lendemain de Noël. Je fais du harcèlement téléphonique. Dans son château d'Anjou j'arrive à saisir la marquise de ***, nièce de Renée de Saint-Pern. A la suite de fuites dans les toitures, on avait été obligé de déménager la bibliothèque, tous les livres ont été remis en vrac, elle ne sait plus où est le manuscrit relié du journal de Renée. Il faudrait chercher... C'est déjà ce qu'elle m'avait écrit en octobre, en me disant que quand sa fille documentaliste passerait... La fille est là en vacances, mais elle est sortie faire des courses... Le soir je rappelle, j'ai la fille, je dois leur paraître un dangereux casse-pieds, elle est accablée à l'idée de rechercher dans tous ces livres, toute documentaliste qu'elle soit. J'essaie d'être persuasif en restant discret... Difficile. Ne sais ce qu'il en adviendra. Mais c'est rageant de savoir là le manuscrit non expurgé, non rogné, de cette fille pétulante et pleine de talent, — et de plus le seul cas où je puisse comparer un journal publié avec son original...

J'arrive à attraper, miracle, Simone Benmussa, qui revient juste de Barcelone où elle monte un spectacle, oui, elle garde près d'elle avec remords ma lettre de juillet... La famille d'Agélie, quoique le journal date d'il y a un siècle et demi, désire qu'on ne dise pas les noms, qu'on soit discret... Elle me passera tout ce qu'elle a, elle me mettra en rapport avec la famille.... On convient que je la rappellerai début février, quand Barcelone sera fini, on se verra...

Diane de Biéville, amie de Denis Bertholet, qui détient le journal de Mireille de Bondeli, oui, bien sûr, pas de problème, mais rappelez-moi début janvier.

Ce qui m'a donné le courage de ces relances, c'est d'avoir fini de lire le journal de Renée Berruel. Tant que j'avais ses huit cent quarante pages à lire, je n'osais pas provoquer l'arrivée d'autres journaux. Pourtant j'attends aussi celui de Gasparine, amie de Claire Pic, dont un ami de Chantal a eu communication, mais qui ne lui appartient pas, si bien qu'il faut faire de nouvelles démarches... Et celui de la dame de province (voir 21 décembre)... Et celui de Catherine Pozzi, demandé à Claire Paulhan, il a chance d'être étonnant... Et peut-être aussi celui d'une jeune fille dont Chantal a entendu parler, et qui s'est suicidée en se jetant dans la Seine... Mais peut-être bien que je n'en aurai aucun.

Hier soir, chez Jacques, on essayait de classer ma perversion, en me comparant au fétichiste de Maupassant. Nécrophile ? Voyeur ? Je me sentirais plutôt collectionneur de papillons. Mais non, il y a là quelque chose de cruel. Le papillon est fait pour voler, pas pour être tué, épinglé et vu. Les journaux, eux, sont faits pour être lus. Loin de les tuer pour les transformer en objets d'art, je leur redonne vie, leur vraie vie. Je me vois donc plutôt, tant pis pour le ridicule, Prince Charmant allant réveiller des Belles au Bois Dormant.

28 décembre 1991

Les Belles au Bois Dormant dorment parfois au marché aux puces. J'ai eu peine à le croire pour celui de Caroline Brame. Ce soir, au téléphone, Sylvette me dit qu'un de ses amis en a acheté un aux puces de Toulouse ! S'il faut l'en croire, très ennuyeux. C'est ce qu'on m'a souvent dit en m'en communiquant. On s'excuse presque et j'ose à peine remercier, alors que je suis aux anges.

30 décembre 1991

Les Belles au Bois Dormant viennent parfois déjeuner chez moi. Hélène S. est née en 1896, elle a quatre-vingt quinze ans. Nous l'avions invitée hier. Je raconte ce que je fais, comme d'habitude. Bien sûr, jeune fille, elle a tenu un journal, mais ne sait plus exactement à quel âge. De toute façon, il a été détruit. Il semble que ce soit sa mère : un jour, me dit-elle, elle n'a plus retrouvé les cahiers. Mais il n'est pas clair si la destruction a eu lieu quand elle les écrivait, ou plus tard, lors de rangements. Elle partage aujourd'hui le point de vue de sa mère, alors qu'à l'époque elle s'était mise à écrire parce qu'elle ne pouvait se confier à elle. Elle s'étonne de mon intérêt. D'abord, ce n'est pas fait pour être lu, c'était juste pour soi. « Et puis, me dit-elle, quand je repense à mes camarades d'alors, je me demande ce qu'elles pouvaient avoir d'intéressant à dire. D'ailleurs ce qu'on dit sur le moment est faux, la vérité de la vie n'apparaît que plus tard. Par exemple, au lycée, j'avais eu ce qu'on appelait " une flamme " pour un de mes professeurs, avec laquelle par la suite j'ai été en relations d'amitié, que j'ai fréquentée. Tout ce que j'aurais dit au moment de la flamme aurait été faux. » — J'argumente un peu, ne serait-ce que pour justifier mon intérêt. Je dis que la flamme, elle, était vraie. Je dis que le journal d'une jeune fille n'est pas pour moi un témoignage sur la vie de l'époque en général (on a d'autres sources plus fiables), mais sur elle-même. Et puis je ne dis plus rien, parce que je sens bien que je touche à quelque chose de trop profond, de déchirant, une conquête de soi qui a été faite en s'arrachant à cette immédiateté informe, et que cela aussi est vrai.

30 décembre 1991, soir

Journée à la BN. Je ratisse. Fini le dépouillement, par acquit de conscience, des trois bibliographies de Fierro, Tulard et Bertier de Sauvigny. L'époque (1789-1830) se prête peu au journal intime de jeune fille. Et ces historiens n'arrangent rien. Ils traitent les autobiographes comme des agents indicateurs dont ils évaluent les services. D'un récit personnel ils attendent les mêmes services que d'un livre d'histoire. Et de l'histoire se font une idée assez traditionnelle. Passons. — J'ai trouvé trois ou quatre pistes. Toujours l'impression (à vérifier) que des érudits locaux, ayant découvert un journal de jeune fille, en ont extrait les pages qui avaient, dans leur perspective historique, « de l'intérêt », et les ont publiées dans des revues savantes : « Les cent jours à Bordeaux vus par Mlle Durand de Machin Truc », *Bulletin de la Société historique d'Aquitaine...* Par le découpage et le montage, ils transforment en témoignage historique un texte intime. Il reste à espérer qu'une fois la réduction faite ils n'ont pas jeté le reste à la poubelle. Mais où le trouver ?

2 janvier 1992

En 1953 une certaine Mme Pécourt se demande ce qu'elle va faire d'un journal de jeune fille du XIXe siècle qu'elle a trouvé dans ses papiers de famille. Elle hésite à le jeter, se dit que ça pourrait peut-être intéresser des historiens, et finalement elle en fait don à la BHVP. Elle aurait mieux fait de le jeter directement.

En 1992 un certain M. Lejeune se lèche les babines en dépouillant le catalogue de la BHVP. « 1040. Journal anonyme de jeune fille, mai-septembre 1842. Cartonné. 83 fo. Don de Mme Pécourt. » Il demande l'objet, et les babines se sèchent : « manque en place ». La bibliothécaire va vérifier : il n'y est pas, le magasinier a bien vu. Alors où est-il ? Elle dit mollement qu'on va effectuer des recherches mais laisse entendre que je ferais mieux d'en faire mon deuil.

Ce qui console c'est que :

En juin 1788 une jeune fille de dix-huit ans, nommée Lucile Duplessis, va cueillir des framboises dans son jardin ; elle file sa quenouille, joue des sonates, s'ennuie, rêve, pense à l'avenir, et se met à tout noter jour par jour, presque heure par heure. Peut-être en a-t-elle écrit bien plus, mais quatre feuillets sont là, sous mes yeux. Ils n'ont jamais été édités entièrement (Monglond n'en donne que des fragments). J'ai décidé d'en faire la transcription. C'est charmant. En même temps cela repose la grande question : pourquoi, à partir d'un certain moment, a-t-on eu l'idée d'écrire au jour le jour ce qu'on vivait ? Dans les années 1780, Lucile, et d'autres sans doute, ont ce geste, prennent plume et papier. Cinquante ans avant, vingt ans avant, peut-être, c'était impensable. Maintenant on peut. Les autres qui ont écrit, ça s'est perdu, ou c'est resté obscur, parce qu'elles n'ont pas pris la précaution d'épouser un Camille Desmoulins...

3 janvier 1992

Lu à la BN deux « journaux-chroniques » (sur Mme Récamier, et sur 1814 à Lyon) écrits par des jeunes filles. Trouvé encore un journal de communiante morte de tuberculose. Les religieuses qui le publient l'appellent gentiment « son cher petit vide-pensées ». Reçu une proposition d'un journal de jeune fille juive d'Alsace, aide-institutrice dans un pensionnat. 3 pages spécimen, très naturel. Et surtout, assez *différent*. Arrivera-t-il un moment où tout nouveau journal me semblera tellement pareil à ceux que je connaîtrai déjà, que j'éprouverai, au lieu de la gourmandise actuelle, satiété ? Pour l'instant, j'ai encore le sentiment de m'avancer dans un territoire vierge, et de pouvoir, à chaque tournant, rencontrer de l'inconnu.

4 janvier 1992

Faut-il être fou pour tenir ainsi journal de sa lecture de journaux ?...

J'ai été prendre aujourd'hui livraison à Ville-d'Avray du journal juif dont je parlais hier. Je l'ai déjà « quadrillé », — c'est passionnant. C'est une jeune fille de seize ans et demi, Pauline Weill, originaire de Haguenau, sous-maîtresse dans un pensionnat parisien où elle a été élève, qui le tient. Elle vient de découvrir que toutes les relations dans le pensionnat étaient hypocrites, elle décide de ne plus rien dire, et de ne parler qu'à son journal. On est en décembre 1857 : elle tiendra son journal à partir du 1er janvier, en attendant, elle écrit en préambule son autobiographie. Le 31 décembre, elle a fini de raconter sa vie jusqu'au jour présent... Elle commence le lendemain ce qu'elle appelle : Journal de mon passe-temps. Elle le tiendra jusqu'en octobre 1859, on ne sait pas pourquoi elle arrête. C'est très soigneusement écrit, et immense. Elle l'a fait elle-même relier par année. Et pourtant ces deux volumes sont très fragiles. Au début, dans l'autobiographie, l'encre est par endroits presque effacée. La reliure mange le bord des pages de gauche. Surtout, elle trace elle-même des traits verticaux pour faire les marges, mais en appuyant et en mettant tellement d'encre que maintenant le papier se casse à cet endroit... Il faudrait tout photocopier (mais j'ai peur d'abîmer) ou tout transcrire (travail énorme).

Oui, ce journal est un peu différent des autres : une autobiographie initiale développée qui remplit une fonction d'exposition, un soin minutieux... Pour la première fois, un journal écrit en pension, mais par quelqu'un qui n'est plus vraiment pensionnaire. Un journal écrit par une juive pratiquante. La petite Cruse et la petite Bondeli sont protestantes, Isabelle Eberhardt s'est faite musulmane, toutes les autres sont plus ou moins catholiques — en fait j'ai des échantillons de toutes les religions (mais le cas d'Isabelle Eberhardt doit être mis à part, elle n'a pas été élevée dans la religion musulmane, qui d'ailleurs proscrit plus ou moins l'écriture de soi) — donc des jeunes filles de toutes les religions issues de la Bible, et représentatives de l'extension de ces différentes confessions dans la population française. La pratique du journal est présente dans toutes les confessions, même si l'éducation catholique, avec l'endoctrinement forcené et précoce de la première communion, produit une variété spéciale de journaux spirituels. Ce qui me frappe plus, c'est la synchronisation : dans les années 1850, le journal devient un geste naturel chez toutes les jeunes filles des milieux aisés.

Pauline Weill appelle son journal une « causette », faire ma petite causette. Au début, un passage m'a frappé. Elle parle de son *lit* exactement comme on s'attendrait qu'elle parle du journal ! Il est son refuge, elle lui confie tout, il ne répétera rien... Plus loin, j'ai vu qu'elle *faisait écrire* dans son journal ses amies de cœur, leur donnant une page pour qu'elles mettent quelque chose... J'aurai sûrement d'autres surprises.

5 janvier 1992

Vu pendant ces vacances deux expositions : Munch et Giacometti. Rapport avec les journaux de jeunes filles ? C'est le contraire. Je suis replongé brusquement dans l'univers de la création. L'artiste moderne, éternel insatisfait. Toujours en recherche, en évolution. Il apprend, subit des influences, s'en dégage, cherche sa voie personnelle, il a lui-même ses périodes, ses ruptures. Toujours il change... Le peintre médiocre trouve sa manière à vingt ou trente ans et s'y tient. Tâcheron. —

L'exposition est une grande messe. – Moi, eh bien moi, le bruit court que je ne m'intéresse plus à la littérature, je fouille les poubelles, je suis perdu pour les choses saintes. Disons que je passe (pourquoi n'aurais-je pas, moi aussi, mes périodes ?) par une période ascétique. Je lis à longueur de journée des textes nuls, plats, répétitifs, insignifiants. Avec gourmandise, parfois les larmes aux yeux. Et il se passe quelque chose qui tout de même est de la littérature. Le premier degré absolu, la candeur, la fragmentation, la répétition. C'est comme la division de la touche impressionniste. Dans mon œil, dans mon cœur, vibre quelque chose qui apparemment n'est pas sur la toile, sur la page du carnet. Aux mailles de ce filet grossier des écharpes de temps passé s'accrochent. Entre les lignes, entre les entrées. Il y a comme une magie Perec dans tout cet infra-ordinaire, ces litanies, ces ellipses de l'essentiel. Savoir faire silence, faire place, écouter.

10 janvier 1992

Ce matin, campagne éclair à la BN. Je dépouille cinquante pages de catalogue Ln^{27}, de H à L, j'isole 9 titres de biographies, je les sors : 3 d'entre elles comportent la citation de journaux. Il y a quelque chose de fastidieux à lire ces biographies pieuses, et de morbide à suivre ces récits d'agonie. Les fragments de journaux insérés sont étriqués et monotones, proches du stéréotype. Les éditrices ont dû éliminer tout ce qui était trop profane ; d'autre part elles veulent éviter les répétitions dans le registre du sacré. D'où ces épures squelettiques. Très difficile d'imaginer la réalité des journaux ainsi filtrés. J'avoue que mon œil les parcourt vite. Autant je suis gourmand des journaux manuscrits réels, autant j'ai appris à passer au galop devant ces fantômes. Je suis plus attentif au discours qui les encadre…

Vesoul… Je ne sais même pas où c'est, entre la semoule et le velours. Et j'avais à peu près oublié que je m'étais engagé, il y a un an, à venir y faire une conférence, le samedi 18 janvier 1992, sur les cahiers autobiographiques inédits d'un instituteur du XIXe siècle, Nicolas Lachaux. Impossible de me remettre à ce

Lachaux. Ça me tombe des mains, comme les journaux de jeunes filles le feront peut-être dans quelques années. La dame de la Société d'agriculture, de lettres et d'arts de la Haute-Saône me relance. Je m'en tire en proposant de changer le sujet : bien sûr, les jeunes filles ! La dame accepte, elle se fichait de Lachaux. Double profit, je vais roder mon discours, voir les réactions ; et je vais lancer un appel aux greniers locaux. Et plusieurs heures de train pour lire.

17 janvier 1992, vendredi

Demain, Vesoul. J'ai reçu en recommandé le journal acheté aux puces de Toulouse, n'ai pas ouvert le paquet : je le lirai dans le train.

Hier, dîné avec Marc Zaffran. Nous réfléchissons à notre projet des « vies parallèles » pour le colloque autofiction : la difficulté, disons même l'impossibilité où l'homme est d'imaginer vraiment son destin autre qu'il n'est. Marc envisage un essai : écrire chaque soir le journal du lendemain. Mimant ce journal, il me le présente comme une sorte de monologue intérieur au présent : je fais ceci, je fais cela. Je lui suggère d'imaginer plutôt le texte qu'il pourrait écrire le lendemain soir, donc au passé composé. Non la revue exhaustive de la journée, cochant la réalisation d'un programme, mais le libre choix de celui qui a vécu et ne note et commente qu'un ou deux faits saillants. Il va tenter l'aventure. Je m'en sens incapable. Quelle idée de traverser la moitié de la France pour aller parler devant une société érudite locale d'un sujet pareil. La dame m'a prévenu que s'il y a un peu de gel ou de neige sur les routes, le public sera plus mince encore que nature... Ma mère m'a prévenu que peut-être mon discours, féministe sur les bords et anticlérical au centre, pourrait choquer des sensibilités locales... Moi je vois la place de la gare déserte quand j'arrive, je cherche du regard la brasserie où je vais aller tuer le temps... Je suis incapable de remplir cette journée d'autre chose que de mon programme, et de mes espoirs. Espoir d'avoir *aussi* un public jeune : une bibliothécaire (mais le samedi après-midi, impensable), un ou deux profs, une ou deux lycéennes venues savoir comment leurs arrière-grand-mères écrivaient. Espoir de débusquer un journal qui dort là-bas... Quelqu'un dans la salle qui réagit à mon appel, ou, plus tard, des réponses à celui que j'espère lancer dans *L'Est républicain*... Mais le journaliste sera-t-il là ? Je vois surtout du froid, de longues heures à traîner ou attendre...

En attendant de traîner, je note vite des petites choses, et une idée.

Un battement de cœur, une bouffée de chaleur, je n'en crois pas mes yeux : je suis à la BN, à tout hasard, parce que je dépouille tout, je fais aussi l'inventaire du fonds Lovenjoul à Chantilly : Sophie Surville, nièce de Balzac, fille de sa sœur Laure, a tenu un journal en 1849, et il est là ! Mercredi prochain, expédition à Chantilly...

Un escalier défraîchi dans un vieil immeuble de la rue du Cherche-Midi, trois étages, et en haut la surprise : je me trouve dans un immense appartement ouvert sur des cours intérieures, deux ou trois grandes pièces de réception, au luxe un peu désuet et charmant. Au mur, entre deux fenêtres, le portrait de Mireille de Bondeli, et sur une sorte de grand sofa, Diane de Biéville, sa petite-fille, plus jeune que moi... Elle m'a donné à lire les cahiers de sa grand-mère, et maintenant nous causons, je lui raconte ma recherche, elle me raconte sa famille... Je suis en correspondance avec Mme Bally, la fille de Renée Berruel, à qui j'ai envoyé toutes mes notes de lecture sur le journal de sa mère... C'est le charme de cette recherche, les textes ont une vie qui se prolonge devant moi, à laquelle je participe, et je découvre des milieux sociaux différents de ceux dont j'ai l'habitude. Les descendants de ces familles riches d'il y a un siècle exercent des métiers d'aujourd'hui, mais gardent tous les signes de leur classe...

Ces milieux sociaux sont-ils vraiment différents du mien ? Je ne suis pas seulement, du côté paternel, l'arrière-petit-fils de *Calicot*. Mon autre arrière-grand-père était avocat, et je pense brusquement qu'au fond ses filles Marie et Étiennette, nées dans les années 1880, auraient très bien pu tenir un journal, l'ont peut-être fait, ou peut-être y ont pensé. Quelle aventure aux échos incalculables, pour moi, si leur journal se retrouvait...

– L'*idée* annoncée, que je puis seulement mettre ici en

réserve, c'est qu'il y a jusqu'ici une sorte de tache aveugle dans mon enquête : le rapport du journal et de la correspondance. Ce sera pour l'après-Vesoul.

19 janvier 1992, dimanche

Encore un peu d'avant-Vesoul. Vendredi soir, deux idées me viennent en regardant Annie Ernaux à « Caractères ». Bernard Rapp dit quelque chose comme : « Alors vous écrivez votre journal... », et à juste titre elle proteste, *Passion simple* est un récit fait après coup. Mais elle n'a pas compris que Rapp donnait à « journal » un sens plus général de « texte autobiographique », comme *diario* à Pieve S. Stefano. Beaucoup de gens utilisent encore ainsi le mot journal, je dis « encore » parce que c'est un problème dans mes recherches bibliographiques. Le « journal » de la fille de Louis XVI de 1789 à 1792 est une narration dictée à son oncle dans les années 1800, le « journal de jeunesse » de Sarcey est en fait une correspondance, etc. Le battement de cœur bibliographique devant la référence se termine par un soupir de déception devant l'objet. C'est compensé par les surprises heureuses, d'avoir débusqué sous un titre incolore un vrai journal, ce qui m'arrive souvent dans la cote Ln[27].

Le récit si direct de *Passion simple* me fait percevoir de manière saisissante l'extrême pudeur des journaux que je recense. Pour le colloque « Journal personnel », j'avais fait un montage d'extraits parallèles des discours de Claire Pic (années 1860) et d'Ariane Grimm (*La Flambe*, 1984) sur leur propre journal. Le but était de souligner l'identité de ces discours alors que les journaux ont l'air de refléter des expériences totalement opposées. Claire attendra le mariage pour savoir ce qu'il en est de ce qu'Ariane découvre avec joie et commente très crûment. — Parfois (hier encore à Vesoul) on suggère que je suis un peu voyeur (remarque du journaliste local !). Si je porte atteinte à la pudeur, il s'agit de celle des sentiments, de la délicatesse qu'il y a à être témoin de la vie spirituelle ou affective d'une personne qui ne s'expose que parce qu'elle se croit seule. C'est un vrai problème. Mais le recul du temps, et le fait que ces textes, quand ils sont inédits, me sont communiqués par la famille même des diaristes, me semblent autoriser mon regard. Le tout est d'en parler avec respect.

Les jeunes filles du XIXe siècle parlent quelquefois de leurs toilettes, font, beaucoup plus rarement, leur portrait physique, mais ne parlent pratiquement jamais de leur corps, de la manière dont elles vivent avec lui, à l'aise ou mal à l'aise... Quand elles font leur portrait physique, c'est toujours sous l'angle social du charme et de la séduction, de la conformité aux modèles établis. Il faudra attendre la publication complète du journal de Marie Bashkirtseff pour voir jusqu'où peut aller l'impudeur ou la provocation en ce domaine : mais elle est totalement atypique, aberrante, aucun autre journal, de près ou de loin, ne s'engage dans cette voie.

J'ai donné tout à l'heure la provocante Ariane Grimm comme point de référence. Mais je vais prendre simplement Anne Frank. Quand, de mai à août 1944, elle a rédigé *L'Annexe*, c'est-à-dire la version de son journal destinée à la publication, elle a éliminé tout ce qui concernait sa propre sexualité. Mais dans le journal original, tenu pour elle seule, elle expose directement ses curiosités et découvertes sexuelles, l'attente des premières règles, puis celle de leur retour, etc. — A partir de quand un tel discours a-t-il été possible dans un journal de jeune fille ? — Il est bien sûr totalement impossible et impensable au XIXe siècle. Au début du XXe siècle, Renée Berruel a tenu son journal sans interruption de l'âge de huit ans et demi à dix-sept ans sans que l'ombre d'un seul mot renvoie à la sexualité : c'est hors champ. — Et même Marie Bashkirtseff qui claironne dans sa préface qu'elle va dire tout, tout, tout et que ça se verra bien qu'elle dit tout, dit-elle cela ?

La place de la gare de Vesoul était réellement déserte. Ma journée a été ce que je prévoyais. A l'aller, j'ai lu en entier et analysé le journal des puces de Toulouse. C'est une demoiselle de Lafitte, qui passe une jeunesse heureuse dans la propriété familiale près d'Agen, et épouse en janvier 1872 un zouave pontifical. Je comprends pourquoi l'acheteur l'a trouvé ennuyeux. C'est un cahier dépareillé, le troisième et dernier. Je mets un certain temps à saisir le système du journal : elle tient une chronique au fond quasi familiale de tout ce qui sort de l'ordinaire de la douce vie qu'elle mène dans le domaine de Perron. Elle n'écrit que quand on va à Agen, à Bordeaux, ou aux eaux à Bagnères-de-Bigorre ; ou quand on reçoit à Perron des visites ou qu'on en rend dans les environs. Elle ne parle jamais de ses sentiments ni de ses projets. Ce troisième cahier commence fin 1869. Je suis étonné de voir qu'entre octobre 1870 et mai 1871 il y a un trou complet, alors que le début de la guerre avait donné lieu à des récits. Le journal ne reprend vraiment qu'au cours de l'été 1871. A l'automne brusquement, le jour où elle reçoit une demande en mariage semble-t-il attendue avec anxiété, elle exprime pour la première fois (du moins dans ce cahier), et avec une brève et confuse véhémence, des sentiments personnels. On apprend alors qu'elle était passée par des périodes très douloureuses, en particulier en janvier 1871. Ce n'est que rétrospectivement (et allusivement) qu'elle les mentionne, maintenant que tout est réglé. Le journal est pour elle le lieu où enregistrer ce qui est *conforme*. Ses angoisses ne peuvent pas s'y inscrire directement. Elles se traduiront seulement par un déficit (elle se met en grève de chronique) ou un infime excédent après coup (quelques allusions à des douleurs surmontées). Puis la surface de l'eau redevient calme. L'intime n'est pas l'objet du journal, mais ce qui en perturbe le fonctionnement.

Vesoul, une minute d'arrêt. 12 h 15. Vesoul déjeune chez lui, personne dans les rues, les voitures déjeunent aussi, grand silence. Personne n'est venu m'accueillir à la gare. Je me réfugie dans une pizzeria, que dis-je dans *la* pizzeria. J'y laisse ensuite ma serviette pour monter en haut d'une petite colline d'où l'on domine la ville. A 14 h 20 on m'attend devant la porte du musée. C'est un ancien couvent d'ursulines. Une salle aux voûtes « gothiques ». Je fais ma conférence debout, accoudé à une bibliothèque, causeur à la Maupassant, devant environ trente-cinq personnes, les fidèles de la SALSA, la société historique et généalogique du département, essentiellement des retraités. Il y a en plus deux petites filles, dix ans et treize ans dirais-je, filles ou petites-filles d'un fidèle. J'en tiens compte et parle parfois un peu pour elles. On m'écoute attentivement. Je lance bien sûr mon appel, qui sera relayé par le *Bulletin* de la SALSA, et le journaliste local. Il y a de bonnes questions. Une dame vient me voir après pour me dire que, petite fille, elle avait justement lu ce *Journal de Marguerite*, dont je venais de décrire l'énorme succès. Sa mère avait dû le garder et essayer de lui faire partager ses propres émotions d'enfant. J'ai apporté et montré trois journaux manuscrits (Pauline Weill, Jeanne Cruse et la demoiselle Lafitte lue dans le train, j'ai étrenné mes réflexions critiques sur elle). La nuit tombe, je redescends vers la gare, longue station dans une brasserie, puis dans la gare déserte, puis le train, trois heures et demie de lecture, et c'est Paris.

20 janvier 1992

Je relis ce journal avec l'idée que je vais sans doute le communiquer, pour expliquer ma recherche et recueillir des avis. La règle du jeu veut que je n'y change rien. Mais je relis. L'œil était dans le texte et regardait Philippe. Me voilà, comme mes jeunes filles, en plein examen de conscience. J'ai péché par orgueil : je suis désinvolte avec mes prédécesseurs, je les traite de haut, ils n'ont rien compris, heureusement que moi j'arrive. Girard et Didier (24 juillet), Tulard, Fierro et Bertier de Sauvigny (30 décembre) en prennent pour leur grade. C'est l'enthousiasme et l'irrespect du néophyte. Quand on commence une telle recherche, on a besoin de s'opposer, on est ingrat. Je suis à l'âge ingrat. Ils n'ont pas fait ce que je fais, mais ils ont contribué à m'en donner les moyens. J'ai tendance à être taquin (10 décembre), revendicateur (2 janvier), condescendant (16 décembre), un peu agaçant. J'ai péché par gourmandise, ou plutôt je suis gourmand du mot « gourmandise », que j'emploie trop (30 novembre, 3 et 5 janvier). Et je suis en train de faire un exercice de fausse humilité et de parodie, ce qui est vilain. On est comme on est et les autres s'en apercevront bien tout seuls.

21 janvier 1992, mardi

Marion Thiba a pris contact avec moi pour une émission sur les autobiographies de criminels. Je sors de mes polémiques sur

Moi, Pierre Rivière, n'ai guère envie de récidiver. Je lui conseille d'interviewer Philippe Artières, qui se lance dans une recherche de grande envergure sur les textes de criminels suscités et collectionnés par le criminologue Lacassagne. — Où sont les jeunes filles, là-dedans ?

1) Les jeunes filles ont plutôt tendance à être victimes que criminelles, mais comme elles sont d'abord victimes de leur famille et de leur éducation, certaines d'entre elles ont pu présenter de ces troubles qui font à l'époque la joie des Charcot ou des Freud. Je me suis demandé s'il existait, à la fin du XIXe siècle, des études médicales fondées sur des journaux de jeunes filles. S'il n'existerait pas en France, mais pour de vrai, l'équivalent du faux *Journal psychanalytique d'une petite fille* publié en Autriche par Hermine von Hug-Hellmuth. *A priori,* cela paraît bien improbable, je n'ai souvenir de rien de tel dans les nombreuses études psychopathologiques que j'ai parcourues. Mais sait-on jamais. Comme Philippe Artières est plongé dans cette littérature, je lui ai demandé de me signaler tout journal de jeune fille qu'il rencontrerait...

2) Marion Thiba a déjà fait à France-Culture des émissions sur le journal intime. A tout hasard, je lui ai raconté ma recherche et demandé si, dans le cadre d'une émission ou d'une autre, je pourrais lancer un nouvel appel... Elle se renseigne, me dit que oui, et qu'il faut s'adresser à Geneviève Ladouès, à laquelle je téléphone, qui me demande de lui envoyer un papier rapide, que je viens de rédiger, qui se termine par un appel « SAUVEZ LES JOURNAUX DE VOS ARRIÈRE-GRAND-MÈRES », appel qui sera sans doute diffusé sur France-Culture dans un avenir proche (?) et dont, s'il marche, je crains qu'il n'absorbe tout mon temps et ne me ruine en photocopies. Mais c'est évident que j'ai envie d'être ruiné.

22 janvier 1992, mercredi

Les jours de la semaine ont une couleur. Il n'est nullement indifférent que telle chose ait été écrite un lundi, un jeudi ou un autre jour. Ce matin mercredi séance à la BN. Je passe par une phase de lassitude et d'agacement devant ces livres pieux, ces enfants vertueuses dotées d'une âme exquise, ces rédactions léchées citées avec admiration, ces carnets insipides servis sur un plateau d'argent, tout ce gâtisme autour d'un dressage et d'un étouffement collectifs. J'ai envie, comme Poulou dans les *Mots,* de me dresser sur ma chaise et de crier : « Badaboum. » Mais je ne peux pas, car je passe mon temps à suivre des enterrements.

Les jeunes filles du XIXe siècle ne savent peut-être rien de la sexualité, mais elles n'ont plus grand-chose à apprendre sur la mort. Elle frappe les familles comme elle ne le fait plus aujourd'hui, des êtres jeunes, des parents dans la force de l'âge, fauchés sans que la médecine de l'époque y puisse quoi que ce soit. Il n'y a pratiquement pas de journal sans récit de deuil. Et puis on ne cache pas la mort : les gens meurent toujours chez eux (du moins dans les classes que je fréquente), leur agonie est vécue au quotidien, tout naturellement « accompagnée », comme on dit maintenant. La religion, de plus, met en scène la mort dans tous ses discours. J'ai été frappé de rencontrer des petites filles qui se préparaient à mourir plutôt qu'à vivre. Les livres pieux de la cote Ln^{27} diffusent des images de la « bonne mort » : regardez la belle mort qu'a eue votre petite camarade. Et le nombre de récits d'agonie que j'ai lus ! puisque justement mes jeunes diaristes de la BN ne sont publiées que parce que leur mort permet de les donner en exemples. Par réaction je préfère les journaux manuscrits qu'on m'envoie à la suite de mes appels : ils sont du côté de la vie. Les textes sont drus, verts, feuillus, effervescents, et non pas ratatinés et momifiés par des survivants désolés et récupérateurs. Ils se terminent certes par un mariage, mais il y a des mariages heureux, et tant qu'il y a de la vie...

Entre deux enterrements je rencontre à la salle des catalogues Mme Rochay. Avec Mme Le Roy elle travaille depuis des années à ce qui devrait être la première édition complète du journal de Marie Bashkirtseff. Je ne saurais résumer ici l'histoire du journal de M. B., la version condensée et expurgée publiée après sa mort, les rajouts à la fois désordonnés et frauduleux qui ont suivi, enfin il semble qu'à peine le tiers du journal ait été publié, et très fautivement. Le gros des manuscrits originaux est à la BN, mais il y en a des morceaux qui traînent un peu partout. Et il faut le dire, Marie Bashkirtseff était une femme de génie, dans le domaine du journal intime. La distance entre elle et la quasi-totalité des diaristes que je recense est la même que celle de Mozart avec les musiciens de son époque. J'en ai honte, je me sens misérable, je suis avec les pauvres d'esprit et de style, avec le troupeau des résignées, des écrasées, des brebis de catéchisme, et elle passe, souveraine, insolente, étourdissante...

Or sachez qu'il se livre, autour de ces dizaines de milliers de pages manuscrites, un combat d'autant plus horrible qu'il se déroule dans l'ombre et le silence. Deux équipes sont en train de faire la course. Celle qui la première débouchera sur le marché de l'édition anéantira le travail de l'autre. D'un côté, une équipe qui se donne pour officielle, celle d'une association loi de 1901 constituée autour de l'œuvre de Marie : elle est partie la première, il y a assez longtemps, mais semble travailler à peu près au même rythme que l'Académie à son dictionnaire, et exécute une simple transcription. Mais, mais, mais, elle a avec elle un professeur influent : M. Fleury... De l'autre côté, deux outsideuses, ces deux dames Le Roy et Rochay, la quarantaine, travaillant par ailleurs dans des petites maisons d'édition, et qui ont entrepris de faire ensemble une « thèse » sur M. B. : elles se la sont partagée en deux tranches chronologiques, et établissent une édition critique et annotée. Ce sont des fonceuses. Elles y travaillent nuit et jour depuis plusieurs années. Leur directeur de thèse, Philippe Hamon, leur a conseillé de s'adresser à moi. Je les ai vues plusieurs fois, les ai écoutées, leur ai donné des conseils, les ai envoyées voir Claire Paulhan, leur ai suggéré de s'adresser aux Éditions de L'Age d'homme, qui ont déjà édité Amiel intégral. Elles savent tout sur Marie Bashkirtseff, ne pensent qu'à Elle. C'est leur version de ce combat épique que je transmets ici. Peut-être faudrait-il que j'adhère à l'association Bashkirtseff pour en savoir plus ?

23 janvier 1992, jeudi

Demain, journée à Ambérieu-en-Bugey. Je rends visite à Chantal Chaveyriat-Dumoulin à deux titres : arrière-petite-fille de Claire Pic, et mère, depuis le 18 novembre dernier, d'une association pas encore baptisée, qui doit s'intéresser au patrimoine autobiographique des particuliers et les aider à veiller sur lui. Je m'aperçois qu'il y a un trou dans ce journal. Rien entre le 29 octobre et le 20 novembre. Ce n'est pas un trou : simplement j'étais absorbé par autre chose que mes jeunes filles. Une partie de l'automne a été consacrée à rédiger des communications en retard : successivement « Perec et la règle du je » (Florence, début mai), « Qu'est-ce qui ne va pas ? » (Bruxelles, fin mai, sur « Apostrophes » du 13 octobre 1989), « Autobiographie et contrainte » (Bergame, octobre). Et puis les cours ont repris. Et puis je me suis replongé dans *Moi, Pierre Rivière* pour affronter Jean-Pierre Peter à France-Culture. Et puis, donc, le 18 novembre une réunion amicale a eu lieu chez moi pour fonder cette association. J'aurais pu en parler : cela avait rapport avec ma recherche. Mais ce journal n'a vraiment pris son départ qu'après la réunion. A Ambérieu je vais voir pour la première fois les manuscrits du journal de Claire, son autoportrait peint. — J'emporte pour lire dans le train le *Journal* d'Hélène Hessel, édité par une de mes collègues de Villetaneuse. Elle me l'a offert, pour qu'éventuellement j'en parle...

24 janvier 1992, vendredi soir.

Retour d'Ambérieu. Notes rapides. Vu pour la première fois l'original du journal de Claire Pic. 4 cahiers, 1030 pages numérotées par elle. L'encre parfois pâlie, ou passant à travers le papier. La coupure au ciseau d'une demi-page à la fin, dans ce que j'appelle le « post-scriptum conjugal », — impressionnant à voir. Chantal me montre sa documentation. L'album de photos, avec tous les personnages du journal. Une image de la première communion de Claire. La correspondance de son mari jeune homme avec un ami. Un exemplaire du *Courrier de l'Ain*. Un carnet-chronique tenu à partir de 1898. Un autre carnet, terrible, intitulé *Après moi*, où Claire, à partir de 1897, précise ses dernières volontés en les remettant à jour chaque année, — elle est morte en 1931 ! Chantal a fait un montage des extraits du journal de Claire concernant son amie Hedwige, pour les envoyer aux descendants d'Hedwige, en leur demandant s'ils ont gardé son journal... Si cela marche, et que par ailleurs j'aie accès à celui de Gasparine, on aurait trois journaux parallèles... Vu l'original de l'autoportrait, les couleurs sont douces, l'ensemble moins sinistre que sur les photos qu'on en a faites. Discussion sur les possibilités de publication, minces pour l'instant. — Tristesse et austérité de Claire. — Relu mon étude dans le train : le journal de Claire tient le coup, je ne m'étais pas trompé. Il reste le plus riche, humainement, le plus complexe, le plus passionnant de tous les journaux manuscrits qui m'ont été communiqués.

Jean Galard, parent lointain de Chantal, me décrit ce journal de suicidée dont elle m'avait parlé. Fin XIXe siècle, bonne famille, une inclination contrariée : la jeune fille se sauve et va vivre seule à Paris, se fait lingère, n'a plus le sou, visite un jour la morgue, près de chez elle, note dans son journal que c'est la seule issue, le lendemain se jette dans la Seine. On retrouve le corps à une écluse, et le journal dans sa chambre. La famille a gardé le journal. Il sera sans doute difficile d'y avoir accès. En même temps cela fait mal au cœur de le désirer. Je ne sais plus, mais la curiosité l'emporte.

Visite de la bibliothèque, dite La Grenette, installée dans l'ancien grenier à blé de la ville. Vaste, agréable. La future association y aura son siège social, sa boîte à lettres, son placard. Michel Vannet nous fait visiter les combles, où il entrepose des lots de livres reçus en don, et je tombe sur un livre que je cherchais depuis longtemps, *L'Ame de l'adolescente*, de Mendousse, dont il me fait cadeau. Ce livre, publié à la fin des années 1920, est fondé, entre autres choses, sur 22 journaux de jeunes filles collectés par l'auteur. Il ne décrit pas son corpus, le coquin. De plus, il n'a aucun sens historique ou social. Il pique au hasard dans ces journaux les exemples dont il a besoin pour illustrer certains chapitres. Il semble qu'il ait recueilli, auprès de personnes âgées, des journaux écrits dans les années 1870-1880, et puis, auprès de lycéennes des années 1910-1920, des journaux tout frais. Il y a au moins l'intervalle d'une génération, et peut-être une distance sociale. Où sont ces journaux ? Les avait-il gardés, rendus à leurs auteurs ? Je vais partir en quête...

Rencontré enfin deux journalistes, l'un du *Progrès*, l'autre de *La Voix de l'Ain*. Déjeuné avec l'adjointe au maire chargée de la culture. Journée positive.

Lu au retour une centaine de pages d'Hélène Hessel, plutôt déroutantes, le contraire de mes demoiselles. Un journal électrique, une femme explosive, Munich en 1920. C'est agréable d'être dérouté, mais c'est... déroutant !

25 janvier 1992, samedi

A la suite de ma lettre de réclamation, la BHVP a fini par retrouver le journal égaré (2 janvier). Lettre on ne peut plus aimable de M. Dérens. Je suis ravi, lui présente ici mes excuses pour le côté acide de l'entrée du 2 janvier, mais ne saurais rien changer à cet enregistrement barométrique des humeurs d'un chercheur. Et je me relèche les babines. Mais peut-être vais-je découvrir que ce « journal » n'en est pas vraiment un ?...

26 janvier 1992, dimanche

Je suis assis devant mon ordinateur. Je suis une araignée au centre de sa toile. Je circule d'un bout à l'autre de mon domaine, d'un coup de souris je passe d'un fil à l'autre. C'est la première recherche que je mène en me servant de ce beau Macintosh IIsi acheté en décembre 1990. Ah, si je l'avais eu au temps de « *Cher cahier...* » ! Bien sûr je continue à avoir par ailleurs tous les dossiers papiers, déjà organisés dans une série impressionnante de chemises cartonnées à élastique. Un dossier par jeune fille. Des dossiers par type de problèmes. Des dossiers bibliographiques. Etc. L'ordinateur sert à la digestion de tout cela. Mon fichier « Journal de jeunes filles » est divisé en quatre : le *Répertoire* (où j'engrange au fur et à mesure ma récolte, sous la forme de brèves mais précises notices), ce *Journal d'enquête* (où je ne note pas tout, seulement ce qui fait sens), les *Notes de lecture* (qui portent sur les corpus manuscrits qu'on me communique), les *Extraits* (eux-mêmes divisés en trois : traités d'éducation, romans, journaux). Mon étude sur Claire Pic est intégrée aux Notes de lecture. Quand j'ai envisagé de communiquer ma recherche pour avoir des réactions, la solution s'est imposée avec évidence. Il suffisait de tirer ces quatre chapitres, en choisissant simplement les Notes de lecture les plus digestes. C'est peut-être une solution de paresse. Certains lecteurs ont pensé que « *Cher cahier...* » était un livre de paresse : ces lettres toutes crues, ce simple index. J'ai l'intention de continuer dans la paresse. Dans la transparence. Dans l'ouverture. Pour mon enquête sur les pratiques du journal (*Cahiers de sémiotique*) j'avais déjà essayé cette forme d'exposition. En marge de « *Cher cahier...* », pendant deux ans, j'ai tenu un journal de recherche sans doute aussi intéressant que le livre lui-même, mais trop inextricablement mêlé à mon journal personnel pour être communiqué.

Ce journal-ci a pris un tour différent. Il est parti de notes datées écrites fin juillet pour me préparer à ma première conférence. Je date toutes les notes que je prends. C'est seulement fin novembre que je me suis pris au jeu de continuer sous forme de journal. Je me suis rendu compte que j'étais embarqué dans une longue aventure. J'ai voulu fixer le paysage mental, et puis toutes ces petites choses, idées, rapprochements, humeurs, anecdotes qui sont la vie quotidienne d'une recherche et qui ne trouvent place dans aucun dossier. J'en suis même arrivé à l'idée que le livre qui était à l'horizon, c'était ça. Michel Leiris, quand il est revenu de la mission Griaule, au lieu de publier une thèse solide et sérieuse, a publié *L'Afrique fantôme*. Au fond, je suis peut-être en train d'écrire, un ou deux crans au-dessous, *Les Jeunes Filles fantômes* ?

27 janvier 1992, lundi

Mon Eugénie de Guérin est relié, dos en cuir, couleur saumon. J'ai choisi une couleur chaude et douce. Faire relier un livre est comme un geste d'amour. Je suis en train de chercher un Marie Bashkirtseff d'occasion, mais c'est difficile, les libraires vous font épeler le nom, ne connaissent pas. Il n'y a actuellement sur le marché aucune édition ni d'Eugénie, ni de Marie, ni d'ailleurs d'aucune autre jeune diariste publiée autrefois. Correspondance avec Christine Planté : les Éditions « Côté femmes » envisagent de créer une nouvelle collection d'écrits autobiographiques féminins du passé. Elles commenceraient par Eugénie. Ensuite peut-être les Mémoires de Justine Guillery, que j'ai reçus après mon appel du 1er juillet. Je me demandais si pour le troisième volume on pourrait leur suggérer Claire Pic... Mais je crains qu'il n'y ait pas de marché pour ce type de textes. J'ai remarqué que les gens s'intéressent à mon intérêt pour ces textes, non aux textes eux-mêmes. C'est un peu un échec. Sans doute inévitable... Il n'est même pas sûr qu'il y ait un marché pour mon futur livre. Je me souviens que je voyais, pour *Calicot*, une diffusion bien plus large que celle qu'il a eue. Peut-on faire des livres majuscules avec des *Vies minuscules*, comme l'a fait Pierre Michon ? Mercredi soir, à Beaubourg, je dois justement débattre avec lui de ce sujet... entre autres. Car Jean-Pierre Salgas, qui a organisé la rencontre, annonce que nous répondrons à la question suivante : « Qu'est-ce qu'une vie ? » Au secours...

30 janvier 1992, jeudi

Hier matin. Je lis à la BHVP le journal anonyme de 1842. De mai à septembre, c'est la saison à la campagne d'une jeune fille de bonne famille. Elle a seize ans environ. Elle fait partie d'une société charitable, « Les jeunes économes », apprend à faire le soufflé, cueille des roses fraîches et veloutées le matin, attend des visites, se sent un peu supérieure aux autres jeunes filles, et méconnue. Elle soupire parfois : *« Que je suis insignifiante. »* Il s'agit de son journal, pas d'elle, de la monotonie de ces inscriptions quotidiennes. Je lis tout ce début en le recopiant. Je suis dans la belle salle boisée de la bibliothèque. S'il ne faisait si froid, je pourrais me croire en mai, dans le salon du château, et aller me délasser de ce recopiage en cousant ma pèlerine dehors, à l'ombre des tilleuls, dans l'allée qui embaume. Au fond c'est vrai que je suis une jeune fille modèle.

Hier soir. Beaubourg. Personne n'est venu à notre secours et nous avons un peu sombré. Pierre Michon est fin, exquis, mais peu bavard. J'ai parlé à bâtons rompus sans trop savoir de quoi. Mes jeunes filles étaient déplacées, je n'aurais pas dû les conduire à ce bal-là. Il s'agissait de rien de moins que la manière dont le biographique fait retour dans la postmodernité. Florence Delay a balayé d'un geste les écritures minuscules de ces demoiselles. Daniel (Oster) m'a parlé de Stéphane (Mallarmé). D'une manière générale, répondre à la question « Qu'est-ce qu'une vie ? » en parlant d'autre chose que d'écrivains d'extrême pointe était incongru. L'infra-ordinaire n'est chic que s'il porte la griffe Perec. Perec aurait fait comme Michon, il aurait souri et se serait tu.

1er février 1992, samedi

Séminaire Sartre ce matin. J'y présente le début de l'étude que j'aurais dû rédiger en juillet dernier, si je n'avais passé mon temps à... ceci. – Plongé avec délice dans le tome I de *La Vie littéraire* d'Anatole France. Ces chroniques me donnent une bouffée de l'air du *Temps*, autour de mes jeunes filles, m'aèrent des couvents et des cimetières. Je suis frappé par sa curiosité. Son article sur le Journal des Goncourt s'ouvre par un véritable manifeste pour l'écriture autobiographique, large, souverain, antiélitiste. J'aurais pu m'en servir pour ma journée « Archives ». Il consacre un article à « La jeune fille d'autrefois et la jeune fille d'aujourd'hui », il préfère celle d'autrefois, ici représentée par la petite Hélène de Massalska, qui de dix à quatorze ans raconta son séjour à l'Abbaye-au-Bois. Quant à Marie Bashkirtseff, son effervescence effare un peu son esprit si mesuré, mais il rend compte de son journal avec sympathie. Recherches à faire : sur la réception du journal de M.B., ce qu'elle révèle sur l'attention, la capacité d'écoute de cette époque ; sur son influence sur les journaux ultérieurs (Marie Lenéru, Julie Manet l'ont lu). Elle est un peu le Rousseau du journal de jeune fille... et Eugénie de Guérin en serait le saint Augustin !

Je me souviens qu'Edmond de Goncourt dans la préface de *La Faustin* (1881) avait lancé un appel au « document humain » sur l'âme des jeunes filles, – je vais le reproduire dans mon anthologie, puisque justement Marie Bashkirtseff, dans sa préface à elle, y fait allusion. Goncourt a-t-il reçu des documents envoyés par des lectrices ? S'en est-il servi pour *Chérie* ? – Jamais lu *Chérie*, donc le lire. – Il n'avait pas l'intention, évidemment, d'écrire des biographies exemplaires. Sa « jeune fille » n'est plus l'enfant de Marie de la cote Ln[27], c'est celle de Maupassant, de Colette, la femme en herbe qui s'éveille à la sensualité et à l'amour, et qu'il guette avec la curiosité un peu perverse que parfois on me suppose. A ses lectrices il demande non leurs journaux d'autrefois, mais des récits faits maintenant de leurs émois de jadis. Il veut « le dévoilement d'émotions délicates et de pudeurs raffinées ». Il veut « toute l'inconnue *féminilité* du tréfonds de la femme » (ciel !). Pourquoi ne demande-t-il pas des journaux de jeunes filles ? Parce qu'il doit supposer que seule la femme faite peut rétrospectivement dévoiler ce tréfonds. Les journaux de jeunes filles portent le voile. Ils *sont* le voile.

2 février 1992, dimanche

Retour à l'après-Vesoul. Le journaliste a rendu compte de ma conférence dans *L'Est républicain* (édition Haute-Saône) du 25 janvier. Il lance mon appel aux greniers de la région. Il paraît que j'ai dit : « Je les aime toutes. » C'est vrai. Il y a une photo. Sur fond de bibliothèque, je n'ai pas l'air d'un causeur à la Maupassant, mais d'un missionnaire en civil. Mon écharpe me fait comme une étole. Dans la main droite je tiens un missel, c'est le journal de Pauline Weill. Ma main gauche déployée, paume en avant, vers le public, arrête toute objection. J'ai la bouche ouverte et certainement je dis : « Je les aime toutes. »

4 février 1992, mardi

Je lis par petites étapes le journal de la BHVP, en le recopiant – ce qui me donne à penser au rapport qu'on devait avoir avec l'écriture au Moyen Age... C'est ma première jeune fille romantique. Elle me semble toute naïve dans ses grands airs, elle est folle de Walter Scott, elle aime la nature, fait la charité, apprend la cuisine, craint de se fouler le poignet en battant une omelette, se moque de la société locale, a parfois le « spleen ». Elle fait des « tartines » dans son journal, sur des paysages, sur une tribune officielle s'effondrant sous le poids des autorités, elle essaie le lyrique, le burlesque, elle est religieuse, saupoudre de charité chrétienne quelques médisances, elle doit être vraiment toute jeune et c'est charmant. Elle sort d'une comédie de Musset.

Le texte date de 1842. Il me donne envie de « périodiser », même si je sais comme c'est imprudent. J'ai trop peu de textes, et il ne saurait s'agir que de dominantes. Je verrais volontiers : le journal « romantique » (1830-1850), le journal « ordre moral » (1850-1880, ce sont mes gros bataillons), le journal « Troisième République » (après). Je mettrai cette jeune fille à la tête des romantiques, Claire Pic à la tête de l'ordre moral, et bien sûr Marie Bashkirtseff à la tête des régiments modernes. Mais mes connaissances sur ce qui précède 1850 sont si fragiles ! J'ai découvert les La Ferronnays, puis cette jeune fille, et voilà que j'extrapole... La lecture d'un seul journal me fait basculer, ce n'est pas sérieux. Je retrouve le problème posé le 27 juillet. Il m'a fallu six mois pour arriver à ce journal romantique type, qui laisse supposer qu'il en existait bien d'autres. Combien de temps va durer cette recherche ? Elle doit durer longtemps pour être sérieuse, et moi je suis volage. Enfin pas tant que cela. Simplement après deux ou trois ans, parfois quatre, je désinvestis, j'ai besoin de changer. De rencontrer d'autres textes, d'autres gens, d'autres problèmes. Ma traversée Perec a duré cinq ans. Mon intérêt pour le journal est né en juin 1986, il a passé d'une forme à une autre, de l'enquête par questionnaires à *« Cher cahier... »*, et de là à l'organisation d'un colloque ; il a déclenché toute mon action « Archives », et il ne saurait s'enfermer indéfiniment dans la direction actuelle. La première année d'une telle recherche est fraîche et délicieuse, je suis un explorateur, quand je deviendrai un vieux collectionneur maniaque il faudra arrêter. Mais enfin, comme on dit aujourd'hui, il faut laisser du temps au temps, il est trop tôt pour fermer boutique…

Pendant que je fais le point : ai-je trouvé des journaux de garçons ? Pratiquement pas. Peut-être n'ai-je pas cherché intensément. Des cas isolés (qui certes en supposent d'autres analogues) mais peu nombreux. J'ai Édouard Moreau, un lycéen de seize ans pensionnaire à Paris dans une institution religieuse, il s'ennuie, tient son journal en le cachant dans son casier… J'ai… pas grand-chose. Je tombe sur le journal d'Émile Ollivier, commencé vers vingt ans, mais c'est le début d'un journal d'homme qui entre dans une carrière. Le seul vrai « journal de jeune homme » trouvé jusqu'ici est celui d'Ernest Chausson, conservé à la BM de Lyon, je m'en suis fait faire un microfilm. Il a vingt ans et hésite pour savoir s'il va être écrivain, peintre ou musicien. Sa « marraine », Mme de Rayssac, lui conseille de tenir un cahier, il obéit et s'en trouve bien. C'est peut-être ce journal qui l'a aidé à choisir la musique. J'ai découvert Chausson en 1985, un éblouissement, exactement la musique que j'aurais voulu écrire. La même évidence qu'autrefois devant Corot. Et puis j'ai été fasciné par sa biographie mystérieuse, cette mort étrange en 1899 dans un accident de bicyclette… D'où mon émotion en trouvant son journal d'adolescence. Je voudrais le faire éditer. Mais qui s'y intéresserait ? On joue si peu ses œuvres dans les concerts…

6 février 1992, jeudi

Acheté, lu *Cytomégalovirus. Journal d'hospitalisation*, d'Hervé Guibert. Acheté, regardé, pas encore étudié en détail le nouveau montage (1992) du *Journal* d'Anne Frank. Ces deux livres me rappellent ce que je crois être le problème clef de l'étude des journaux : le rythme. La forme fragmentaire et répétitive du journal impose une analyse musicale : variations, tressage de mélodies. La répartition dans le temps des entrées, leur longueur, leur structure interne (attaque, développement, chute), l'entrecroisement au fil des jours des genres pratiqués (aphorisme, description, récit, etc.) et des sujets abordés, tout cela peut être soumis à une analyse rythmique... Peut-être y a-t-il des gens qui tiennent leur journal n'importe comment. Mais la plupart des journaux ont un rythme spécifique. On pourrait dégager des types... Pour les *Journaux* d'Anne Frank (édition critique de 1989), j'ai procédé à une comparaison quantifiée, période par période, des deux journaux écrits par Anne et de la version publiée. J'avais en projet une étude rythmique du journal de Matthieu Galey. Ce rythme n'est pas un effet involontaire dû à la composition fragmentaire. Le diariste sait fort bien dans quel rythme il est installé. Chaque entrée s'écrit en fonction des entrées antérieures autant qu'en fonction du vécu du jour. Il porte dans sa tête la forme de son journal, qui gouverne en partie sa perception du réel. Cette jeune fille de 1842, par exemple, fait alterner scènes lyriques et burlesques, mélancolie et gaieté, etc. Moi-même, ici, j'essaie visiblement, à intervalle régulier, de choisir pour mon entrée un point de départ un peu marginal ou oblique. J'essaie (sans y parvenir, parce que je suis un grand bavard, mais l'ordinateur m'aide à être plus concis qu'avant) de varier la longueur des entrées, d'insérer de temps à autre une entrée courte, plus piquante. Peut-être aurais-je dû donner à cette entrée-ci la forme d'une maxime brillante, que sa rapidité aurait fait paraître profonde. Ce n'est pas ma tasse de thé. En revanche, cela crève les yeux, le moment est venu de clore cette entrée-fleuve par une « chute ». Mais si toutes les entrées se terminent par des bons mots ou des accentuations fortes, cela tourne au procédé. A côté des Niagara il faut des chutes en pente douce. Voilà, voilà. Voilà c'est fait (est-ce fait ?).

14 février 1849, mercredi

Le jeu était fini. On a parlé d'une Philippine, je ne savais pas ce que c'était. Lorsqu'en cassant une amande ou une noisette on trouve deux fruits sous la même coquille, on peut en donner une à la personne qu'on choisit ; la première fois qu'on se revoit après ce partage, la personne qui dit la première « bonjour Philippine *» a le droit d'exiger de l'autre un cadeau, ce qu'elle veut. Il y a en a beaucoup qui doivent se terminer par des baisers, à coup sûr.*

8 février 1992, samedi

J'ai noté ce passage, écrit il y a cent quarante-trois ans par Sophie Surville. Pourquoi ? – Sophie est la fille de Laure, la sœur de Balzac. D'où la survie de ce journal, lu hier au Fonds Lovenjoul à la Bibliothèque de l'Institut. Aujourd'hui je lis les extraits de ce même journal transcrits dans *L'Année balzacienne 1964*. Aucun des passages que j'ai notés n'y figure. Il paraît que ce journal « présente un intérêt inégal pour le lecteur d'aujourd'hui ». C'est vrai de tout journal. Mais qu'est-ce que « le lecteur d'aujourd'hui » ? Un lecteur bien particulier : l'érudit balzacien. Il y a d'autres lecteurs. On a privilégié la chronique familiale et sociale, en estompant ce qui dessine la figure individuelle de Sophie. Elle s'interroge sur l'avenir (13 février), elle hésite au bord d'une décision vitale, partir comme institutrice en Angleterre (2 mars) : coupé ! Ses lectures, dont elle rend compte en détail, sont supprimées. Le matin, elle lit en feuilleton les *Confidences* de M. de Lamartine, et réfléchit à l'expression autobiographique ; le soir elle commente avec sa sœur avant de s'endormir *L'Esprit des lois* de M. de Montesquieu, et réfléchit à la démocratie. Elle lit aussi George Sand, et bien d'autres choses. Elle a vingt-cinq ans, elle coiffe sainte Catherine. Dès qu'on commence à élaguer un journal, on entre dans la fiction, – moi comme les autres.

J'ai noté aussi ce passage sur la Philippine, qui ne peut intéresser que moi. C'est un souvenir d'enfance, obsédant, obscur et évident, brusquement déchiffré ce matin pendant qu'au téléphone Jean Verrier me dit ses réactions de lecture à mon journal. Il me voit comme un romancier, ces journaux fantômes n'ont pas plus de réalité pour lui que des personnages inventés, ils ont l'existence que je leur donne... Il me voit aussi comme un personnage de conte, Ogre qui se lèche les babines, Barbe-Bleue archiviste, avec un jeu qui me fait tourner et changer de rôle, me revoilà jeune fille. Dans une autre vie j'ai dû manger des noisettes avec Sophie Surville et quand on s'est retrouvé hier à l'Institut c'est elle qui la première m'a dit : bonjour Philippine.

12 février 1992, mercredi

La plupart des jeunes filles ont une ponctuation conforme à celle de l'imprimé. Elles mettent sagement un point pour fermer une phrase, avant d'en ouvrir une autre. Mais il y en a qui sont brouillées avec les points, les majuscules, leur discours cascade de virgule en virgule, on a l'impression qu'elles jacassent comme des pies, sans reprendre leur souffle, en fin de ligne même elles sautent les virgules, quand on transcrit on s'arrache les cheveux, c'est bizarre ces vierges folles à la belle orthographe, avec leurs fins jambages et leurs boucles bien peignées, les voilà qui sautent à cloche-pied, ont l'air de battre la campagne, sténographient leur pensée, c'est un peu une illusion, parce que si on remet des points où il faut, on se trouve devant un discours très sage.

La jeune fille de 1842, Sophie Surville, et même Claire Pic, à des degrés divers, écrivent comme cela à perdre haleine. Chantal, en transcrivant Claire, a remis les choses en ordre. Le monsieur de *L'Année balzacienne*, et moi dans le passage sur Philippine, nous avons fait pareil. On se dit que ça passerait mal en imprimé, que ça paraîtrait de la négligence. C'est un peu vrai. Mais en même temps on perd quelque chose, qui n'était pas illusion. Un écho d'oralité, un effet d'intimité. On les lit comme si on les écoutait, on met en pensée la ponctuation qui n'y est pas, on collabore à la construction de leur discours, c'est un effet de co-énonciation, de « choralité », du coup on est toujours un peu à la traîne, elles ont l'air d'aller plus vite que nous, en fait elles ne vont pas si vite que ça, simplement elles ne se donnent pas de mal pour nous, ne semblent pas écrire pour être lues, elles suivent leurs petites idées en bondissant comme des chèvres. On leur court après.

Le journal est à la place de la lettre, et la lettre à la place de la conversation. Aux autres on parle ; quand ils ne sont plus là on leur écrit ; quand on n'a plus personne à qui écrire on s'écrit à soi-même, et c'est ça le journal. Il peut garder trace de cette longue dérive depuis l'oral.

Mon étude a l'inconvénient d'isoler, dans un ensemble de

pratiques de langage, une pratique particulière. Ces demoiselles ont certainement écrit plus de lettres que de journaux. Moi je n'ai que les journaux. Pour Eugénie de Guérin, Marie Bashkirtseff, les célèbres, on possède les deux volets. Je donnerais cher pour lire les lettres de Claire Pic, écrites à son amie Eugénie, qui ont, un temps, supplanté son journal. Mais Lucile Le Verrier, qui se fabrique un journal avec la copie de ses lettres ! Et Eugénie, qui écrit son journal en l'adressant à Maurice... Tout est imbriqué. Cela rend un peu scandaleuse ma méthode de travail. Quand je trouve, dans mes biographies pieuses, des récits fondés sur des correspondances, je suis déçu, j'écarte. Parfois, pourtant, je lis, et alors le doute m'envahit. Je tombe sur des correspondances inconnues admirables. Par exemple, j'en cite une, celle d'Irma de La Fer de La Motte, jeune religieuse passée de sa Bretagne natale à l'Indiana (Ln^{27} 31306). Elle a un nom terrible, rien à voir avec ce qu'elle est ni ce qu'elle écrit. D'abord c'est beau. Et puis en quoi est-ce différent d'un journal ? Je sais, bien sûr... Mais est-ce important ?

Mercredi dernier j'ai dîné avec Régine Robin. Elle s'est demandé si ma manie des définitions et des classements ne serait point, quelque part, une conduite conjuratoire.

16 février 1992, dimanche

J'ai creusé une « cave » sous ce journal.

Rue Bouille je mets à la cave, sur des étagères achetées à Ikéa, dans des cartons vides d'huile Lesieur ou d'eau d'Évian, les archives des recherches terminées. Celle-ci ne l'est pas du tout, mais comme je la fais visiter il faut qu'elle soit bien tenue. Jean m'a rendu, avec des remarques au crayon, les pages de ce journal : la seconde fois que j'ai manifesté une impatience en face des biographies pieuses, il s'est lui-même impatienté : « Encore ! » Donc je n'ai pas droit à la répétition. Quand j'ai une bonne formule : « bien écrit ». Je n'ai pas le droit d'être mal rasé. Et puis je ne vais pas vous embêter avec mes listes de commissions, mes trucs à faire, mes pense-bête, mes rendez-vous, mes coups de téléphone, mes coups d'épée dans l'eau. Ici je n'ai droit qu'aux coups de cœur. Aux idées nouvelles. Ce serait-il donc un faux journal ? Non, tout ce que j'y note est vrai, et me semble capital. Il m'aide à tenir le cap. Mais le reste, pour d'autres raisons, j'ai aussi besoin de le noter. Le trop routinier, le trop intime. J'ai creusé une cave pour ça, depuis le 8 février, un nouveau fichier sous celui-ci. J'y empile tout en vrac. Par exemple :

Jeudi, reçu par pli recommandé le journal original d'Aurore Saint-Quantin (1825-1826) que j'avais cru perdu. Vendredi, Nice, conférence à l'université. Dans la rue je tombe sur Christine G. : je l'ai connue à Chamonix il y a... quarante ans ! J'avais quatorze ans, elle dix-neuf, et nous soignions notre tuberculose dans le même préventorium. Elle assiste à la conférence, où je lance mon appel. Rencontré Marie-Claire Grassi. Une de ses amies m'offre le journal de sa grand-tante. Passé la nuit chez Étienne Brunet. Insomnie (trop bu !), je lis le journal de Caroline Le Fort (genevoise, 1813, procuré par Denis Bertholet). Samedi matin, travail sur l'ordinateur avec Étienne. Il me construit un programme pour ma bibliographie bis-annuelle. Ensuite, avec son modem, nous interrogeons Frantext, en explorant le corpus avec mes mots-clefs. Je repère en un clin d'œil un passage où Goncourt évoque un journal de jeune fille à lui communiqué ! Retour à Fontenay. Remis un peu d'ordre dans mes papiers. Ne pas oublier de recontacter Claire Paulhan, qui a chez elle le journal d'enfance et de jeunesse de Catherine Pozzi. Etc.

Vous n'en supporteriez pas des kilomètres comme ça, je vous connais.

Je suis comme Lucile Le Verrier, qui s'était construit un journal à trois étages. Sa cave, ce sont ses agendas. Au rez-de-chaussée, elle fait visiter, c'est de plain-pied avec le jardin, c'est son journal-correspondance, système économique. Au premier étage, elle a ses appartements privés.

Vous voudriez monter au premier étage mais la porte est fermée.

3 janvier 1888, mardi

Pensées cueillies dans un journal intime de jeune fille, sur de petits carnets couverts de notes crayonnées qu'on m'a confiés :
« Les femmes vraiment tendres ne sont pas sensuelles. La sensualité les dégoûte. Elles sont seulement voluptueuses de cœur, dans toute l'étendue de la tendresse de ce cœur.
« Oh le pauvre cœur de femme qu'un rien de l'être aimé émeut, exalte ou froisse.
« Instruites, elles – les femmes – ne s'appuient plus seulement sur le cœur », à propos de l'instruction donnée aux femmes.
« Le premier livre que je me rappelle avoir reçu était un Paul et Virginie *à l'usage des enfants. Ce livre a laissé dans mon cœur une empreinte qui a grandi en moi, comme l'entaille faite à l'écorce d'un arbre. C'est pourquoi je ne puis me décider, comme tant d'autres, à me marier sans mon cœur.*
« Une femme qui n'a ni mari ni amant ne peut écrire de romans : il lui manque toujours l'autorité de la vie vécue. La seule littérature qu'on supporte d'elle est de la littérature à l'usage des enfants.
« Aimer et ne pouvoir dépenser une parcelle de tendresse est un supplice épouvantable.
« A deux jeunes mariés qui arrivent déjeuner et s'embrassent encore : " Vous ne pourriez pas descendre de votre chambre tout embrassés ! " »
Et sur les derniers feuillets d'un de ces petits carnets se trouve écrit : Histoires de plusieurs cœurs de jeunes filles que j'ai connues. *Malheureusement il n'y a que le titre, un titre alléchant, s'il en fut jamais.*

19 février 1992, mercredi

C'est Edmond de Goncourt, bien sûr. J'aime pas. Il est « alléché », et moi je me suis « léché les babines », c'est vrai. Mais il n'y a pas de rapport. Claire Paulhan me taquinait hier au téléphone en parlant de « démon de midi ». Démon d'Edmond, pas le mien. J'ai eu cette même passion pour tous les corpus Ln[27] que j'ai explorés. Simplement c'est la première fois que je le raconte. Ma passion est d'écouter ce qui se dit dans les textes. A Nice, à la fin de ma conférence, une personne m'a interrogé sur l'évolution qui, en vingt ans, m'a mené de moi (déguisé en Rousseau ou Leiris) à l'écoute des autres. Dans les entretiens au magnétophone, j'ai appris à me taire, à ne pas avoir peur du silence. Dans la lecture, j'accepte de m'ennuyer, de laisser au texte le temps de dire ce qu'il a à dire. Les journaux sont ennuyeux si on en lit deux pages, on ne voit que le côté pauvre ou stéréotypé de l'expression, ils deviennent passionnants à la centième page, on a saisi le code, l'implicite, on a partagé une certaine expérience du temps, on comprend à demi-mot. Écouter les autres, c'est accepter qu'ils soient différents de vous, différents entre eux. Goncourt ne s'intéresse qu'à un type particulier de jeune fille, émoustillante, flirtant au seuil de l'amour : c'est un fantasme. Il pique dans le carnet les phrases qui font mouche, les mots d'auteur : c'est un tic de métier. Jusqu'à présent je n'ai rencontré aucun journal qui ressemble à ça. Cela viendra peut-être (celui-là, qui sait, s'il est conservé dans les archives Goncourt). Cela fera une variété de jeune fille de plus. Mireille de Bondeli, vingt ans plus tard, est une jeune fille Goncourt. Ce n'est pas *la* jeune fille. Mille variétés. L'appel de Goncourt dans la préface de *La Faustin* ? Rien à voir avec une vraie enquête : c'est un casting ! Il est comme les curés qui écrivent des biographies pieuses. Il a son modèle prédéfini, son cahier des charges, son look idéal : il ne s'intéresse qu'aux documents qui entrent dedans. Et il écrit des biographies impies. Qu'aurait-il fait du journal de Claire Pic ? — Rien à craindre : aucune Claire n'aurait répondu à un appel de Goncourt. Moi j'enquête. Je suis « sociologue », il paraît. Dixit itou Claire Paulhan. J'ai dit oui. Je pense oui, bien sûr : je suis sérieux, je prends tout. Mais je pense non, aussi. A Tours, il y a un an, je me souviens du cri horrifié d'un collègue à l'idée que je lisais La Pensée universelle : « mais c'est de la sociologie ! ». Cela voulait dire : « c'est pas de chez moi, ça m'intéresse pas ». Sûrement ce que je fais est de l'histoire (de l'éducation, des mentalités, des pratiques culturelles). En plus c'est de l'histoire féministe. Curieux d'ailleurs que les féministes françaises ne s'y soient jamais intéressées. Mais je n'ai pas le sentiment d'être sociologue ou historien. Pas seulement ça. L'idée même des frontières entre les disciplines me choque. Jean me voit en romancier. Cette écoute de l'autre, évidemment, marche à l'identification. Au fil de ce journal l'idée de « moi en jeune fille », d'abord considérée comme burlesque, s'est imposée. Mais faut-il être ceci *ou* cela, historien *ou* littéraire, sociologue *ou* romancier ? Je voudrais être tout à la fois. Ce qui veut dire aussi, probablement, jeune homme *ou* jeune fille.

22 février 1992, samedi

Mea culpa. Hier j'ai lu *Chérie* à la BN. C'est bien. Je n'aime toujours pas le ton d'Edmond de Goncourt, sa condescendance comme affriolée pour ces petites créatures, larves dont il suit d'un œil expert la lente métamorphose en papillons. Son héroïne est Marie-Chérie Haudancourt (1851-1870), petite-fille du maréchal Haudancourt, ministre de la Guerre, qui est chargé de son éducation. Et rose elle a vécu ce que vit un Empire... Au lieu d'être emportée par Sedan, elle, c'est la tuberculose. Le romancier la prend à neuf ans, un jour qu'elle offre à goûter à ses petites amies au ministère, et il la conduit jusqu'à son faire-part de décès. Ce n'est pas vraiment un roman, plutôt une sorte d'« étude », dont je n'aime pas le ton, mais qui est bien documentée. Je juge en expert, moi aussi... La première communion (vue bien sûr comme initiation amoureuse). Une maladie pendant laquelle Chérie absorbe le *Journal de Marguerite* (Edmond fait un bon croquis du livre). Des passionnettes et des amourettes. De quinze à seize ans, d'un mois de mai l'autre, il lui fait tenir un journal. Peut-être inspiré d'un journal réel, mais fortement stylisé et expédié en quinze petites pages, il ne faut pas ennuyer le lecteur. Il se penche sur l'ignorance sexuelle des demoiselles et les voies bizarres par lesquelles une sorte de lumière parfois leur arrive. Cela, qui ne s'invente pas, il ne l'a pas pris dans un journal. Il l'a reçu en confidence de demoiselles devenues dames, je suppose. J'ai eu raison de voir dans son appel un « casting » : mais le rôle pour lequel il recrute des documents est central, c'est la jeune fille parisienne des milieux officiels ou chics fin Second Empire (comme était d'une certaine manière Lucile Le Verrier), la jeune fille qui va dans les bals et attend le mariage. Dans sa biographie des frères Goncourt, André Billy précise les sources : confidences orales de Mlle Abbatucci, fille d'un ministre de l'Empire, lettres reçues après l'appel, d'autant plus sincères qu'elles restaient anonymes, et Pauline Zeller, qui aida Edmond à composer *Chérie* et lui communiqua son « pauvre petit cahier rouge », le journal de ses seize ans. Je n'ai plus qu'une idée, bien sûr : retrouver ces lettres et le journal de Pauline. Je me souviens que sur la porte de l'Association Perec, à l'Arsenal, il y a encore l'inscription : « Académie Goncourt ». Reste à savoir où les archives ont passé…

23 février 1992, dimanche

Je mets les jeunes filles à toutes les sauces. Sauce Poitiers : le colloque sur « la dynamique des genres », octobre 1991, c'était le coup d'envoi. Sauce Minnesota : je participe à un volume d'essais sur le journal féminin, me voilà féministe américain, *politically correct*, c'est un coup de maître (ou de maîtresse ?). Texte à livrer début juillet. Sauce Essex : le 9 mai, un séminaire d'histoire sociale. Paul Thompson aurait voulu que je parle de la différence entre autobiographie écrite et orale, il se débat courtoisement contre l'arrivée de ces demoiselles, c'est un coup tordu. Sauce Bordeaux : fin octobre, trois jours de colloque sur « Enfance et écriture », je dois être *key-note speaker* (?), mais je propose une communication sur le *Journal de Marguerite.* N'oubliez pas la sauce Vesoul. On vous invite toujours en fonction de vos travaux passés. Je finirais par radoter. Mieux vaut radoter dans l'avenir.

En attendant, Sartre a de nouveau pris du retard. Et puis je me suis engagé à faire à l'ITEM en juin un exposé de génétique textuelle sur « le point final de l'autobiographie », dont je n'ai pas le premier mot, je cours à la faillite.

27 février 1992, jeudi

Mon répertoire grossit, s'allonge, mais en même temps devient de plus en plus hétéroclite. J'essaie de me souvenir : en juin 1991, dans mon étude sur Claire Pic, j'avais mis une petite note disant que les journaux qu'on connaissait se comptaient « sur les doigts de deux mains ». J'avais : Tourtoulon, la comtesse Adelstan, Caroline Brame, Geneviève Bréton, Marie Bashkirtseff, Marie Lenéru et Mireille de Bondeli. Quand je suis allé à Poitiers en octobre, j'en étais à une trentaine. Pour Vesoul, en janvier, j'ai refait mes comptes : 62 (14 inédits et 48 publiés). Actuellement, je tourne autour de 70. J'imagine que je vais vers la centaine. Mais ces chiffres ne veulent rien dire. Tout journal compte pour une unité, qu'il ait dix ou mille pages, qu'il soit insignifiant ou génial. Les notices bibliographiques sont égalitaires. Elles inversent même les proportions : inutile de faire des tartines sur les textes disponibles, les diaristes célèbres. En revanche je donne plus de détails sur mes pauvres Ln^{27} et surtout sur les manuscrits inédits.

Le vrai problème est celui des inédits. C'est de ce côté-là que le corpus a chance d'augmenter. Il me reste à dépouiller les registres Ln^{27} pour la période 1884-1914, mais après je n'aurai plus qu'à pêcher à la ligne dans les archives familiales. Je suis persuadé que le vivier potentiel est énorme, riche en surprises. Hier, visite à M. R***. Il a les journaux de sa tante Fortunée : un petit journal de vacances tenu à quatorze ans, sur le conseil des religieuses (pour ne pas perdre l'habitude d'écrire), tout simple et assez puéril. Six ans plus tard, elle a eu un amant, elle s'est enfuie à Paris seule, elle commence un nouveau journal, rien à voir avec ces rédactions de vacances. Il remplace les lettres qu'elle ne peut plus écrire à son amant ni à sa famille. Elle est seule, perdue, sans un sou, dans une chambre d'hôtel. Elle prend une feuille de papier, met un grand titre : « Toute seule ! » Un journal pour s'aider à vivre. Elle le tient jeudi, dimanche, lundi, puis se jette dans la Seine. Ces six pages, terribles, déchirantes, elle les a laissées derrière elle. Mon cœur battait, hier, en les transcrivant. D'horreur, de désir d'intervenir, de douleur d'être là, moi, à lire cela. Je n'avais pas le sentiment d'être indiscret, simplement d'arriver trop tard. En même temps je mesurais la distance entre ces cris du cœur, ces mots si proches des actes, et les chroniques paisibles en langage codé que je lis d'habitude. J'étais passé, avec elle, de l'autre côté. L'envers noir, effiloché et cisaillé, de la tapisserie. Ce qu'il en coûte de n'être plus une « vraie jeune fille ». Je me souviens d'avoir, à propos de Netty du Boÿs, évoqué les trois filières possibles : mariage, cloître, et ce que j'appelle célibat laïque (bonnes œuvres, dévouement familial, vie intellectuelle, etc.). Je n'avais pas prévu ce qui se passait quand on refuse de jouer le jeu. Le déclassement (Fortunée essaie de s'engager comme passementière), la prostitution (elle l'envisage avec horreur), le suicide (elle va visiter la morgue, et parle des cadavres en disant « nous »). Le journal, auquel elle essaie d'abord de se raccrocher, s'effondre comme le reste. Mais elle a fait ce geste, et nous voyons en lisant ces pages la main qui glisse, qui dérape, qui va lâcher prise.

Je suis sous le choc. Difficile de parler des échos intimes d'une telle lecture. Impression aussi de voir brusquement condensée une détresse diffuse dans certains autres journaux. Il y a des jeunes filles qui se marient comme on se suicide. Si je fais une étude d'ensemble, il faudra donner une place spéciale à Fortunée. Mais bien sûr ne pas oublier celles qui ont trouvé des chemins plus solides pour sortir du jeu imposé : Marie Bashkirtseff, Isabelle Eberhardt.

Je reviens à mon problème du début. Il est délicat d'utiliser des manuscrits. Mon devoir de chercheur est d'abord de réaliser et de conserver une photocopie du journal qu'on me confie. Dans l'*Histoire de la vie privée*, tome XIXe siècle, Anne Martin-Fugier présentait rapidement les journaux de Gabrielle Laguin et de Renée Berruel. Elle avait rendu les journaux à la famille sans en garder trace ! Cela m'avait choqué (pardon, Anne !). J'ai repris contact avec la famille, lu à mon tour les journaux, et vais me mettre au travail pour qu'ils soient conservés. Ce devoir du chercheur peut entrer en conflit avec l'obligation absolue où il est de respecter les vœux de la famille. En fait un compromis est facile à trouver. Les familles acceptent qu'on prenne une photocopie à condition de ne pas la communiquer sans leur consentement. Ou bien elles ont des archives bien organisées que vous consultez, et que d'autres pourront consulter (c'est le cas pour la famille du Boÿs). Mais je considère qu'un texte indiqué dans mon répertoire devrait être, d'une manière ou d'une autre, consultable.

Une autre idée me trotte par la tête, une idée contraire à tous mes principes ! Faire une anthologie. Pour moi, un journal doit se lire en entier. Mais, mais... Pourquoi ne pas réunir : le journal de Lucile Duplessis, un long fragment du journal de 1842 (BHVP), le mois de janvier 1858 de Pauline Weill, un fragment du journal de Claire Pic, les six pages de Fortunée, que sais-je encore, pour donner une sorte de « palette » du journal de jeune fille ? Mais je rêve...

28 février 1992, vendredi

Passé la journée à lire le petit cahier de Fanny R***, la sœur aînée de Fortunée, puis à prendre des notes pour en faire une sorte de croquis. Je me sens misérable, prêt à crever. On me trouvera peut-être misérabiliste. Cahier apparemment ennuyeux et pauvre. Et puis on sait bien que le cahier n'est pas la personne. Les gens ne ressemblent pas à leur journal intime. Arrête de fondre ! – Je fonds tout de même. Je suis la ligne de ce discours télécommandé, et il suffit des six points de colle au début, et du dérapage final, pour que j'entende autre chose, et que je rêve sur les pages restées blanches. Le journal de Fanny s'achève comme s'achèvera celui de sa petite sœur : elle souhaite mourir. Peut-être est-ce des mots, mais elle sera prise au mot, et le bacille de Koch lui évitera le suicide, ou le mariage.

29 février 1992, samedi

Je me sens tout bissextile... C'est un jour en plus, et un mot bizarre, comme « Unisexe » sur les vitrines des coiffeurs. C'est un jour à avoir un journal en plus. Je reçois le livre de Rebecca

Rogers, *Les Demoiselles de la Légion d'honneur*, frais paru. Il est en partie fondé sur un journal qu'elle a trouvé dans les archives de la congrégation de la Mère de Dieu. Eugénie Servant, de onze à dix-sept ans, a tenu clandestinement un journal pendant ses années de pensionnat à Écouen (1875-1881). Elle l'a mis au net après sa sortie du pensionnat, gardé toute sa vie, et légué *in extremis* dans les années 1930 à ces archives, où il a attendu encore un bon demi-siècle que Rebecca vienne l'y dénicher. La veinarde ! En ouvrant le livre, j'ai au cœur un vilain petit pincement de jalousie (dans un journal, il faut tout dire !). Une idiote peur d'être « doublé ». Ce matin j'ai justement reçu un volume hors commerce distribué en prime l'automne dernier : une tranche de Bashkirtseff transcrite par l'équipe de ce professeur Fleury, doublant mes deux fonceuses (voir 22 janvier). La tête que je ferais si, me promenant à la FNAC, je tombais sur la belle synthèse de Pierrette Salins, *Les Jeunes Filles fantômes, Essai sur le journal de jeune fille au* XIXe *siècle*, Éditions des Femmes, 1992, 329 pages... En plus elle m'a piqué mon titre !... Mais le pincement s'est tout de suite évanoui, et je me suis jeté avidement sur la dernière partie du livre, où Rebecca fait un joli croquis du journal et exploite son information, je me suis mis à discuter intérieurement avec elle sur tel ou tel point, et j'ai retrouvé ma convivialité. Ma recherche doit tant aux autres : je pille les bibliographies, j'assomme mes amis, j'écume les greniers. Mais je ne rassemble qu'avec l'idée de disséminer, et d'ouvrir ce champ à d'autres. Il y a peut-être un peu de paresse dans cette apparente générosité. Et sous la passion des corpus un égoïste goût de la propriété ? Examen de conscience à continuer le prochain 29 février...

2 mars 1992, lundi

Nouveau coup de foudre : Catherine Pozzi. Ça ne surprendra pas ceux qui ont lu son journal d'adulte, le plus beau qu'on ait publié ces dix dernières années. J'ai passé la journée chez Claire Paulhan. Elle m'avait étalé, sur une grande table en carrelage blanc, les petits agendas, les cahiers, ça faisait comme une réussite, ou une autopsie. J'ai pris dans l'ordre, j'en suis en mars 1898, elle a quinze ans et demi. Quand je pense à ce que j'écrivais à quinze ans et demi ! Et même à dix-huit... Pourquoi comparer ? Parce que pour la première fois j'ai l'impression de lire le journal d'une jeune fille moderne. On est contemporains. A treize ans et demi, elle explique qu'elle est une enfant « fin de siècle », et son petit frère aussi. *« Du reste il n'y a pas que nous, tous nos amis le sont. »* Son journal n'a rien d'un exercice de commande. A quatorze ans elle passe par des crises horribles, elle perd la foi, personne autour d'elle ne s'en aperçoit, elle se sent abominablement seule. Elle cherche son chemin. Je me disais : ça, c'est vraiment un journal spirituel. Bien plus que les archipieux journaux de communiantes ou de couventines. Elle écrit nature, direct, sans esbroufe à la Bashkirtseff. Elle est parfois toute puérile, et en même temps totalement décidée à être une personne à part entière. Elle n'appartiendra jamais à un homme. Elle sait bien qu'elle aimera, mais elle ne renoncera pas à elle-même. A sa recherche spirituelle. Ça ne l'empêche pas d'être gaie, vivante, gamine. Je me sens en sympathie avec elle. J'avais envie de recopier toutes les pages. J'ai pris son autoportrait physique, une page où elle définit son projet spirituel. Une page où elle développe le thème : « La jeune fille est un être seul. » On est loin de *Chérie* ! Je me disais : peut-être faut-il être très riche, très en haut de la société pour avoir de telles audaces ? Je me disais aussi : c'est un bonheur de penser qu'un tel livre est encore à paraître. Un bonheur de lire directement cahiers et carnets. Son écriture est droite, large, aisée. Très loin de ces grandes écritures penchées et allongées à fioritures, ces hallebardes à plumets de la génération précédente. En 1896 le 2 mars tombait un lundi, comme aujourd'hui. Voici son entrée du lendemain. Elle a treize ans et demi, et c'est écrit sur un minuscule carnet de 7 sur 11 cm.

3 mars 1896, mardi

C'est drôle cette préférence que j'ai à choisir toutes mes amies beaucoup plus âgées que moi : c'est peut-être à cause de mon caractère tellement au-dessus de mon âge. Je ne sais pas si c'est heureux ou malheureux pour moi, d'être ainsi, de savoir bien des choses que les enfants ignorent, d'avoir une certaine connaissance de la vie et de toutes ses horreurs. Je crois que je suis plutôt intelligente, je comprends facilement et j'en fais mon profit. Telle ou telle parole qu'une autre enfant laisserait passer inaperçue, je la relève et je cherche à l'approfondir. Est-ce un tort ? ?... Mais voilà bien des choses sur moi. Heureusement que je ne crains pas d'ennuyer un lecteur ombrageux et à l'humeur critique, puisque ce n'est que pour moi *que j'écris. Si je venais à mourir (qui sait, en effet, ce qui peut arriver ?) je laisserais ce carnet à maman, en souvenir de sa chère petite fille bizarre. Mais j'espère vivre* encore un brin, *comme aurait dit ma nounou, autrefois ; et cela me chiffonne de faire mon testament si tôt.*

7 mars 1992, samedi

A la cave, on se bouscule, je n'arrive plus à tenir à jour mon carnet de route. Comme j'ai une dizaine ou une quinzaine de dossiers ou de pistes simultanément actifs, les lettres, les coups de téléphone, les relances, les trouvailles, il me faudrait un secrétariat, je m'y perds. Gasparine va arriver ! c'est la grande excitation. Je lui prépare une chambre, — un dossier. La fille de Pierre Mendousse (mort en 1933) m'écrit qu'aucun document n'a été conservé : il avait dû rendre les journaux aux enseignantes qui les lui avaient communiqués, point final. Je fouine aux Manuscrits de la BN (découverte d'Augustine Bulteau, une sorte de sous-Bashkirtseff) et dans les brocantes de Fougères, chez les chiffonniers d'Emmaüs... Risque d'intoxication, d'asphyxie monomaniaque. Mais, c'est juste une phase. Mais, cette vigilance harcelante *rend*. Mais, je respire parce que c'est varié. Ernestine de Barante fait sa première communion avec ferveur. Augustine Bulteau fait tourner son fiancé en bourrique. Je lis des papiers. Je vois des gens. Je fais des projets. Toute cette fièvre doit aboutir à un livre. Quelle collection pourrait l'accueillir ? C'est le hic. « *Cher cahier...* » avait été la même semaine refusé au Seuil par François Wahl, accepté chez Gallimard par Pierre

Nora. Il faut trouver la collection qui a le profil. Au Seuil justement il y a « Des travaux ». Regarder de quoi ça a l'air. Réaliser une maquette du livre. Dès qu'il sera publié, je recevrai une seconde moisson de journaux. « Ah, si j'avais entendu votre appel. » Bien sûr ce seront les plus beaux...

8 mars 1992, dimanche

Problèmes de méthode. Danger des métaphores et des généralisations. Le pire c'est la métaphore : elle combine généralisation, déplacement, et insidieuses connotations. Dans mon croquis de lecture de Fanny R***, j'ai comparé son journal de vacances tenu sur le conseil de l'institutrice, qui le lira et l'appréciera à la rentrée, à la boîte noire des avions. Mais Fanny ne s'est pas écrasée au sol comme l'Airbus A320 Lyon-Strasbourg. Cela conviendrait mieux aux six pages déchirantes de Fortunée : mais ces pages n'ont pas été, elles, écrites sur commande... Une autre comparaison m'a traversé l'esprit : les petites filles ont des journaux comme, dans les alpages, les vaches ont des cloches accrochées au cou. Ça permet de savoir où elles sont. Boiteuse, ma comparaison. Bête, aussi. Et en plus, c'est une récidive : brebis, le 22 janvier, chèvres, le 12 février. *Politically uncorrect.* Mais surtout à côté de la plaque. Mes piques visaient les éducatrices et j'ai finalement l'air de partager leur condescendance. J'ai été poussé à cet extrême par désir de renverser une idée fausse. « Pour les jeunes filles contraintes par un discours moral et religieux [...], le journal devient le seul refuge de leur véritable intimité », c'est Rebecca Rogers qui le dit, un peu vite, au début de son étude, elle très nuancée, du journal d'Eugénie Servant. Non, Rebecca, le journal est prison autant que refuge. Vous pensez ainsi parce que, oui, Eugénie tient son journal en cachette. Mais elle est loin d'y dire tout, crainte d'être surprise. Surtout, au départ, ce sont les mamans et les Mademoiselles qui font tenir journal. Il faut distinguer. Un journal n'est pas la même chose à la maison et en pension. A dix ans et à quinze ans. Et bien sûr cette écriture imposée peut être récupérée, détournée peu à peu de ses fins. Rebecca, nous voici de fil en aiguille revenus au débat ouvert par Foucault dans cette *Histoire de la sexualité* immédiatement abandonnée après sa fracassante ouverture. Foucault aussi est allé trop loin, pour réagir contre l'idéologie libertaire des années 1960. L'intime pour lui ne s'opposait pas à la loi comme la liberté à la contrainte, il était programmé par la contrainte. Mais ça doit être plus compliqué, plus dialectique. On ne trouve pas la vérité en mettant l'erreur à l'envers...

Au bout du compte je n'arrive pas à me débarrasser de cette métaphore de la prison. Elle m'a obsédé lundi dernier en lisant le journal de Catherine Pozzi. Ce n'était pas le journal qui était la prison, mais l'adolescence des jeunes filles. Littéralement sous haute surveillance. Leur chambre est un quartier de haute sécurité. La censure pèse sur les discours qu'on tient devant elles. On leur enseigne la résignation. Elles attendent, occupent leurs journées, scandent sur des cahiers l'écoulement de leur peine. Le journal est prison dans la prison, bouteille à la mer, fuite vers l'intérieur... J'exagère. Je dramatise. Je généralise. Donc j'arrête. Mais pas avant d'avoir fait entendre les cris de révolte de Catherine. Son petit texte « La jeune fille est un être seul », je le mettrai dans mon anthologie. Il m'a rappelé, dans mon journal de quinze ans, un texte analogue, qui lui aussi commençait et se terminait par une même phrase : « Je suis l'adolescent. » Mais Catherine pique aussi des colères. A quatorze ans on ne veut pas l'emmener à un concert le soir. *« J'irai. Je le veux. Je veux m'amuser aussi moi, et ne pas rester dans une* nursery *jusqu'à vingt ans ! ! »* (8 novembre 1896). A quinze ans, elle gribouille sur ses cahiers de classe comme une vraie potache : *« Ah quelle canule ! quelle canule c'est de travailler ! Je voudrais, au lieu d'être ici à pâlir sur ces inepties, être à la Scala, sur la scène, en maillot collant, une jambe en l'air et chantant des chansons* très *lestes ! Oh ! Oh, uh, uh, ih, puchh ! »* C'est la vapeur qui fuse, les humeurs qui s'échappent... Je n'échapperai pas aux métaphores. Après la bouteille à la mer, la soupape de sûreté... Dans l'Index de *« Cher cahier... »*, j'avais regroupé en une sorte de poème toutes les métaphores employées par mes correspondants. La métaphore est dangereuse quand elle est seule, qu'on la prend au sérieux et qu'on la file. Quand il y en a vingt ou trente, on retrouve le réel dans ses nuances et sa complexité.

14 mars 1992, samedi

Je n'arrive plus à tenir mon journal de cave. Il m'ennuie et puis zut. Le tout est de tenir mes dossiers en ordre. Que l'information soit toujours datée, et bien classée. Et digérée au fur et à mesure. Je suis partagé entre le désir d'avancer et la peur d'être submergé. Actuellement un bout du paysage, une zone nouvelle lentement se révèle. Je me revois adolescent, sous la lampe orange, dans la chambre de Bernard soigneusement calfeutrée, plongeant le papier exposé dans la cuve rectangulaire du « révélateur ». On ne se lasse jamais d'un tel miracle. Bien rincer avant de fixer. Je vois apparaître les traits d'une nouvelle jeune fille. Dans la lignée de Marie-Edmée Pau et de Marie Bashkirt-seff. Elle ne veut pas se marier. Elle veut peindre ou écrire. Penser et créer à son propre compte. Elle est plus ou moins féministe. Parisienne et de bourgeoisie très aisée. Son journal est certes encore un journal de jeune fille à la croisée des chemins. Mais il va l'accompagner toute sa vie dans le chemin qu'elle est en train, grâce à lui, de choisir. Même si — tout arrive — elle se marie. J'avais envie de baptiser ce petit groupe. Mais comment ? « Fin de siècle » ? Ou « Département des manuscrits » (drôle de nom), puisque c'est à la BN que j'ai trouvé deux de ces textes. J'aime bien travailler au Département des manuscrits. Le plancher craque, on a de vieux pupitres, il y règne une atmosphère d'atelier ou de salon mondain. J'y ai donc rencontré Augustine Bulteau, et cette semaine Aline de Lens, la fille du chirurgien bien connu. Ces demoiselles ont un atelier à elle dans l'appartement familial. On a ses sympathies : Augustine m'épate, mais c'est Aline que j'aime. Elle ressemble par certains côtés à Catherine Pozzi, qui fait aussi partie du groupe. Gravement malade, comme elle, dans son enfance. Farouchement décidée à échapper au mariage, et à inventer sa vie. Très haute exigence spirituelle. Les journaux d'Aline, de Catherine, comme celui d'Isabelle Eberhardt, sont pour moi plus authentiquement spirituels que bien des textes pieux que j'ai catalogués. En fait le choix « artiste » est une version moderne, libérée, du choix « religieux ». L'Académie Julian remplace le couvent des Oiseaux. La marque de la religion reste très forte sur Isabelle (qui s'est faite musulmane), sur Aline, bonne catholique, qui se trace des règles de vie strictes tout en entrant aux Beaux-Arts, sur Catherine, qui ne s'est jamais remise de la crise traversée à quatorze ans, quand elle a perdu la foi. Il faudrait peut-être adjoindre au groupe Marie Lenéru ? Mais est-ce un groupe ? Un axe autour duquel je vois certains journaux se regrouper, plutôt. Le journal d'Aline m'a « révélé » cet axe. Le jour de ses vingt-six ans, j'ai eu l'impression qu'elle écrivait... pour moi. Elle refuse de se considérer comme « vieille fille ». Ni vieille ni jeune, dit-elle, mais « artiste ». Manière d'échapper aux classements, d'être *elle-même*.

17 mars 1992, mardi

Mon journal va devenir inintelligible, si je parle ainsi familièrement d'Aline, d'Augustine, de Catherine, d'Isabelle, de Gasparine... C'est un pensionnat, une ruche, une volière. *A l'ombre des jeunes filles en plumes*. Je viens de recevoir une charmante photo couleurs d'un portrait d'Aurore (Saint-Quantin). Au fond, mon livre pourrait être illustré : pages en fac-similé, photos de cahiers ouverts, portraits ou autoportraits... Rien ne remplace le contact avec les manuscrits, mais cela donnerait au lecteur de plaisants regrets.

18 mars 1992, mercredi

Problème capital à traiter : le dialogue. Dans les récits autobiographiques, c'est toujours indice de fictionnalisation. On sent immédiatement le faux, le toc, l'invraisemblable. Pas possible de se remémorer, des années plus tard, le va-et-vient d'une conversation. C'est du Viollet-le-Duc. Mais dans le journal ? Apparemment l'argument de la mémoire tombe, et pourtant l'effet est aussi désastreux. Le régime normal de la mémoire, proche ou lointaine, c'est le croquis. On résume des conversations dont seules surnagent au discours direct quelques répliques ou expressions marquantes. Grâce à quoi le contact avec le lecteur est maintenu. Dès qu'il y a dialogue un peu étendu, le diariste n'est plus qu'un auteur qui s'évanouit derrière la fiction qu'il met en scène. On est au théâtre. Du plus ou moins bon théâtre. Pourquoi suis-je si agressif ? Je sors de lire les entrées des 17, 18, 19 mai 1876 du journal de Marie Bashkirtseff. Elle flirte à mort avec Antonelli, le neveu du cardinal, un mauvais sujet (le neveu !). Elle va jusqu'au baiser sur la bouche, mais s'indigne si sa main s'égare. Transcription intégrale : 36 pages pour quelques heures. Lisez-les. Ça en devient fascinant. Heureusement il y a des commentaires ajoutés à la relecture plus tard. Ils sont roublards et candides, ces ajouts, mais ils rétablissent le contact, elle flirte avec nous aussi. Des pages de dialogue, des chapelets de répliques derrière leurs tirets, avec de temps à autre des didascalies : dis-je en tremblant de plus en plus, m'écriai-je au bout d'un instant seulement, dit-il de plus en plus troublé, etc. C'est joli « didascalie », on dirait un escalier en colimaçon. Ça veut dire indication de jeu. Ce qui sauve tout, c'est l'extravagance. Le 17, au beau milieu d'une conversation qui titube entre Marivaux et la scène des Comices dans *Madame Bovary*, elle menace son amoureux : c'est incroyable les propos qu'il tient, elle va mettre tout dans son journal ! Ce qu'elle fait, — en regrettant d'être malgré tout obligée d'abréger : *« il est impossible de suivre même un peu ces centaines de phrases inutiles et extraordinaires »*. Dès le lendemain 18, elle lui en fait lire des morceaux choisis. Elle nous explique, à nous, *« tous les passages que vous avez lus, marqués dans ce livre, ont été donnés à lire ce soir à Antonelli. Et pour qu'il ne pût lire plus que je ne voulais, je couvrais l'écriture par deux feuilles blanches ne découvrant que ce qu'il fallait »*. Allumeuse ! C'est la première fois que je vois un journal intime faire du strip-tease… Cette fille me fait perdre la tête, je ne sais plus ce que je voulais dire. La fictionnalisation. Le moment où le texte « prend », devient épais, opaque. Mon incapacité à lire Anaïs Nin, unanimement vantée. Les dangers de la littérature. Reprendre tout cela à tête reposée.

19 mars 1992, vendredi

Michel Contat m'exhorte à « laisser tomber » quelque temps les jeunes filles. Sartre est en rade, au point mort. Michel attend pour la fin de ce mois un texte que je n'envisage plus de finir avant l'été, c'est maintenant clair, il faut que je le lui dise, crise à l'horizon. Le paradoxe, c'est que je fonce dans un travail que personne ne m'a commandé, pour lequel je n'ai ni éditeur ni échéance, en laissant tomber une échéance réelle et (relativement) urgente. Ai-je souvent fonctionné ainsi ? Peut-être. C'est formidable l'énergie qu'on tire de tels blocages, même si on a des petits remords. Mais ce n'est pas seulement, pas vraiment ça. Il y a une passion positive, dévorante. Je m'en suis rendu compte en lisant la petite phrase que Michel avait rajoutée à la main sur sa lettre collective de rappel. Je souriais intérieurement comme un idiot en me disant : il ne sait pas ce que c'est.

D'ailleurs la vie universitaire n'est faite que d'urgences folles suivies d'incroyables retards. Me voici en train de corriger les épreuves du colloque de mai 1990 sur le journal personnel, pour lequel l'an dernier j'ai moi-même fait à Jacques les gros yeux que me fait maintenant Michel. Relu l'étude de Marie-Françoise Chanfrault-Duchet sur les journaux de jeunes filles d'aujourd'hui. C'est très bon. Passionné. Au colloque, quand elle citait les phrases des adolescentes, on avait l'impression qu'elle parlait directement. Ça a gêné des gens dans la salle. C'était comme un hold-up. Elle articulait J'EN AI MARRE en lettres capitales. Ça manquait de distance, et puis c'était facile. J'ai relu, il y a la distance, et c'est difficile, très dur. – Souvenir d'une conversation récente. D. m'explique comme il est gêné pour parler du film d'Hervé Guibert, *La Pudeur ou l'Impudeur*, sans intérêt comme cinéma, mais Guibert s'y montre en train de mourir, et il est mort. C'est une prise d'otage. On n'ose pas dire que l'empereur est nu. – Même débat qu'avec ce Marc Ligeray qui a attaqué « *Cher cahier...* » dans la revue *Recueil* (ma réponse vient de paraître). — Ils sont amers et dédaigneux, déçus peut-être, ils crient à la décadence, à la facilité : l'Art, dont ils ont le secret, va disparaître avec eux.

Je reviens à Marie-Françoise. Deux choses m'ont frappé : la manière dont les adolescents *réinventent* le genre qu'ils pratiquent. Pourquoi tous les journaux se ressemblent-ils ? Parce qu'ils ont le même modèle ? L'intertexte ? Ou parce que les producteurs ont en eux le même « programme » ? Les boutons d'or ne se donnent pas le mot pour fleurir pareils sur des milliers de talus. Je me souviens de cette adolescente de *« Cher cahier... »* tout étonnée, et vexée, de voir que sa copine disait exactement les mêmes choses qu'elle dans son journal.

L'autre chose, c'est l'évolution sociale. Finies les « jeunes filles », ce sont des « adolescentes ». Celles de Marie-Françoise sont dans la mouvance catholique (elles ont confié leurs cahiers à « Vivre et l'écrire »), mais d'origine populaire. Certaines vivent dans des banlieues difficiles, se droguent, sont mauvaises élèves... Apparemment il y a un abîme entre les demoiselles des années 1850-1870, et ces « ados » paumées. En fait il y a continuité. Le diarisme s'est développé en même temps que l'enseignement secondaire féminin. La scolarité obligatoire jusqu'à seize ans (1959) lui a donné un coup d'accélérateur, j'en suis persuadé. A la fin du XIXe siècle, les dates-clefs sont à chercher du côté des « trois glorieuses » : 1879, chaque département doit avoir une école normale primaire de jeunes filles ; 1880, création de l'enseignement secondaire féminin public (loi Camille Sée) ; 1881, création de l'ENS de Sèvres. Pas de doute, c'est la mort de la jeune fille...

25 novembre 1880

Et cette paix candide de jeune fille, cette délicieuse floraison de pudiques désirs, ces élans d'idéale bonté qui plus tard font l'amour de l'épouse, le dévouement de la femme et le sacrifice de la mère, tout ce charme exquis, toute cette poésie, tout ce respect qui fait que le vice lui-même se tait, se découvre et recule devant nos enfants comme devant l'apparition des grands paradis perdus, tout cela va disparaître ! On va supprimer la jeune fille...

Ça, c'est écrit dans un journal de grandes personnes, *Le Gaulois*. A force de voir des lycées de filles porter son nom, j'ai longtemps cru que Camille Sée était une femme, une pionnière... Ces nouvelles jeunes filles scolarisées, j'en ai peu dans mon corpus. J'ai Marguerite Aron, sévrienne de la promotion 1893. Renée Berruel est ma première lycéenne, elle est allée jusqu'au diplôme d'études secondaires (les filles n'avaient pas encore de bachot). C'est maigre. Ça me fait regretter la perte des journaux utilisés par Mendousse. Je viens justement de recevoir...

22 mars 1992, dimanche

... un journal d'institutrice : Olympe S*** a vingt-cinq ans, est tuberculeuse. Elle tient son journal pour se soutenir le moral. Ça se passe dans un petit village, c'est l'hiver, il neige. Elle écrit de novembre 1892 à février 1893, elle mourra au printemps... Son journal est une cantate mélancolique et résignée :

26 novembre 1892, samedi

Je recommence ce journal, mais à tâtons et sans conviction. Je suis encore malade et l'entrain me fait défaut. Il n'y a rien de tel que la maladie pour bien montrer le néant, le vide de tout. Pourtant ne serait-ce que pour m'occuper quelques minutes par jour, je reprends la plume. Peut-être trouverai-je du plaisir à me regarder vivre, à noter mes impressions de malade, mes espoirs, mes angoisses, mes souffrances et aussi mes joies, car quelle vie si sombre soit-elle n'a pas ses joies ! : rayons pâles d'un soleil qui court derrière les nuages.

Elle ne sort plus, elle voit le monde de sa chambre, de sa fenêtre. Elle parle de ses lectures, livres, revues... de ses broderies... Elle note ses réflexions... Elle fait la chronique de la famille, du village... Les visites du curé, du médecin... Elle suit les fluctuations de sa maladie. Elle voudrait vivre encore, se résigne à la mort, mais craint de souffrir... C'est février déjà, elle arrive au bout de son cahier, elle lui dit au revoir :

24 février 1893, vendredi

Mon journal s'achève. Béranger ne voulait pas se séparer de son vieil habit. Il me semble aussi que cela me fera de la peine de ne plus pouvoir confier mes pensées à ce petit volume qui m'a désennuyée plus d'une fois.

J'en commencerai un autre, mais plus tard, si Dieu me rend la santé.

Adieu donc, pages bizarres, pages sérieuses, pages intimes, je vous relirai quelquefois encore, un journal c'est un ami.

Elle est institutrice. Son père est l'instituteur laïque du village, sans doute d'origine paysanne. Ses six frères sont aussi instituteurs et ont tous épousé des institutrices. Olympe a visiblement eu d'autres journaux avant celui-là. Un jour, on la voit *relire* le journal de jeunesse de son amie Céleste, devenue depuis sa belle-sœur. Peut-être les autres belles-sœurs avaient-elles aussi tenu journal... J'ai immédiatement écrit à Mona Ozouf, au cas où l'enquête sur les instituteurs de la Belle Époque aurait ramené dans ses filets des journaux. Aucun, me dit-elle, mais certaines réponses sont écrites à partir de journaux d'autrefois. Je me souviens de l'enquête de Sarcey, et de celle du *Manuel général*. Il faut continuer à chercher. Plein de choses encore à trouver. Ces journaux viennent d'une classe sociale inférieure à celle de mes demoiselles. On est plus près du peuple, même si on a déjà de l'éducation. – Ça me rappelle que je dois explorer la presse professionnelle des instituteurs à partir des années 1880. J'ai du pain sur la planche.

25 mars 1992, mercredi

Tentation d'éclairer tout cela par des lectures théoriques. Éclairage éclectique : dans *Libé*, j'ai eu l'œil attiré par les *Éléments de rythmanalyse. Introduction à la connaissance des rythmes*, d'Henri Lefebvre (12 mars), par *La Bissexualité psychique*, de Christian David (19 mars). Les titres m'ont fait rêver, peut-être les livres me feraient-ils déchanter ? Je lis au kilomètre les journaux de jeunes filles, au millimètre des textes théoriques. Malgré l'étiquette de « théoricien » de l'autobiographie qu'on me colle parfois, j'ai lu peu de théorie, et il y a longtemps. Je suis de plus en plus empirique. J'ai été garde champêtre ou arpenteur. Maintenant je me promène.

27 mars 1992, vendredi

Vesoul a encore frappé ! Hier une voisine de la rue Bouille m'apprend que mon appel a été publié par le bulletin du cercle généalogique de Franche-Comté, dont elle fait partie. Le monde est petit. Ce matin au courrier une lettre de Neuilly, un autre Franc-Comtois, Vincent Laloy. Il a publié en 1986 une chronique de la vie de sa famille au XIXe siècle, centrée sur le journal de Lucile Laloy (1829-1856), qu'il reproduit intégralement. Le prospectus dit que c'est un « document déchirant », la jeune fille se laisse mourir de désespoir après, si je comprends bien, une amitié féminine. De plus c'est un journal de la première moitié du siècle. Je vais l'acheter cet après-midi. Aurais-je pu, d'après le seul titre (*Chronique intime d'une famille franc-comtoise au XIXe siècle*), deviner ce gisement ? L'avertissement est clair : il faut que j'écrive à tous les cercles généalogiques régionaux.

29 octobre 1849

Mon journal, le seul confident de mes ennuis et de mes souffrances, est découvert. Louis et mon père ont l'indiscrétion de l'ouvrir. Je suis vivement fâchée... Heureusement que... ils n'y connaissent que du bleu.

28 mars 1992, samedi

C'est Lucile bien sûr, dont j'ai hier acheté et lu le journal. Louis, c'est son frère. *« Ils n'y connaissent que du bleu » !* Ils n'y comprendront rien, elle le sait. Comprendre quoi ? Elle a exprimé à demi-mots la passion dévorante qu'elle éprouve pour Marthe, de cinq ans son aînée, qui habite le même petit bourg de Franche-Comté. Un mois plus tard, Marthe lui préférera Ernestine. *« Rupture entre Marthe et moi. Ernestine l'a emporté d'assaut. »* Elle va mettre plusieurs années à se détacher de tout et à se laisser mourir. Mon interprétation : son frère et son père n'y voient que du bleu, parce que ça les arrange. Ils ont compris l'essentiel : Lucile n'est pas amoureuse d'un jeune homme, pas de danger à l'horizon. De son côté, le père ne fait visiblement aucun effort pour la marier. Ça l'arrange qu'elle reste à la maison pour remplacer sa mère, morte quand elle avait treize ans. Elle peut soupirer tant qu'elle veut pour Marthe, cette flamme platonique ne dérange guère, même si elle la rend parfois difficile à vivre. Mais c'est vrai qu'on n'y voit que du bleu, dans ce journal, si on lit vite. Lucile est allusive en permanence, toujours à mi-chemin des aveux, dans un texte par ailleurs très direct. Ses cris de désespoir restent disjoints des informations qu'elle donne sur ses rapports avec Marthe. Elle parle, sans précision, de vice, de passion, d'aveux faits à son confesseur, M. Noël. Au lecteur de relier les éléments du puzzle. Lucile est au plus loin de la langue de bois. Ses notations au crayon sont brèves, vives. Elle fixe souvent, sans introduction, sans commentaire, au style direct libre, des phrases entendues, à elle adressées. Parfois elle cite de la même manière une réplique qu'elle a dite, ou pensée. *« Séance avec M. Noël. Oh que vous comprenez peu les tortures du cœur. Je dois le revoir demain. »* Bribes d'oral collées. Notations rapides. Finalement son bleu est un *blues* assez transparent, une tragédie sténographiée. Il est tard, demain matin on passe à l'heure d'été, et je pars pour Tel-

Aviv aux aurores. J'ai voulu néanmoins prendre ces notes sur Lucile. Sa stratégie ne ressemble guère à ce que j'ai vu jusqu'à présent. Je ne suis pas au bout de mes découvertes. Adieu, adieu, mon cher journal, tu vas me manquer, je te retrouverai vendredi prochain...

4 avril 1992, samedi

... on est déjà samedi. Ce que j'aime dans le journal, c'est qu'on sculpte son temps. Quand je ne le tiens pas, aucun remords. Mon journal s'écrit en silence. Je suis dans de l'ellipse, en vacances. Je glisse dans une vie qui échappe à votre contrôle. Je suis devenu l'homme illisible. Quand je veux, je réapparais. C'est délicieux.

Me voilà revenu d'Israël. Il y a bien d'autres choses que je n'ai pas racontées. Mercredi 25, j'ai fait une conférence sur les jeunes filles au département d'anglais de Villetaneuse. J'ai négocié mon retard sartrien avec Michel Contat, il a fait preuve de compréhension. Samedi 28, journée Perec : séminaire le matin à Jussieu, table ronde l'après-midi à Montreuil. Impression de lassitude. Il faut savoir décrocher. Perec c'est fini. En Israël pas de conférences sur les jeunes filles, mais je donne des aperçus au cours des discussions. Ce qui intéresse surtout, c'est l'idée qui me vient d'une « tragédie rhétorique ». Souvent on me demande avec commisération si tout de même il y a des textes « bien », littéraires, qui se tiennent quoi !, émergeant de cette fadeur. Alors je fais de la provocation. Je me présente comme un explorateur courageux qui s'enfonce dans un désert de stéréotypes au pays aride de la langue de bois. Parfois, au bord de la piste, je découvre un cadavre de chameau, ou bien à l'horizon j'aperçois une oasis, qui n'est souvent qu'un mirage... Le sens jaillit des failles, des dysfonctionnements, qu'on ne peut percevoir qu'en lisant intégralement les textes, en s'immergeant dans leur flux. Celui qui ouvre au hasard et lit deux pages n'y comprend goutte. Je deviens dramatique et féministe à souhait, mais un peu simpliste. On frémit dans la salle. Saint Georges transperce le stéréotype, et arrache la jeune fille moderne aux griffes du dragon...

5 avril 1992, dimanche

Valse à Ville-d'Avray : je suis allé rendre les deux volumes du journal de Pauline Weill, en échange de quatre cahiers pleins de charmants bouts de laine bleu pâle qui ont été tenus par une de ses petites-filles, Louise, à partir de 1914. J'ai conseillé de léguer Pauline à la BHVP.

Mardi dernier j'étais à Jérusalem. Rien à voir avec les journaux de jeunes filles, en apparence. Et pourtant si. Le choc que j'ai éprouvé a rapport au procès que me fait Georges Gusdorf. « Celui qui croyait au ciel, celui qui n'y croyait pas. » A Tel-Aviv, on m'a demandé si je répondrais aux flèches dont Gusdorf me crible dans son grand dernier livre, *Lignes de vie*. J'ai dit que non. Jérusalem. Fascination pour la ville-palimpseste, suffocation devant la ville-abcès. Le monothéisme dans tous ses états. La Via dolorosa traverse le souk, la mosquée d'Omar se dresse sur la plate-forme du Temple hébreu, il y a même un temple mormon près du jardin des Oliviers, à deux pas du mont Scopus où la nouvelle université hébraïque est bâtie comme une forteresse en territoire palestinien. Les volées de cloches répondent aux haut-parleurs des minarets. On est soulagé de sortir de la ville sainte sans avoir reçu de coup de couteau. Les plissements de l'histoire ont fait ce carambolage effrayant. L'humanité ivre de prière et de violence. La Shoah a eu raison du pacifisme séculaire des Hébreux. Rome est un volcan éteint, Jérusalem un volcan en activité. Dieu doit regretter d'avoir révélé aux hommes qu'il était un.

J'ai fait ma première communion en 1949 avec un costume gris et un brassard, dans la chapelle du lycée Henri-IV. J'ai perdu la foi en silence, tout seul, pendant mon année de philosophie, dans ce même lycée, en 1954-1955. Pas tout à fait en silence : mon journal m'a « accompagné » dans cette agonie horrible. C'est pour cela que j'ai été bouleversé par celui de Catherine Pozzi. Pour cela que j'ai parlé de Jérusalem. Après tout, j'avais bien évoqué Vesoul... « Il est plus utile de raconter ce qu'on a éprouvé que de simuler une connaissance indépendante de toute personne et une observation sans observateur » (Valéry). Ceci dit, la lumière de Jérusalem était merveilleusement pure, et j'ai toujours émotion à lire les Évangiles.

7 avril 1992, mardi

Coup de théâtre. Je lis la première année (1914) du journal de Louise Weill. Elle a treize ans, elle est au lycée de jeunes filles de Lyon. Ses cahiers sont une chronique minutieuse de sa vie de lycéenne. Chaque jour elle note toutes ses occupations, ses devoirs, etc. C'est un agenda, un cahier de textes, un carnet d'adresses et une chronique. Rien d'un journal intime. A partir d'août 1914, s'ajoute une chronique du front. Le *je* est scolaire, le *nous* militaire. Je suis allée en classe, nous avons repris telle position. Le journal est illustré de photographies : elle, ses meilleures amies. C'est fascinant par la précision de l'information. Mais on ne sait pas bien qui est Louise, sinon que pendant cinq ans, chaque jour, elle a eu besoin de noter ça. C'est peut-être justement ça, son intime : une passion dévorante pour le lycée.

Ce n'est pas ça le coup de théâtre.

Elle a pour amie une demoiselle Pic. J'en parle au téléphone à Chantal Chaveyriat-Dumoulin, l'arrière-petite-fille de Claire Pic. D'abord elle ne voit pas, ça l'étonne, il n'y a pas tant de Pic ! Je vérifie le prénom : Paulette Pic. Mais oui, Paulette, bien sûr, évidemment, voyons ! C'est la fille d'Adrien Pic, le jeune cousin de Claire. Les vannes de la mémoire s'ouvrent sur la destinée difficile, puis tragique, de cette Paulette, cousine et amie d'enfance de la mère de Chantal. Et Chantal ajoute que Paulette avait pour amie une demoiselle Weill, « Loulou Weill », que Chantal elle-même a bien connue. Je dis alors à Chantal que cette Loulou est justement l'auteur du journal, et c'est le choc aux deux bouts de l'appareil.

Moi j'apprends la destinée de Louise. Souvent on a un journal qui reste en l'air, on ignore ce qu'est devenue la jeune fille.

Louise était remarquablement intelligente. Après le lycée elle a fait sa médecine, est devenue pédiatre. Elle a soigné Chantal et ses sœurs quand elles étaient petites, elle était leur pédiatre. Chantal voit très bien où elle habitait à Lyon. Elle revoit précisément l'escalier où Louise et sa mère ont été arrêtées, sauvagement brutalisées, embarquées pendant la guerre. Sans qu'elle me le précise, je devine la suite.

Chantal, elle, est bouleversée d'apprendre que le journal d'enfance de Louise a été sauvé. Et stupéfaite d'apprendre qu'il est entre mes mains. Elle était persuadée qu'après l'arrestation l'appartement avait été mis sous séquestre et vidé. Elle trouvait tragique qu'on ait anéanti en même temps que les personnes toutes les traces qu'elles avaient pu laisser. Il n'en est rien. Je vais photocopier les cahiers pour elle. Je ne puis plus regarder ces longs bouts de laine bleue sans avoir le cœur serré.

9 avril 1992, jeudi

Un courrier de Chantal, avec toutes sortes de documents. Louise est morte à Auschwitz le 30 mars 1944 en même temps que sa mère, sa sœur, son beau-frère, et tant d'autres personnes. « Ma sœur Simone, qui a une excellente mémoire, se souvient des deux dames imposantes qu'étaient Mlle Weill et sa mère. Notre tante Ida, la mère de Paulette, leur avait trouvé une cachette à la campagne, où elle les suppliait de partir, mais Mme Weill voulait attendre qu'il fasse moins froid... »

11 avril 1992, samedi

Chantal m'envoyait aussi une documentation sur le lycée de jeunes filles de Lyon. Louise décrit par le menu, heure par heure, la vie de ce lycée pendant les cinq ans de la Grande Guerre. Son journal est précieux pour l'histoire locale, l'histoire de l'éducation et l'histoire des femmes. Il devrait être déposé à la Bibliothèque de la ville de Lyon. Louise n'en savait rien, ne le faisait pas pour cela. Heureusement qu'elle ne pouvait non plus se douter que, sauvé par miracle, il serait lu dans la lumière tragique de la Shoah.

Pourquoi le tenait-elle ? Elle ne s'en explique pas. Un des grands pièges des journaux est que, faute d'information, on a tendance à y lire directement un portrait psychologique de l'auteur. Mais les gens ne ressemblent pas à leurs cahiers : ceux-ci ont une fonction bien précise, ne reflètent qu'une zone de la personnalité. Le livre de Michèle Leleu (*Les Journaux intimes*, 1952) m'a laissé sceptique : je ne crois pas à la caractérologie, et je me demande de qui ou de quoi elle traque et classe les caractères. On peut dresser une typologie des journaux, guère de leurs auteurs. Des gens gais laissent des journaux anxieux (mais des gens anxieux aussi). Des gens à la conversation délicieuse laissent des agendas tout secs. Est-ce que je ressemble à mon journal ? De toute façon mes journaux ne se ressemblent pas entre eux. Ici je suis disert, pimpant. Je me tiens bien. A la cave c'est en vrac, au grenier c'est pas gai. De Louise Weill je ne puis dire grand-chose. Son journal est méticuleux, attentif à tout, sauf à elle. Je la vois pleine de bon sens et d'humour quand elle raconte les « flammes » de ses amies pour des professeurs, et cite leurs poèmes d'amour. Mais j'en sais presque plus par les souvenirs de Chantal et de Simone. J'y lis surtout l'importance capitale du lycée : il a donné à Louise un destin personnel. Elle est fille d'un pédiatre éminent (il a sa rue à Lyon). A dix-huit ans, elle n'est pas une jeune fille à marier. Elle va continuer ses études et devenir médecin. Quand je pense au destin tordu qu'on a fait, moins d'une génération avant, à Catherine Pozzi, elle aussi fille de médecin ! A toi, Catherine :

17 juillet 1900, mardi

J'ai dix-huit ans. Depuis le 13.
Purée !
Je les déteste. Je suis à présent la jeune fille à marier. Brrrrr !
Si je n'étais pas sûre de mes parents, je me suiciderais ! car j'ai l'idée même du mariage en horreur. Mais j'ai l'air gamin, Dieu merci, cela me gagnera encore au moins deux ans de tranquille insouciance !

15 avril 1992, mercredi

Je n'ai plus de journal de cave, ni aucune envie de noter ici les démarches que je fais dans toutes les directions pour trouver des journaux. Et j'en trouve ! Dès qu'on en parle, ça sort ! En ce moment je me sens débordé, moins par ça d'ailleurs que par tout le reste. J'en arrive à souhaiter que les journaux n'arrivent pas trop vite. Parfois on me demande combien nous sommes à travailler sur ce projet... Tout seul et sans un sou. Villetaneuse et sa photocopieuse, le reste de ma poche, et tout sur mon temps : seul maître à bord après Dieu. Lundi matin Daniel Fabre m'avait invité à la Mission du patrimoine ethnologique. Il va faire un « appel d'offres » pour des recherches sur les écritures ordinaires. Il consultait quelques personnes. Plus d'un million à dépenser l'année prochaine, une dizaine de « projets » à financer. Je ne suis pas finançable, ni désireux de l'être, mais ça fait rêver. J'ai repensé à mes projets de l'année dernière, ceux de la journée « Archives autobiographiques ». Nohant, Chambéry, pour le concours d'autobiographie : aucune nouvelle. L'idée d'un répertoire informatisé des textes autobiographiques français : dans les choux. Et pourtant j'en ai fait, des visites, des voyages, des lettres ! Zéro ! Naïveté ! Aide-toi le ciel t'aidera. Démarre seul si ça marche on te récupère. Le seul projet qui ait pris forme est celui de l'Association. On est un petit groupe, on va se faire une petite fête à Ambérieu le 27 juin. Mes jeunes filles finiront bien par être déclarées d'utilité publique par un éditeur. Je ne me plains pas, au contraire. J'aime ça, comme de trotter seul avec mes pensées autour du parc de Sceaux. Il faut prouver le mouvement en courant.

22 avril 1992, mercredi

Un saut de puce d'une semaine à l'autre. J'ai lu Gasparine. Pardon, Gasparine. J'ai eu un moment de faiblesse. Un bon quart d'heure je suis retrouvé tout sec, comme réveillé d'un rêve, en face de ton texte que je n'arrivais plus à lire. Et pourtant tu n'es pas plus ennuyeuse qu'une autre. Je me trouvais, moi, aride, agacé, en face de cette dentelle allusive. Le doute s'est propagé. J'étais à côté de moi-même, dégrisé, me voyant comme sans doute d'autres me voient, me demandant si je ne m'étais pas monté la tête. J'avais dérapé, perdu prise. Pourquoi ? La comparaison avec Catherine Pozzi ? Ou tout simplement avec Claire ? La difficulté de déchiffrer ces grandes pages doubles de photocopies qui m'échappaient des mains et se tordaient ? Sûrement j'aurais été plus à l'aise, et même ému, de tenir ton cahier. Ou peut-être étais-je arrivé à saturation, tous les cahiers à venir ne seraient plus pour moi que ressassement, il fallait tirer un trait sur cette affaire... Et puis j'ai resssaisi un bout de fil qui dépassait, une remarque un peu rougissante que tu faisais sur Angelo, et tout s'est remis en place... A demain !

2 mai 1863, samedi

Très grande, mince, Gasparine Barrelier a des pieds et des mains très bien faits, la peau blanche, les cheveux noirs. Ses yeux gris-brun foncé, quoique jolis, n'ont pas l'expression de ceux de Laure, cependant l'ensemble de sa figure est beaucoup mieux. Elle est jolie personne, sa démarche est assez gracieuse, sauf qu'en raison de sa grande taille elle se tient peut-être un peu courbée. Au moral elle est plus posée, plus réservée que Laure, mais sans la moindre timidité. Elle a de l'esprit, cause très agréablement ; on lui reproche d'être en société un peu affectée, du reste très gracieuse et polie. Ses amies la trouvent un peu volage, cependant elle l'est moins qu'on ne le croit. Elle est plus pieuse, je crois, que Laure, et plus tournée de ce côté-là, mais elle n'a pas cependant là-dessus mes idées. Elle est parfois naïve sans le savoir, et me donne des envies de rire que je réprime. Je me garderais du reste de me moquer d'elle : la confiance demande la discrétion.

23 avril 1992, jeudi

C'est Gasparine peinte par Claire. Ce jour-là elle s'amuse à composer un diptyque : Laure et Gasparine. Gasparine, elle, ne fait pas de portrait en forme de Claire. Elle parle seulement, avec une considération qui ne va pas sans quelque crainte, de « l'esprit » que tout le monde lui reconnaît. Je soupçonne Claire de n'avoir pas toujours su réprimer ses envies de rire... Elle devait rire là où j'ai bâillé. Je la comprends à demi-mot, encore mieux depuis que j'ai lu Gasparine... Voilà que je me mets mon grain de sel dans leur *Journal à quatre mains*, c'est vilain... Ça sera même peut-être un *Journal à six mains* si Chantal arrive à retrouver le journal d'Hedwige, l'amie de cœur de Gasparine. Quel serait l'intérêt de ces journaux parallèles ? Montrer à quel point c'est une activité de groupe. Je me souviens des journaux de la famille La Ferronnays. Louise L*** et ses sœurs. Claire et ses copines. J'ai aussi des journaux de mère en fille (Laguin/Berruel), de grand-mère en petite-fille (Weill). Et puis montrer à quel point les journaux peuvent différer, le *jeu* qui reste dans cet exercice si contraint. Pourquoi Gasparine a-t-elle renoncé à son journal, dès qu'une religieuse du pensionnat Saint-Joseph a fait les gros yeux ? Il lui était moins nécessaire qu'à Claire, qui a persévéré. Gasparine est la jeune fille heureuse, choyée dans sa famille, bien adaptée, qui a juste un zeste d'appréhension côté mariage, et à part ça ne se pose aucune question. Claire a été mûrie par le deuil. Elle n'est que question, exigence, appel à l'amour. Gasparine tient un journal-chronique, j'ai eu tort de bâiller, c'est une bonne chroniqueuse de Bourg-en-Bresse, il y a même des morceaux de bravoure, comme la vente de charité de la préfecture, ou la visite du pensionnat industriel de Jujurieux. Elle est bien plus précise et régulière que Claire. Sa vie intérieure semble très conventionnelle. Claire tient un vrai journal personnel, elle ne raconte pas pour raconter, elle suit le fil de sa vie spirituelle, cherche sa destinée, s'interroge sur tout, et même une fois, chose excessivement rare chez ces demoiselles, sur la question sociale.

Pourrait-on éditer Claire et Gasparine en chant amébée, l'une en romain, l'autre en italique, jour après jour, comme une correspondance ? Pendant un an, de fin 1862 à fin 1863, leurs journaux courent parallèlement. Mais ce serait mutiler celui de Claire. On imposerait comme axe de comparaison la chronique, on ne donnerait que l'amorce d'une aventure spirituelle qui a duré sept ans.

Gasparine, j'ai tout le temps envie de la taquiner. De la faire un peu rougir. C'est parce qu'elle rougit dans son journal que j'ai repris le fil de ma lecture. D'abord je la soupçonne, c'est plus qu'un soupçon, presque une certitude, d'avoir un faible, une « flamme », pour l'évêque de Belley. Oui ! Elle passe son temps à guetter ses moindres saluts, toujours « gracieux », et les note avec émotion dans son journal. Elle doit bien sentir que c'est un peu... excessif puisque immédiatement elle essaie de se justifier : *« Mgr est réellement si bon et si bienveillant pour tous ses diocésains que l'attachement qu'on lui porte est bien naturel. »* Qui a dit le contraire, Gasparine ? Ou bien voilà qu'elle raconte un dîner où elle était fort bien « envoisinée » : *« Mon voisin de droite surtout était aux petits soins pour moi et d'une amabilité fort grande, que j'attribue uniquement à son extrême politesse. »* Honni soit qui mal y pense ! Et puis il y a cet Angelo, un jeune Italien qui donne des leçons d'accompagnement, il a tenu à Hedwige des propos tels que Gasparine note dans son journal qu'elle ne doit pas oublier de les oublier. *« J'ai fait la connaissance d'Angelo qui est un être réellement à part, sa physionomie est des plus originales, il paraît qu'il a un caractère très chaud et très poétique à en juger par le récit que m'a fait Hedwige d'une conversation des plus singulières qu'elle a eue un jour avec lui en revenant de Tiran. Je ne la rapporte pas ici, d'abord parce que ce serait trop long, puis ensuite si jamais on trouvait ce journal j'aime autant qu'on ne la lise pas et qu'elle sorte ainsi de ma mémoire. »* C'est bien, Gasparine.

25 avril 1992, samedi

Puisque je suis dans les parallèles, il me vient l'envie de compléter mon étude des autoportraits de Claire par une autre sur ceux de Catherine Pozzi. Son journal en est plein. Ils sont plus « modernes » que ceux de Claire, en particulier parce qu'elle s'interroge sans cesse sur ses contradictions (autoportraits binaires) ou la multiplicité des rôles qu'elle joue (autoportraits « en fuite »), elle ne s'y retrouve plus... Cela ferait, à la fin du livre que j'envisage, un diptyque éclairant, et un hommage aux deux journaux que sans doute j'ai le plus aimés.

29 avril 1992, mercredi

Trois jours à cliquer de la souris, à faire ronronner l'imprimante « jet d'encre » pour réaliser une première maquette de ce que pourrait être ce livre. L'effet réel d'un montage qu'on a dans la tête est imprévisible. Les idées me viennent en manipulant. J'aime tant mon répertoire que je l'avais mis tout de suite après mon journal. C'est un grumeau, un caillot qui bloque la lecture. Oust, à mettre à la fin ! Mais la fin, il faut que j'y sois aussi : dédoubler mon journal. J'ouvre un chapitre fantôme : « Journal d'enquête 2. » Je remodèle les titres des parties, j'essaie de construire une progression. Et puis le titre général ? Pas possible d'utiliser le mot cahier. Il me reste quoi ? La plume, l'encrier, le pupitre. J'ai pensé à « En avant la plume ! », c'est une phrase de Claire, ironique mais dynamique... J'ai pensé à un néologisme : « Les encrières », c'est mignon, ça souligne le féminin, ça joue sur le rétro (les encres hier)... Mais c'est un peu taquin ? Pupitre ne me dit rien, le mot commence mal, et le pitre c'est moi. Finalement j'ai mis sur la couverture bleu pâle un mot qui est comme de l'eau fraîche : « Psyché ». C'est le miroir, et la personnalité, et c'est un mythe ambigu, sensuel et spirituel. Psyché veut voir le visage d'Éros... mais une goutte d'encre le réveilla et il s'enfuit ! Mon dictionnaire rappelle que ce mythe a été interprété comme « la destinée de l'âme déchue qui, après bien des épreuves, s'unit pour toujours à l'amour divin ». Éros a mille visages... Une psyché est un grand miroir ovale où l'âme peut se regarder de la tête aux pieds... C'est un titre provisoire. Je verrai la réaction d'Éliane et de Chantal, pour qui j'ai tiré deux exemplaires de cet essai de montage. Moi-même c'est la première fois que je vois mon journal réuni aux extraits de journaux des jeunes filles, à mes notes et études sur elles, à mon répertoire, et je me suis demandé si toutes ces écritures iraient bien ensemble. Ce n'est plus Éros, mais Arlequin, peut-être ? Le journal d'enquête doit mener aux jeunes filles, en douceur, des lecteurs peut-être curieux, peut-être rétifs. Il ne doit pas masquer les jeunes filles. Peut-être est-il trop écrit ? Peut-être que j'y parle trop de moi ? Ou alors pas assez ? C'est délicat à doser, la quantité de soi qu'on peut infliger aux autres. Entre être intéressant et faire l'intéressant, il n'y a qu'un cheveu...

2 mai 1992, samedi, La Cadière

Jeudi, en descendant vers La Cadière, je passe prendre Chantal à Ambérieu et elle m'emmène dans sa maison de famille, à Oncins, au-dessus du charmant lac d'Aiguebelette. Pommiers en fleur, vaches dans les prés. Une vieille ferme, achetée par ses parents dans les années 1930. Les archives familiales sont là, dans différentes armoires au premier étage. Nous dînons près de la vieille cuisinière en fonte, puis Chantal déballe ses trésors. A Ambérieu je n'en avais vu qu'une petite partie. Je réalise une fois de plus comme il est important de voir un texte dans son contexte d'archives. Dans le fonds dont il fait partie. Je découvre, plus largement qu'à Ambérieu, Claire Pic après son mariage. Elle n'a jamais cessé d'écrire ! Des chansons, des contes, des pièces de théâtre pour enfants ! Elle a même publié une petite comédie, *Le Secret de Polichinelle*. Mais aussi, stupeur, une biographie de Marthe, sa fille aînée morte à quinze ans en 1886, un livre d'une cinquantaine de pages analogue à tous ceux que je traque dans la cote Ln^{27}, sous laquelle il doit figurer. J'ouvre, et bien sûr elle cite le journal de Marthe, ce qu'elle appelle ses « cahiers mystérieux », qu'elle n'a lus qu'après sa mort. C'est un journal spirituel, examen de conscience, et en même temps des effusions adressées par Marthe à une cousine de son âge... morte au début de 1884. Peut-être ce journal de Marthe, cité dans un texte de deuil, a-t-il été lui-même inspiré par le deuil. Claire cite aussi des lettres de sa fille. Et les lettres sont là, toutes, dans un gros paquet, avec bien d'autres, les lettres des enfants, les lettres de Claire elle-même à son mari Adolphe, mort en 1887, peu de temps après Marthe. Mais il y a aussi deux petits carnets noirs : un journal-chronique tenu par Claire de 1884 à 1889, uniquement factuel, et un autre, plein de notes de retraite et d'instructions spirituelles. Mais ce n'est pas tout. Après la mort de Marthe, il restait à Claire deux enfants : Frédéric, le grand-père de Chantal, qui devint professeur de lettres, et Valérie, qui resta vieille fille sous la coupe de sa mère. Et voici deux cahiers d'un journal que Claire a tenu à la fois pour elle et pour sa fille, en 1904-1905, puis en 1917-1918. Le titre est : *Notre vie à deux. Mère et fille.* C'est un journal en « nous »... De Valérie elle-même, Chantal m'apporte une pile d'agendas des années 1936 à 1942, donc après la mort de sa mère (1931), comme si elle avait pris le relais. C'est un journal diététique et spirituel, qui fait penser à la tante Léonie dans Proust. Nous avons l'impression d'une étouffante spirale d'écriture. Une bouffée d'air frais, brusquement, comme si nous revenions au journal de jeunesse de Claire, mais d'une Claire libérée : Chantal me montre deux cahiers d'enfance et d'adolescence de sa mère, Denise, fille de Frédéric, née en 1899. Elle est au lycée à Grenoble, et ce journal, commencé sans doute en 1913, se présente comme une chronique, une saga du lycée, des « flammes », des fous rires... Un peu comme chez Louise Weill, en plus gai. Je me souviens que dans les années 1970 il était de bon ton de voir dans l'œuvre scolaire de la Troisième République subtile aliénation, appareil idéologique d'État, etc. Billevesées ! Le lycée a arraché les filles aux mères et leur a donné un avenir autre que le mariage. A dix ans, Denise a lu *Le Journal de Marguerite* (c'est indiqué au début de son « Cahier de bibliothèque », dans une récapitulation de ses lectures de 1909 à 1915), mais elle a quitté la galaxie Monniot. La rupture est flagrante. J'ai envie de citer Denise, tout en voyant comme c'est délicat. Nous sommes près de la grosse cuisinière en fonte, il ne s'agit plus d'un passé lointain, abstrait, Denise s'est assise à cette table, et Chantal me raconte des épisodes de son enfance. De Claire à elle, c'est la traversée d'un siècle d'histoire des femmes. Il est déjà minuit, nous sommes toujours autour de la table pleine de cahiers. Je vais citer Denise, faute de citer Chantal, mais c'est la même flamme généreuse. Juste deux points de repère, 1915, 1924. Le premier, c'est le début de ce que j'appellerais un cahier de fous rires, une sorte de journal collectif :

29 janvier 1915

Ns ns sommes promis Mad. Ch. et moi de faire notre journal de classe aussi souvent que nous le pourrions, ce n'est pas bcp dire ms il faut absolument que je consacre ts les jours 1/2 heure à mettre en ordre mes pensées et à écrire ce qui se passe dans notre joyeuse classe de 4e. Eh bien oui ! joyeuse malgré tout, malgré la guerre, la tristesse, c'est grâce à notre âge... et aux cours de littérature de cette brave Qds. Je suis toujours entre Mad et My et il y a des jours où c'est une vraie joie.

C'est raconté de si bon cœur que j'ai ri moi aussi ! Par exemple la leçon de morale où Mlle Al. déclare : « *Je vous permets de faire des objections, mais je les réduirai en poussière.* » Ou la fois où ces demoiselles pouffaient parce que Clytemnestre appelle Agamemnon « tête chérie ». La prof. se fâche : « *Je ne vois vraiment pas ce qui peut vous faire rire dans cette expression. Elle appelle son mari tête chérie parce que c'est ordinairement sur la tête qu'on embrasse les gens et non pas sur une autre partie du corps !* » Denise en devient violette, Madeleine craque, impossible de s'arrêter... Moi je m'arrête et je passe au sérieux. Cette entrée de 1924 m'a beaucoup frappé. Denise y parle du rôle du journal dans sa libération. Même avec le lycée, ce n'est pas facile... Elle a fait des études d'anglais, puis un séjour à Birmingham, maintenant elle est depuis six mois à Oxford. Je repensais au journal et aux lettres de Zaza, publiés il y a deux ans, et au récit de son séjour à Berlin. Zaza est revenue à Paris se faire étouffer par sa famille. Peut-être que tout ce que je suis en train d'écrire n'est qu'un chapitre supplémentaire du *Deuxième Sexe...*

30 mars 1924

Bien des jeunes filles écrivent – ou tout du moins écrivaient leur journal pour lui confier leurs peines de cœur – et j'en ai fait autant quand j'étais petite fille. Mais maintenant je me suis dégagée de l'atmosphère amollissante de sensiblerie et de sentimentalité dont mes compagnes de lycée avaient commencé à me tirer. Je ne veux pas que ce journal soit un témoin de mes faiblesses et je ne l'écrirai que dans des heures où je sens la vie couler à pleins bords dans mes veines – ou lorsque le souvenir est assez fort pour suppléer à l'impression présente. Je veux que ce journal soit l'écho de mes joies et un réconfort dans les heures grises, un hymne constant de reconnaissance et de bonheur. J'écris beaucoup ces temps-ci car je suis encore sous l'influence des deux trimestres admirables et si utiles au point de vue de mon développement que je viens de passer à Oxford. Je vois devant moi s'ouvrir des heures grises et je mets du bonheur de côté pour les jours mauvais. Je suis infiniment différente de ce que j'étais deux ans auparavant, quant au moi *conscient s'entend – car au contraire je sens que je me dégage de plus en plus des chaînes conventionnelles qu'on avait tressées autour de moi – moi y aidant d'ailleurs – et je suis plus* moi *que jamais. Le douloureux arrachement que fut pour moi mon départ de Grenoble pour B'ham était nécessaire et même indispensable : il me fallait de l'air, beaucoup plus d'air... Maintenant je peux respirer.*

5 mai 1992, mardi, La Cadière

Le pupitre... En fait j'en ai un devant moi, tout mignon, portatif, un petit PowerBook prêté par l'ITEM pour ces quelques jours de vacances en Provence. Le boîtier est gris, les touches, l'écran aussi. Petites cellules grises. J'ai tenu mon journal d'abord à la main. Depuis 1986 à la machine à écrire électrique. Ce journal est le premier que je tienne à l'ordinateur. Le premier aussi dont je travaille la forme, comme pour les textes que je publie. La différence est que je le fais sur le moment. Je rumine devant l'écran. J'écris lentement : vingt minutes depuis le début de cette entrée ! Pour dire des choses aussi simples... Elles sont simples parce qu'en ruminant j'ai éliminé le reste. Je modèle mes phrases, le plus souvent en simplifiant aussi. A l'écran les mots deviennent pâte à modeler. C'est tout souple. Ça oublie la forme que ça avait avant. Ça ne colle pas aux doigts. Je relis souvent, pour voir si ça épouse le mouvement de ce que je voulais dire, et que j'avais roulé dans la tête, avant.

6 mai 1992, mercredi, La Cadière

Fini de lire le journal de Catherine Pozzi. Il y a un trou entre 1901 et 1903. Les autoportraits sont tous avant ce trou. Un cahier a-t-il été perdu ? s'est-elle vraiment tue deux ans ? Le mouvement du journal n'est plus le même. Avant, il était conquérant et allègre, même si l'année 1900-1901 montre déjà le blocage d'une destinée, un esprit qui tourne à vide, un corps assoiffé d'amour. De 1903 à 1906, les entrées éparses dessinent le mouvement d'une tragédie. Catherine tourne en rond dans un problème insoluble. Elle écarte absolument l'idée du mariage. Il lui est impensable de prendre un amant. Elle frôle un moment une tentation saphique. Elle pense parfois au suicide, parfois rêve à la religion. Elle se brouille avec son père. Le dernier cahier s'arrête en 1906, avant que n'entre en scène Édouard Bourdet. La tragédie est de ne pouvoir être réellement ni homme ni femme. On lui parle toujours de son « esprit d'homme », elle éclate : *« Mais savez-vous ce que c'est que mon esprit d'homme ?* Un esprit raté. *Un esprit capable de sentir, de penser et de deviner, de vibrer et de créer, et qui ne vibre, ne devine, ne pense ni ne crée par paresse »* (30 octobre 1900). Cette paresse est en fait encouragée par l'inactivité complète qui est son lot. Elle ne peut non plus être la femme qu'elle voudrait. En 1904, persuadée que son journal ne vaut que par sa sincérité, elle franchit le pas, avoue l'enfer qu'est cette vie torturée — c'est son mot — par le désir. *« Le désir, le désir – Avoir une sensualité si terrible, et vivre, et être moi ! Passer devant le désir des autres, le voir et en souffrir – avoir le droit de boire tous les plus violents " extraits d'amour " artistiques : Baudelaire, d'Annunzio, certaines parties de Beethoven, de Brahms, de Chopin ou de Wagner – Avoir les nerfs – my heart-strings – tendus à crier d'angoisse... Quelles symphonies passionnées l'amour jouerait sur vous, my heart-strings, alors ! Et m'enfouir la tête dans mes coussins, seule dans ma chambre éternellement fermée à clef »* (février 1904). Mais que faire ? Elle ne veut pas perdre son âme et sa liberté dans le mariage. Parfois elle rêve, un peu gouailleuse : *« Si j'étais homme, j'arriverais bien à l'entente cordiale entre psuché et cette sacrée chair »* (29 mai 1905). Conclusion : *« Ton grand malheur, c'est d'être une femme »* (décembre 1905)...

10 mai 1992, dimanche

Week-end anglais. Université d'Essex, petit séminaire d'histoire sociale, on est une trentaine autour d'une table. Je présente mon enquête en français et Daniel Bertaux la résume en anglais (merci !). Pour la première fois j'évoque en public l'idée de faire un livre-journal sur ces journaux. Ça a l'air de plaire. Ça leur rappelle Luisa Passerini (*Autoritratto di grupo*) et Ronald Fraser (*In Search of a Past*), tous deux ont mis en scène leur propre histoire dans leur recherche. J'explique que, dans mon entourage, l'idée ne plaît pas à tout le monde. Sortir en pyjama dans la rue, voilà ce que je fais ! Je devrais passer au moins une robe de chambre... Un journal, ça fait désordre. On attend de moi un livre tiré au cordeau, un livre cercueil, et voilà que je titube au milieu des plates-bandes... Je réalise que c'est aussi pour moi un premier, timide essai de montage de journaux différents – mon rêve depuis que j'ai lu *Le Temps immobile*. Monter mes propres journaux : peut-être le ferai-je un jour. En attendant je peux tendre le micro à l'une, passer la balle à l'autre (« A toi, Catherine ! »), faire un duo avec une troisième...

13 mai 1992, mercredi

Il y a eu une bonne question : comment pouvez-vous être sûr que vous êtes bien devant un journal authentique, et pas devant un faux ? – Je réduis l'objection en poussière. Pour les journaux publiés, j'admets être toujours devant des montages plus ou moins suspects. Mais pour les manuscrits, faudrait-il être pervers pour forger à grand-peine des textes que tout le monde juge illisibles !... Je dis : si vous aviez vu les cahiers que j'ai vus, vous ne vous poseriez même pas la question. C'est d'ailleurs curieux l'inaptitude de la fiction à imiter cette réalité-là. La plupart des romans-journaux attribués à des jeunes filles n'ont pas la moindre vraisemblance. Comment les jeunes lectrices du XIXe siècle pouvaient-elles s'y tromper ? Elles ne s'y trompaient pas, elles voyaient bien qu'il y avait deux codes. Elles devaient parfois avoir honte de leur propre journal, elliptique et prolixe, irrégulier et répétitif, dépourvu de toute intrigue, écrit à la va-vite, dérivant à tâtons vers un avenir nébuleux, quand elles lisaient ces beaux romans entrecoupés de dates où des héroïnes exemplaires vivaient en les racontant des aventures instructives et palpitantes.

En juillet, au début de l'enquête, j'ai eu envie de faire un répertoire de ces romans-journaux. J'y ai renoncé, faute de temps. Je me disais : quel beau sujet de thèse. Et je faisais la thèse en trois coups de cuiller à pot. En gros je distinguais deux lignées. La forme-journal utilisée comme variante du roman-mémoires, pour fragmenter une narration qui au fond continue à obéir aux lois de la rétrospection autobiographique et de la construction romanesque. Et, plus rares, des romans qui tentaient de retenir quelque chose du vrai journal : la réflexion sur soi, l'inquiétude de l'avenir, l'attention aux petites choses de la vie quotidienne, l'incertitude de la composition, les répétitions... Cela, bien sûr, à dose homéopathique : assez pour faire illusion, pas assez pour ennuyer. Celui qui y réussit le mieux est *Le Journal de Marguerite*. C'est fascinant, le mal que ces romancières avaient à s'arracher à la forme du roman-mémoires ! Et j'expliquais à mon jury de thèse l'importance de cette production

« négligée par mes prédécesseurs » : toutes les lectrices du XIXe siècle ont été habituées depuis l'enfance à la forme du roman-journal.

Mais je m'éloigne de la question : un roman est une fiction avouée, ce n'est pas un faux. N'y aurait-il pas des journaux donnés pour vrais, qui seraient faux ? Oui, il y en a, mais qui ne trompent personne, et n'essaient guère de tromper. Ils essaient pourtant un peu, et certains lecteurs doivent s'y laisser prendre, malgré tout, même s'ils savent que l'allégation de vérité fait partie du code de la fiction depuis les romans-mémoires du XVIIIe siècle. En 1896, par exemple, un certain abbé Bolo publie *Les Jeunes Filles*. Dans une préface enjouée et spirituelle, il se pose en éditeur scrupuleux qui livre avec quelques retouches l'authentique journal d'une jeune fille de sa connaissance, un peu mauvaise langue dans la vie, bon cœur dans son journal... J'ai failli tomber dans le piège. Mais je lis le texte, et patatras. Bolo truffe le journal des lettres de direction spirituelle par lui écrites à la jeune fille. Si journal réel il y a eu, il en a expulsé tout ce qui ne concerne pas son sujet : les-Dangers-guettant-la-jeune-fille-qui-sort-du-pensionnat-et-entre-dans-le-Monde. La jeune fille passe son temps à citer des livres édifiants, à résumer des sermons. Dans aucun journal réel, même très pieux, je n'ai vu un tel salmigondis. On finit par oublier qu'on lit un journal. On lit le fantasme de Bolo : transformer les jeunes filles en poupées ventriloques, les gaver comme des oies. Fantasme pour fantasme, préférera-t-on celui-ci ?... Cinq petits cahiers d'une certaine Agnès Béatrice Laure de S., née en 1869, ont été « publiés » en 1982 sous un titre aguicheur, *Journal plutôt inconvenant d'une toute jeune fille,* par un éditeur resté anonyme.

6 juillet 1888, vendredi

Là où je demeure d'une ignorance crasse, c'est en vocabulaire. Je suis souvent embarrassée pour transcrire mes impressions ou mes souvenirs parce que les mots me font défaut. Quand je les connaîtrai, ce qui arrivera bien un jour, je serai peut-être incapable de les écrire, même dans ce cahier auquel je dis tout et que je suis seule à relire. Mais je pourrais par exemple mettre une initiale? Écrire le mot à l'envers?

Au demeurant, ce n'est pas tant pour mon journal que je souffre de cette ignorance que pour moi. On peut faire sans dire, bien sûr, et les caresses de Lise ne m'enchanteraient pas davantage si je savais les mots pour les décrire. Mais il me semble que j'aurais autant de plaisir à me répéter tous ces mots mystérieux, pendant la messe du dimanche, qu'à me souvenir des scènes elles-mêmes.

C'est le début, la jeune demoiselle en est encore à chercher, en vain, « foutre » dans le *Littré* de son père. Son vocabulaire deviendra vite aussi riche que son expérience, elle va déniaiser un petit paysan, déguster un hussard tout entier, etc. Elle trouvera « les mots pour le dire ». On ne nous demande pas d'y croire, on fait juste semblant. Au prétendu journal on ajoute une notice historique, des recherches d'état civil... Ce sont des fantasmes d'homme. Éduquer méthodiquement une oie blanche. Se complaire à imaginer qu'une jeune fille découvre vos... charmes et les apprécie. Exhibitionnisme autant que voyeurisme. Hors de toute réalité. Les textes érotiques réellement écrits par de jeunes femmes n'ont rien de cette fausse innocence et de cette précision pornographique. Ce sont de grands textes lyriques, comme *L'Amant* de Mireille Sorgue (1968). Je n'en connais pas au XIXe siècle. C'est curieux d'ailleurs que cette forgerie de 1982 ait besoin du rétro pour marcher. Peut-être qu'il n'y a plus de jeunes filles ! Du coup je réalise à quel point le parallèle avec Bolo cloche. Ici on joue sur le second degré. Une grande partie du plaisir tient à la profanation de la forme « cahier de jeune fille ». La parodie comme piment lubrique...

16 mai 1992, samedi

« Aviez-vous, jeune homme ou jeune fille, une correspondance personnelle? un journal? A partir de quel âge? Étaient-ils contrôlés par vos parents? par votre institutrice? » Voilà encore de bonnes questions. J'essaie de profiter des enquêtes des autres. C'est la rubrique n° 5.9. du questionnaire envoyé par Éric Mension-Rigau à un millier de personnes qu'il soupçonnait

d'avoir passé leur enfance dans un château. Le questionnaire est publié à la fin de *L'Enfance au château. L'éducation familiale des élites françaises au XXe siècle* (1990). 426 personnes ont répondu, plus de femmes que d'hommes, en majorité nées avant 1914. C'est le rêve, l'idéal, mon travail est fait, au moins pour le début du siècle, je n'ai plus qu'à me tourner les pouces ! Je suis allé voir dans le corps du livre : aucune trace de réponses à cette question ! L'auteur dit juste, p.145, que le goût de l'écriture se manifeste dans deux domaines privilégiés, le journal intime et la correspondance. Il parle un peu de la seconde et pas du tout du premier. Alors je suis allé voir l'auteur lui-même et c'était hier soir et il m'a expliqué pourquoi. Les gens des châteaux ont peu ou pas répondu à cette question. Ils préfèrent mettre en avant les écritures nobles : mémoires, témoignages historiques, chroniques familiales. Les journaux, ils gomment. Ne se souviennent plus. N'en envoient (presque) jamais. C'est jugé « insignifiant » parce qu'en fait trop signifiant : ridicule et indiscret, sans doute ? C'est surtout dévalorisant, parce qu'informe et ennuyeux. On reçoit un enquêteur au salon, pas à la cuisine. Ils éludent ou sabotent la rubrique 5.9. Ils rabotent ou détruisent les journaux eux-mêmes. Moi, bien sûr, je suis toujours devant des cas où l'on a conservé, et où l'on accepte de communiquer. Sur les cas inverses j'en suis réduit aux hypothèses… Les journaux qu'on n'a pas osé détruire mais qu'on ne veut pas montrer… Ils dorment au placard, on les oublie. Ils survivent par inertie. A chaque héritage ils sont menacés de poubelle. D'un décès l'autre tous vont y passer. On aurait presque plus de considération pour les correspondances.

Je me souviens qu'un jour une dame m'a dit : « Oh mais monsieur, c'est 'TouT à fait 'DémoDé ! ! » Elle détachait les dentales comme si elle avait été élevée par une gouvernante britannique. J'ai eu du mal à la convaincre que le démodé était le pain quotidien de l'histoire.

17 mai 1992, dimanche

Même mépris pour leurs journaux de jeunesse chez les jeunes filles devenues femmes de lettres. Elles cherchent à publier leur journal d'adulte. Lu la semaine dernière à la BN celui de Marguerite Grépon. C'est une pionnière, elle a fondé en 1953 la revue *Ariane*, et en 1957 un « Prix du journal intime » (le prix, c'était d'être publié dans sa revue !). Quand elle publie en 1960 son journal chez Subervie, c'est un montage. Devant elle, ses 150 cahiers : elle en butine le meilleur pour nous. Sa pétulance m'a fait penser à Jeanne Sutter, la dame aux momies de *« Cher cahier... »*. Elle est née en 1898 : où sont aujourd'hui ses premiers cahiers de jeune fille ? J'ai écrit aux Éditions Subervie, qui n'en savent plus rien...

A la BN j'ai lu aussi le beau journal de Paule Régnier, publié en 1953 après son suicide. C'est son journal d'adulte, à partir de 1920. Elle y évoque plusieurs fois son journal d'enfance. Elle était née en 1888. Son histoire est tragique : victime toute petite du mal de Pott, et contrefaite pour la vie ; un amour impossible pour un jeune homme, fauché par la guerre en 1914... Pour survivre, et matériellement vivre, elle deviendra écrivain. En 1946, elle a cinquante-huit ans et la voilà qui se penche sur le journal de jeunesse de Jeanne, sa sœur aînée, et le compare au sien :

6 septembre 1946

Entre le journal de Jeanne à dix-neuf ans et le mien au même âge, il y a un monde. Elle a déjà des idées générales, des points de vue personnels, l'esprit mûri, le jugement formé, des aperçus très divers. Elle pense, là où je ne sais que délirer et jeter des cris d'amour.

En somme, de nous trois, j'étais de beaucoup la plus vivante, la plus passionnée, la moins faite pour ce long travail solitaire que j'ai poursuivi faute de mieux. J'ai été réduite à l'intelligence, elle ne m'était pas naturelle.

Mais où sont les journaux de Jeanne et de Paule ?... Et puis voilà que je tombe sur les lettres de Catherine Pozzi à Rilke (1924). Elle lui explique ses hésitations sur la manière de préserver ses *papiers* pour une publication posthume. Elle a peur, si elle les dépose à la BN, d'être lue par des cuistres (je blêmis !), mais tout de même elle voudrait bien être lue par des gens qui l'aimeraient (ah, je rosis...), et elle caresse finalement l'idée de les léguer à une bibliothèque étrangère... Elle précise à Rilke ce que sont ces *papiers* : « par ces mots, j'entends le journal que j'ai tenu très irrégulièrement depuis 1912 à peu près ». Donc pas le journal de jeunesse, qu'elle a néanmoins conservé. – J'ai eu tort de parler de « mépris » plus haut. Elles sont réalistes, voilà tout. Elles aiment leurs papiers de jeunesse, simplement ils ne sont pas publiables. C'est peut-être moi qui suis en train de les transformer en objets littéraires, et de les rendre tels ?

21 mai 1992, jeudi

Parfois les journaux, on en attrape un, on tire, il en vient trois. Ils sont par grappes. Ma correspondante de Nice m'avait annoncé celui de sa grand-tante (années 1890), j'en aurai deux de plus, ceux de l'arrière-arrière-grand-mère (années 1840). La grand-tante les avait conservés avec le sien. Il y a un journal de voyage, et un autre écrit spécialement pour le fiancé.

Parfois c'est l'autobiographie qui vient avec. Éric Mension-Rigau m'a passé le seul journal qu'il ait reçu, une demoiselle de vingt-six ans en Bretagne qui tient registre de ses tentatives de mariage pendant sept ans (1901-1907), ce qu'elle appelle plaisamment la chasse aux « cornichons verts » (les saint-cyriens). Fouillant dans le dossier, il trouve un second manuscrit : des souvenirs de jeunesse écrits par la même, trente ou quarante ans plus tard ! Cette longue attente n'y est pas évoquée, son mariage heureux à trente-trois ans en a estompé le souvenir : tout est bien qui finit bien. C'est plutôt une chronique familiale, où elle parle peu d'elle-même, et dresse un tableau chaleureux de la famille large, du voisinage patriarcal qui avait été le nid de sa jeunesse.

23 mai 1992, samedi

C'est dans trois semaines que je dois faire à l'ITEM un exposé sur « le point final de l'autobiographie ». Pour voir si c'est vrai que moins par moins fait plus, j'ai jumelé mes deux faillites : celle-là, et Sartre. Je me suis associé à Geneviève Idt, qui a étudié la séquence finale des *Mots*. Nous allons faire un duo. Moi je ferai l'histoire de la fin, du début jusqu'au moment où Sartre l'écrit. Et Geneviève montrera comment, de fait, il l'a écrite. J'ai beau avoir la matière, il va falloir que j'y travaille, que je suive enfin le conseil de Michel : laisse un peu tomber tes jeunes filles.

D'ailleurs mon point final arrive aussi. Je ne peux pas continuer comme ça. Mon journal devient monstrueux, il risque d'écraser les jeunes filles au lieu de les mettre en valeur, et de sombrer dans la routine. Depuis que j'ai fait ce montage, et l'ai passé à Éliane, à Chantal, à mon père, j'ai l'impression que le livre est virtuellement fini. L'enquête non, mais le livre oui. L'enquête se poursuivra au-delà du livre, sous d'autres formes. Le livre, rapidement publié, fera rebondir l'enquête : il y aura des articles, je reparlerai à France-Culture ou ailleurs, de nouveaux cahiers arriveront. Ce qui justifie la forme-journal que j'ai choisie, c'est la rapidité. Sur trois ans, ça serait vraiment de la paresse. Journal d'un an. J'arrêterai donc le 23 juillet, dans deux mois exactement. D'ici là, je vais faire un régime. Il ne faut pas que je prenne de la brioche. Urgence de chercher un éditeur, pour me forcer à arrêter. Je me dis, pourquoi pas un éditeur ou une collection féministe, si il/elle veut bien de moi ?...

30 mai 1992, samedi

Lundi dernier j'ai pêché un journal dans une péniche. L'IMEC organisait une journée sur les « nouvelles archives », on était amarré dans le port de Javel. Table ronde dans les soutes, buffet sur le pont. Bourdieu aurait analysé en une phrase de quinze lignes les « effets de champ » sur cette péniche. Nous étions les Verdurin montant à l'assaut du salon Guermantes... Les Jeunes Turcs des vieux papiers. Nos miettes de pouvoir. Le buffet aussi, pris d'assaut. A la table ronde, à côté de moi, Thierry Bodin. Il parle du rôle des amateurs dans la constitution de nouveaux fonds, Lovenjoul, Doucet, etc. Avec mes photocopies, je suis en bonne voie... Quand c'est mon tour je raconte sans façon ma petite histoire, et j'en profite pour lancer mon appel. Une heure après, au buffet, je crois bien que j'ai quelque chose pour vous, m'accoste une jeune musicologue. On parle, j'ai aussi quelque chose pour elle, on échange nos timbres de collection, enfin, nos doubles : je lui indique Mary Ourousov, je lui passerai mon microfilm de Chausson, elle me prêtera sa photocopie d'Émilie Girette. C'était une jeune musicienne, cantatrice, qui a arrêté son journal juste avant son mariage. Je vais en prendre livraison tout à l'heure. La semaine dernière, j'ai eu un petit frisson en disant « j'arrête mon journal le tant ». Peur que le meilleur n'arrive après. Par l'intermédiaire de Vincent Laloy, je viens justement de lancer un appel dans *L'Intermédiaire des chercheurs et des curieux...*

31 mai 1992, dimanche

Je l'avais déjà vu ! Ce journal pêché en péniche, c'est la seconde fois que je le pêche ! La première fois, je l'avais rejeté à la mer ! Je l'ai reconnu tout de suite... Il vient des archives d'Antoinette Risler... Il y a cinq ou six ans, quand je l'avais interviewée sur l'histoire de sa famille, elle m'avait montré ses trésors, j'avais pris un exemplaire du récit d'Auguste Risler (le peintre), c'était du solide, ça entrait dans mes normes, Procuste garanti, autobiographie totale. Le journal d'Émilie, je l'avais seulement humé, sensible à l'intérêt historique (Fauré composait pour elle), mais qu'avais-je à faire d'un journal de demoiselle, de ces mièvres miettes ? Honte à moi. C'est bien la peine de débiner les dames qui détachent les dentales ! *Tu quoque, mi Philippe !* Condescendant, borné... Borgne et même aveugle... — J'ai eu longtemps horreur de la forme « journal », trop liée aux années noires de mon adolescence. En 1986, enfin, je me suis reconverti... Aujourd'hui je dois être en train de méconnaître autre chose ? La correspondance, peut-être. La tache aveugle se déplace...

2 juin 1992, mardi

Maintenant j'ai lu Émilie... Je suis tout ému, et presque gêné d'en parler. Peur de commettre une faute d'harmonie. C'est une histoire de musique et de silences, une belle histoire d'amour. J'ai envie de faire un « croquis » de ce journal... J'ai mis « silences » au pluriel : il y en a de toutes sortes. Au début, une douleur étouffée ; à la fin, un sourire qui dit tout. D'un bout à l'autre l'âme s'exprime par les gênes ou les défaillances du langage. Aucun doute, ce journal est passionnant pour l'histoire sociale de la musique. Mais j'y vois autre chose. Un conte merveilleux en temps réel. Des « variations » sur le langage indirect : réticence, allusion, alphabet codé, ellipse, prétérition, pour aboutir au vrai silence, celui de l'accord parfait, si je puis dire. L'amour attire l'amour, et Émilie Girette épouse Édouard Risler.

6 juin 1992, samedi

Mon Sartre est débloqué, je m'y suis remis, j'ai plein d'idées sur la fin des *Mots*, ça ira samedi prochain (déjà !). Pour me récompenser je me suis accordé une petite débauche. Une journée à dépouiller le registre de la cote Ln^{27} de 1885 à 1893 : plus de 6 000 entrées. J'épluche de l'œil, je note les titres prometteurs, à vrai dire pochettes-surprises, le mot « journal » y figure rarement. Je suis confortablement installé au service d'Histoire, rue Vivienne, à un beau bureau. Et puis une autre journée aux Imprimés pour commencer à exploiter ce dépouillement. Je suis ravi, je mets la main sur les journaux de Valentine Riant et d'Herminie de la Bassemoûturie, que je cherchais depuis longtemps. Et sur deux autres, ça fait quatre. Ravi et furieux. J'ai pris l'habitude de lire des journaux manuscrits, longs, mais entiers. Je ne supporte plus ces morceaux calibrés flottant dans une sauce onctueuse. J'ai envie de vomir, ou de gifler. Je sais bien que les journaux réels étaient impubliables, c'était ça ou rien. Tout de même ! En 534 pages ce père Thomas aurait pu laisser Herminie s'exprimer... On s'en serait rendu compte tout seuls, qu'elle était exemplaire, vertueuse, pathétique. Pas besoin d'un frère prêcheur. Tricheur peut-être... Dans la préface en plus, il dit son émotion d'avoir lu le journal *entier* ! J'écume : et nous, alors ? — Mais je suis peut-être, moi, en train de faire la même chose... à vous ?

Ces biographies pieuses, là aussi, il y aurait une vraie thèse à faire. Vous avez deux plans possibles : chronologique (naissance, premiers signes, première communion, la vocation, etc., jusqu'à l'agonie) ou thématique (un chapitre par vertu). Ou bien une combinaison des deux plans, les vertus se dévoilant progressivement. Tout converge vers l'agonie, c'est le bouquet, racontée au ralenti. Je suis odieux. J'ai pourtant eu l'œil humide, souvent. Vous garnissez de lettres, journaux, témoignages hachés menu. Vous triez le meilleur. Journaux et lettres sont traités pareil, enchaînés les uns aux autres, comme les facettes d'un même texte. Parfois, vers le début, vous ajoutez la touche humaine : quelques défauts mineurs, vite effacés. Puis tout roule vers le paradis. Avec des cahots, des épreuves, et des choses sublimes. Ça se passe comme cela dans les plus petits villages de France. Ce matin j'avais le curé de Boissy-le-Chatel (Seine-et-Marne) qui faisait imprimer à Coulommiers la vie d'Amélie Nitot, une jeune fille de sa paroisse dont le mérite est d'avoir tenu un gentil journal pieux et d'être morte. On a l'impression d'un proviseur de province qui présente une élève au Concours général. Il tente sa chance. Certaines jeunes mortes finissent par percer sur le plan national, et leur biographe avec. C'est un travail d'équipe, comme le cheval et son jockey. Je suis de plus en plus odieux. La compétition est serrée. En tête Eugénie de Guérin et Mme Craven, nettement détachées, puis le peloton mené par Marie-Edmée Pau, Valentine Riant, Herminie de la Bassemoûturie, etc. Amélie Nitot n'a aucune chance. Marie-Edmée avait un réel talent, on peut en juger puisque son journal, lui, est publié en continu. Beaucoup de ces filles écrivaient remarquablement bien. D'où ma rage de n'avoir que des bribes de Valentine Riant, par exemple. A seize ans, sa lettre pour descendre en flammes le journal d'Eugénie de Guérin, quel punch ! Ce n'est pas très chrétien, mais les places sont chères au paradis... En fait je ne suis pas odieux. Je dis simplement que ces textes obéissent à des règles, qu'ils sont soumis aux lois d'un marché, qu'ils sont le produit d'un système.

Je parle des biographies. Les journaux eux-mêmes, où sont-ils ? Partis en poussière ou en fumée depuis belle lurette, ou moisis, racornis dans des caves, des placards de province... Petites âmes de papier, je n'arrive pas à croire qu'elles aient eu le même sort que le corps de ces jeunes filles et je me perds, c'est idiot mais c'est comme ça, dans des rêveries douloureuses...

9 juin 1992, mardi

Une bonne nouvelle : la famille d'Agélie ne souhaite pas que je regarde ses journaux. En somme, elle souhaite que je ne les regarde pas... Agélie et Nélida sont deux sœurs qui vivaient au début du XIXe siècle en province, à Castille (?). On a conservé leurs journaux, leurs lettres, l'autobiographie d'Agélie, et d'innombrables papiers de la famille sur un siècle : 60 journaux intimes ou confidences, récits et poèmes, 1 600 lettres, paraît-il... Une caverne d'Ali-Baba. Simone Benmussa a puisé dans ce trésor pour monter en 1978 un « parcours-spectacle », *La Traversée du temps perdu,* que je n'ai pas vu. Le livret en a été publié aux Éditions des Femmes. Ce montage poétique donne à entendre des voix entremêlées : c'est une histoire de Balzac traitée comme une cantate familiale à la Faulkner, style *Le Bruit et la Fureur*. Les deux sœurs ont la plume facile et leurs textes sont souvent saisissants. Mais la plupart du temps on ne sait pas bien ce qu'on est en train de lire, lettre ? journal ?, ni quand cela a été écrit. J'ai essayé, par l'intermédiaire de Simone Benmussa, d'avoir accès aux originaux (cf. 26 décembre). Ma lettre de février vient seulement de recevoir réponse : c'est non. Onze mois pour rien. La bonne nouvelle, c'est que la famille envisage une publication de ces documents. Bien mieux que si moi seul je les voyais à la sauvette ! Tout le monde pourra les lire. Espérons que ce ne seront pas de nouveau des morceaux choisis. Ou qu'une fois publication faite les originaux deviendront accessibles. Bien sûr que je suis un peu déçu. Quand je préparais l'édition de *Calicot*, je n'aurais pas eu l'idée de refuser qu'on consulte le manuscrit. Je me souviens même l'avoir prêté à l'historien américain Eugen Weber. Peut-être ai-je été imprudent. La famille d'Agélie ne me connaît pas. Sa décision montre le prix qu'elle attache à ces textes, et je ne puis que m'en réjouir.

En attendant, voici Agélie. Quel âge a-t-elle, je ne sais. Dans quelles circonstances écrit-elle, non plus. J'ai choisi deux passages opposés où elle s'interroge sur la méthode de son journal...

Agélie, 18...

J'écris ce journal sans ordre et sans méthode fixe. Je trace mes pensées à mesure qu'elles me viennent et c'est plutôt l'histoire de mes sensations que je veux conserver que l'histoire de ma vie qui sans doute offrira peu d'événements remarquables. Comme je n'écris que pour moi je ne crains pas de devenir ennuyeuse quand cela serait, je n'y vois pas un grand inconvénient.

[...]

A présent que je suis à jour, il ne m'arrive pas assez d'événements pour que je puisse continuer ce journal. Le simple narré des incidents de ma vie serait fort peu intéressant même pour moi, j'y ajouterai donc soit le fruit de mes *lectures soit ce qu'une conversation instructive peut m'avoir appris, car je glane partout où je trouve ce qui me paraît bon, soit enfin ce que mes propres réflexions me fourniront. De cette manière mon récit deviendra plus varié et plus amusant, mon plan étant plus vaste je m'exercerai davantage à classer mes idées avec netteté et à les émettre avec précision, je ne peux donc que gagner à ce nouveau travail que je m'impose.*

11 juin 1992, jeudi

Depuis une semaine, travaillé à Sartre de manière efficace. Je me suis replongé dans ces manuscrits des *Mots* que l'année dernière je fuyais chaque matin pour aller ratisser la cote Ln^{27} à la BN. Ça a été si facile que je ne comprends plus mon dégoût. J'ai été stimulé par la contrainte : parler devant le séminaire de l'ITEM. La date de remise d'un manuscrit n'a pas la même vertu. On ne remet pas, et l'autre finit toujours par attendre. Mais parler, les gens seront là, il faudra bien. Des jeunes filles je leur dirai tout de même un petit mot, au début. Un mot aussi d'une autre entreprise où j'ai tant investi cette année : l'édition du cahier « Mémoires. 1865 » de Marie d'Agoult, entreprise par Sandrine Cotteverte. Ce n'est pas un cahier de jeune fille, mais une sorte de livre de bord où Marie d'Agoult note, pendant un an, tout ce qui touche à la rédaction de son autobiographie. Nous allons analyser ses gestes, les classer, et construire une sorte de « grammaire de l'autobiographie ». Après ces hors-d'œuvre, j'espère que je finirai par leur parler de Sartre... et par laisser parler Geneviève...

13 juin 1992, samedi

C'est fait. J'ai failli ne pas laisser parler Geneviève et j'en suis tout confus. Décidément je suis incorrigible. Mais bien soulagé, aussi...

14 juin 1992, dimanche

Commencé le « croquis » du journal d'Émilie Girette. Ce sera une étude sur l'indirect. Perec m'aide à déchiffrer ces stratégies. Mes propres souvenirs m'avaient aidé à déchiffrer Perec...

Noter juste les petites choses de la vie, régulièrement, c'est une manière comme une autre de fixer vos grands drames, vos espérances, vos secrets. Pour vous seul, il est vrai. Ce que vous taisez restera accroché à ce que vous dites. Le lecteur étranger n'y verra goutte. Il peut seulement deviner, s'il est attentif, à quel registre appartient ce que vous taisez. Mais pour vous l'acte régulier d'écriture fixera une sorte de récit parallèle implicite. Votre journal n'est pas vraiment « codé », mot à mot. Il sert globalement d'engrenage dans la machinerie de votre mémoire. Je me souviens. Je me souviens. J'avais quatorze ans, et l'innocence d'une jeune fille. Une petite atteinte de tuberculose, et me voilà jeté dans la fosse aux lions : neuf mois de cure à Chamonix dans un préventorium pour enfants et adolescents. Plongé tout vif, comme un homard qu'on saisit dans l'eau bouillante, dans un bain de violence et d'obscénité. J'ai eu l'âme au beurre noir. Personne à qui le dire. Impossible d'écrire pour soi, aucune intimité. J'avais inventé ceci. J'envoyais chaque jour à mes parents des lettres détaillées contenant le récit de mes occupations, toute la surface, rien que la surface. Je savais que mes lettres seraient gardées, et que je pourrais plus tard les relire. J'avais un code pour me souvenir. Au bas de la lettre, ou au dos de l'enveloppe, ma signature, aux jours noirs, était soulignée, avec des gradations proportionnelles à ma souffrance ou à ma détresse. Ces fioritures pouvaient passer pour des décorations un peu puériles. C'était des points de suture microscopiques. Ils rattachaient les temps forts du drame invisible à la toile de fond que seule j'enregistrais... J'ai commencé à tenir un journal l'automne suivant, une fois revenu à Paris. J'y ai noté alors rétrospectivement certains épisodes, pas tous, pas en entier. Les mots à employer me faisaient peur. Mes lettres gentilles, parfois drôles, si précises, qui aurait pu se douter ? — Quelle erreur de m'être tu. Mais je ne savais pas parler. — Voilà pourquoi sans doute je suis si patient à lire les journaux-emplois du temps, les journaux-chroniques, les rabâcheurs, crus insignifiants... Le journal fait partie des « arts de mémoire » comme on les pratiquait dans l'Antiquité. Ce n'est pas forcément ce qui est écrit qui est mémorisé. L'ombre d'un autre texte, à l'encre sympathique, finit par apparaître si on a la patience de lire avec... sympathie.

18 juin 1992, jeudi

Mardi dernier, Bibliothèque nationale. J'ai encore avalé 6 000 entrées, me voici arrivé en 1900. Noté une vingtaine de titres. Après vérification j'aurai peut-être deux ou trois journaux...

Dimanche dernier, ci-dessus, je suis passé aux aveux.

Je navigue donc entre mes deux extrêmes : érudition, introspection.

Charybde, Scylla ?

Une évidence : ce journal d'enquête est lui-même *aussi* un journal indirect. L'entrée de dimanche était un point de suture.

19 juin 1992, vendredi

L'année dernière le 19 juin était un jeudi. C'était la journée « Archives autobiographiques » à Nanterre, où Chantal Chaveyriat-Dumoulin a lancé son fameux appel : créons une association ! Nous ne sommes encore qu'une poignée, nous n'avons rien fait d'autre que nous associer, et donner autour de nous l'occasion de sourire. Le vrai départ sera cette journée du 27 juin à Ambérieu. Elle a déjà été qualifiée de « fête de patronage ». Ça me rajeunit. On sourit d'Ambérieu comme j'ai souri de Vesoul. Bien fait pour moi. Je voudrais avoir la plume de Nathalie Sarraute pour dire ce que j'entends dans la voix de ceux qui trouvent quelque chose « consternant », « navrant », « affligeant », « atterrant »... Ils ont le piédestal incorporé. Ils lubrifient leur narcissisme avec des larmes de crocodile. Ils somment leur interlocuteur de choisir son camp. On se sent tout chaud à l'intérieur, après avoir employé l'un de ces mots, comme si on avait trempé ses lèvres dans un petit whisky. C'est un remontant, dont il ne faut pas abuser.

L'année prochaine le 19 juin sera un samedi. Ce livre aura-t-il déjà été publié ? Où en serai-je ? Mes demoiselles jouent souvent au jeu de l'anniversaire : « quand je pense qu'il y a un an !... qui sait si dans un an ?... ».

Cette année le 19 juin est un vendredi et je suis allé à la Bibliothèque nationale. Quatre mille entrées ce matin, j'en suis arrivé à 1905. Je commence aussi à sortir les livres. Sentiment de saturation devant les biographies pieuses (je me répète, je sais, mais beaucoup moins qu'elles...). Et puis espoir fou de trouver du nouveau. Ce matin je lis avec passion *Le Carnet vert de Mlle d'Angeville* (Ln27 47463). C'est une demoiselle qui raconte jour par jour, heure par heure, son ascension du mont Blanc, en septembre 1838 ! ! ! Elle écrit à l'encre dans la vallée, au crayon pendant l'expédition, il y a une entrée écrite au sommet ! Elle a trois guides, des porteurs, une tenue *ad hoc,* tout un attirail, et un moral d'acier. Et de l'humour, l'éloquence moqueuse des jeunes filles romantiques... Elle veut se marier avec le mont Blanc ! *« Il me tardait de célébrer mes fiançailles, de l'épouser à la face d'Israël, par le plus radieux soleil... »* Ça la rend compréhensive pour les égarements du cœur... *« Je me sens toute prête à plaindre et excuser le délire de l'amour dans certaines natures exaltées. C'est une monomanie du cœur, comme ma passion pour le mont Blanc, une monomanie de l'imagination ? Quel bonheur de n'être éprise que de la tête et pour un amant glacé ! la curieuse chose que nous ? »* Ce mont Blanc que j'ai regardé d'en bas, neuf mois durant, à Chamonix... Quel souffle d'air frais que ce texte... Affluent tous les souvenirs de haute montagne de mes années d'étudiant, – c'était ma revanche sur le préventorium !... Et puis patatras. La demoiselle a quarante-quatre ans. Je me disais aussi, cette indépendance... Moi qui voyais déjà sa notice au beau milieu du Répertoire, faisant honte à ses voisines... Elle est trop vieille pour mon corpus. Tant pis. Mais je lui fais une petite place dans ce journal. Et puis vieille, qu'est-ce que ça veut dire, vieille ? Elle est plus jeune que bien des petites vieilles de douze ans que j'ai croisées.

23 juin 1992, mardi

Téléphoné aux Éditions des Femmes. Non, on n'a pas le temps de me recevoir. De toute façon, on ne fait pas d'édition sur projet. Quand j'aurai fini mon livre, je n'ai qu'à le déposer au service des manuscrits. Au revoir. C'est Florence Prudhomme qui m'a répondu. Elle a raison. Pas d'impatience. Garder son indépendance jusqu'au bout. Qui sait comment va tourner ce livre ? D'un autre côté ça m'aiderait, pour le finir, d'avoir déjà une perspective concrète de publication. Dilemme...

Grâce à Luc Weibel, mon appel est paru samedi dernier dans le *Journal de Genève*. Je fais le compte de mes appels publics : France-Culture, 1er juillet 1991 (rendement : quatre journaux inédits), le bulletin de la Société historique de Franche-Comté (rendement : un journal publié), un autre appel sur France-

Culture dont je ne sais même pas s'il a été lancé (rendement : zéro), et actuellement cet appel en Suisse et celui qui va paraître dans l'*Intermédiaire des chercheurs et des curieux* (trop tôt pour savoir). C'est hétéroclite et timide. Toujours la peur d'être... submergé ! Je n'ai pas pris les grands moyens. J'ai obtenu plus de journaux inédits par contacts personnels, ou appels lors de conférences. Mais cette peur n'est pas ridicule. Même ainsi, j'ai toujours été au bord de la saturation. Je préfère que les journaux arrivent au compte-gouttes. C'est incroyable le temps qu'il faut pour déchiffrer, lire, assimiler, photocopier et exploiter un seul journal manuscrit. Ceux qui vous les communiquent attendent un « retour » assez rapide : à la fois une réaction, et la restitution. Ils comprendraient mal qu'on leur réponde six mois après, ou qu'on leur dise que le journal de leur grand-mère fait la queue sur la piste d'envol, qu'il sera le septième à décoller...

24 juin 1992, mercredi

Un des problèmes de ce genre d'exploration est celui des marges. Par exemple le journal de vieille fille. J'ai buté dessus avec mon alpiniste. Et voici que je trébuche sur Octavie de Gallery (1811-1873), une demoiselle qui a tenu son journal toute sa vie, et que son éditeur, en 1902, essaie de « lancer » en l'associant à Eugénie de Guérin (*Une âme sœur d'Eugénie de Guérin*, Ln^{27} 49525). Comme elle a vécu soixante ans, la jeune fille disparaît sous la vieille fille. En fait toutes deux s'évaporent : on est devant une anthologie d'extraits sans dates regroupés par vertu... Humilité et douceur... Pureté... Amour de Dieu et de la prière... Sublime distillation !... Pur malt, soixante ans d'âge, vieilli dans nos caves... Vie réelle, circonstances, rencontres, sensations, épreuves, temps qui passe, résidus, déchets... tout a été jeté. On échappe à l'histoire, on déguste déjà un peu d'éternité...

Je reviens aux marges. Je rencontre plein de textes qui ne sont pas tout à fait ce que je cherche : moi aussi fatalement je distille, je sélectionne la pure jeune fille, je saute ou bazarde le reste... C'est du gâchis, il ne faut pas... Alors je me fais des petites réserves, des provisions pour plus tard. J'en case ici à l'occasion. Dans deux ans, qui sait ?... Ces registres de la cote Ln[27] sont si riches qu'il m'est venu l'idée de les exploiter autrement. Il suffirait de prendre *une année*. Extraire tout ce qui est plus ou moins autobiographique, et dresser une typologie. J'ai proposé ce travail à une étudiante de maîtrise, qui a accepté, j'en suis presque jaloux... Classement, typologie, et élaboration d'une fiche descriptive pour créer une base de données... On étendrait ensuite le dépouillement... Bientôt la cote Ln[27] sur Minitel !... Il ne reste plus qu'à choisir l'année qui servira à ce forage... Le *moi* va jaillir comme du pétrole...

29 juin 1992, lundi

Samedi soir à Ambérieu-en-Bugey, dans le jardin de Michel Vannet. La nuit tombe, nous sommes sept sous les arbres, près des rosiers et des fraisiers, assis autour d'une table couverte des restes du buffet de midi. Michel allume une bougie dans un lampion de verre. Il fait si calme qu'on va peut-être entendre, non pas le grelot criard, mais le double tintement timide, ovale et doré de la sonnette pour les étrangers, annonçant la visite de M. Swann... La « journée de l'autobiographie » a eu lieu. C'était réussi, je crois. Plaisir de faire se connaître entre eux ceux qu'on connaît, c'est une chaîne d'amitiés. On a essayé de s'organiser pour agir. Un groupe pour le bulletin. Un groupe « pratiques d'écriture », — savoir comment élaborer, par montage, un texte convaincant à partir d'une écriture journalière... Et surtout un groupe « lecture », pour l'accueil des textes autobiographiques dont nous allons solliciter l'envoi. Me revoilà dans les appels, mais cette fois pour l'association. En fait ça se mélange un peu dans ma tête, la recherche sur les jeunes filles et l'association. Toutes deux sont nées de la réaction de Chantal à la publication de *« Cher cahier... »*.

Dimanche matin à Oullins, près de Lyon. J'ai rendez-vous avec une demoiselle du temps jadis. Mon hôtesse a changé pour moi l'heure de sa messe. Vaste maison Régence, avec des communs, un parc, des jets d'eau, à flanc de colline. Dans un petit salon tranquille au premier étage, elle me montre les journaux de sa grand-mère. Onze cahiers tenus avant le mariage, — trois ont été perdus la dernière fois qu'elle les a communiqués (en famille). Puis quatre volumes reliés dans lesquels cette grand-mère a recopié les journaux tenus après son mariage : elle n'a jamais cessé d'écrire. La mort l'a surprise au milieu de cette mise au net, que mon hôtesse a entrepris de terminer. Elle me montre aussi des textes autobiographiques du côté de son mari, des industriels du textile au XIXe siècle. Elle sort et revient sans cesse avec de nouveaux plastiques pleins de manuscrits. Finalement elle me confie tous les cahiers de jeune fille, et même le premier volume du journal de femme mariée. Mais si, mais si, prenez-le ! — J'ai dû lui inspirer confiance, et j'admire sa générosité. Je repense à la famille d'Agélie...

Sur l'autoroute vers Paris. J'ai trois journaux dans mon coffre. Celui-là, le journal d'enfance de Denise Dufour, la mère de Chantal, et celui que Julie Arnaud a tenu en 1847 pour son fiancé.

1er juillet 1992, mercredi

Écrit à Pierre Nora pour lui proposer *Psyché*.

Terminé avec le registre Ln27. Je m'arrête en 1926. Frappé de voir que les biographies pieuses restent très fréquentes jusqu'en 1914. J'ai même trouvé en 1913 une préface qui explicite les règles du genre (Ln27 58732), par un prêtre à l'affût de jeunes mortes vertueuses... Il a fait aussi un modèle pour garçons, parce qu'il y avait de la demande... La guerre de 1914 a considérablement ralenti le mouvement de l'édition, et détourné l'attention. Mais c'est certainement la pénicilline qui a mis fin à ce trafic d'âmes. Je me souviens qu'en 1952 encore les antibiotiques apparaissaient comme un médicament miracle. J'ai été soigné au Rimifon, importé d'Amérique, des comprimés à avaler, et à la Streptomycine, des piqûres dans la fesse, dont j'avais horreur et que j'appelais strept-homicide, alors que c'était, bien sûr, mon salut.

2 juillet 1992, jeudi

Il y a un an (27 juillet), je me disais que des gens qui accordaient assez de prix à un journal pour en faire un livre devaient conserver pieusement l'original. C'est sans doute vrai pour les familles. Mais l'inverse est aussi plausible. Une fois imprimé le livre, qui contient l'essentiel, pourquoi garder l'inessentiel, l'ennuyeux, et surtout l'indiscret ? Le père Ludovic de Besse, capucin, raconte comment il a brûlé les 54 agendas de Mme Thayer après en avoir extrait le suc spirituel (Ln^{27} 44240). Il était son confesseur et son exécuteur testamentaire. Elle révélait dans ses agendas « les secrets de sa conscience et même de ses confessions ». Je suppose que beaucoup de journaux spirituels — ou devenus spirituels par distillation — sont ainsi remontés au ciel en fumée.

4 juillet 1992, samedi

« Quel est votre dernier coup de cœur pour un roman ? » C'était samedi dernier, à Ambérieu, dans le jardin. Une question embarrassante. Puis-je avouer que je n'ai pas le cœur au roman, que je n'adore pas cette vache sacrée de la littérature ?... Je suis un petit enfant qui ne comprend rien aux affaires des grandes personnes, je me sens nul... Du coup, par bravade, je vais prendre l'air condescendant d'une grande personne qui regarde des enfants faire leurs pâtés de sable ou jouer à la poupée... vraiment, comment peuvent-ils y croire ?... *willing suspension of disbelief*, moi je n'y arrive pas, je vois les trucs, l'effort, la prétention... C'est incroyable que la marquise continue à sortir à cinq heures, même si elle est en blue-jean, en syntaxe dépenaillée, mise en abîme... Ça marche parfois pour moi, c'est vrai, un miracle, mais en général je me sens comme un lion qui a sauté à travers un cerceau enflammé quand j'arrive au bout d'une fiction... Honte à moi, professeur de littérature !... Ce sont les profs qui lisent le moins, je vous assure, il y a eu des enquêtes... Alors que je passe des heures à lire l'illisible !... Le pacte

autobiographique est mon philtre d'amour, j'avale tout si on signe avec moi un pacte de non-agression, j'y crois, je me détends, j'écoute les débiles, je dévisage les laiderons, je suis sous le charme, j'accepte de suspendre mon incrédulité, je suis crédule, pervers, bizarre, mais lâche tout de même un peu, puisque à Ambérieu sous les arbres, dans l'ombre qui cache ma honte, comme Swann n'arrive pas pour me tirer d'affaire, affolé par l'aridité de mon cœur, je déclare être, et c'est vrai, mais ce n'est pas cela qu'on me demande, en état de coup de foudre permanent avec ce bon gros qui raconte si bien les histoires : « *Balzac* ».

7 juillet 1992, mardi

Je continuerai les recherches après l'arrêt de ce journal. Le Répertoire compte actuellement 94 journaux, dont 26 inédits. Pour la cote Ln^{27}, je crois avoir trouvé l'essentiel, même si quelques journaux ont pu passer à travers les mailles du filet. Pour les archives publiques, il resterait un gros travail à faire : les séries J des archives départementales, le catalogue des Manuscrits des bibliothèques publiques (mais il n'est pas à jour, loin de là), etc. Rendement très faible en perspective, d'après mes sondages. Mais enfin... Il m'est venu une autre idée, plus chimérique encore, les archives judiciaires. Je regardais le livre de Proal sur les crimes et les suicides passionnels (1900), pour situer le cas de Fortunée R***, et je suis tombé sur un condensé de journal, d'une femme qui avait essayé de tuer son amant. Ça m'a rappelé les recherches que j'avais faites, vers 1984, quand je travaillais sur les récits de criminels. J'étais allé, sur les traces de Joëlle Guillais-Maury, regarder aux Archives de Paris les dossiers d'assises qu'elle avait utilisés pour sa thèse sur le crime passionnel. L'horreur... Chaque dossier est monstrueux, un gigantesque fatras, des kilos à manipuler de feuilles qui s'écroulent de partout, tenues par de vieilles ficelles... Verbosité de la procédure... Et puis là-dedans, quelquefois, si l'on épluche tout, on tombe sur des textes écrits par les criminels, pendant la procédure, et parfois aussi, c'est là l'intérêt, *avant*. Mais Joëlle

G.-M. n'avait trouvé que des textes d'hommes, et ça serait un vrai miracle de tomber sur des journaux comme ceux de Fortunée. Non, c'est clair, la seule vraie source désormais, ce sont les archives des familles, j'ai quatre journaux à lire qui m'attendent déjà, des appels sur le feu, je n'ai plus qu'à patienter...

9 juillet 1992, jeudi

L'heure des bilans approche. Dans quinze jours ce journal sera fini. Premier problème : mon anticléricalisme. Dans la mesure où il est affiché, c'est moins gênant : mon lecteur sait d'où je parle, et il en pensera ce qu'il veut. J'ai été un historien sérieux, je l'espère, mais peu serein, il faut l'avouer. J'ai sans doute sous-estimé le côté positif, structurant, de ces éducations. Elles ont certes conduit ces jeunes filles à se résigner à leur rôle social, mais elles les ont aussi aidées à affronter la souffrance et la mort... Reste que cette enquête m'a révélé un XIXe siècle qu'on voit rarement en face dans les études littéraires : l'explosion des congrégations religieuses féminines, la mainmise du clergé sur l'éducation des femmes. L'ordre moral. Aimer et souffrir. Renoncer à soi. C'est vrai que je me suis révolté. Allergie. Il faut que je me tourne vers *mon* histoire pour comprendre celle-là. Pas fini de débrouiller ce sac de nœuds.

Hypothèse : j'ai l'anticléricalisme dans le sang. Du côté paternel, c'est certain, quelle que soit la branche envisagée. Xavier-Édouard Lejeune, calicot, était déiste mais farouchement anticlérical. Émile Clairin, mon autre arrière-grand-père, avocat, est l'auteur d'un livre sur, c'est-à-dire contre, *Le Cléricalisme* (1880). Je suis bien vacciné. Du côté maternel, c'est moins simple. Je remonte la lignée féminine. Mon arrière-grand-mère était une femme du peuple qui n'avait connu que l'école communale. Ma grand-mère, Adèle, née en 1882, a fréquenté un pensionnat privé, elle est allée jusqu'au brevet élémentaire. Éducation catholique. S'est mariée, n'a pas travaillé. Elle est morte, en 1929, de cette tuberculose qui m'a rattrapé vingt-trois ans plus tard. Ma mère, éducation catholique aussi, mais à dix ans, en 1919, elle entre, par décision paternelle, au lycée Racine. Dans les journaux de Renée Berruel, Denise Dufour, Louise Weill, j'ai reconnu ce qu'elle m'a raconté, les fous rires, les passions, la joie d'un univers à soi, d'un avenir personnel. Elle a poursuivi ses études au-delà du bachot, est devenue professeur d'anglais. Elle a perdu la foi, mais à regret. Elle en a gardé la nostalgie. Je pourrais m'arrêter là : j'ai mes quartiers de laïcité. Mais ça n'explique pas mon anticléricalisme. Tout vient de cette nostalgie. On m'a baptisé. J'ai été élevé « chrétiennement » par des parents athées. Il m'a fallu seize ans pour me dégager de ce porte-à-faux. Je devais douter de mes parents, ou de la religion, ou des deux : mon ciel était pavé de bonnes intentions. C'est la religion qui a fini par céder. Entre onze et treize ans j'ai été l'âme pieuse qui s'interroge sur sa « vocation ». Ensuite ma foi s'est fanée, comme une plante qu'on n'arrose plus. Il ne restait que le confessionnal, qui me faisait peur. Quand j'ai perdu la foi, à seize ans, j'ai confondu religion et imposture...

Que suis-je en train de faire ? Une parenthèse personnelle pour excuser une partialité étrange dans un ouvrage « scientifique » ? Ou bien une conclusion autobiographique à une enquête qui n'apparaît plus que comme un prétexte ? C'est sur les jeunes filles, ce livre, ou sur moi ?... Mais pourquoi devrais-je choisir ? Ces jeunes filles m'ont rendu capable de parler de moi. Mon histoire m'a rendu capable de lire leurs journaux. Parce que c'étaient elles, parce que c'était moi.

Long coup de téléphone avec Marc Zaffran... Il a lu *Psyché*, dans sa version arrêtée au 30 avril. Ça lui plaît bien, — mon journal surtout, semble-t-il. Mais il attend une conclusion. Il se dit, et il me dit : « Et alors ? »

Alors... je lui raconte la suite du journal : l'entrée du 14 juin, et ce que je viens d'écrire aujourd'hui. Chamonix, mon éducation... Nous parlons à perte de vue, en particulier de la tuberculose, peut-être le sujet central du livre... La conclusion, au fond, me suggère-t-il, ne serait-ce pas justement cela, ce retour à Chamonix ? Peut-être...

10 juillet 1992, vendredi

Second problème : ma myopie. Je suis le nez sur ces journaux, collé à ma recherche. On ne sait plus où l'on en est. On voudrait un panorama, une synthèse. « Vous nous devez un beau livre. » — Je ne vous dois rien du tout ! Ou plutôt : rien d'autre que la vérité. Souvent les beaux livres font semblant d'être plus savants qu'ils ne sont. A deux reprises j'ai écrit des articles d'encyclopédie sur l'autobiographie. J'ai sué sang et eau. Je savais tout, j'expliquais tout, en tant de feuillets. Bien sûr c'est une convention : le lecteur n'est pas dupe. N'empêche. D'ailleurs le panorama, vous l'avez eu. Je ne suis pas le nez sur les journaux. J'ai pris de la distance. Pas celle d'une illusoire synthèse, mais celle de la réflexivité. Forcément c'est moins confortable pour vous. Je vais vous laisser au milieu du gué. La synthèse en question, de toute façon, je devrais l'écrire aussi avant le 23 juillet : j'ai promis une contribution à un ouvrage féministe américain. Je suis déjà en retard. Ne sais comment je vais m'en tirer. Mais je vous l'épargnerai. Il est tard ce soir (minuit !). Demain, promis juré, je vous explique *tout*.

11 juillet 1992, samedi

Je sais bien plus de choses qu'il y a un an. Mais plus j'en apprends, plus je me rends compte de ce que j'ignore. J'ai consigné ici ce que j'ai trouvé, et l'index thématique y remettra de l'ordre. J'ai peur d'écrire que toutes les Anglaises sont rousses.

Un exemple : la pratique du journal dans les pensionnats. Il y a un an, le 27 juillet 1991, j'étais catégorique : « Rien à voir avec les pensionnats. » Ce printemps-ci, j'ai mis des nuances : « La tenue d'un journal a parfois été tolérée dans les pensionnats ou les couvents, mais elle y a été rarement conseillée. C'est dans l'éducation à la maison, sous la conduite de la mère ou de l'institutrice, que le journal joue un rôle important. » Aujourd'hui, je vais faire simplement l'inventaire de mes sources. Elles sont clairsemées (moins d'une dizaine d'informations) et hétéroclites (concernant des établissements et des époques très différents). Voici l'essentiel : 1) George Sand, vers 1820, au couvent des dames anglaises, est appelée par ses camarades « Calepin » ; 2) Louise Ancelot, au couvent des dames de Picpus en 1841, tient son journal, et dit que c'est la mode dans sa classe ; 3) Au pensionnat Saint-Joseph, à Bourg-en-Bresse en 1865, une religieuse déconseille la tenue d'un journal, parce que ça encourage la complaisance à soi (source : Claire Pic) ; 4) les deux sœurs Fanny et Fortunée R*** tiennent un journal sur le conseil des dames du pensionnat, pendant les vacances ; 5) Eugénie Servant, à la maison de la Légion d'honneur d'Écouen, à la fin des années 1870, tient un journal clandestin ; il est surpris par une religieuse, qui le lui rend sans commentaire. C'est à peu près tout. Ma formulation nuancée était pertinente, mais quels airs que je me donne, avec ces « parfois », ces « rarement » ! Il est vrai que j'ai aussi une information *négative* assez étendue, mais enfin, pas de quoi poser au statisticien...

Mon information est pleine de trous. Ce n'est guère pensable autrement pour une recherche menée en un an. Je ne vais pas faire la liste des trous. Et puis c'est peut-être grâce aux trous qu'il y a de l'air, ou du sens, qui circule. Laissez-moi travailler encore deux ans, et vous crierez grâce devant ma synthèse, au lieu de la réclamer. *Psyché* est un journal de voyage, pas un traité de géographie. Cette année, je suis allé au pays des jeunes filles. A mon retour j'ouvre une agence, comme d'autres proposent du trekking au Népal. J'avais fait la même chose, dans *Moi aussi*, pour la cote Ln^{27} : offre conviviale de partager. Le but de ce livre n'est pas la synthèse. Vous n'êtes pas bête, et chemin faisant vous vous êtes déjà fait votre petite idée. Le voyage n'est pas fini, puisque je vais vous promener dans une dizaine de journaux inédits, en retraçant, autant que les journaux eux-mêmes, la lecture que j'en ai faite. Essayez aussi de *lire* le Répertoire : c'est un vrai roman, une épopée, un peu comme le catalogue d'outillage de la Maison Moreau dans le chapitre xx de *La Vie mode d'emploi*. Mais ça se lit plus facilement. Il y a un effet de mélopée, ne serait-ce qu'à cause du retour des cotes de la BN, mais en même temps vous devriez sentir quelque chose qui bouge, voir se dérouler la fresque d'un siècle de vie des femmes. Au passage vous reconnaîtrez les journaux dont j'ai parlé, vous vous sentirez déjà un peu de la famille, et puis il y aura des surprises, qui sait ? Essayez...

14 juillet 1992, mardi

Mes derniers coups de cœur pour des romans : *Le Passé ressuscité*, de Franz Werfel, et *Vingt-quatre Heures dans la vie d'une femme*, de Stefan Zweig, lus tous deux avec passion, d'un trait. Mais suis-je loin de l'autobiographie ? Ce sont deux romans-anamnèse, centrés sur le souvenir d'une faute, ou d'une erreur.

15 juillet 1992, mercredi

J'ouvre *Télérama* et je tombe en arrêt devant la reproduction de la *Sainte Lucie* de Zurbaran (musée de Chartres). On dirait un Magritte ! Sainte Lucie, paupières baissées, présente ses yeux posés sur un plateau... Le journaliste de *Télérama* décrit fort bien le tableau, mais omet deux détails qui m'ont frappé. Les yeux ne sont pas posés sur le plateau : c'est plutôt le plateau qui a des yeux ! D'autre part derrière le plateau se dresse une sorte de longue palme, ou plume, d'un jaune qui rappelle celui de la manche de la robe, et qui s'élève, légère, comme une flamme ou une fumée, dans l'axe d'un des deux yeux. L'idée d'offrir son regard, et cette plume effilée perpendiculaire au plateau, m'ont semblé, un quart de seconde, être une allégorie du journal. Puis l'évidence a disparu mais la fascination est restée.

Cet hiver, je m'étais arrêté à l'exposition Munch devant *Jeune Femme au bord de l'eau*, longue chevelure blonde et robe blanche, vue de dos, dont la fadeur me semblait correspondre aux idées stéréotypées qu'on se fait du journal de jeune fille. Mais en même temps je sentais ce tableau indissolublement lié au *Cri*, comme le recto et le verso d'une même réalité. — Cela n'irait guère pour la couverture. Pourquoi ne pas explorer, plutôt, l'iconographie liée au mythe même de Psyché ?

16 juillet 1992, jeudi

Ultime séance aux manuscrits de la BN. J'y rencontre Lucile Le Roy, j'ai par elle les dernières nouvelles de la course Bashkirtseff. Que va-t-il se passer quand les deux équipes vont déboucher ensemble dans la dernière ligne droite ? Suspense. Le risque, à vrai dire, est que le marasme actuel de l'édition mette lièvres et tortues d'accord. Claire Paulhan va être obligée de quitter Seghers. Qu'adviendra-t-il de « Pour mémoire », la collection consacrée aux journaux qu'elle a créée ? Quant aux Éditions « Côté Femmes », avec lesquelles j'ai pris contact par l'intermédiaire de Christine Planté, elles traversent une passe difficile. Du coup j'ai renoncé à l'idée d'être publié « féministement »...

Les manuscrits que je suis venu regarder sont des petits carnets de voyage. Juillet 1850 : c'est une enfant de dix, douze ans, j'imagine. On lui a fait mettre au net, en recopiant sur un beau carnet, le journal d'une excursion à Londres par un train de plaisir. Dix jours, 48 pages, écriture parfaite, elle dit « nous » (vîmes, fîmes), etc. Et elle dit ce qu'elle a vu, comme dans un guide. C'est ce qu'on appelait un « devoir de style », en moins vivant que le *Journal de Marguerite*. Septembre 1910 et 1911 : une jeune fille d'une vingtaine d'années, je suppose, c'est la nièce de R. Poincaré. Des voyages en Alsace, en Belgique et dans la vallée du Rhin. Elle fait ça de son propre mouvement, prend des notes rapides, précises, parfois personnelles, c'est spontané. On voit qu'elle a dix ans de plus que la première, et que soixante ans ont passé. Le voyage se fait en auto, à cette époque c'est encore un peu une épopée ! Et elle colle sur son carnet absolument tous les billets d'entrée de musées, châteaux, curiosités et tous les tickets de tramways dans les villes ! C'est d'ailleurs joli à voir. Elle met aussi des cartes postales, à la fin. L'illustration par collage, si courante dans les journaux aujourd'hui, commence sans doute à cette époque. Le premier journal illustré de photos prises par la diariste elle-même que j'aie rencontré est celui de Louise Weill (1914, donc)...

On trouvera dans le Répertoire le journal de traversée de l'Atlantique d'Aurore Saint-Quantin, des récits rituels de « voyage en Italie » (Rome, Naples, Florence & Cie), etc. Là aussi mon enquête n'a fait qu'effleurer la réalité, on pourrait en retrouver bien d'autres. Ces pratiques de série sont dans l'ensemble très conventionnelles. Elles feraient froncer le sourcil à des historiennes féministes, par exemple à une certaine Bénédicte, Marie, Christine Monicat qui a fait en 1990 un Ph. D. sur « Les récits de voyage au féminin au XIXe siècle ». L'information qu'elle apporte doit être passionnante, et je me sens en pleine sympathie avec sa curiosité. Mais son résumé pour les *Dissertation Abstracts* a fait resurgir mon anticléricalisme. Sa méthode est « politiquement correcte » : seules les femmes qui ont lutté pour leur identité de femme méritent attention. Elle se taille un corpus sur mesure, neuf récits de voyage assez exceptionnels, dont elle fait « Les récits de voyage au féminin ». Bien sûr j'ai été content qu'elle ait sélectionné, parmi ses neuf muses, mon alpiniste, Mlle d'Angeville. Sa thèse ne serait-elle pas pourtant plus solide si elle partait de l'examen de *tous* les récits de voyage écrits par des femmes ? et si elle les comparait à ceux des hommes ? Mais je lui fais un procès d'intention. Je vais me procurer l'ouvrage, qui doit valoir mieux que le résumé un peu « catéchisme P.C. » des *Abstracts*.

18 juillet 1992, samedi

C'est l'été. Je cours au parc de Sceaux tous les soirs. Je pars du pavillon de Hanovre, et je rumine en faisant le grand tour. Je fais dans ma tête les brouillons de ce que j'écris ici. Après je descends en marchant vers le canal, par la grande pelouse, c'est délicieux.

Comme tous les deux ans, je travaille aussi à ma *Bibliographie des études sur les récits de vie.* Ça va être la cinquième livraison de ce petit fascicule, dont je ne sais trop s'il est vraiment utilisé, mais qui m'amuse à faire. Ça et *Psyché*, je suis occupé à temps plein. Du coup, le reste attendra. Sartre, ce pauvre Sartre, fait de nouveau la queue comme tout le monde. Mais je suis sûr qu'il est d'accord. Ladies first.

20 juillet 1992, lundi

Petit déjeuner de travail chez Claire Paulhan. Je lui rends provisoirement les photocopies de Catherine Pozzi (j'écrirai plus tard sur les autoportraits). Elle me rend mon manuscrit. Ses remarques contribuent à me décider. Je vais changer l'ordre de présentation. Ça m'est apparu d'un seul coup. Actuellement on a : Journal d'enquête/Points de vue (le journal vu du dehors, vu du dedans)/Croquis/ Autoportraits/ Répertoire. C'est chaotique. En particulier il est rude de passer directement de mon journal, si personnel, aux miettes documentaires des « points de vue ». A la place, je vois une progression en trois temps : 1. Journal d'enquête ; 2. Lectures ; 3. Corpus. La partie « Lectures » regroupera les croquis et les autoportraits. La partie « Corpus » commencera par le Répertoire et s'achèvera sur les « Points de vue ». L'idée est de diminuer progressivement ma présence. Dans le Journal, c'est bien moi, je raconte mon histoire. Dans les Lectures, je ne suis plus qu'un guide qui fait visiter. Pour le Corpus, je m'efface derrière les faits : on entendra encore un peu ma voix dans le Répertoire ; avec les Points de vue, le lecteur se trouvera pour la première fois seul devant des fragments de texte. Je suis un médiateur. J'apprends au lecteur à nager. Il faudra qu'il « se lâche », et, pour cela, que je le lâche, moi. A la fin, je le laisse dans le petit bain. Mais il doit accepter de perdre pied et de se lancer tout seul, par exemple dans la lecture du *Journal* de Marie-Edmée Pau... s'il arrive à en trouver une édition.

21 juillet 1992, mardi

Vie et mort d'un livre. Vous assistez à la naissance de *Psyché* (1993 ?) et je vais vous raconter la mort de *Calicot* (1984). Vendredi, je dois prendre ma voiture pour aller à Puiseaux

(Loiret) récupérer dans les entrepôts de France Inter Stock les 210 exemplaires restants de l'autobiographie de mon arrière-grand-père. Je l'ai mis en nourrice à la campagne et il a mal profité... Tirage initial : 4 000 ex. Vendu : environ 2 000, j'imagine. Pilon : la différence. Je vais ramener en même temps les épaves des derniers livres publiés par les Éditions Montalba, en particulier 40 exemplaires restants du *Journal de Caroline B.* (1985). Frédérique Blanchot et Jean Colson avaient créé une collection « Archives privées » pour mon aïeul et la petite Brame, qui devaient en être les locomotives, mais il est dit dans l'Évangile que les premiers seront les derniers, et ça s'est arrêté là. Pourtant ces livres étaient bien, je crois. Ils avaient été faits avec amour. Mais il n'y a pas de marché pour cela. A vrai dire c'est le sort ordinaire de la plupart des livres. Pas de raison d'être mélancolique, donc. *Calicot* a eu la chance d'être publié, de recevoir un accueil chaleureux, de rencontrer des lecteurs sensibles. Sa diffusion modeste, mais réelle, assure sa survie : il est présent dans les bibliothèques publiques, cité par des historiens dans leurs ouvrages. Que demander de plus ? En restant à sa place, il n'a pas nui à la diffusion d'autres livres qui eux aussi méritaient de vivre. Simplement, s'il avait un peu mieux réussi, il aurait aidé Frédérique à continuer cette collection. Au bout du compte je souhaite le même sort à *Psyché.* Et c'est sans mélancolie que j'irai, dans quelques années, faire à *Psyché* une petite visite à la campagne.

22 juillet 1992, mercredi

J'ai devant moi une pile de cahiers... Ils m'accompagneront cet été... Aujourd'hui j'ai lu ceux de Thérèse Bobillier. La mère de Claire Pic était une demoiselle Bobillier. Thérèse est la cousine germaine de Claire, elle a deux ans de moins qu'elle, mais leurs journaux ne sont pas cousins. On s'ennuie. On s'ennuie parce que Thérèse s'ennuie, elle fait son journal comme elle fait ses broderies ou ses gammes. Qu'on comprenne bien : elle ne s'ennuie pas dans la vie ! Entre ses leçons, ses visites, ses amies, ses messes, elle est comme un poisson dans l'eau. Mais il y a ce journal à tenir... C'est un devoir, auquel elle passe son temps à manquer. On est déjà le 15 octobre, elle n'a rien écrit depuis le 11 septembre !...

15 octobre 1867, mardi

Décidément, si cela continue je crois que je n'écrirai pas plus de 12 pages par an. J'aurais bien eu de temps en temps quelques minutes pour écrire, mais le tout est de s'y mettre. Ces temps passés nous avons eu constamment du monde, je prenais des leçons de piano, nous recevions beaucoup de visites, mais voilà bientôt le temps où chacun va rester chez soi et nous en serons réduits à la société de Ceyzériat, cela aura bien son charme, j'ai beaucoup d'ouvrages que je compte faire cet hiver : j'ai ma taie d'oreiller, des serviettes à broder, des ronds au crochet à finir, des mouchoirs de poche à ourler et à marquer, des bas à garnir, des mignardises pour border des jupes, une jupe à ranger avec un volant, sans compter le courant des raccommodages, le piano, les absences, les visites, etc... Je ne crains pas l'hiver si ce n'étaient les engelures qui vont bientôt s'annoncer, car j'ai bien de quoi m'occuper. Aussi il faut que je termine ceci pour aller dessiner une serviette.

Quand elle brode une chasuble, cela sera admiré, mais son journal ?... Elle ne sait pas broder sa vie... Je vois bien qu'il doit y avoir de l'ellipse, puisqu'elle a presque dix-neuf ans à la fin du dernier cahier, et pas un mot lâché sur son avenir. Mais une ellipse confiante : elle a de bons parents, qui la marieront bien. En attendant elle tient un journal-chronique, à la fois sporadique et prolixe. Au fond, chronique mise à part (j'ai fait ci, j'ai fait ça), elle ne voit pas trop à quoi ça sert, un journal. A sa manière, elle le dit. Peu après ses dix-huit ans, elle se surprend à écrire que l'hiver est triste, qu'on devrait le remplacer par le printemps ; mais que si c'était toujours le printemps, on apprécierait moins. Elle est tout étonnée d'avoir pensé : « *Je m'aperçois que depuis deux ou trois jours je me perds dans des réflexions qui étaient jusque-là inconnues à mon journal, c'est la vieillesse qui com-*

mence ! » (23 mai 1868). J'ai l'air de me moquer d'elle, c'est mal, c'est comme si je trahissais sa confiance. Je veux simplement dire qu'elle perçoit comme une anomalie, et un signe de vieillissement, ce qui est le régime normal et juvénile des journaux que j'aime, par exemple celui de Claire. Il lui arrive d'ailleurs d'opposer elle-même son journal à celui d'Eugénie de Guérin, qu'elle dit admirer. Elle s'étonne autant qu'elle admire : *« Je relis Eugénie de Guérin, je ne peux pas m'empêcher d'admirer cette facilité prodigieuse à écrire des pages et des pages, sur un insecte dans la fente d'un parquet, ou le son d'une cloche, et d'où elle tire des réflexions charmantes ; mais il faut dire aussi qu'elle avait un but en faisant ce journal, elle savait qu'elle ferait plaisir à son frère, elle espérait qu'il le lirait, cette satisfaction lui a été refusée* » (25 octobre 1868). Il manque à Thérèse le sens de l'intime, et le goût de l'écriture, peut-être parce qu'elle est, dans sa vie « réelle », satisfaite.

Je laisse Thérèse. Je reclasse rapidement les fonctions possibles du journal. J'en vois trois, qui peuvent se combiner. La chronique. L'examen de conscience. Je ne sais comment nommer la troisième : introspection ? attention à soi ? intimité ?... Les deux premières routes sont bien balisées : l'agenda et le calendrier d'un côté, la confession et la prière de l'autre. Mais entre les deux, un immense territoire vierge que chacun doit redécouvrir, où il doit tracer sa route. J'ai insisté sur cette idée de route : je raconte une grande aventure collective, les combats, les impasses, les renoncements ou les accomplissements de jeunes filles en route vers une identité et une destinée *personnelles*. Une vie à soi. Mais l'intime ? l'insecte dans la fente du parquet, le son d'une cloche ? l'attention aux fluctuations de la sensibilité et des sentiments ? Écoutez Eugénie...

6 décembre 1834

Quand mon bulletin se prolonge, c'est marque que je suis au mieux. Grande abondance alors d'affections et de choses à dire, de celles qui se font dans l'âme. Celles du dehors, souvent ce n'est pas la peine d'en parler, à moins qu'elles n'aillent retentir au-

dedans comme le marteau qui frappe à la porte. Alors on en parle, toute petite que soit la chose. Une nouvelle, un bruit de vent, un oiseau, un rien me vont au cœur par moments et me feraient écrire des pages.

28 janvier 1835

Quand je suis seule ici, je me plais à écouter ce qui remue au-dehors, j'ouvre l'oreille à tout bruit : un chant de poule, les branches tombant, un bourdonnement de mouche, quoi que ce soit m'intéresse et me donne à penser. Que de fois je me prends à considérer, à suivre des yeux de tout petits insectes que j'aperçois dans les feuillets d'un livre ou sur les briques ou sur la table ! Je ne sais pas leur nom, mais nous sommes en connaissances comme des passants qui se considèrent le long du chemin.

Plaisir de retrouver ces passages dans le journal à reliure saumon... L'écoute de l'intime, la musique des mots... Eugénie de Guérin a fixé, pour plusieurs générations de lecteurs et de lectrices, une image de l'écriture féminine. Cette note-là est-elle fréquente dans les journaux que j'ai lus ? Oui, mais pas dominante. C'est une lignée un peu à part, de jeunes filles littéraires, Caroline Normand, Marie-Edmée Pau, Renée de Saint-Pern... Ces délicatesses sont un luxe, et la vie de jeune fille a sa routine, ses contraintes, ses angoisses, le brouillard rose ou noir de l'avenir... Je repensais au beau livre de Pierre Pachet, *Les Baromètres de l'âme* (1990). Il y cherche, au début du XIXe siècle, « la naissance du journal intime », cette attention au fugitif, au variable, à l'insignifiant... C'est un livre d'humeur et de plaisir, il fait des croquis de ses lectures... C'est un livre de jeune fille... où il ne parle que de messieurs ! Pas une seule femme à la table des matières ! Il y a deux raisons. L'une, théorique, qu'il donne : les femmes de cette époque ont l'âme au Beau fixe, leur foi en Dieu les rendrait incapables de se plonger avec délices dans « l'inconsistance de soi » (p. 11, ça vise Eugénie). L'autre, pratique, que je donnerai : il n'en a pratiquement pas lu. Ce n'est pas sa faute, et j'étais comme lui il y a un an. Mais tout de même, il est de parti pris : Lucile Desmoulins, oui, certes, elle regarde les nuages, c'est bien, mais elle ne doute pas assez d'elle-même (?). Caroline Brame lui tombe des mains, il l'abandonne aux historiens de la vie privée (!)... Eugénie de Guérin a une foi trop « solide », il la fait exécuter par Rainer Maria Rilke. Il mentionne, sans plus, Mme Craven... Son journal intime est un club très privé qui semble interdit aux dames.

Il serait plus simple d'admettre que la pratique du journal a plusieurs fonctions, et l'intime toutes sortes de nuances... Je me rends bien compte que ma stratégie, inverse, est déconcertante. Mon répertoire est un vrai marché aux puces où tout est en vrac : il suffit que le texte soit daté et personnel, que la jeune fille soit jeune fille, et je prends ! Oui, je n'ai pas choisi. Mais entre la chronique et le journal spirituel, j'espère avoir montré où était le centre de gravité... Les journaux de jeunes filles ne sont pas à évaluer en fonction de leur teneur en littérature, ce ne sont pas des crus à déguster. J'ai essayé de les prendre comme des *actes*, comme des réponses (elles-mêmes conditionnées) à la condition faite aux jeunes filles bourgeoises, de déchiffrer leur message, parfois obscur, d'évaluer la marge de liberté, d'invention... Bien sûr, j'ai eu ma thèse, ma mythologie, un fil rouge un peu simplet que j'ai essayé de suivre, qui m'a peut-être fait sous-estimer les pesanteurs et les complexités de l'histoire : la recherche d'une destinée personnelle... Et puis j'ai eu mes préférées... Mais j'ai essayé d'ouvrir ce champ, et j'espère qu'il y aura après une floraison d'études, et même, qui sait, quelques éditions ou rééditions... Qu'on jettera moins facilement au feu les cahiers qui ont survécu... Cette entrée est monstrueusement longue, je n'en finis plus, je suis comme sur le quai d'une gare à faire mes adieux... Il a fait très chaud ces jours-ci, il fait nuit, onze heures, l'écran de l'ordinateur est ma veilleuse, je repense à la petite flamme allumée par Michel dans le jardin d'Ambérieu ; autant qu'à un miroir le mot « psyché » me fait penser à cela, c'est bizarre... Ce soir je me souviens de *La Cantate à trois voix* de Claudel. Je ne devrais pas. C'est à Camille sa sœur, très réelle jeune fille, très emprisonnée, qu'il faut penser, et non à ces fantômes aériens auxquels, en 1911, Claudel prête sa voix, jeunes filles inventées qui, pendant la nuit de la Saint-Jean, attendent, quoi ? l'homme, Dieu, l'éternité pendant ce moment fragile au sommet de l'année, mêlant leurs voix dans l'ombre... Mais moi, pas besoin d'inventer. Faute de pouvoir saisir la voix de Camille, qui n'a pas tenu journal, j'écouterai ce soir trois jeunes filles réelles. J'ai choisi Marie-Edmée, Madeleine et Renée. Je leur ai trop peu donné la parole jusqu'ici, j'ai été trop modeste pour elles. Il leur arrive, comme à Eugénie, d'écouter la musique du vent ; comme à Læta, Fausta, Beata, de penser à l'éternité. Mais en général c'est de tout à fait autre chose qu'elles parlent : de la route. La route où elles sont, cette route étroite et difficile qu'on leur a faite. Elles parlent du chemin qu'elles vont elles-mêmes tracer.

Marie-Edmée Pau a dix-sept ans. Son journal est pour moi un vrai chef-d'œuvre, aussi musical que celui d'Eugénie de Guérin, mais tout frémissant d'impatience et de révolte... On est un beau dimanche d'été...

16 août 1863, dimanche

... Comme tout ce qui est beau, j'aime et j'admire la douceur de la femme qui n'est pas faiblesse, sa puissance d'aimer lorsqu'elle est légitime, sa sensibilité lorsqu'elle la rend charitable, sa beauté gracieuse et faible lorsqu'elle est digne et simple, et pourtant il m'arrive souvent de craindre ces qualités comme des vices, tant je les vois mal comprises, mal nommées, et tant je crains leur contrefaçon.

Qui me dira que j'ai tort ? Qui me découvrira la vérité ? Qui me donnera le mot de tant d'énigmes sur le sort et la condition de la femme ? Qui me montrera la route où je puis engager ma vie avec tant de dispositions contraires ? Une nature tour à tour si violente et si calme, si inquiète et pourtant si sereine, si flottante dans ses rêves et si immuable dans ses principes ; catholique plus sérieusement que tant d'autres qui le paraissent plus ; disposée à donner ma vie pour le premier exposé venu, à rendre service plutôt à un ennemi qu'à un autre, et cependant ne désirant pas être plus aimée que je ne le suis ; sensible à l'affection de n'importe qui, indifférente à la haine ou à l'antipathie du genre humain. Me voilà !... Que je suis drôle quand je me traduis ainsi ! A quoi servent mes diatribes et mes examens ? Je perds mon temps, mon papier et ma réputation de jeune fille bien élevée, c'est tout. Puis je me retrouve Marie-Edmée comme devant, c'est-à-dire une fillette de dix-sept ans, qui, à force de redouter le charme féminin, n'a pas un côté agréable dans toute sa personne, et qui, faute d'occasions, n'a pas une seule des qualités qu'elle admire. Oui, je me trouverais plus malheureuse qu'Iphigénie, s'il me fallait, parée comme un bélier de sacrifice, les bras, les mains, le cou, la tête enchaînés d'or, de diamants et de fleurs, me présenter dans le monde, dit-on, moi je dis à l'enchère. Oui, je hais ce système d'aplatissement employé à l'égard des femmes, qui leur interdit tout ce qu'il y a de grand dans l'emploi des forces humaines, et leur impose la vanité et la frivolité comme un devoir.

Il y a des instants où cette partialité m'irrite au point de me faire extravaguer. Et pourtant, je le répète, qui osera me dire que j'ai tort de penser ainsi ?

Où suis-je ? Dans ma petite antichambre aux volets garnis de vigne vierge, que la clématite parfume, et jusqu'où me parviennent les bruits divers de la cloche qui tinte une bénédiction, des oiseaux qui causent entre eux dans le petit bois, du jet d'eau qui bondit comme un fou, du vent qui fait bruire les branches touffues du poirier. Certes, je suis bien. Restons là. Notre tente est dressée, mon âme...

Madeleine Rondeaux a vingt-quatre ans. Elle tient un carnet pendant une longue période où elle et son cousin André Gide se tiennent à distance l'un de l'autre.

21 février 1891, samedi

André – Quel silence entre nous... Toi tu as encore mes lettres à tante Juliette – et cette idée m'irrite – Mais moi ! – Parfois j'entends un mot ici et là : « Tu es reçu partout – tout et chacun assurent un grand succès à ton livre ! »

Je t'ai écrit un mot pour te prier d'envoyer à tante Claire les Cahiers d'A. W. *tandis qu'elle est encore à Arcachon. Tu n'as rien répondu – mais je sens et je sais que tante a lu le livre.*

Oui, nous nous séparons bien – J'aurais cru que cela serait plus pénible, plus difficile !... Lentement mais sûrement le temps fait son œuvre... En y pensant avec une émotion un peu triste, j'ai dit : « Merci, mon Dieu ! [...] Rendez complète la séparation, infranchissable la distance acquise ! »

De cette intimité, de cette sympathie qui m'ont fait connaître les joies d'une sœur auprès du frère le plus aimé – qu'il ne reste rien – que le souvenir – en moi – et qu'en nous revoyant, le plus tard possible, je sois auprès de lui comme auprès de tout autre, en possession de moi-même – seule – sans partage mystérieux entre nos âmes. [...]

Que penserait un étranger en lisant ces lignes ? Que j'aime André d'amour ? – Non – en toute sincérité devant moi-même – Amour implique, me semble-t-il, désir – quelque chose de brûlant, de passionné qui n'existe pas (ni en lui ni en moi).

Je l'aime, je l'aimais, comme enfants tous deux, – sans changement, – par merveilleuse harmonie en toutes choses, en tout sentiment. « C'était lui et c'était moi. »

Mais taisons ces ressouvenances lâches. – « Hin ist hin ! »

Ah ! que j'en sois persuadée, convaincue !...

Je nous *déteste pour* nous *songer toujours encore ensemble !*

Je voudrais dormir.

A quelques années de là, en 1895, ils se fiancèrent.

Renée de Saint-Pern vient d'avoir seize ans. Il est difficile de passer ainsi d'une jeune fille à l'autre, sur des routes si différentes... Renée nous ramène aux problèmes posés par Marie-Edmée. Elle est plus enjouée, mais tout aussi décidée... Écoutez-la à quinze ans... à seize ans... à dix-huit ans... Elle est au carrefour des trois routes : mariage, couvent, sainte Catherine. Mais il y avait aussi une impasse : la mort, et jamais Renée n'a eu vingt ans. Elle aimait plus que tout Chateaubriand. Moi, je ne puis la lire sans penser au Victor Hugo des *Orientales*, « Hélas ! que j'en ai vu mourir de jeunes filles ! », sans réciter mélancoliquement dans ma tête :

Il faut que l'eau s'épuise à courir les vallées ;
Il faut que l'éclair brille, et brille peu d'instants ;
Il faut qu'avril jaloux brûle de ses gelées
Le beau pommier, trop fier de ses fleurs étoilées,
Neige odorante du printemps...

10 octobre 1900

C'est ce soir, à dix heures vingt-cinq, que j'aurai quinze ans. O âge désiré depuis tant d'années, te voilà qui approche, encore quelques heures, encore quelques minutes et mon vœu sera terminé ; demain matin je me revêtirai de mon nouveau corsage rouge à empiècement de velours, demain j'étrennerai mon joli manteau rose et dimanche ma belle robe verte fera son apparition dans l'église de la B...

Ma journée a été très occupée : d'abord le bon abbé C. a égayé le déjeuner par sa verve maligne et son esprit fin et amusant. Je lui ai fait lire mes œuvres et il m'a complimenté sur mon style, ce qui a délicieusement chatouillé mon amour-propre, car me complimenter sur mes écrits, c'est rendre trop heureux mon infernal orgueil. Mais, par exemple, il s'est montré un Plutarque sévère en voyant mes monstrueuses fautes d'orthographe. Moi, j'écris au courant de la plume, sans réfléchir, sans préparation, sans apprêts, et, tout en suivant le cours de ma pensée, j'inonde mes pages de fautes, dues souvent à l'étourderie.

11 octobre 1901

Aujourd'hui, jour de mes seize ans, je prends deux graves résolutions : celle d'écrire et celle de rester célibataire. Cette année encore, l'an prochain, peut-être, je resterai enfant ingénue, mais viennent mes dix-huit ans, je m'élancerai rapide, radieuse et légère dans les fêtes et par ma plume, je tâcherai de parvenir à la célébrité. Mon Dieu! au jour de mon anniversaire, je vous demande deux grâces : la première, c'est de m'éloigner du mariage, la seconde, c'est de rendre mon style nerveux, coloré, superbe !...

Comme je suis vieille ! je crois voir une mèche blanche au milieu de ma brune chevelure et une ride se jouer sur ma tempe.

Adieu, enfance bénie, adieu, douce adolescence, adieu pour toujours ? Je me prends à regretter l'âge heureux où je jouais à la poupée et je l'échangerais volontiers contre mes seize ans, qui m'apportent un profond souci... ma vocation. Allons, vieille allumette, clos ce long verbiage et va retrouver ton lit et rêver à la gloire sous tes soyeuses courtines.

10 octobre 1903

J'ai dix-huit ans !...

Il y a trois ans, à la même date, j'étais folle de joie, exubérante de bonheur... Et pourquoi donc ? Parce que j'avais quinze ans le soir même. Cet âge, je le désirais depuis de longues années, j'étais sans souci alors.

L'avenir m'apparaissait comme un point sombre, précédé de nuages roses ; la vocation était un mythe pour moi ; j'en parlais en folle, en enfant, et je me disais avec une superbe insouciance : « C'est si loin dix-huit ans !... » [...]

Que ferai-je dans la vie ? Elle s'ouvre rose sous mes pas ; ne me réserve-t-elle pas des douleurs, des ennuis, des tracas ?

Chose étrange ! moi qui adore les romans, non seulement en lire, mais en composer, je ne suis pas une enthousiaste du septième sacrement. C'est très amusant de marier les autres, mais lorsqu'il s'agit de soi la chose ne devient pas drôle du tout. Et le couvent !... Obéir, ce mot est terrible, lorsqu'on a comme moi le caractère dominateur.

Si je ne craignais pas l'égoïsme, je coifferais tout simplement la bonne sainte Catherine et dans un petit ermitage que je vois d'ici, j'irais m'établir avec mes livres, ma plume et toutes les idées de ma cervelle. Sept années devant s'écouler avant que je pose sur mon front une coiffe qu'on ridiculise, je ne sais pourquoi, j'ai encore bien le temps de songer à l'avenir et d'étudier le monde.

Il y a des personnes qui se marient pour se marier, je ne puis les comprendre. La seule union que j'approuve est celle de deux cœurs qui battent à l'unisson. Laissons ce sujet qui me fatigue par sa banalité ; il me faut essayer de me convertir. Il en est temps, je suis si vieille...

A quinze ans, j'étais folle de joie ; à dix-huit ans, je suis sérieuse et grave. Mon front se ride. Un mot terrible danse sans cesse devant mes yeux : l'avenir !...

23 juillet 1992, jeudi

Je suis toujours là, mais je vais partir. Tout a une fin... Ça ne m'empêchera pas d'écrire une fois le rideau tiré, mais vous me manquerez... vrai, sans flagornerie ! C'est la première fois que j'écris un journal pour être lu. Bien sûr, ce n'est pas un journal intime. Mais c'est l'affleurement d'une parole intime, tout de même. Comme si, par un long détour, une voix d'adolescent s'était frayé chemin... J'ai rejeté un œil sur mes journaux d'autrefois. C'est curieux que j'aie mis si longtemps à voir, ou à accepter, l'identification qui est à l'origine de cette aventure. « Elles prêtent leur forme à toutes mes pensées », disait aussi Victor Hugo... J'ai ri qu'on me propose d'écrire un livre intitulé *Je suis une jeune fille modèle* (10 décembre)... Je me suis senti tout fier d'être arrivé à écouter « l'autre » (19 février)... Néanmoins l'idée s'est imposée. Au fond, je suis devenu capable de m'identifier *plus loin de moi,* voilà tout.

Je viens de comprendre pourquoi, en 1990, j'ai été séduit par les extraits du journal de Claire Pic. J'avais fait, deux ans auparavant, sur mon propre journal, le même travail que Chantal sur celui de son arrière-grand-mère : j'avais rassemblé les passages où je parlais du journal lui-même. Je viens de les relire. Claire dit tout cela mieux que moi, et je ne dis guère autre chose qu'elle. Voici quelques lignes d'autrefois, qui pourront aussi bien servir, ce soir, à mettre *Psyché* en veilleuse :

12 octobre 1955, mercredi

Comme c'est drôle, la délivrance par le papier ! Il me semble que dès que j'ai écrit, ce n'est plus entièrement moi, et que même si ce papier reste inconnu, ma peine est partagée par des millions de personnes, ou par moi plus tard. Et puis il y a la joie de se sentir décrit, compris, ne serait-ce que par soi-même. La joie d'avoir triomphé de sa peine, puisqu'on a réussi à en faire autre chose qu'elle : une page écrite.

LECTURES

Croquis

Gabrielle Laguin

(née en 1874)

Samedi 12 juillet 1890

Depuis longtemps je désirais faire un journal et soit paresse, soit timidité, je ne l'ai pas encore commencé. Je m'y décide aujourd'hui.

Je vais d'abord indiquer les circonstances dans lesquelles je me trouve et dans bien des années je relirai peut-être avec bonheur ce griffonnage commencé dans des jours de jeunesse et de joie.

Gabrielle Laguin a seize ans, elle vit à Grenoble. Elle commence son journal sur un petit cahier de papier cousu, sans couverture.

Elle pose le décor, raconte l'histoire de sa famille, se présente elle-même : elle fait donc une « exposition »

Je me souviens de la méfiance que m'avait inspirée, dans le journal d'Anne Frank, la maîtrise manifestée dans l'exposition : on avait trop l'impression de lire un roman. Mais l'édition critique de ses *Journaux* (1987) montre qu'Anne avait déjà eu recours à ce procédé à un moment où elle n'avait pas la moindre idée de publication. Bien sûr, quand, en mai 1944, elle a réécrit son journal de 1942, elle a systématisé, en écrivain expert, cette présentation.

L'exposition, quand il y en a une, peut avoir plusieurs fonctions. Autant qu'une manière de définir un futur lecteur en faisant le geste de l'aider, c'est une sorte de « sas », une manière de s'habituer soi-même à l'idée d'une écriture sans lecteur immédiat, un compromis entre le monde de la communication, que l'on quitte, et la solitude de l'écriture. On se rassure. Le cahier blanc est comme une pièce vide d'un appartement où l'on emménage, où votre voix résonne trop : vous la meublez d'un destinataire imaginaire, à qui vous faites des présentations...

Le premier jour, Gabrielle présente donc sa famille (avec tableaux généalogiques) et son histoire. Ensuite il lui arrivera de se servir de notes, d'indications marginales ou supra-linéaires, pour préciser des identités, expliquer la disposition des lieux, etc. Le destinataire de ces éclaircissements ne saurait être son fiancé-cousin, puisqu'ils portent justement sur lui et sa famille. On imagine plutôt le fantôme d'une amie lointaine, et cette amie, c'est simplement elle-même plus tard.

Voici, pour faire connaissance avec elle, la partie finale de l'exposition. Elle a consacré à l'écrire toute sa journée du samedi 12 juillet 1890. Elle en arrive à l'essentiel, à son secret :

Maintenant, je crois que les préliminaires sont assez longs, je ne donne pas de plus amples détails, à mesure que j'aurai à introduire dans mon journal des personnages non encore cités, je donnerai les explications nécessaires sur eux.

Je vais maintenant parler un peu de moi ; c'est avec une émotion profonde que je vais écrire mes secrets les plus intimes, je l'appréhende et pourtant je veux le faire. J'ai un cousin – (qui n'en a pas !) – et je l'aime. Je l'aime depuis que je le connais, c'est-à-dire depuis au moins dix ans. Je ne saurais dire quel jour cet amour a commencé, il me semble que je l'ai toujours aimé. J'ai tenu cet amour caché très longtemps, mais il paraît que je ne l'ai pas assez bien voilé l'année dernière, car Louis s'en est aperçu (j'ai oublié de dire le nom de ce cousin, c'est Louis Berruel). Il m'a aimé probablement parce que, comme dit le proverbe, l'amour attire l'amour, il me l'a dit le 25 juin 1889, et depuis ce temps nous nous aimons autant qu'on peut s'aimer, du moins, quant à moi, je l'adore et je crois *qu'il m'aime autant que je l'aime. Je suis bien jeune, ce qui fait qu'il faut attendre encore au moins une année avant de nous marier. Aucun de mes parents ne connaît mon amour (ou du moins si on le soupçonne, on ne m'en parle point).*

J'ai passé cette journée à exposer ma vie jusqu'à ce jour, exposition bien abrégée, il est vrai. Désormais j'écrirai chaque jour ce qui m'aura frappée et ce qui mérite de m'être rappelé dans mes futures années. Je parle toujours comme si j'allais devenir bien vieille, je ne peux pas en effet, me faire à l'idée de mourir.

Mais cette prévenance informative disparaît vite. Le journal devient ensuite allusif et pourra sembler plutôt « ennuyeux » à un lecteur venu là avec des appétits romanesques. L'entrée du lendemain donne une bonne idée du régime auquel il va être soumis.

Dimanche 13 juillet 90

Il *est parti ce matin avec Jules son frère pour Chapareillan chez ses parents,* il *ne revient que demain soir à 10 heures ; je m'ennuie bien. Oh ! quand serai-je sa femme ?*

*C'est aujourd'hui les courses de chevaux, nous partons pour aller voir le défilé ; je m'y amuserais s'*il *était avec moi, mais seule le temps va me durer.*

« *Il* », souligné, c'est... lui . Que dire d'autre, quand on aime, que cela, qui dit tout ? Parce que c'était lui, parce que c'était moi... Quand j'ai eu fini de lire ce journal, j'avais si peu d'informations sur Louis que j'aurais été incapable de faire son portrait, même en une ou deux phrases !

Ce n'est pas un journal d'introspection et d'analyse intérieure, même s'il reçoit les épanchements de Gabrielle. Pas de curiosité pour ses propres sentiments ni de travail sur eux.

Ce n'est pas un journal de vie morale, grâce auquel elle se guiderait vers la perfection, ou dans lequel elle s'interrogerait sur le sens de la vie. Elle est catholique, va à la messe. Cela va de soi et elle n'a pas grand-chose à en dire. Jésus et Dieu n'apparaissent que lorsqu'ils peuvent quelque chose pour son mariage.

Ce n'est pas non plus un journal de vie intellectuelle (elle ne mentionne aucune lecture), ni une chronique familiale ou sociale avec portraits et anecdotes, ni un journal de vie professionnelle (elle n'en a justement aucune)...

Je pourrais continuer à dire ainsi tout ce que ce journal *n'est pas* : mais ce serait stupide, puisqu'il ne prétend à rien de tout cela. C'est la faute de l'exposition, qui m'avait fait attendre un journal plus varié, plus riche. Dès l'exposition terminée, le journal se concentre sur son unique sujet : l'attente de l'engagement définitif de Louis, et du mariage.

Il y a donc un fil conducteur et un seul. L'unité d'action d'une tragédie classique, mais sans la concentration dramatique qui stylise la vie et la rend communicable. Ce journal raconte une attente, jour après jour, pendant plus d'un an. Il ne « raconte » pas cette attente, il est le lieu de l'attente, il *sert à* attendre. Il est donc plein de répétitions, de piétinements, d'anticipations elles-mêmes répetées, fonctionnant en général sur la distance d'un an : l'année prochaine, à la même date, où en serai-je, serai-je mariée ? Il est plein d'angoisses et de déceptions, liées à une situation fatalement passive : elle ne peut rien faire pour hâter le mariage, et elle ne peut même pas vraiment parler de ces angoisses à Louis, si bien que le journal devient le seul lieu où s'exprimer, et tourner en rond.

A moins qu'elle ne finisse par le lui montrer ?

Hier soir, j'ai eu un petit incident. J'ai eu le malheur de lui dire que je faisais mon journal, alors il veut que je le lui prête et je ne le veux pas, que penserait-il de moi s'il le voyait ? il verrait bien à chaque page comme je l'aime mais j'aime mieux qu'il le comprenne par ce que je fais que de le savoir par ce récit de ma vie de chaque jour. Il m'a grondée mais je n'ose pas lui faire lire tout cela. Je suis ennuyée de ne pas le contenter et cependant j'ai persisté dans mon refus. Je ne lui fais pas de grandes démonstrations d'amour, de sorte qu'il ne sait peut-être pas au juste comme je l'aime ; pour qu'il le sache, je n'aurais qu'à lui faire lire ça ; mais non je ne le veux pas. Si je deviens sa femme alors je le lui ferai lire, sinon, jamais. Si un jour il ne m'aime plus (je doute que ça arrive), je ne veux pas qu'en se souvenant de ce qu'il aurait lu dans mon journal, il refuse de me le dire. Quant à moi je l'ai toujours aimé et je l'aimerai toujours ; mon amour est si profond qu'on ne le voit pas, je lui parais peut-être indifférente et cependant je l'aime tant ! (23 juillet 1890).

Donc, c'est dit, le journal restera secret. C'est d'ailleurs la condition de sa sincérité. Le jeudi 31 octobre 1890, après avoir relu son entrée du lundi précédent, où elle manifestait du ressentiment à l'égard de Louis, elle est prise de la tentation de l'effacer. Mais au nom de la sincérité, elle résiste :

Je pourrais même effacer tout ce que j'ai écrit lundi, mais je me suis promis d'être sincère vis-à-vis de moi-même et je ne manquerai pas à cet engagement. Mon journal est un miroir fidèle où je me regarde presque chaque jour. Il ne saurait déguiser la vérité. Je ne l'adresse à personne, ce journal, parce qu'il ne vaut pas la peine d'être lu, mais plus tard, quand je serai tout à fait vieille, je m'amuserai à le relire, à me revoir, dans ce miroir du passé, telle que j'étais alors.

Donc, c'est un miroir. Il ne doit me reproduire ni plus belle ni plus laide, ni meilleure ni pire. Et pour cela il faut que je laisse courir ma plume la bride sur le cou, sans l'arrêter par le frein de la réflexion. Si j'écrivais pour le faire lire à quelqu'un, peut-être, en dépit de ma résolution d'être sincère, me composerais-je des allures intéressantes, mais je n'écris que pour moi, je n'ai donc à me préoccuper de rien.

Il me semble que chacun devrait ainsi écrire sa propre histoire dans un journal familier. C'est là qu'on est pris sur le vif, et que le déguisement est impossible avec l'allure rapide d'une plume qui court chaque jour quelques moments.

Elle relit chaque jour son journal (« *C'est très gentil de voir ce que je faisais et pensais il y a un, deux, trois, quatre mois* », 15 novembre 1890), elle a plaisir à le retrouver pour se plaindre de Louis (« *Te voici donc, mon cher journal, avec toi au moins je puis parler sans contrainte, je puis te dévoiler toutes mes peines, tous mes ennuis. Je trouve que Louis ne m'aime plus autant...* », 19 décembre 1890).

Mais la tentation reste forte de faire lire le journal à Louis. Le 31 décembre elle hésite. Finalement, le 1er janvier 1891 elle lui communique des extraits recopiés sur un cahier, mais pas le journal lui-même (« *J'en avais sauté* », dira-t-elle le 26 mai).

Une petite parenthèse. Les journaux de Lucile Le Verrier, de

Claire Pic et de Gabrielle ont un trait commun : l'histoire de mariages heureux. Tout se passe dans le cadre du mariage bourgeois arrangé XIXe siècle, et pourtant ce sont des histoires d'amour, suivies d'une vie conjugale heureuse. C'est aussi le sujet principal du journal d'Henriette Dessaules, au Québec. Et si j'ai bien compris, ce sera aussi le sujet du journal de la propre fille de Gabrielle, Renée. La situation d'Henriette Dessaules ressemble à celle de Gabrielle : proximité spatiale de l'aimé, opposition redoutée, puis vaincue, d'une des personnes qui pourrait s'opposer, etc. Il ne s'agit pas d'épouser en trois semaines un monsieur tombé du ciel pour partager avec lui l'enfer de la vie conjugale ; mais au contraire d'attendre longtemps, ensemble, en se voyant presque tous les jours, en sachant qu'on doit attendre, parce que ensuite on aura une vie harmonieuse. Attendre parce qu'on a confiance, qu'on se connaît depuis toujours, ou qu'on a appris à se connaître. Ces journaux sont donc des romans d'amour. Rien de Tristan et Iseult : plutôt l'histoire de jeunesse de Philémon et Baucis. La jeune fille tient la chronique du conflit qui retarde le bonheur, mais elle et son fiancé sont des alliés. Ils sont tellement alliés que justement l'idée de la communication du journal à l'aimé est souvent à l'ordre du jour, et parfois se réalise.

La différence est que les journaux de Claire, d'Henriette et de Lucile sont plus développés. Gabrielle, elle, se concentre sur l'élément-noyau qu'est l'attente, sans guère étoffer. D'où la déception du lecteur devant ce *staccato*. En même temps il a le sentiment que quelque chose échappe à Gabrielle. Elle n'est pas assez mûre pour maîtriser la situation, comprendre le sens de la conduite de Louis, sa réserve, les difficultés qu'il rencontre mais dont il ne saurait l'informer. Si bien que ce récit répétitif, elliptique et un peu myope risque de maintenir à distance un lecteur dépourvu d'imagination. Il faut faire un bout de chemin vers Gabrielle. Mais c'est justement cela, le journal intime ! De quoi nous plaignons-nous, elle ne nous a rien promis ! Pourquoi allons-nous mettre le nez dans des papiers écrits pour elle seule, pourquoi en attendons-nous le frisson du roman, pourquoi lui reprocher de ne pas nous le faire ressentir ? Soyons cohérents : c'est nous qui devons devenir, par sympathie, les romanciers de ce récit. C'est ce qu'a fait sa petite-fille Mme Bally dans la chronique familiale qu'elle m'a transmise en même temps que les cahiers.

Je repensais, hier soir, à un autre cahier d'attente. Mais c'est un journal... de jeune homme ! Le grand-père d'une auditrice de France-Culture, qui me l'a communiqué... L'action se passe en 1887 en Tunisie. Louis-Augustin J. a fait la cour à Pauline, mais la famille de Pauline sépare les jeunes gens. Interdiction de se voir. Louis-Augustin guette sa bien-aimée à la messe, à sa fenêtre, dans ses trajets. Il utilise un livre de comptes pour calmer sa douleur. *« Peu élégant cahier que je vais nourrir d'impressions journalières, es-tu destiné à être lu par celle du souvenir de qui toutes ces pages seront imprégnées ? »* Le cahier sera tenu cinq mois, trente-huit pages de registre, jusqu'à ce que la famille revienne sur sa décision. Le journal s'arrête quand la demande en mariage est acceptée. Et nul doute que Pauline a alors lu le journal... avec quelle émotion !

Je reviens à Gabrielle. L'attente est longue pour elle. En juillet 1890 elle est reçue au certificat d'études secondaires, terme du premier cycle des études secondaires pour filles. Maintenant elle va rester à la maison, et faire son « apprentissage de maîtresse de maison » (26 juillet). Dès qu'elle considérera cet apprentissage fini, elle dira à Louis : « je suis prête, demande-moi en mariage ». Mais l'année 1891 arrive et rien ne se dessine. En avril 1891, l'espace de trois jours, elle s'imagine être amoureuse d'un autre, mais s'arrache immédiatement à ce vertige. Début juin, enfin, le mariage est décidé, il aura lieu en octobre. La veille du mariage elle écrit : *« C'est enfin demain le grand jour, je ne peux y croire. Aujourd'hui il pleut averse. Je n'ai pas le temps d'écrire bien longuement. Je suis heureuse, très heureuse, trop heureuse. Adieu, cher journal, lorsque je réécrirai quelque chose je serai Mme Berruel. Je signe donc pour la dernière fois : Gabrielle Laguin »* (2 octobre 1891).

Elle ne rouvre son cahier que le 6 novembre, pour témoigner de son bonheur, et annoncer la transformation du rythme et de la fonction du journal : *« Oh ! oui je suis heureuse, nous sommes heureux, nous nous adorons. Je n'écrirai plus guère souvent sur ce journal, que lorsque j'aurai quelque chose d'important à signaler, mais je le relirai souvent avec plaisir. »*

Le tempo change alors du tout au tout. Il y a une opposition entre deux rythmes :

— *Le temps passe si lentement!!!* C'était le leitmotiv de la période d'attente avant les fiançailles, puis avant le mariage (164 pages pour une grande année). On le retrouve épisodiquement après le mariage, quand Gabrielle attend l'arrivée d'un enfant, qui tardera deux ans à venir... D'où des séries impressionnantes de « comptes à rebours », d'anticipations, de rétrospections mélancoliques... L'inscription journalière est une technique pour tromper l'ennui, mesurer le temps, elle a un côté « quillomètre », comme on dit à l'armée...

— *Le temps passe si vite!!!* Ce sera le leitmotiv après le mariage, et surtout après la naissance de Renée (1894) (54 pages pour dix-neuf ans). Gabrielle ne reprend plus le journal que de loin en loin, avec des écarts de plus en plus grands, tous les deux ou trois ans, et des exclamations étonnées : les mois, les années filent, et on ne s'en est pas aperçu !

Le contraste est saisissant. Quatre cahiers pendant lesquels on avait fait du pas à pas. Puis une accélération vertigineuse, on s'envole ! — J'ai trouvé cela, oui, saisissant, et au fond très beau, d'une beauté dont Gabrielle n'est pas responsable... mais si, tout de même ! C'est bien elle qui a été fidèle aux cahiers de sa jeunesse, qui les a repris, même si ce n'était plus que pour écrire dix lignes tous les deux ans. Elle est la première à prendre conscience de ce rythme. Voici un petit montage, lui-même accéléré, de cette accélération :

11 avril 1892. *Je n'ai absolument rien de nouveau à écrire, ma vie s'écoule toujours heureuse en désirant un bébé qui ne vient pas.*

1er juin 1892. *Qu'est-ce que je pourrai bien écrire ? Je ne le sais vraiment pas ! Il n'y a rien de nouveau dans mon existence, je suis toujours très heureuse.*

12 février 1895. *Je n'écris plus rien, mais j'ai un agenda où j'écris tous les jours ce que je fais.*

13 décembre 1895. *Je ne trouve plus que le temps passe doucement maintenant, il fuit au contraire avec une rapidité inconcevable. Rien de plus étonnée que moi en prenant mon journal de voir que 10 mois se sont écoulés depuis que je n'ai rien écrit.*

31 octobre 1897. *Ce n'est pas possible ! il y a quinze mois que je n'ai pas ouvert ce cher journal ! Je ne puis y croire. Autrefois je trouvais le temps si long, et maintenant je le trouve trop court : les années filent sans que je m'en aperçoive*

6 mars 1898. *Dire que je n'ai pas encore trouvé le temps de venir confier à mon cher journal l'heureux espoir que j'ai depuis bientôt 3 mois d'avoir un autre bébé.*

3 mars 1900. *Le temps file, file... quand je relis mon journal j'ai l'impression d'être dans un train marchant à toute vapeur et d'où je vois passer tous les événements de ma vie comme les arbres qu'on aperçoit de la portière.*

3 septembre 1903. *Maintenant ce ne sont pas les mois qui passent sans que j'écrive ce sont les années. Dédette a bientôt cinq ans dans 3 jours et Nénée 9 ans 1/2.*

22 octobre 1905. *Encore 2 années de plus !*

31 décembre 1909, minuit moins dix. *2 ans 1/2 que je n'ai rien écrit ! Il y a maintenant plus de 18 ans que je suis mariée ! Je ne peux pas le croire. Nous nous aimons toujours autant, mais tout de même c'est ennuyeux de vieillir.*

1er janvier 1911, minuit moins cinq. *Louis est au bureau, il ne va pas tarder à rentrer. Je te quitte, cher journal, témoin de mon bonheur – 19 ans de mariage ! et nous nous aimons toujours autant ; que Dieu fasse la grâce que mes filles soient aussi heureuses que moi ! Quand je pense que lorsque j'avais l'âge qu'a Nénée maintenant, nous nous aimions déjà depuis longtemps.*

Ce sont pratiquement les dernières lignes du journal. Les entrées ne sont guère plus nombreuses que celles d'où j'ai tiré ces extraits. Bien sûr, chaque reprise du journal a pour fonction de résumer la vie familiale depuis l'entrée précédente. J'ai sauté ces éléments de chronique pour enchaîner les commentaires de Gabrielle sur la fuite du temps.

Son journal est pour moi une « étude » de rythme, que je pourrais prendre comme exemple canonique. Je tourne autour de cette idée depuis mon travail sur les journaux d'Anne Frank. Mais existe-t-il une « rythmanalyse » opérationnelle ? Les théoriciens ont-ils pensé à cette situation vertigineuse du journal, rythmes d'écriture sculptant les rythmes de la vie, accumulant du texte qui sera soumis aux rythmes d'une lecture (et d'abord celle du diariste lui-même) ? « Éditer » un journal consiste d'ailleurs souvent, hélas, à rectifier son rythme... C'est un cours d'eau sauvage qui a ses crues et ses sécheresses, ses bras morts, et qu'on régularise...

Autre direction de recherche : que devient un journal de jeune fille après le mariage ? Peut-il se prolonger en chronique familiale suivie, ou épisodique ? S'arrête-t-il net ? A-t-il des suites mélancoliques et désenchantées ? Le problème est qu'on ne peut dire quelque chose que lorsque effectivement il y a une suite. L'absence de suite est ininterprétable. Elle peut aussi bien être due à un changement de support, à la destruction ou à la perte, qu'à un arrêt de l'écriture.

Ce qu'il y a ici de fascinant, c'est l'enchaînement rythmique du journal de Gabrielle avec celui de sa fille Renée, qui fera l'objet du prochain « croquis ». Mère et fille arrêtent leur journal la même année, en 1911 ! Gabrielle à l'âge de trente-sept ans, le 1er janvier ; Renée, en novembre, à l'âge de dix-sept ans. Et les mentions rapides que Gabrielle fait tous les deux ou trois ans depuis le début du siècle sont contemporaines des huit cents et quelques pages accumulées par la petite Renée depuis l'âge de huit ans, à partir de 1902...

Renée Berruel

(née en 1894)

J'ai devant moi treize cahiers écolier, format 17,3 × 22,4, d'épaisseur variable. La série n'est pas complète, un ou deux cahiers s'étant perdus. Renée a tenu son journal sans interruption pendant neuf ans, de huit ans et demi à dix-sept ans et demi. Cette continuité est soulignée par la pagination, qui se poursuit d'un cahier à l'autre : 839 pages au total.

Je vais prendre les cahiers un à un, dans l'ordre, et tenir moi aussi journal : j'écrirai après la lecture de chaque cahier, dans l'ignorance de la suite.

Premier cahier (p. 1-48)

Il commence le mardi 4 novembre 1902, et va jusqu'au 22 février 1903. Renée fête son anniversaire de neuf ans le jeudi 15 janvier 1903, sa mère a vingt-neuf ans le même jour ! Elle va à l'école, apprend le piano, elle a une petite sœur Odette, qu'elle appelle Dédette.

Le journal est essentiellement factuel, et assez rudimentaire, comme le sont en général les journaux d'enfants. Elle note les petits faits saillants de l'école ou de la maison, les petites joies, les progrès, etc. Aucune réflexion, aucune morale. Elle va au catéchisme, mais il n'y a rien de religieux dans ce journal très terre à terre, très normal. Elle semble l'écrire avec plaisir. Les premières pages sont assez soignées, mais après il arrive que ça aille tout de travers.

Au début le journal semble parfois *corrigé* par une autre main, ou par la sienne, ces corrections sont peu nombreuses, mais portent sur l'emploi des pronoms, l'ordre des mots, etc. Ce problème est abordé explicitement page 39, le samedi 7 février 1903 : « *Je trouve que je ne sais pas bien faire les phrases, je mets trop de que et de qui, j'ai bien appris sur ma grammaire qu'il faut en mettre le moins possible mais je ne peut pas m'en empêché. Je met aussi trop de et puis après et alors : mais j'apprendrai bien plus tard.* » Bonne résolution.

Deuxième cahier (p. 147-178)

Deux ans ont passé. On saute directement à la page 147 : la centaine de pages intermédiaire (un an et demi de journal) a été perdue. Ce cahier va du 30 septembre 1904 au mercredi 17 mai 1905. C'est au milieu du cahier, page 155, que Renée aura onze ans (15 janvier 1905).

Mon impression de lecture est différente du premier cahier, devant lequel j'étais resté attentif, mais impassible. Là, je craque. C'est adorable, très proche de ce que Colette Vivier aurait pu faire écrire à la Didine des *Almanachs du gai savoir* (Gallimard, 1940-1947 — je les ai présentés dans *La Revue des livres pour enfants* de septembre 1991) ! Elle est à la fois « nature » — et culture ! On a l'impression d'une enfant qui s'épanouit dans le système d'éducation qu'on lui propose, elle est aimée, encadrée, mais elle a son champ d'initiative, son petit domaine, et au fond elle n'a pas envie de quitter cette enfance. Un passage émouvant sur le souvenir de sa première communion, et l'angoisse de vieillir. — Elle n'écrit pas en langue de bois, même quand elle reprend des pans entiers de discours appris. C'est devenu sien, ça porte la marque de sa candeur, de sa ferveur.

Le jeudi 30 mars 1905, par exemple, elle décrit l'éveil du printemps. Apparemment, c'est une vraie rédaction : elle finit même par intégrer dans sa prose un quatrain qu'elle a dû apprendre ! Mais il faut lire l'ensemble de l'entrée pour sentir comme c'est « nature » :

Jeudi le 30 mars 1905

C'est charmant le printemps. Le soleil resplendit l'air est pûr et frais, les oiseaux gazouillent sur les branches des arbres qui commence à se feuillér. A la campagne surtout, ou nous sommes allées Dimanche la rosée en perles brille partout sur les gazons, dans les bois ou sifflent les merles les feuilles ouvrent leur prison les oisillent disent bonjour au soleil en criant « Vive le réveil, rions, chantons mes camarades ». Le printemps se compare à un monsieur qui est gai ouvert il a un gilet de velours rouge avec un bel habit vert. Ses mains sont pleines de fleurettes qu'il accroche à tous les halliers. Il a des blanches pâquerettes au lieu de clous à ses souliers... En effet le printemps est charmant mais voici assez de descriptions.

Philomène la bonne allemande, s'ennuyait trop elle est parti. Maintenant nous en avons une française très gentille qui s'appelle Marie Augier.

Vous allez me trouvez bête mais c'est comme ça j'ai réffléchi à ce que je ferai quand je serai grande. J'aimerais bien me marier et j'aurai cinq enfants un fils et quatre filles mais si quelquefois je ne trouvais pas de mari je m'en consolerai facilement. Je vivrai seule, mes parents viendront souvent me voir et j'aurais pour me tenir compagnie un chien, un chat, un singe et un perroquet. Un chien et un chat ce sont des être exeptionnels pour la gentillesse ! Un singe c'est charmant quand il fait comme soit ! et un perroquet je lui apprendrai à parler et je ferai la conversation.

Il lui arrive même de réciter dans son cahier une leçon qu'elle est fière d'avoir bien récitée en classe (les provinces et les départements) (p. 177-178). C'est un événement, au même titre que le tremblement de terre qu'elle a raconté quelques pages avant (p. 168-169) — elle dormait, elle n'a rien entendu ! Etc. — Elle ne fait pas le singe savant dans son cahier, elle est authentique. On lui arrache deux dents :

Dimanche 14 mai

Ah ! mon pauvre journal !

Mercredi nous sommes allés chez le dentiste et nous devions y retournez pour moi le lendemain.

Donc, le jeudi 11 mai 1905, 21ᵉ anniveraire de la 1ᵉ communion de maman, j'y suis aller ! pour m'arracher deux dents du fond à énormes racines. Je n'ai pas dit une fois que je ne voulait pas ni pleurer ni rien ! j'aime tant le courage, la bravoure ! je déteste tant les peureuse. Mourir à la guerre après avoir fait preuve d'une bravoure serait mon plus grand et juste désir ! donc j'y suis aller... en chantant à huit heures et demie. On m'a endormi avec de l'étine je crois ça ne sent pas bon !... on étouffe sous ce masque. J'ai rêvez que je m'accrochais la dent et que j'étais suspendu en l'air aussi j'ai crié, croyant voir papa devant mes yeux je les ai ouvert !... personne de plus étonné que moi en voyant... le dentiste. Je ne savais plus ou j'étais on m'avais arraché mes dents. Tout le monde m'a félicité de mon courage Mᵐᵉ Cot Mᵐᵉ Mallet Mˡˡᵉ Martyr Mariée maintenant Mᵐᵉ Pont Mᵐᵉ Chaboud Maman Bonne Maman, le dentiste Mʳ Besson, j'en ai été très contente. J'aime tant la bravoure. J'ai eu un peu mal à la tête.........

La différence avec le journal de neuf ans, c'est que maintenant elle ne se contente plus de noter l'événement, elle le met en scène dans des petits récits, elle manifeste ses sentiments ou réflexions, etc. C'est cela qui fait très « Didine ».

Mon attendrissement paraîtra peut-être naïf à des gens sérieux. Je me souviens que Mᵐᵉ Bally n'avait pas confié ces premiers cahiers à Anne Martin-Fugier, craignant qu'elle ne les trouve trop puérils.

Troisième cahier (p. 179-238)

Fin du deuxième cahier : « *Adieu, cher journal mon cahier est fini je ne puis continuer jusqu'à ce que j'en ai acheté un autre.* »

Début du cahier suivant : « *Jeudi le 18 mai 1905. Je commence un cahier neuf qui a soixante quatre pages. C'est un cahier du cours Nicoud. Il coûte trois sous c'est a dire, 0 f 15.* » Barrant ces trois lignes il y a au crayon le mot : « *Idiotie* ».

Ce cahier va du 18 mai 1905 au 21 juin 1906, de onze ans et demi à douze ans et demi. Il est dans la même tonalité que le précédent, mais irrégulièrement tenu. Elle écrit dedans quand ça lui chante. Pendant la période des vacances d'été, elle le laisse carrément tomber. Ça défile assez vite. Un certain souci religieux apparaît, sans rien de mystique. Au printemps 1905 elle « renouvelle » sa première communion, il y a une retraite, et elle se fait des « règlements », mais on a plutôt l'impression qu'elle joue à la poupée avec elle-même... Le lundi 26 juin, par exemple, un grand « Règlement de vie pendant les vacances » prend la forme d'un tableau d'une page entière. L'année suivante, dans ce journal assez décousu apparaissent des décorations : un dessin représentant un point de tapisserie (p. 209), des essais de graphisme genre pochoir (p. 214), des fleurs séchées avec un ruban (p. 216). Si un jour je réalise une exposition de journaux intimes — un de mes rêves ! — il faudra ouvrir le cahier de Renée à cette page-là.

Mardi 29 mai 1906

C'est aujourd'hui le second anniversaire de ma première communion.

Ça me produit une drôle d'impression ; je suis triste comme une nuit sans lune en pensant que c'est fini que jamais plus au grand jamais je ne referai ma première communion ; encore l'année dernière je renouvelai ma cette année c'est bien fini pour toujours. Et cepandant je souris, je suis gaie comme un jour de soleil en songeant au plus beau jour de ma vie, à ce jour où j'étais si heureuse. Aussi je ne sais pas s'il vaut mieux être gaie ou triste ; je suis plus triste que gaie mais il faut être gaie car autrement ça attriste ceux qui sont autour de vous.

Cela me rappelle un autre cri de nostalgie que j'avais omis de noter dans le cahier n° 2, à la date du 11 janvier 1905 (p. 155) :

216

Lundi 28 Mai 1906

Quelle chance !
Nous partons Jeudi à huit
heures pour Marseille plus
que 2 jours : Mardi Mercredi
et en comptant
aujourd'hui
Lundi. Ce
sera vite passé ses
3 jours.

J'emporte mon journal pour le faire
dans le train. [illegible] Maman nous
achètera des journaux pour lire
J'emporte aussi un livre et puis on regar-
-dera aussi le paysage comme cela
nous ne nous ennuierons pas. Je raconterai
sur mon journal tout ce que je ferai
ce sera long.
Hier nous sommes allés chez Mme Aez
à Charnaux avec Mme Chalbonol et
Suzanne. Nous sommes bien amusées

« *J'ai 11 ans dans 4 jours quelle domage. je ne voudrais plus grandir. Enfin!!!* »

A la fin de ce cahier, j'ai bien aimé le récit d'un voyage à Marseille. Renée décide d'emporter son cahier en voyage, et d'écrire dans le train. Ce n'est pas possible à l'encre, bien sûr. Elle écrit donc au crayon, et tout est repassé à l'encre au retour. Le journal devient comme un carnet de reportage, étape par étape. Cette idée de tenir son journal *dans un train* lui semble délectable. Le récit est amusant, parce qu'elle sait maintenant raconter en détail. Il y a par exemple une charmante petite scène à Avignon où la fillette décrit la manière dont sa mère, trouvant son hôtel trop cher, a réussi à en changer (p. 221-224)... Elle raconte des devinettes drôles qu'elle a faites avec sa sœur (p. 228) et, dans le plus grand détail, une séance de cinématographe à son retour à Grenoble (p. 234-238)... Plus haut, elle a décrit sa nouvelle chambre à la maison de campagne de La Buissière (p. 212-213, avec plan). Elle aime bien faire des scènes en dialogue dans le style des livres pour enfants qu'elle doit lire (p. 207-209)... C'est vraiment Didine... L'héroïne de Colette Vivier est une fillette de dix-onze ans... Colette Vivier était née en 1898, elle avait donc quatre ans de moins que Renée, elle aurait pu être sa petite sœur...

Quatrième cahier (p. 239-258)

Il est tout mince, 20 pages, et va de la suite de l'entrée du 21 juin 1906 (le cinéma à Grenoble) au dimanche 28 octobre 1906. En fait elle écrit peu pendant l'été : « *Ah! Dieu qu'il y a longtemps que je n'ai pas ouvertes les pages de mon journal! Depuis le 21 juin!* » (15 août). Elle résume alors le début des vacances, mais se tait de nouveau jusqu'au 18 septembre (où elle s'amuse à raconter en dialogue une scène de voyage), puis jusqu'au 14 octobre, où l'on apprend qu'elle vient de rentrer au lycée, puis au 28 octobre, où elle résume son mois. Elle raconte longuement une anecdote (elle a failli perdre son chien Mirette!), puis donne la liste de toutes les élèves de sa classe, avec appréciation pour chacune, la liste des professeurs (même chose), et son emploi du temps. Toujours « Didine ».

Cinquième cahier (p. 259-290)

Il est un peu moins mince, 32 pages, et va de décembre 1906 au 12 février 1907.

Il s'ouvre sur une sorte de coup de tonnerre, de révélation, qui m'a fait honte de l'avoir crue heureuse ! — La pauvre enfant se rongeait d'un chagrin qu'elle n'avoue à son journal que parce qu'il s'est évanoui...

Mardi le 11 [décembre 1906]

Come c'est vrai cela :

« Les années se suivent *mais ne se* ressemblent *pas. »*

Lorsque j'étais petite je croyais pas cette phrase bien vrai, mais je le vois et le comprends maintenant. Quand ai-je été bien heureuse ? jamais je crois. Quand j'étais petite j'étais bien heureuse mais je ne comprenait pas mon bonheur. Quand j'ai commencé à être grande, vers 8 ans, j'allais en classe et je disais : « Oh ! que j'aimerais ne pas aller à l'école ». Hélas je me croyais bien malheureuse mais l'année dernière c'est alors que j'étais vraiment malheureuse je n'étais contente que le jeudi le dimanche et encore ce que j'aimais le mieux c'était la nuit c'est alors que je me disais : « Lorsque j'étais heureuse je n'appréciait pas mon bonheur maintenant je voudrais retourner en arrière ; encore 4 ans hélas à aller à l'école. »

Oui j'étais malheureuse ! J'allais au cours Nicoud mais je prenais des leçons au lycée et j'étais le vrai souffre-douleur des petites filles du lycée elle se moquaient de moi. Oh ! comme je les aimais celles qui me donnaient un peu de leur amitié mais comme elles étaient rares. Je restais seule dans mon coin comme une abandonnée et elles trouvaient toujours quelque reproche à me faire. Elles me disaient quelquefois que j'étais une menteuse que mes cheveux ne frisaient pas naturellement et que je le disais pour me faire remarquer. Je ne suis pas méchante mais j'aurais voulut que ces méchantes fussent seulement un jour à ma place.

Quand j'y songe
Mon cœur s'allonge
Comme une éponge
Que l'on plonge
Dans un gouffre
Plein de souffre
Où l'on y souffre
Des tourments
Si grands, si grands
Que quand j'y songe
Mon cœur s'allonge
Comme une éponge
Que l'on plonge
Dans un gouffre
Plein de souffre
Où l'on y souffre
Toujours !

Mais cela je ne l'ai jamais dit à personne, tout le monde croyait que j'étais bien contente au lycée. Oh ! comme on ce trompait !

Mais, ô bonheur, cette année de malheurs est enfin passée !

Pendant les vacances, combien je voyais avec tristesse approchez le jour de la rentrée !

Mais, ô que Dieu est bon, je l'avais tant supplié de me faire heureuse qu'il m'a écouté. Toutes mes maîtresses sont gentilles et mes places ne sont pas mauvaises [...].

Elle donne la liste des matières avec la place qu'elle y occupe. Elle ajoute en particulier qu'elle adore son professeur d'allemand, Mlle Gauthiot.

« *Je ne l'ai jamais dit à personne* », dit-elle des persécutions subies. Elle ne l'avait pas dit non plus à son journal : sans doute risquait-il d'être lu par sa mère, il ne donnait qu'un tableau « officiel » de sa vie, une zone secrète lui échappait. Maintenant Renée se risque à le prendre pour confident. Elle découvre une nouvelle fonction de son cahier : on peut y épancher des états d'âme, lui dire ce qu'on tait à d'autres...

La suite du cahier est de plus en plus « Didine », elle raconte les fêtes, énumère qui était à table, les cadeaux reçus par chacun, etc. En janvier il n'est plus question que de Mlle Gauthiot. Il y a un petit épisode où Renée est en froid avec elle, puis c'est le drame : Mlle Gauthiot se casse la jambe en faisant du patin ! Douleur, de ne pas la voir, de savoir qu'elle souffre... Cette fois c'est plutôt *La Maison des petits Bonheurs* (Colette Vivier, 1939). Puis le lycée est fermé quinze jours, fin janvier, pour cause d'épidémie de grippe... Sa douleur ne l'empêche pas d'inviter des petites camarades le jeudi, on s'amuse beaucoup, etc.

Le cahier se termine par le mardi gras, le 12 février 1907 (pages 289-290) : *« Je suis bien heureuse et malheureuse à la fois ! »* Elle énumère d'abord ses bonheurs (elle a de bonnes notes, tout le monde l'aime bien) puis son malheur (l'absence de Mlle Gauthiot). Elle termine : *« Oh ! vrai, si je n'avais pas les consolations ci-dessus, je mourrais bientôt de chagrin et de désolation !!!!!!!!!!!!!!!!!!!!!!!!!!* » Elle tire un trait et ajoute dessous : *« C'est pour me distraire que je fais ces points d'exclamation. »*

Sixième cahier (p. 291-350)

Il va du 13 février au 28 juin 1907, 60 pages.

Toujours dans l'atmosphère Didine, et un journal assez copieux. La passion pour Mlle Gauthiot continue : elle va la voir chez elle le 3 mars, c'est la grande émotion ! Mlle Gauthiot revient en classe le 15 mars. Ensuite il y aura d'autres entrées consacrées à elle, c'est une vraie, dévorante, sauvage passion, ce qu'on appelait à l'époque une « flamme ». Il y a des histoires avec ses amies (brouillée avec Marcelle Morillot le 15 février, réconciliée le 24), des lectures, des pièces de théâtre vues, des séances de cinéma (chaque fois qu'elle y va, elle raconte en détail tous les « films » — par exemple le 5 mai et le 28 juin). Elle a le goût des *listes* et des classements : pour un oui pour un non, elle dresse des listes de noms de personnes. D'autre part j'ai été frappé, au mois de février, par son emploi fréquent de la technique de la *scène dialoguée*, qu'elle emprunte à ses lectures, je pense. Enfin le 1er juin elle recopie un charmant poème qu'elle a composé pour sa filleule.

Le journal n'est pas régulier, même s'il est copieux. Quand elle a pris du retard, elle fait des chroniques-rattrapage (par ex. le 28 avril, le 12 mai).

En lisant tout cela, je me disais que cette année scolaire serait amusante à isoler et mettre au net (depuis l'entrée du 14 octobre 1906 dans le cahier n° 4, jusqu'à la fin de l'année scolaire dans le cahier n° 7 ci-après). Un an de la vie d'une fillette de treize ans. On pourrait explorer les archives du lycée, illustrer cela avec les livres qu'elle lit, les journaux qu'elle reçoit (*La Semaine de Suzette*), retrouver les affiches des films qu'elle a vus et qu'elle raconte. L'idée m'est venue en lisant la suite, parce que l'année 1907-1908 sera, elle, plutôt bâclée. Tandis que cette première année de lycée est racontée en détail, et de manière si vivante.

Septième cahier (p. 351-398)

Il va du 28 juin 1907 au 27 novembre 1908, 48 pages.

Fin de l'année scolaire ; suite de sa flamme pour Mlle G. Le journal est tenu ensuite irrégulièrement et rapidement. A plusieurs reprises elle s'en explique : 20 novembre (p. 363), elle a trop à faire ; 29 décembre (p. 364) : « *Maintenant je ne fais presque plus mon journal, je n'ai pas le temps et puis je n'y pense pas* » ; 27 janvier (p. 365) : « *Cette année je n'ai pas beaucoup de tant pour écrire mon journal ; cependant je veux toujours l'écrire de temps en temps* ». Mais à la fin de l'année, elle voit que le bilan est maigre (p. 372-373) : « *Dire que nous sommes le 1er juin et qu'il y a plus d'un mois que je n'ai pas écrit mon journal. Je n'ai jamais le temps il est vrai mais je m'aperçois que j'ai écrit sur ce cahier 20 pages en 1 an ce qui fait une moyenne de 3/4 de ligne environ par jour : c'est très peu en comparaison de l'année dernière surtout.* »

L'ensemble, toujours dans le même ton (en particulier pour la passion que lui inspire Mlle G.), est si décousu que l'intérêt de lecture tombe. La seule chose un peu nouvelle est que le 21 juin 1908, pour la première fois, elle remarque un jeune étudiant de dix-huit ans, qu'elle croit anglais, et qu'elle trouve charmant sous son panama. Mais les jours suivants elle le rencontre avec une autre coiffe, il lui plaît moins...

Huitième cahier (p. 405-486)

Il va de décembre 1908 au 3 février 1910, 82 pages. Il manque six pages entre ce cahier et le précédent.

Impression générale : maintenant je *m'ennuie un peu*... L'écriture est à la fois longue (taille des entrées) et irrégulière, ou plutôt assez régulièrement espacée, Renée reste souvent un ou deux mois sans écrire. En février, son oncle se casse une jambe en ski ; en avril Mlle G. quitte définitivement Grenoble pour se marier à Berlin... A cette occasion, on apprend que Renée est en troisième (elle est donc entrée au lycée en cinquième, en octobre 1906). Au mois de juillet 1909, elle passe le brevet (elle est collée à cause des maths !) mais quelques jours plus tard le certificat secondaire, auquel elle est brillamment reçue. Elle va en vacances à Cavalière, puis à La Buissière. En septembre elle s'amuse à un mariage. En octobre elle reprend le lycée avec mélancolie, c'est bien triste sans Mlle G. Etc.

D'où vient mon ennui ? C'est que Renée vieillit et mûrit sans doute, mais que son journal reste à la traîne. Elle continue à le tenir comme une chronique d'événements, sans s'en servir comme d'un témoin de son évolution, qui se passe probablement en dehors du journal, et dont nous ne serons informés que plus tard... Ce journal est assez puéril pour une jeune fille qui marche sur ses seize ans... Il est le lien qui la rattache à son enfance : tout ce qui la projette vers l'avenir doit se passer ailleurs. Peut-être parce que c'est évident, ou que la routine du lycée dispense de l'envisager, elle ne parle jamais de son avenir. Elle ne parle au fond de pas grand-chose qui dépasse la vie quotidienne. Le journal a d'ailleurs l'air d'être le cadet de ses soucis, – peut-être le continue-t-elle par routine, et pour atteindre un record ?... Je suis ingrat. Pourquoi trouvais-je si charmant le journal de ses treize ans, et si fade celui de ses quinze ans ?...

Neuvième cahier (p. 495-588)

J'ai compris pourquoi je m'ennuyais... parce que d'une certaine manière elle-même s'ennuyait, ou du moins était en attente... de ce qui arrive dans ce cahier !

Ce journal va du 27 février au 8 juillet 1910, 94 pages. Elle a donc seize ans, est en seconde au lycée. Les premières entrées sont consacrées à exhaler sa mélancolie de n'avoir plus Mlle Gauthiot, un seul être vous manque et le lycée est dépeuplé. Sa douleur l'inspire : le 4 mars, elle écrit pour la première fois (ou la seconde, je me souviens du poème pour sa filleule) un grand poème d'amour et de regret adressé à Mlle G., partie si loin, dans ce Berlin qu'elle déteste, mais où elle espère pourtant être un jour invitée...

Le 9 mars, une entrée spéciale pour célébrer... la cinquantième page de son journal. On pourra la lire plus loin (p. 398).

Ce journal, qu'elle dit être vital pour elle, reste irrégulier. Après cette entrée du 9 mars, une entrée le 12 mars, pour dire qu'il y a un professeur, Mlle Pérouse, qu'elle aime énormément (une nouvelle flamme ?). Une entrée le 5 avril pour se réjouir d'une réconciliation avec une branche de la famille jusque-là brouillée. Ces deux entrées témoignent du besoin qu'elle a d'aimer, — et explique l'incendie qui va se déclencher...

Et puis le vendredi 8 avril, le coup de tonnerre : « *Quelle chose extraordinaire il m'est arrivé aujourd'hui. Réellement c'est bien la première fois que je vois une chose pareille ! ! même dans les livres !* » Elle a reçu, par la poste, à la maison, à son nom, une déclaration d'amour ! C'est un long texte poétique, intitulé « Un rêve », où elle est représentée au bord d'un lac comme une « *jolie blonde aux yeux bleus et au sourire si doux, au front pensif et au visage charmant* ». C'est signé A.B. avec la mention « Pour un bleuet blanc ». Elle fait lire la lettre à Dédette, et au lycée à Hélène Guillaudin. Après avoir été abasourdie elle a deviné qu'A.B. était Aimé Boulet, jeune garçon rencontré à un mariage en septembre. Elle avait parlé avec lui et lui avait mis un bleuet blanc à sa boutonnière.

Toute la suite de ce cahier va être consacrée à ce garçon : c'est délicieux d'être aimée. C'est un amour à distance. Les seules paroles qu'ils échangeront sont du genre : « Bonjour, mademoiselle », et « Au revoir, monsieur », dans un jardin public. Mais il s'arrange pour la croiser sans cesse, sur les trajets du lycée, à la promenade familiale du dimanche, il passe sous ses fenêtres, il lui fait passer des questions indirectes par des amies communes. Au lycée, toute la classe est au courant (« Tu l'as vu ?... » « Il m'a dit de te demander... »), sa famille aussi (sa mère sourit). Après mille hésitations (lire l'entrée du 10 mai ! !), Renée se risque à lui envoyer à son lycée où, pendant le mois de mai, il est pensionnaire, une carte où elle a juste mis ses initiales, R.B. Il faut bien avouer que la pauvre Mlle Gauthiot est totalement oubliée. Pire : l'art des vers, que Renée a découvert pour la célébrer, se reconvertit en chants d'amour pour Aimé. Faute de pouvoir lui envoyer ses poèmes (c'est impossible, sur tous les plans), elle les recopie dans son journal (25 avril, 24 juin, 5 juillet).

Du coup ce journal redevient le centre de sa vie... Ce n'est plus trois quarts de ligne par jour de moyenne, comme avant, mais presque une page par jour.

Difficile de prendre des notes, — en fait mon envie serait de tout recopier, tant c'est charmant. Le lecteur, qui, pas plus qu'elle, ne connaît la suite, se demande : cet Aimé est-il un feu de paille ? Est-il au contraire l'homme de sa vie ? Au fond, ce n'est pas vraiment la question, elle est si jeune et s'abandonne à la douceur d'être aimée. — Moi qui m'étais tellement ennuyé dans le cahier précédent, je reprends mon idée de livre. On aurait deux tranches : son année de cinquième (la découverte du lycée), puis son année de seconde (la découverte de l'amour).

Ne pouvant tout citer, j'ai choisi de recopier une entrée en entier, celle du 12 juin 1910, qui donne une idée complète à la fois de son amour et de la nouvelle fonction de son journal.

Dimanche le 12 juin

Ce matin nous sommes allées à la messe de 9 heures et quart ; je pensais donc que je ne verrais pas Aimé puisque ce n'était pas l'heure habituelle. J'avais mis ma robe blanche et ma charlotte : c'est la première fois que nous les mettions. A la sortie de la messe j'ai vu deux de ses amis qui m'ont vu : nous sommes allées ensuite chez bonne maman en passant par la place Grenette et la rue de la République : mais nous nous sommes arrêtées devant les galeries assez longtemps ; enfin quand nous avons été rue de la République, le voilà qui nous croise, il arrivait par la rue Philis de la Charce. « On le rencontre tout le temps », dit Dédette. Et Maman a répondu : « Il le fait exprès. » Sûrement, mais il fait tout ça si habilement qu'on ne croirait jamais qu'il le fait exprès. Ça m'a fait si drôle de le voir là !... C'est bizarre mais quand tout à coup il me tombe dessus sans que je m'y attende, il me semble que je sens mon sang circuler tout à coup plus vite, que mes jambes plient et que je vais tomber : je ne peux plus avancer. Quand je passe de la rue du lycée à chez nous je m'y attends alors ça ne me fait pas le même effet. Mais comme ce matin je ne pensais pas du tout le voir là tout à coup ! !

Maintenant quand en allant au lycée je le vois venir je suis toute décontenancée, il semble que je ne sais plus marcher : je ne sais jamais s'il faut le regarder ou baisser les yeux, sourire ou rester sérieuse. Aussi quand nous sommes seuls tous les deux nous nous regardons bien en face d'un petit air gracieux. Quand il est avec ses amis : je n'aime pas ça parce que je crois que tous ces coups de chapeau m'intimident étrangement. D'ailleurs quand je ne suis pas seule non plus il semble qu'il n'ose pas me regarder.

C'est tout de même excessif de ne penser plus qu'à lui surtout depuis 8 jours ! Mais c'est plus fort que moi ! C'est mon bonheur que de me dire : il m'aime, je l'aime. Oh ! c'est si doux ! Faudrait-il m'en priver.

N'empêche que en 3 mois à peine j'aurai fait tout un cahier dans mon journal alors qu'avant un cahier me durait parfois deux ans. Mais je ne peux pas m'empêcher d'écrire tout ça, et puis je le relis ; c'est si bon ! Il faut que je dise à quelqu'un ce que je pense, que je parle de lui ; je ne peux pas le dire à n'importe qui ; alors je dis beaucoup à Hélène mais je ne peux pas tout dire et alors pour le dire à quelqu'un, je le dis à mon journal : ça me soulage de mes secrets, qui sont des secrets si doux !

La dernière entrée de ce cahier, écrite au crayon, date du 8 juillet. Il fait un temps de chien, lugubre. « *Je n'ai plus qu'un bonheur : voir Aimé.* » Elle l'a vu deux fois le matin. Il a passé le bachot, et on attend les résultats, on les aura seulement lundi prochain, le 11 juillet. Suite au prochain cahier... j'y cours !

Dixième cahier (p. 593-692)

C'est le premier qui se présente comme un vrai cahier du commerce, avec couverture, un cahier « L'Aiglon » de 92 pages (avec pour les vacances 8 pages en feuilles volantes, soit 100 pages en tout). Il est tenu, comme il est indiqué sur la couverture, du 13 juillet 1910 au 6 janvier 1911, c'est-à-dire jusqu'à la veille de ses dix-sept ans. Cent pages pour six mois, — mais inégalement réparties :

— Le journal est abondant en juillet : du 13 au 27 juillet, il occupe les pages 593 à 626, et il se termine par un immense poème de 17 strophes intitulé « Dure séparation ». Cela fait 34 pages pour quinze jours... Une période émouvante et mouvementée, — je ne puis entrer dans les détails. Sachez qu'Aimé a été collé au bachot, et attrapé par sa famille. Pour le réconforter, Renée se risque à une démarche audacieuse, dont elle est à la fois morte de honte et de plaisir : elle aborde Aimé dans la rue, en compagnie d'une de ses amies, et lui demande de venir lui parler seul dans l'allée qui mène chez elle ! Là, extrêmement embarrassée, elle s'arrange pour lui dire quelques mots de réconfort, et lui serre la main en partant ! Elle croit son honneur perdu. Il n'en est rien, la chose ne se saura pas, et ne la perdra nullement aux yeux d'Aimé... Enfin juillet est plein de passion et de douleur, — se quitter pour si longtemps ! !

— Le temps des vacances passe finalement très vite : 8 pages pour deux mois et demi ! Ce sont des feuilles volantes préparées pour pouvoir écrire en voyage. En fait voici les entrées : le 4 août, elle trouve que le temps passe très vite (même si elle rêve chaque nuit d'Aimé). Le 26 août il y a le récit d'un petit voyage à Turin. Elle annonce qu'Aimé a envoyé un bouquet d'edelweiss et un chardon bleu avec un ruban bleu, et un coupe-papier. Elle est contente. Le 9 septembre elle note que le temps passe vite, et ne parle plus d'Aimé. On arrive directement au 10 octobre, où il s'avère que les vacances ont failli être fatales au pauvre garçon :

Lundi 10 octobre

Il y a quelques jours que nous sommes rentrés à Grenoble. Je croyais avoir oublié Aimé, je n'étais pas dans un bonheur immense à la pensée du revoir. Mais en le revoyant, alors j'ai vu que je n'avais pas oublié. Mais je ne le vois qu'une fois par jour c'est bien peu. Je voudrais bien savoir quand est le bachot mais je ne veux pas le demander à Georgette.

– Du 10 octobre au 6 janvier, il y aura 62 pages. Un journal bien fourni, de nouveau centré sur les possibilités de ces rencontres quasi muettes, de ces sourires à distance, en particulier aux matinées classiques, etc. On se réinstalle dans l'état de choses antérieur, et on ne progresse guère, mais c'est fort plaisant, et raconté en grand détail. Aimé a finalement été reçu à son bachot en octobre (que fait-il maintenant ?). Renée a repris le lycée. Elle doit être en première, si je compte bien, ou une classe équivalente ; on apprend simplement le 25 octobre, p. 663, ceci : « *Hier il a été décidé que je ne passerait pas mon diplôme.* » Il s'agit du « diplôme d'études secondaires », qui couronnait l'enseignement secondaire féminin (pas de bachot féminin à cette époque). Il n'y aura pas un mot de plus là-dessus.

Au mois de novembre, elle décroche une place de première à la composition de psychologie. Le sujet était taillé sur mesure pour elle : le journal intime ! Elle exulte. On lira plus loin (p. 399-400) le brouillon de sa copie.

Onzième cahier (p. 693-764)

Le cahier suivant est un « Bayard » de 72 pages tenu du 11 janvier au 25 mars 1911.

Le rythme se ralentit, une page par jour en moyenne. C'est une période de grand bonheur, due essentiellement au patinage. Renée a fait suggérer à Aimé de faire du patin, elle l'y rencontre régulièrement le jeudi et le dimanche. Les parents de Renée voient cela d'un mauvais œil. Il patine et parle avec elle, ils font vraiment connaissance, ils bavardent... Quand la saison du patinage s'achève (tous deux suivent avec inquiétude la hausse du thermomètre), Aimé propose à Renée de jouer au tennis avec lui et d'autres à partir du 15 mai suivant. Renée arrive plus ou moins à vaincre la résistance de ses parents (p. 748-749, longue négociation). Ils ne veulent pas encourager cette fréquentation parce qu'il n'y a aucune perspective de mariage : Aimé n'a que 17 ans, le même âge que Renée. Or les jeunes filles doivent épouser des hommes plus âgés qu'elles (c'était le cas des parents de Renée). Mais Renée résiste. Son journal fixe avec une incroyable précision toutes les rencontres avec Aimé, toutes les discussions avec ses parents, les dialogues, les plus petites circonstances. Elle a maintenant le sentiment qu'elle entre dans du grave et du définitif et veut garder trace de tout. On la voit, au début de cette période (p. 679, le 13 janvier), relire tout son journal depuis la première lettre d'Aimé — lettre que d'ailleurs, la veille, elle a elle-même réécrite en vers (!).

Quel est l'avenir des deux jeunes gens ?

Pour elle, c'est nébuleux, on sait juste que, l'année prochaine, elle n'ira plus au lycée (p. 735)... En fait le lycée a joué le rôle du pensionnat religieux à la génération précédente : elle redevient une jeune fille à marier, sans avenir personnel. Il semble qu'elle y consente parfaitement. A aucun moment on ne la voit manifester qu'elle aurait un projet de vie à elle, ni envisager l'exercice d'une profession quelconque, une activité intellectuelle ou créatrice, ou un apostolat.

Pour lui en revanche, c'est clair : peut-être restera-t-il encore un an au lycée, ou ira-t-il à l'institut électrotechnique (p. 703). Il a devant lui trois ans et demi d'école d'ingénieur, et deux ans de service militaire (p. 733).

Un mariage ne pourrait avoir lieu que dans six ans…

Que va-t-il se passer ?

Un journal intime se lit comme un feuilleton. Je ne connais pas la fin de l'histoire. J'ai pris ces notes au fur et à mesure de ma lecture, cahier par cahier, sans lassitude à suivre ainsi le temps d'une vie, même s'il y a parfois un peu d'ennui dans les zones creuses, comme au moment du huitième cahier. Je vais maintenant lire d'un trait toute la fin. Je devine le happy end, mais sous quelle forme ?

Douzième et treizième cahiers (p. 765-839)

Le journal continue du 29 mars au 30 juillet 1911 sur un ensemble de deux cahiers, 65 pages pour ces quatre mois décisifs.

La saison de patinage avait permis aux deux jeunes gens de faire vraiment connaissance. La saison de tennis, de la mi-mai à la mi-juillet, va leur permettre de s'engager pour toujours l'un envers l'autre, malgré la résistance de la famille de Renée. Impossible de résumer tout cela. Renée a tellement le sentiment qu'elle est au nœud même de toute sa vie et que toute parole compte, qu'elle donne des récits dialogués détaillés de chacune de ses rencontres avec Aimé, et de chacune de ses discussions avec ses parents. Ces récits, faits au fur et à mesure, sur le vif, par cette jeune fille qui s'engage pour toujours, et ne sait pas de quoi demain sera fait, sont très émouvants à lire, d'autant plus qu'ils suivent mot à mot la progression des aveux, des engagements, du côté d'Aimé, et de l'affrontement, des résistances, de la victoire, du côté des parents. Il y a bien sûr aussi de l'émotion, de nouveau exprimée par des poèmes (par exemple « Désespérance », p. 792), mais jamais la violence de ses sentiments ne fait perdre à Renée la maîtrise de son récit.

Fin juillet, quand ils se séparent pour les vacances, ils sont irrévocablement engagés l'un envers l'autre. Ils s'attendront tout le temps qu'il faudra : six ans… Et les parents acceptent cet état de fait. Ce ne sont pas vraiment des fiançailles : c'est à eux de prouver, par une constance de plusieurs années, qu'ils méritent d'être unis. Du moins ne les empêchera-t-on plus de se rencontrer et de correspondre. Le journal se termine, après l'entrée du 30 juillet, par un grand poème d'amour.

Renée ne reprendra la plume que deux fois. Voici la première :

Novembre 1911

Maintenant je n'écris plus mon journal. Jusqu'à présent j'en avais besoin, parce qu'il me fallait un confident. Mon journal était pour moi un être presque vivant que j'aimais, à qui je disais tout ce que je ne disais à personne. Maintenant il ne me suffirait plus parce que ce que je ne dis à personne je le dis à Aimé qui lui, peut me répondre, et qui me dit tout aussi. Je suis infiniment heureuse, j'attends avec impatience le jour béni entre tous où nous serons unis à jamais, le jour où je serai Madame Boulet.

Voici la seconde :

Juillet 1922

Onze ans ont passé depuis que j'écrivais ces lignes. Onze ans ! et il me semble qu'il y a si peu de temps. Ce jour-là j'avais foi en celui que j'aimais ; comme j'avais raison. Depuis ce jour-là il s'est passé tant de choses, mais notre amour n'a changé que pour devenir plus grand, plus profond.

Je ne recopierai pas ici le long texte, d'ailleurs inachevé, qui suit. Renée évoque leurs années d'attente heureuse, jusqu'à ce qu'éclate la guerre de 1914. Aimé part pour le front le 31 mars 1915. Renée obtiendra de l'épouser lors d'une de ses permissions, le 16 février 1916. Le récit de Renée s'arrête au bout de quatre pages. Le relais est pris le 5 mai 1985 par sa fille, Mme Bally, qui m'a confié ces cahiers. Elle raconte la suite de l'histoire de ses parents et de sa famille. Elle est l'aînée des enfants, née le 2 mai 1917. Sa mère est morte en 1963, son père a survécu jusqu'en 1980. C'est après sa mort qu'elle a pris connaissance de ce journal.

L'entrée de novembre 1911 donne à penser qu'il s'est poursuivi sous la forme d'une correspondance. J'ai posé la question à Mme Bally. Je la laisserai conclure cette évocation du journal de sa mère en citant sa réponse (lettre du 4 janvier 1992) :

Vous avez raison de penser qu'une correspondance fait suite au journal de ma mère. Classées par années, ces lettres couvrent la période 1911-1918, avec quelques interruptions, dues à leurs rares retrouvailles.

Le 11 novembre 1918 ils étaient ensemble à Giens, où mon père attendait une nouvelle affectation sur le front, cette fois dans les chars d'assaut. Ce fut une explosion de joie ; et cet anniversaire, qui correspondait avec la fête de ma mère, a toujours été célébré avec faste.

Mon enfance a été bercée par le récit de ce véritable roman, par tant de souvenirs évoqués dans la joie.

Les deux sœurs R***

La famille R*** vivait dans une petite ville de la région lyonnaise. Le père exploitait des carrières. Les journaux de deux des filles ont été conservés : celui de Fanny, née en 1858, morte à vingt ans de maladie ; et celui de sa sœur cadette Fortunée, née en 1867, qui, à vingt ans, s'est suicidée en se jetant dans la Seine à la suite d'une aventure amoureuse. Ils m'ont été communiqués par un de leurs neveux.

Fanny

Trois petits cahiers sans couverture, cousus ensemble. 93 pages écrites, après lesquelles il reste 9 pages blanches. Fanny a quatorze ans quand elle commence à le tenir.

Ce journal est d'abord un « journal de vacances ». Contrairement à ce que ces mots évoqueraient pour nous aujourd'hui, il ne s'agit pas d'un journal de voyage, ou de loisirs. Elle le tient sur le conseil des religieuses pendant la période d'interruption des cours du pensionnat. Grâce à lui, la jeune fille continue à « écrire », et à se diriger, pendant qu'elle n'est pas sous l'œil quotidien des religieuses. C'est une prothèse pédagogique, une « boîte noire » qui sera contrôlée au retour. Fanny inaugure son journal dès le soir du jour de la distribution des prix. Elle est ravie, elle a le prix d'écriture, le prix d'extraits d'histoire de France, et une couronne de bonne conduite ! On est le 24 août 1872. Le journal sera tenu régulièrement jusqu'au dimanche 13 octobre, veille de la reprise des cours. Que fait-elle pendant ces sept semaines ? Elle reste à la maison, elle aide sa maman, elle fait du repassage, et surtout elle fait la « classe » à ses deux petites sœurs, elle lit (mais elle ne précise jamais quoi, ce qui m'a étonné), elle fait des petites promenades en famille, voit parfois des camarades. Il n'y a que deux escapades : une journée de vendanges (3 octobre) qui se termine sous la pluie, et trois jours passés à Lyon où son père va pour affaires, et où elle découvre avec enthousiasme le musée (11-13 octobre)

Quand on est au pensionnat, il n'y a pas de besoin de journal. Mais la petite fille qui se retrouve oisive à la maison pour sept semaines doit être guidée. On la voit au début se faire un « emploi du temps ». Écrire son journal chaque jour est un devoir, l'oublier serait signe de paresse. Ceci dit, la teneur « morale » du journal est tout à fait moyenne. C'est un journal-chronique plus qu'un journal-examen de conscience. Il témoigne néanmoins d'une vie régulière, sainement occupée. Au retour les religieuses seront contentes.

Il doit y avoir pourtant des choses qu'elles ne doivent pas lire, et qu'on se repent d'avoir écrites... Le vendredi 30 août, Fanny arrache un feuillet, resoude le journal avec six points de colle. Qu'a-t-elle censuré ainsi ? A mon avis, rien qui la concerne elle, mais probablement quelque confidence sur les dissensions entre ses parents. Elle a certainement raison d'effacer : ce serait un péché d'indiscrétion. Mais cela montre les limites de ce journal : ce qui la blesse au plus profond (comme cela blessera neuf ans plus tard Fortunée), elle ne peut l'y écrire. Je retrouve, autour de ces six points de colle, l'idée qui m'était apparue avec évidence en lisant le journal-chronique de Cécile de Lafitte-Perron : ici, l'intime n'est pas l'objet du journal, il ne se lit que dans ses dysfonctionnements.

A la rentrée des classes, le cahier est donné à l'institutrice, Mlle Chambre, et corrigé par elle ! Ou du moins évalué. Elle prend la plume et remplit, à la suite de la dernière entrée (13 octobre), une page et demie d'appréciations et d'exhortations :

J'ai lu avec plaisir le récit de vos jours de vacances. Vous avez montré de l'application, de la constance et de la réflexion. Ces trois choses, vous savez, ma bonne amie, combien je les aime !

Sans elles nous ne pouvons rien faire de bon. Toutes trois découlent du courage, la plus noble qualité, car il faut souvent du courage pour remplir ses devoirs avec application, malgré leur peu d'attraits ; il en faut beaucoup de courage pour pratiquer cette modeste et austère vertu qui a nom constance. *Il n'est pas difficile, ma chère Fanny, de prendre de belles résolutions ... et dans un moment d'enthousiasme les héros font de grandes actions... Ah ! combien il est plus difficile de continuer pendant des années la même tâche en dépit des amertumes, des déceptions, des mille fatigues qui y sont attachées !...*

Et soyez bien persuadée, chère enfant, qu'il n'est aucune position exempte de toutes ces misères qui semblent composer la vie...

Il faut donc, à votre âge, alors qu'on est encore sans souci sous l'aile de la famille, former son courage dans les petits devoirs, pour qu'il grandisse toujours, et soit plus tard à la hauteur de la tâche que la Providence assigne en ce monde.

Pourquoi ai-je cité *in extenso* cette « réponse » au journal de vacances de Fanny ? On le verra tout à l'heure.

Fanny retourne au pensionnat et le journal s'arrête.

Elle ne reprend son cahier que le 6 mars 1873. C'est un jeudi, elle a du temps, et fait une rapide chronique de tout ce qui s'est passé depuis octobre. Au terme de cette récapitulation, qui occupe cinq pages, elle prend de bonnes résolutions :

Je te quitte encore une fois, cher journal, j'espère que je te reprendrai plus tôt que cette fois, ô oui, vraiment j'en ai bien honte, mais que veux-tu, c'est comme cela, il n'y a pas à y revenir, disons le mot : j'ai été paresseuse, il faut le dire doucement, pour ne pas que ça blesse l'œil.

En fait elle ne le reprend que le 20 septembre 1873. Sa situation est changée : elle est de nouveau en vacances, mais des vacances définitives. Elle a quinze ans, elle a quitté le pensionnat. C'était sa dernière année. Les éducatrices religieuses recommandent le journal pour les vacances, à plus forte raison pour cette période postscolaire où la jeune fille a besoin de se guider et où elle entre (on va le voir!) dans la zone des turbulences...

Mais Fanny est encore bien irrégulière... Une entrée rétrospective le 20 septembre, et elle ne reprend la plume que fin décembre 1873. Elle est marraine d'un bébé qu'on baptise le 4 janvier 1874 : immense récit du baptême. Elle écrit les 6, 7 et 8 janvier, puis le 1er février. Absolument rien d'un journal régulier (ni d'un journal intime). Le 2 février, les circonstances l'amènent à faire un examen de conscience qui concerne le journal lui-même... :

Je suis allée voir Melle Chambre, en allant payer le mois de classe de mes sœurs, nous avons causé de différentes choses, puis à la fin elle m'a lu un morceau de son journal. Et bien oui, c'est ça qui est un journal rempli de belles et bonnes pensées, de comparaisons charmantes et vraies, mais ce que je fais moi, ce n'est pas un journal à côté du sien, c'est un griffonage de bêtises que je fais de temps en temps et que je ne sais pas quel nom donner. Ce n'est pas l'envie qui me manque de faire de jolies choses, mais il faudrait savoir. Elle m'a déjà dit ma bonne maîtresse de lui porter voir mon journal, je lui ai bien dit oui, mais je n'ose vraiment pas, car j'ai peur qu'elle se moque de moi. Oh, si par hasard je vous le montrais, soyez indulgente chère maîtresse, pour une élève qui n'a pas su peut-être profiter toujours de vos bonnes leçons.

Le journal continue de manière irrégulière en février, mars, avril... Il hésite entre le journal daté et la chronique... Fanny se plaint de la méchanceté de ses deux petites sœurs... En mai 1874, elle a seize ans...

Les quatre dernières pages sont saisissantes.

D'abord trois pages écrites en juin 1874, dans la continuité des entrées précédentes.

Oh! mon Dieu, que je suis malheureuse, puis-je empêcher qu'on me regarde j'ai déjà seize ans, et c'est un âge critique pour cela. Mais mon père me fait des scènes, ou plutôt il ne me dit rien, j'aimerais bien mieux qu'il me parle, qu'il me gronde si je le mérite...

Et elle raconte longuement une de ces scènes que son père lui a faites. Puis elle va à la ligne, et dans la lancée enchaîne :

A ces souffrances viennent encore s'en joindre d'autres, que j'ai tâché de cacher à moi-même, mais non, je ne le puis plus, mon cœur déborde. J'aime !, si j'ose le dire, ce n'est pourtant pas un crime mon Dieu ! mais cet amour, je le cache à ma mère, et parfois je me crois indigne d'elle, comment faire pour remédier à un si grand mal, si je pouvais oublier. Oublier, mais ne l'ai-je tâché bien des fois déjà, mais je ne puis, c'est plus fort que moi, car je ne puis m'empêcher de le regarder, celui qui fait le tourment de ma vie. Comment cet amour est-il venu en moi, je vais te le confier, papier, tu garderas mon secret. Et si un œil indiscret venait à surprendre ces secrets, qu'il soit compatissant et bon, et non un juge sévère, car s'il ne l'est pas c'est que son cœur n'aura jamais battu pour quelque cause que ce soit.

Le journal s'arrête là, le bas de la feuille est blanc.

Fanny était partie du journal de vacances « contrôlé », et elle arrive au vrai journal intime, elle fait un premier pas, et s'arrête... Il y a quelque chose d'impressionnant dans cet arrêt après une première confidence... Le silence qui précédait, c'est, comme elle dit, parce qu'elle se le « cachait à elle-même », et ce jour-là, pour la première fois, elle a le courage d'écrire vrai. Le silence qui suit semble inspiré par une prudence élémentaire : pour dire au papier comment cet amour est venu, il faudrait dire le *nom* de l'aimé. Alors elle s'arrête... Moment en équilibre entre l'autocensure, et l'entrée en clandestinité, si je puis dire... Cette vérité qu'elle ne se cache plus, à peine envisage-t-elle de l'écrire qu'elle sent comme il est vital de la cacher aux autres...

Le bas de la feuille est blanc, mais sur la page suivante, il y a quelque chose d'écrit.

Le journal reprend une dernière fois. L'entrée est datée « Le 1er février ». L'année n'est pas précisée. Peut-être est-ce 1875, mais rien ne le prouve.

En lisant cette dernière entrée, on va comprendre ce qu'il y a dans le blanc qui précède. On avait quitté une jeune fille qui venait de s'avouer à elle-même l'amour qu'elle nourrissait dans le secret de son cœur. On la retrouve le cœur brisé après une aventure sans doute platonique. Elle vient d'être abandonnée :

Mon Dieu ! Quelle nuit j'ai passé, c'est affreux ce que je souffre. Malheureuse lettre que tu m'as fait du mal, et dire qu'il faut après une nuit pareille aller dîner dehors !... Pourquoi Dieu a-t-il fait naître cet amour en moi, cet amour qui me rend si malheureuse, qui fait le tourment de ma vie, Oh ! le destin est bien cruel. Ce Mademoiselle m'a tant fait de mal, et puis vraiment cette lettre je ne la comprends, il y a deux jours il m'écrivait tout le contraire d'aujourd'hui !..........
Mon Dieu fais-moi donc mourir ! mais non il faut encore souffrir, oh, quel enfer que ma vie !...

Au-dessous il y a encore écrit, après une ligne en blanc : « *Il devait me donner l'explication* », la phrase s'arrête inachevée, et c'est la fin définitive du journal.

Fin elliptique, mystérieuse : on ne sait rien d'autre de cette aventure, ni de ses suites. Elles ont peut-être été moins dramatiques que je n'ai l'air de supposer. Mais tout cela entre trop en résonance avec le journal et le sort de sa jeune sœur Fortunée pour que l'on ne soit pas frappé. Fanny est morte le 16 avril 1878, sans doute de tuberculose. La seule chose sûre, c'est que l'éducation donnée par Mlle Chambre et par la famille ne prépare guère à affronter la vie.

Fortunée

Il nous reste de Fortunée deux journaux : un petit cahier écrit à quatorze ans, et six pages écrites avant son suicide.

Le cahier, de fabrication Garnier, a une couverture illustrée qui représente « Le martin-pêcheur », avec, au dos, une longue notice qui présente cet oiseau, « l'un des plus jolis petits oiseaux de nos climats ». 38 pages. Fortunée a marqué son nom sur la couverture, et un grand « 1er » laisse entendre qu'il y en a eu au moins un autre après.

Exactement comme celui de Fanny, c'est un cahier de vacances tenu sur ordre. Ce n'est plus Mlle Chambre, mais Sœur Louise qui l'a « engagée » à le tenir. Elle va le faire du 14 au 23 avril 1881 (16 pages) pendant des petites vacances, et l'été du 18 août au 28 septembre 1881 (22 pages).

D'une manière générale Fortunée s'ennuie pendant les vacances, elle a hâte que le pensionnat reprenne. Son écriture est extrêmement claire et régulière. Elle tient une chronique des occupations quotidiennes, des promenades, des visites, etc. Ce n'est pas vraiment un journal intime, même si elle laisse percer ses préoccupations. Le mieux est de citer les deux entrées les plus personnelles, celles du 1er et du 5 septembre. Le père n'est pas souvent à la maison : il est à ses affaires, peut-être aussi à ses amours...

Jeudi 1er septembre

Quel froid il fait ici! hier il faisait bien chaud cependant : comme le temps change vite. Si nous changions comme lui, nous serions bien inconstants, vraiment!...

Nous aurions eu beaucoup de monde aujourd'hui s'il avait fait beau temps, je ne le regrette pas, oh! non... Si je n'étais seulement plus là, car quand on a personne à qui l'on puisse confier ses peines, il y a des moments où il semble que l'on se sente la poitrine prête à se briser. Ah! si je pouvais dire tout, tous mes soucis, toutes mes inquiétudes!... Je le dirai bien à maman, mais elle souffre tant elle; elle a tant de chagrins. Aujourd'hui elle est bien triste, car depuis que nous sommes ici, papa n'est venu qu'un jour à midi, il s'en est allé le soir; et elle ne sait pas où il est. Depuis lundi elle l'attend à chaque instant, et jamais il ne vient. Oh! il ne devrait pas faire comme cela, il la fait trop souffrir, et nous sommes si contentes quand il est tranquille. Nous lui avons écrit, je pense qu'il viendra!...

Et puis, mes peines, je les dis bien au bon Dieu; je lui dis tous les jours, plusieurs fois par jour, je lui dis bien de m'écouter, je sens bien quand j'ai prié le mieux que j'ai pu que j'ai un peu plus d'espérance, mais je n'entends pas assez sa voix, je voudrais l'entendre comme celle d'une personne pour bien me convaincre que c'est Dieu qui me parle.

Lundi 5 septembre

Maman est un peu plus tranquille, papa est revenu hier, il est bien gentil, aujourd'hui il nous a bien parlé. Je vais aller me confesser, mercredi, il faudra que je fasse mon examen seule, et quand on ne m'aide pas je ne sais pas le faire, j'oublie toujours des péchés, ce qui m'ennuie bien; aussi, il ne devrait pas avoir de vacances ou bien pas si longues. Il faut que je plie, depuis que j'ai commencé à écrire, Joséphine me taquine pour que je lui montre mon cahier, et je n'aime pas être lue, de quelques personnes seulement.

Qui sont ces personnes ? Sœur Louise, sans doute ; sa mère, peut-être... Surtout, que sont ces « peines », qu'elle dit seulement au bon Dieu, mais pas à ce cahier ? Au fond, la peine la plus grande, n'est-ce pas de n'avoir personne à qui dire sa peine ? Or cette peine-là est clairement dite dans le cahier, le 1er septembre. Fortunée est au bord du journal intime. Peut-être dans les cahiers suivants, qui ont disparu, avait-elle franchi le pas. Nous ne le saurons jamais.

J'ai cité ces deux entrées parce qu'elles montrent le chemin qui va de l'écriture de commande à l'écriture personnelle. Mais aussi parce que les thèmes qui y sont évoqués entrent en résonance avec le journal de suicide : la solitude (la sienne), et la transgression (celle de son père) qui trouble l'ordre familial. Six ans plus tard, c'est elle qui se trouve à la place du père, elle qui est devenue un objet de scandale, elle qui fait souffrir sa mère...

Nous devons passer directement, sans explication, de ce mélancolique petit cahier écrit à quatorze ans aux pages déchirantes qu'elle a laissées dans sa chambre d'hôtel avant de se jeter dans la Seine, six ans plus tard. Toutes les informations que nous possédons viennent de ces pages mêmes, et des documents administratifs liés à son décès. Elle a vingt ans. Elle a eu une liaison amoureuse avec un nommé Hippolyte et cette liaison a été découverte. Il ne semble pas qu'Hippolyte ait été quelqu'un qu'elle aurait pu épouser. Il a refusé de se charger d'elle et de l'emmener. Elle n'a pas pu envisager de rester dans sa famille après cet éclat. Elle a décidé de fuir à Paris et de vivre seule en gagnant sa vie. Au passage à Dijon elle a acheté des vêtements. Le reste, le journal le dit clairement. Elle n'a presque plus d'argent. Le vendredi 19 août, elle commence à travailler comme passementière, et probablement on ne la garde pas. Elle n'a plus de travail. Le dimanche elle est désespérée, et décidée à mourir. Elle raconte la visite qu'elle a faite à la morgue. En parlant des cadavres qui y sont exposés, elle dit « nous ». Le lundi, elle évoque, pour la repousser avec horreur, l'idée de se prostituer. On croit comprendre que cette solution avait été suggérée par Hippolyte lui-même, et Fortunée n'en semble pas choquée... Le journal se termine par le récit d'une leçon de français que son hôtesse donne à un pensionnaire, espagnol dit-elle, mais auquel elle attribue en fait un accent allemand. Le récit de cette anecdote « pittoresque » fait mal. Elle s'est jetée dans la Seine le samedi 27 août, et a été repêchée à l'écluse de Puteaux le lendemain.

Toute seule !

Paris, jeudi, 18 août 1887

Toute seule et bien pauvre ! Voilà le titre que je devrais donner à mon journal ! J'ai lu, en temps meilleurs, un ouvrage de je ne sais plus quel auteur qui portait en tête : Toute seule ! Il était question d'une jeune femme, séparée de son mari, obligée de travailler pour vivre, une intrigue d'amour fauché à sa naissance était mêlée dans ses tristesses. Je pense à cette abandonnée et je me dis : J'ai vingt ans, je suis à Paris dans une chambre d'hôtel, je ne connais personne dans la capitale, je marche au hasard, sans but précis, je suis plus seule qu'elle !... Seule ! et mon âme est pleine de souvenirs !... souvenirs poignants de cet amour heureux qui m'a conduit ici... J'entends encore ma mère m'appeler, je sens sous ma main tremblante les battements de mon cœur qui se déchirait à son

Toute seule !

Paris — Jeudi, 18 août 1887.

Toute seule et bien pauvre ! Voilà le titre que je devrais donner à mon journal ! J'ai lu, en temps meilleurs un ouvrage de je ne sais plus quel auteur qui portait en tête : Toute seule ! Il était question d'une jeune femme séparée de son mari, obligée de travailler pour vivre, une intrigue d'amour fauchée à sa naissance était mêlée dans ses tristesses. Je pense à cette abandonnée et je me dis : J'ai vingt ans, je suis à Paris dans une chambre d'hôtel, je ne connais personne dans la capitale, je marche au hasard, sans but précis, je suis plus seule qu'elle !... Seule ! et mon âme est pleine de souvenirs !.. souvenirs poignants de cet amour heureux qui m'a conduit ici... J'entends encore ma mère m'appeler, je sens sous ma main tremblante les battements de mon cœur qui se déchirait à son appel angoissé... Je vois ma chambre éclairée à peine d'une lumière mourante... la petite cour dont l'obscurité me dérobait aux recherches, je sens la fièvre dans ma tête... les idées qui tourbillonnent, le pavé qui se dérobe sous mes pieds, mes mains brûlantes qui se tordent et qui donc me crie : C'est pour toujours que tu pars, jamais tu ne t'arrêteras plus sur cette terre que tu adores et que tu baises..... Ma mère, mon frère, Hippolyte, vous, chers absents, qui formez pour moi la patrie, la patrie de mon âme, de mon cœur, je vous quitte ... je les quitte, pour toi, pour n'avoir pas à rougir devant eux !...

appel angoissé... Je vois ma chambre, éclairée à peine d'une lumière mourante... la petite cour dont l'obscurité me dérobait aux recherches, je sens la fièvre dans ma tête... les idées qui tourbillonnent, le pavé qui se dérobe sous mes pieds, mes mains brûlantes qui se tordent et qui donc me crie : C'est pour toujours que tu pars, jamais tu ne t'arrêteras plus sur cette terre que tu adores et que tu baises... Ma mère, mon frère, Hippolyte, vous, chers absents, qui formez pour moi la patrie, la patrie de mon âme, de mon cœur, je vous quitte... Je les quitte, pour toi, pour n'avoir pas à rougir devant eux !... Que d'adieux, que de larmes dans cette nuit d'amour ! Te souviens-tu, dis-moi ? J'étais dans tes bras, et sur mes lèvres nouées pour le baiser errait un sourire d'ineffable ivresse pendant que mes yeux se remplissaient de pleurs et que mes bras confondaient nos deux corps amoureux... Toi, tu les buvais ces larmes qui te faisaient tant de mal, et tu murmurais : Je t'aime... chaque fois que je te disais adieu... Oui, chéri, je suis parti loin de toi, pour toujours, parce que je n'ai pas eu le courage de rester... Je suis partie et je souffre et tu me méprises peut-être... et tu m'accuses quand j'ai tant de peine... Sais-tu, tu vas m'oublier, et moi qui t'adorais, je resterai là, à vaincre les difficultés de la vie avec la certitude que tu me traites de folle et que je serai remplacée dans ton cœur !... Et ma mère ? Oh ! que je la vois rayonnante dans sa souffrance... Je pleure ! Il y a deux jours que je n'ai pleuré, chers absents !... J'ai vécu deux jours dans l'espoir et maintenant que mon espoir s'est réalisé, je m'aperçois que mon cœur n'est plein que de vous et de regrets et c'est de cela que je me nourris... Demain, vendredi, mauvais jour, va-t-il me porter malheur ? Je commence à travailler comme apprentie passementière et je gagne 10 sous par jours ! 15 francs par mois et mon logement me coûte 26ᶠ par mois ! Il faut avoir 20 ans pour ne pas être désespérée et vouloir vivre encore ; non seulement il ne me restera rien pour vivre, mais encore j'ai 11ᶠ à trouver... Qui me viendra en aide ?... Je l'ignore... mais c'est affreux de se dire qu'on n'a pas un sou de pain assuré pour chaque jour !... Je viens de compter ma bourse. Mon logement payé jusqu'au 9 septembre il me reste 5 francs 35 pour vivre jusqu'à ce jour. Du 18 août au 9 septembre j'ai vingt-deux jours, donc 24 centimes à dépenser par jour, et après, il faudra que je demande, oh !... quand donc gagnerai-je un peu plus... deux repas par jour, de chacun 0,10 de pain, ce sera ma vie, eh bien ! j'accepte... Il y en a qui ne peuvent pas manger du pain tous les jours. Seulement, dès aujourd'hui, il faut que je voie à changer de logement, celui-ci est trop cher, et quoique j'aime bien ma petite chambre, il faudra l'abandonner... elle me ferait mourir de faim... Demain, à huit heures, il faudra être au travail... Je vais tant m'appliquer que ma maîtresse augmentera vite mon salaire, puis je ne cesserai pas de chercher une autre place plus lucrative et un logement moins cher, et avec l'aide de Dieu !...

Dimanche, 21

Je n'ai plus de courage. J'ai cru, jeudi, quand j'écrivais les lignes précédentes que je pouvais vivre de privations et de calme... Mais non... il me faut ma mère, je me sens mourir au milieu de ces étrangers... Ils sont égoïstes, les Parisiens. Ils voient bien la trace des larmes, de la faim, de l'insomnie, de la souffrance, mais d'ici à trouver une bonne parole et à vous venir en aide, qu'il y a loin...

Vendredi, je suis allée travailler : on m'a envoyée faire des courses à travers cette ville immense, moi qui ne connais encore que ma vraie patrie, que ce petit coin de terre qui m'a donné de si douces émotions et tant de moments heureux... Dire que je me suis égarée tout le long du chemin, serait superflu... On rit, ici, quand une personne s'arrête à chaque coin de rue pour en regarder le nom et s'en va le nez au vent pour trouver un numéro. Mais, que m'importe ? S'ils sourient de me voir hésitante ou embarrassée, moi, je me moque d'eux parce qu'ils n'ont pas d'esprit, je les méprise car ils n'ont pas de cœur.

Hippolyte, je t'aime, je t'aime, je t'aime, pourquoi m'as-tu laissée partir ? Pourquoi as-tu refusé quand je te suppliais de m'emmener ?... Avec toi, j'aurais repris courage, j'aurais demandé à mes parents de m'accorder leur pardon... Ici, je suis seule, chaque jour m'éloigne d'eux et me rend plus craintive ; et que faudra-t-il faire quand je n'aurai plus d'argent ? Mon Dieu ! je suis lâche... je n'ai pas le courage de mourir. Un de ces jours passés je suis entrée à la Morgue... Il y avait deux cadavres d'hommes exposés... Vois-tu, c'est horrible, d'être là devant tous ceux qui veulent nous voir, et puis ce monde qui s'agite, qui parle autour de nous, qui nous regarde avec plus de froid que n'en ont les couches de marbre et notre corps raidi. Les coups d'œil d'effroi que l'on se jette en sortant ! oh que cela est triste !... Il y a maintenant une jeune femme, couchée là-bas... Et moi, quand y serai-je ?... Oh ! que les morts sont heureux !

Lundi, 22

Mon Hippolyte chéri, c'est à toi que je pense sans cesse, c'est à toi que j'écris ces quelques mots, derniers souvenirs d'une âme toute à toi... Je voudrais te voir, je voudrais t'embrasser bien fort, te posséder une fois encore... il me semble que je mourrais plus contente. Car il faut que je meure, la vie est impossible pour moi. Je ne trouve pas de travail, la saison est mauvaise et je n'ai plus de ressources... puis, quoi que tu dises, je ne veux pas faire la cocotte. C'est facile de se vendre à Paris, si tu savais ! mais je les déteste ces hommes qui accostent les femmes seules et les poursuivent en les appelant... Sois bien assurée que jusqu'au bout je serai restée — ta Fortunée — Si je t'adorais moins, eh bien, oui, peut-être, j'aurais mangé ce pain de la honte... Pardonne, va ! si tu savais de quelle répugnance mon âme est pleine quand je songe à la mort... et que faire ?

Quand je passe dans la rue, les hommes s'approchent de moi ou me regardent en souriant. J'en ai vu qui me toisaient de la tête aux pieds, qui faisaient presque demi-tour pour me mieux voir, comme on le fait d'une chose qu'on va s'approprier ou qu'on veut bien juger... Tout cela me remplit de dégoût. Les femmes, celles qui font trottoir, couvertes de dentelles et de bijoux, me regardent avec leur air effronté et traitent de bien haut le petit costume que j'ai acheté à Dijon. Ce ne sont pas elles que je crains le plus, j'aime moins encore me trouver en face de ces petites ouvrières parisiennes qui s'en vont le matin, leur panier au bras toujours lestes et moqueuses... On les dit jolies ?... Franchement j'aime mieux les nôtres, ce ne sont pas des fleurs aux pâles couleurs, ce ne sont pas des femmes dont les yeux ne révèlent plus d'amour. Qu'ont-elles donc à chercher ainsi sur la physionomie de tous les hommes qu'elles rencontrent... N'est-ce pas, chéri, chez nous, on voit bien des regards attentifs, égarés, on voit bien des attitudes pensives, de grandes attentions portées toutes vers un point unique, un détour de rue, une sortie de café, etc.... mais on ne voit pas ces yeux chercheurs d'un sourire ou d'une promesse de caresses, se braquer cent fois en une minute dans cent regards d'hommes... Ces parisiennes ! non, non, je ne les aime pas !... Il me semble qu'on n'a pas de cœur dans cette ville...

Drôle, drôle, Paris... En face de chez moi, un peu au-dessus, demeure un jeune homme espagnol ; il sait à peine quelques mots français et pioche tout le jour pour agrandir ses connaissances dans notre belle langue. Notre hôtesse vient de monter faire sa chambre. Par les fenêtres ouvertes, j'entends qu'elle lui donne une petite leçon : « Bougie, c'est un nom, bougeoir, c'est un verbe. » – « Pien, pien, vous savez raisson. Chandelier, bougeoir, c'est égal ? » – « Oui, c'est la même chose, mais il ne faut pas dire : c'est égal... C'est égal, ce n'est pas bien français... » – « Ah ! le professor, il... » – « Oui, oui, c'est français, mais, c'est argot, ça veut dire... une addition... c'est les gosses, en classe, qui disent comme ça... » – « Ah ! ah ! ché comprends... »

Un moment après... « Il est sorti, il est allé... On dit : il est sorti, quand on n'est pas dans sa chambre, qu'on est à se promener, à pied ; il est allé, quand on a pris le chemin de fer... ». Étonnantes, les leçons de français à Paris, ne trouves-tu pas, dis, mon chéri !...

Louise L***

Mon journal 19 mars 1864-6 août 1871

Il m'arrive sous forme dactylographiée. Je le lis entièrement en une petite après-midi. C'est rapide, mais la magie opère moins. La typographie rompt le charme, rend le texte à sa platitude. Parmi les autres raisons de mon désenchantement, il y a le fait que la personnalité de Louise L*** n'est pas désagréable, mais assez conformiste, elle se débat très peu, un peu tout de même, mais peu, dans le piège.

Née en 1850. Bourgeoisie bordelaise catholique. Très catholique. Royaliste. Tout à fait dans le mouvement de l'ordre moral. Le frère aîné, Ferdinand, devient prêtre en juin 1866. Il y a un oncle curé. La famille semble très nombreuse, des tas de cousins. Au début du journal, Louise a quatorze ans, et on voit qu'elle a une sœur aînée, Clotilde, qui a quinze ans et demi (aussi douce et effacée que Louise semble, du moins au début, remuante et taquine), une sœur plus jeune, Thérèse, qui va faire sa première communion, et puis encore une plus petite sœur, Blanche, huit ans et demi, et puis le petit Gabriel qui a sept ans. Mais il y a aussi une sœur déjà mariée, Marie, et semble-t-il mal mariée avec un mari Alfred qui la rend peu heureuse, et qui va semer la zizanie dans la famille. Ils sont donc au moins sept enfants. Le père, adoré de Louise, est dans les affaires (sans doute le vin).

L'histoire de Louise peut être mise en parallèle avec celle de la petite Cruse. Même époque, même ville, même milieu. Religion différente. Une adolescence heureuse coupée par un drame horrible. La petite Cruse perd son frère, puis sa mère adorée. Louise L*** va perdre, assez brutalement, son père en mai 1865, elle a quinze ans. La suite sera d'autant plus dure pour elle que la mort du père est suivie d'un conflit familial : le gendre Alfred veut mettre la main sur les affaires de la famille, et déposséder la mère, qui reprend fermement en main, avec les hommes de confiance de son mari, l'entreprise. Ce conflit est naturellement à l'arrière-plan de la destinée de Louise : cette péripétie peut rendre incertaines les perspectives de mariage, peut rendre nécessaire une autre solution. Pendant l'été 1867, les affaires de la mère vont mal, la mère parle d'abandonner le commerce, de vendre la propriété et de « se restreindre », et Louise, courageusement, propose de contribuer aux finances en « donnant des leçons » : en effet elle est en train de préparer un examen pour avoir le droit d'être institutrice (privée) — ce qui, bien sûr, est une déchéance. Elle passera cet examen avec succès en mars 1868, à l'âge de dix-huit ans. Mais les affaires se seront rétablies, en tout cas la mère continue, et jamais Louise n'aura l'occasion de se placer comme institutrice. Sa sœur aînée, Clotilde, se présentera au même examen, où elle sera refusée. Ensuite, c'est l'attente du mariage.

Le mariage est là dès le début. Dès la seconde entrée du journal, le 20 mars 1864, Louise évoque avec terreur ce qui est pour elle la « destinée » inéluctable des jeunes filles : le mariage avec un inconnu. Elle appelle cela *« donner son amitié à quelqu'un que l'on connaît à peine »*. Elle a sous les yeux le mariage désastreux de sa sœur aînée Marie. En fait, il n'y a pas d'alternative. La seule autre solution, c'est la vocation religieuse. L'idée l'effleure une seule fois, immédiatement après la mort de son père (19 juin 1865), et au fond elle lui fait presque aussi peur que l'idée du mariage : se séparer de sa famille ! Quand un moment elle a cru que Clotilde envisageait de se faire religieuse, elle a été presque aussi horrifiée que si Clotilde voulait se suicider (26 juin 1864). — La seule chance de Louise aurait été que sa mère soit réellement ruinée, et qu'elle soit obligée de travailler. Mais ce n'aurait même pas été une chance, parce qu'elle aurait travaillé à contrecœur en vivant la situation comme une déchéance provisoire plutôt que comme le début d'une vie indépendante. – En fait, malgré ses appréhensions, elle ne voit pas d'autre issue que le mariage. Et elle l'accepte implicitement dès le début. C'est une pouliche résignée. Quand elle assiste à un mariage, elle se fait dans sa tête le portrait du mari idéal qu'elle souhaite (13 avril 1868). A la fin du journal, les différentes péripéties des négociations matrimoniales concernant sa sœur Clotilde et elle-même serrent le cœur. On lui propose un parti à Nantes, que sa sœur a refusé ! Mais elle non plus ne veut pas quitter Bordeaux, sa mère et ses frère et sœurs. Il y aura l'histoire incroyable du mariage de Clotilde, dont le fiancé se ravise, pour des raisons obscures, avant de tout de même se marier... Et l'histoire aussi incroyable de son mariage à elle : elle a failli épouser un homme qu'elle n'aimait nullement, il s'en est fallu d'un rien ! *In extremis* un autre, pour lequel elle avait de la sympathie, s'est déclaré, et elle l'a pris. Encore n'est-elle pas trop sûre que leur ménage sera heureux, – elle traduit cela en termes d'humilité : elle n'est pas sûre qu'*elle* le rendra heureux... Les dernières lignes du journal, écrites le matin même du mariage, sont impressionnantes : *« Mon Dieu, c'est presque fini, dans quelques heures j'appartiendrai à Louis et malgré mon affection pour lui je suis troublée et triste comme jamais je ne l'ai été »* – Le lecteur, qui ne connaît pas la suite, se dit néanmoins qu'il y a tout de même une chance pour que ce mariage ait été heureux...

C'est d'une certaine manière un « cas » exemplaire. Mes journaux devront être classés. J'aurai les histoires d'amour (Laguin, Berruel, Claire Pic, d'une certaine manière), et puis l'histoire des résignées, des pouliches, comme Jeanne Cruse, mariée en trois semaines, comme Louise... Journaux d'attente, et de regret, être expulsée du cocon familial dans l'inconnu que l'on a à peine choisi...

Son journal est donc une manière d'attendre. Bien sûr, il est en même temps un journal *examen de conscience*, surtout au début, où elle cherche chaque mois à voir si elle s'est corrigée de ses défauts, elle prend de bonnes résolutions. Quand elle fait une retraite, le journal devient carnet de retraite, elle note en particulier le détail des sermons qu'elle entend et qui la frappent. Cette dimension morale du journal reste présente jusqu'au bout.

Elle dit de lui : « *C'est une petite revue où je m'examine moi-même* » (4 avril 1867).

Le journal est en même temps le *confident* de ses peines. « *Clotilde se moquait de moi il n'y a pas très longtemps encore de ce que j'écrivais si fidèlement ma vie ; plus que jamais je ressens les bienfaits de cette habitude ; je suis si peu expansive que quand le chagrin m'étouffe je viens déverser ici le chagrin de mon cœur* » (10 juin 1865, peu après la mort du père). Elle y note ses humeurs, ses joies, ses ennuis. Elle s'y sent en sécurité pour s'épancher parce que « *ces pages sont fermées à tous les yeux* » (18 février 1871).

Somme toute, les fonctions habituelles d'un journal. Elle le tient certes irrégulièrement, se reproche parfois de l'avoir négligé, etc., cela aussi est classique. Mais même négligé il est présent, il est la ligne directrice, la discipline de sa vie : « *C'est une vieille habitude que j'ai depuis 7 ans d'écrire ainsi les grands jours de ma vie et aujourd'hui je rentre dans ma majorité, je ne veux pas négliger ce petit devoir que je me suis imposé* », écrit-elle le jour de ses vingt et un ans (5 février 1871). Au début de son expérience du journal, elle avait eu des doutes sur l'utilité de cette pratique. Par exemple, le dimanche 23 avril 1865, elle s'ennuie, et son journal l'ennuie aussi... : « *Je m'ennuie à mourir ! je n'ai pas de livres nouveaux et je n'ai, non plus, rien de neuf à mettre sur mon journal. C'est bien monotone de dire tous les jours : je me suis levée à 6 heures 1/2, je me suis habillée, j'ai fait ma prière, j'ai déjeuné, j'ai fait mes devoirs ou j'ai pris ma leçon, etc... j'ai été à Bordeaux, où je me suis ennuyée, j'ai été grondée, je me suis disputée avec mes sœurs, tout cela est très peu intéressant à décrire et le sera très peu à relire plus tard, je suppose.* » Mais quelques semaines plus tard, son journal lui sera d'un grand secours pour affronter la maladie puis la mort de son père.

Ce journal, elle est contente qu'il soit secret, ce qui ne l'empêche pas d'être elle-même *indiscrète* : le 26 juin 1864, elle « jette les yeux » sur celui de Clotilde, sa sœur aînée ! : « *Je paie cher ma curiosité ! J'ai jeté les yeux sur le journal de Clotilde, et ce que j'y ai lu m'a déchiré le cœur. Est-ce donc vrai qu'elle pense à se faire religieuse ?* » — Elle-même, auparavant, avait craint que le sien n'ait été lu par Thérèse : *« Je crains que Thérèse n'ait lu mon journal, car j'ai eu la maladresse de laisser mon bureau ouvert. Si elle l'avait fait, ce ne serait hélas qu'un prêté pour un rendu, mais je serais bien contrariée ! »* (1er avril 1864). Ce qui veut dire... qu'elle-même a donc regardé le journal de Thérèse !!! – L'alerte n'avait pas de raison d'être : *« J'ai demandé à Thérèse si elle a lu mon journal, elle m'a dit que non et je l'ai crue »* (2 avril 1864).

Est-ce le journal de ses sœurs qui lui a donné l'idée d'en tenir un ? Ou simplement ses lectures ? – En effet Louise a lu, ou va lire, ce que je considère comme les trois « livres-cultes » des jeunes filles diaristes de cette époque.

D'abord le *Journal de Marguerite*, que Mlle Cousseau, l'institutrice, lui a prêté, à elle et à ses sœurs, qui toutes tiennent un journal. Elle le quitte à regret pour aller dîner :

Je vais abandonner ce journal pour aller dîner, mais je veux dire encore que je ne puis parler de mon journal sans songer aux livres que nous a prêtés Mlle Cousseau. Ah ! que de fois en tournant les pages n'ai-je pas désiré devenir comme Marguerite ! Cette enfant si ardente si vive, mais sachant si bien avouer et réparer ses fautes ; que je désirerais avoir une amie comme Marie était pour elle ! (23 mars 1864).

L'année suivante, elle note au terme d'une énième relecture du livre :

Je viens de finir le journal de Marguerite que j'ai lu six ou sept fois et non sans y verser des larmes ! Arrivée à la mort de Marie, je me suis arrêtée comme une sotte, toute suffoquée par les larmes. Je ne veux pas relire ce livre (11 avril 1865).

Cette résolution ne l'empêche pas, quelques mois plus tard, après la mort de son père, d'être de nouveau (21 août 1865) à relire le tome II, *Marguerite à vingt ans :*

Qu'on me plaisanterait si l'on savait que pour la vingtième fois, au moins, je viens de lire le journal de Marguerite à 20 ans et si l'on savait surtout que comme la première fois mes larmes ont coulé en le lisant. Ce livre est bien attachant mais je suis presque fâchée de le connaître car quand j'y jette les yeux il me rend triste comme lui. Triste ! ne le suis-je pas assez déjà de mes propres peines sans aller pleurer des douleurs imaginaires ? Hélas, je n'ai pas encore fini de souffrir et quand donc aurons-nous payé notre dette aux peines de la vie ?...

Elle préfère ce journal fictif à certains journaux réels, comme celui d'Eugénie de Guérin :

Je lis maintenant le journal d'Eugénie de Guérin et ce livre ne me plaît pas autant que le journal de Marguerite (26 avril 1864).

En revanche elle se délecte à la lecture de *Récit d'une sœur* :

Je lis en ce moment un livre très intéressant quoiqu'un peu triste : c'est le récit d'une sœur, dont le père Roux a recommandé la lecture à ses auditeurs de N.D. Le premier volume est un peu romanesque. Ce jeune Albert de la Perronnay aime d'un amour si fort mais si pur son Alexandrine ! Après 3 ans de luttes et d'épreuves il l'épouse et 3 ans plus tard il meurt. Il prie Dieu comme un ange, mais comme il sait bien faire pour se rapprocher d'Alexandrine, pour baiser les longues boucles de ses cheveux, pour la suivre de loin, en voiture, afin d'apercevoir le bas de sa robe blanche.

Le récit de sa mort est déchirant, j'ai pleuré en lisant ce cri de douleur suprême : je meurs et nous aurions été si heureux !... Sa femme protestante abjure au pied de son lit d'agonie et il meurt après deux ans du plus pur bonheur.

Je me trouve un peu exaltée, ce 1er volume ne me vaut rien. Je vais lire le second pour me désenthousiasmer quelque peu.

mercredi 13 mai

J'ai complètement fini le 1er volume du récit d'une sœur et je reste toute impressionnée de cette lecture qui m'a émotionnée si profondément. Je trouve étrange cet amour de la mort que cette famille apportait jusque dans ses joies les plus pures. Ainsi voici un passage du journal d'Eugénie de la Perronnay qui est un peu étonnant pour sortir du cœur d'une jeune fille de 18 ou 20 ans :

Oh ! le ciel ! le ciel ! y serai-je jamais ?...Que le désir d'amour me fasse pardonner de n'avoir pas la patience de vivre ! mon Dieu, est-ce donc mal de désirer mourir pour vous voir ? Ce n'est pas crainte des souffrances et des épreuves, ce n'est pas non plus par de fausses idées de découragement. Quand je ne peux plus penser à vous, je la trouve folie la vie, mon Dieu !... mais pourtant que votre volonté soit faite. J'aime encore mieux mourir que vous offenser ! (12 et 13 mai 1868).

Les sentiments violents que peint le *Récit d'une sœur* contrastent avec les allures modérées des négociations matrimoniales que Louise doit voir autour d'elle...

Ces livres, conseillés par les éducateurs (*Marguerite*, par l'institutrice ; *Récit d'une sœur*, par un prédicateur), produisent donc des effets romanesques intenses. J'avoue n'avoir pas été moi-même insensible à la qualité de l'émotion romanesque dans le *Journal de Marguerite*, et chez les La Ferronnays. Visiblement Louise a été impressionnée de trouver dans un livre recommandé par un prêtre l'évocation d'un amour comme elle n'en voit pas autour d'elle, et comme elle suppose peut-être qu'il y en a dans les romans qu'on lui interdit de lire... Les livres édifiants sont occasion de débauches de larmes, émeuvent une sensibilité qui n'a guère d'autre exutoire...

En ce qui concerne l'amour, j'ai été frappé de voir que ma correspondante, dans les trois pages témoins qu'elle m'a envoyées dans son premier courrier, avait choisi les seuls passages où il fût question de formes de galanterie, avec un cousin et avec son fiancé. Deux passages où l'on voit justement à quel point les défenses de Louise sont vigoureuses.

Parmi les choses que j'ai oublié de noter : en mai 1866 Louise compose un poème en alexandrins (« Plainte d'un exilé »), qu'elle note exprès dans son cahier avant que son institutrice, auquel elle va le soumettre, l'ait corrigé ! C'est une minuscule chose, cela, un geste peut-être banal chez une adolescente. Mais révélateur, tout de même, d'une imperceptible révolte : elle préfère être elle-même avec des fautes, plutôt que sans faute, mais sous la coupe d'autrui... C'est sans doute elle, l'exilée...

En achevant de rédiger ce « croquis », je me sens beaucoup plus de sympathie pour Louise qu'au début. J'ai pris le temps de relire, de réfléchir. La dactylographie m'avait fait traverser trop vite un texte qui apparemment n'offre guère de résistance. C'est à moi de résister à la vitesse.

*

Qu'est devenue Louise après son mariage ? Comment est-elle apparue à ses descendants ? J'ai pu recueillir le témoignage de deux de ses petites-filles.

Son mari a occupé une fonction importante dans les Assurances maritimes à Bordeaux. Ils ont eu neuf enfants, quatre garçons et cinq filles. L'aîné des garçons a été médecin colonel, le second jésuite, les deux autres ont fondé leur carrière sur des études de droit. L'aînée des filles est entrée en religion. Deux autres se sont mariées, et une est restée célibataire. La cinquième fille est morte en bas âge.

Mais je laisse la parole à ses petites-filles :

« Louise L***, veuve en 1905 à cinquante-cinq ans, a fini d'élever ses enfants à Bordeaux.

« Elle ne s'était jamais séparée de sa chère sœur Clotilde — veuve dix ans plus tôt sans enfants — qu'elle avait recueillie.

« Louise L*** était profondément chrétienne, et avec un fils prêtre et une fille religieuse sa piété est devenue de plus en plus profonde.

« Très intelligente et vive, adorée de son mari et de sa sœur, elle avait beaucoup d'esprit, la parole brève et avare de compliments. Son éducation rigoureuse janséniste à cette époque, lui faisait considérer de son devoir de transmettre la même tenue morale. Femme de devoir elle aimait profondément ses enfants, sans vouloir le laisser paraître. »

Pauline Weill

(née en 1841)

Deux jolis volumes reliés, portant sur la couverture l'indication de l'année : 1858, 1859, et les initiales de l'auteur, P.V. Pauline appartient à une famille juive alsacienne de Haguenau. Ses parents sont morts quand elle était enfant. Elle est sous le tutorat d'un de ses frères aînés. Il l'a fait venir à Paris en 1850 pour la mettre avec deux de ses sœurs en pension chez Mme Neymark. Elle y reste jusqu'en 1856. Après un séjour en Alsace, elle revient à Paris chez son frère Joachim. Mais elle ne s'entend pas avec sa belle-sœur, si bien qu'on la remet chez Mme Neymark, en attendant qu'elle se marie. La voilà revenue dans la pension de son enfance, mais dans une situation un peu fausse. Elle y est peu heureuse, et fin 1857 elle décide de tenir un journal, qu'elle commencera le 1er janvier 1858. Elle emploie les derniers jours de l'année 1857 à écrire une autobiographie qui servira de préambule au journal.

Tome 1, 1858

427 pages manuscrites. Au début a été placée une photographie de Pauline Weill dans sa vieillesse. Le journal, qui n'est pas paginé, est écrit sur une série de petits cahiers qui ont été réunis à la fin de l'année pour la reliure.

Le titre général est *Histoire de ma vie. Journal.*

Ce titre double renvoie aux deux parties du texte. L'autobio-

les seuls êtres dévoués dans ce monde
A présent je ne pourrai plus être
frappée aussi cruellement, tâchons
par ma conduite et ma piété de réjouir
du haut du ciel ceux qui veillent si
tendrement sur leurs enfants.

Journal de mon passe-temps de l'année
1858

1er Janvier. Vendredi

La première journée de l'année s'est passée
assez tristement ; je n'ai rien fait qui vaille
la peine d'être noté si ce n'est que j'ai beaucoup
réfléchi. Le temps a changé complètement
depuis hier ; un froid piquant et une grande
obscurité ont remplacé nos derniers beaux
jours. Nous sommes restées à la pension
une douzaine d'élèves et semblables à un
troupeau égaré nous courions dans toute
la maison sans savoir où rester et où aller.
Enfin tant bien que mal la journée s'est

graphie rétrospective, divisée en plusieurs sections, occupe les pages 1 à 42. Le journal proprement dit a pour titre : *Journal de mon passe-temps de l'année 1858*. Il va de la page 42 à la fin.

Les quatre premiers mois, du 1er janvier au 30 avril (p. 42-278), Pauline tient son journal absolument tous les jours. Il n'y a aucune omission. C'est la première fois que je vois un phénomène pareil. Cette régularité exemplaire (elle écrit même quand il n'y a rien à dire, pour être en règle, maintenir la continuité) trouve son correspondant dans le soin méticuleux qu'elle prend, à l'intérieur de chaque journée, à noter tant de détails. C'est une chronique qui me semble avoir beaucoup de prix, sur le plan historique, pour l'histoire des mœurs et de l'enseignement : on peut suivre grâce à elle le fonctionnement d'un pensionnat parisien. Elle est dans une bonne situation pour observer : elle n'est plus élève, elle a terminé, mais elle est vraiment « en pension », en attente, laissée là en consigne par ses frères en attendant qu'on lui trouve un mari. Et le fait qu'elle soit engagée sur place comme « sous-maîtresse » l'amène à participer à la vie professionnelle, dans une situation intermédiaire propice à l'observation.

Le mieux est de la laisser elle-même expliquer sa situation dans la vie, et le rôle de son journal. Elle le fait le 12 janvier 1858, peu de temps après le début :

Je me suis occupée de la correspondance et j'ai aidé la sous-maîtresse à corriger les compositions d'orthographe. Cet exercice demande beaucoup de temps, mais je ne m'en plains pas, car il me fait du bien, et me fait revoir petit à petit toutes les règles de la grammaire. Rien ne s'oublie aussi facilement que ce qu'on a appris jeune et que l'on néglige complètement. Je suis contente à ce point de vue d'être de retour à la pension, d'abord cela éloigne de moi toute idée de distractions ou de plaisirs et ensuite cela me fait revoir un peu par ce que j'entends autour de moi tout ce que j'ai négligé depuis près de deux ans. A présent je vois de nouveau clair dans ma tête, tandis qu'auparavant c'était un peu confus, un peu désordonné. Enfin, je prends patience, je ne me trouve pas bien malheureuse en ce moment car je n'ai aucun souci, aucun ennui, mais il y a des jours où je pourrais pleurer toutes les larmes de mon corps tellement je suis accablée et triste. Je me demande quelquefois à quoi bon je suis sur la terre ; il me semble que je suis une nullité et que personne ne me regrettera. Si encore j'avais mes bons parents, j'emploierai toute ma vie à les rendre heureux, à leur faire plaisir, à prévenir leurs moindres désirs, mais à présent je n'ai personne qui m'aime comme eux, d'un amour pur et non intéressé. J'ai bien des frères et sœurs qui paraissent me porter de l'attachement et qui participent à mes plaisirs comme à mes peines ; mais ils sont tous, pour ainsi dire, mariés, et ils préfèrent l'intérêt de leurs ménages à l'intérêt de leurs sœurs. En ce moment, il existe des brouilles entre ma sœur Sophie et mon frère Joachim et toujours c'est ce maudit argent qui est la cause de toutes les querelles de famille. Dans le compte de tutelle le notaire prétend qu'il y a erreur dans les chiffres, et cela fait au bout une différence de deux à trois mille francs. Cette somme vaut la peine de réclamer, mais mon frère qui est vif comme le vin de champagne, ne veut pas entendre raison et il s'en suit de là des brouilles continuelles. Mon beau-frère Albert a été, je crois, cité devant le tribunal, je ne sais pas encore la fin de toutes ces affaires mais j'espère en être instruite bientôt car cela m'intéresse au plus haut point. Du moment qu'il s'agit de ma sœur je suis toute feu et flamme, car c'est elle que je préfère au monde ; d'abord parce qu'elle semble nous aimer véritablement et ensuite parce qu'elle a toujours été une mère pour nous. Dans quelques années, j'aurai d'autres affections j'espère, mais alors ce sera pour la vie ; car ayant été privée dès ma plus tendre enfance de l'amour maternel, je comprends mieux que toute autre qu'il m'est indispensable d'avoir une véritable affection pour un être qui est une partie de moi-même. Aussi reporterai-je tout ce que mon cœur possède de chaleur sur mon époux, si toutefois j'en ai un, et sur mes enfants si le bon Dieu me croit digne d'en posséder. Un jour viendra et ce jour n'est peut-être pas éloigné où je montrerai cet écrit au compagnon de ma vie, à celui qui est destiné à partager avec moi mon bonheur comme mon chagrin. Alors il verra que sans le connaître je l'ai toujours aimé, et que toutes mes illusions, toutes mes espérances de jeune fille se reportaient vers cet être inconnu jusqu'à présent.

Le journal (et son lit, auquel elle consacre d'innombrables mentions, son cher lit, dont elle a peine à s'arracher le matin, qui est le centre de sa vie), le journal remplace la mère et prépare l'époux. Pauline, si triste qu'elle soit dans cette période intermédiaire, est néanmoins à l'aise dans les schémas de destinée classique. Elle attend tranquillement de trouver un mari.

Son journal, tout en étant personnel, n'est nullement secret. Cela apparaît le 26 janvier, quand elle rapporte une conversation qu'elle a eue avec la sous-maîtresse qu'elle seconde, Mlle Golda :

Je lui ai demandé de me faire lire quelques passages de son journal, car lorsqu'elle a vu le mien elle a voulu suivre mon exemple, mais elle m'a refusé disant qu'elle allait le déchirer car elle craignait qu'on le découvrît un jour. Elle a sans doute de grands secrets de cœur qu'elle en fait ainsi un mystère ; pour moi je ne le fais lire à personne, mais il n'y a rien que des choses très simples et très naturelles.

Elle-même remplit peu à peu les fonctions de sous-maîtresse, et elle se plaint que cela ne lui laisse plus assez de temps pour tenir son cher journal (19 février) :

Je suis vraiment fâchée de n'avoir pas plus de temps à moi pour le consacrer à mon journal ; c'est tout au plus si je trouve chaque jour cinq minutes à y consacrer, encore n'est-ce le plus souvent que le soir dans la veillée après que j'ai fait coucher mes petites filles. Je suis alors seule et tranquille dans cette grande chambre, je descends la lampe de la suspension et je la mets devant mon pupitre et alors seulement je suis tout à fait à mon aise pour écrire et pour réfléchir. Je n'ai pas au moins une trentaine de petites filles autour de moi qui me poussent et qui me crient mille bêtises dans les oreilles ; c'est quelquefois à devenir sourde.

Ce journal tenu régulièrement est un refuge, un moment de recueillement. Il correspond aussi au désir de s'épancher dans une oreille amie. En témoigne ce passage, où il n'est pas question du journal directement, mais qui définit sa fonction (5 mars) :

Je me trouve quelquefois si malheureuse de n'avoir pas une amitié vraie et constante de quelqu'un. Le monde est si faux et si méchant qu'on n'ose se confier à personne et moi qui ai été privée si jeune de la sollicitude paternelle et maternelle je ne demande pour me trouver bien heureuse qu'un cœur aimant dans lequel mes pensées, mes actions et mes sentiments puissent se refléter comme dans un miroir.

Elle écrit donc tous les jours que Dieu fait du 1er janvier au 30 avril. Le 30 avril, en bas de page, au milieu d'une phrase (donc cette entrée devait continuer sur un début d'autre cahier ?), tout s'arrête. A la page suivante, on est le 12 octobre, il est 11 heures du matin (elle nous le précise, après plus de cinq mois de silence !), elle reprend la plume :

Plusieurs mois se sont écoulés depuis que j'ai interrompu mon journal, j'ai regretté souvent de ne pas l'avoir continué parce que j'aurais voulu y insérer diverses choses que j'aurais eu du plaisir à relire plus tard. Mais le temps m'a manqué ou pour parler plus franchement je préférais pendant ces belles journées d'été me promener au jardin et jouir de l'air doux et chaud que de m'enfermer pendant quelques heures dans une chambre occupée à écrire. Beaucoup, beaucoup de choses plus ou moins intéressantes se sont passées depuis et si je ne craignais d'entreprendre une tâche bien longue et bien difficile je reculerais en arrière afin de ne rien oublier ; je me contenterai de parler des événements principaux et de passer rapidement sur tout ce qui est antérieur.

Après un rappel de ces événements, elle reprend le cours quotidien et régulier de sa chronique... jusqu'au 30 novembre (ses défaillances ont toujours lieu le dernier jour du mois, comme si elle avait tenu bon jusque-là, mais hésitait à entamer un mois nouveau...). La chronique ne reprend que le 9 décembre. De nouveau elle s'explique, mais cette fois tire de l'expérience des conséquences pratiques trés réalistes :

Voilà déjà huit jours que je n'ai plus écrit un mot dans mon journal, je trouvais que mon style devenait si gauche, mes idées si embarrassées et mes occupations si monotones que j'ai pris la résolution de l'interrompre pendant quelques jours. Je ne sais pourquoi mais le soir à la veillée je ne suis plus en train d'écrire, je préfère travailler à l'aiguille ou bien causer plutôt que de m'enfermer toute seule. Je ne le ferai plus tous les jours exactement, je crois que je n'en aurai plus la patience, mais quand j'aurai quelque chose d'intéressant à y inscrire ou bien lorsque j'aurai du chagrin ou de la joie je m'empresserai de reprendre mes cahiers.

C'est effectivement ce qui se passe en décembre. Elle écrit sporadiquement et termine l'année par quelques réflexions morales d'ensemble.

Que va-t-elle faire de ses cahiers ? C'est déjà prévu. Le 25 octobre, elle avait pris contact avec un relieur :

Le relieur de livres est venu ce soir, je lui ai demandé si je pouvais lui donner mon journal à relier et si personne ne le lirait, il m'a promis que oui, aussi quand j'aurai encore écrit quelques cahiers je les lui donnerai.

Pauline a fait un lapsus. Elle avait d'abord écrit : *« si je pouvais lui donner mon journal à* lire » ! Elle a immédiatement barré « lire » et mis « relier ». La proximité des deux mots explique un peu les choses, mais sans doute pas entièrement.

Tome 2, 1859

380 pages manuscrites.

Le journal est tenu selon le système irrégulier inauguré en décembre, mais désormais sans longue interruption, jusqu'au 5 octobre 1859.

Mes notes seront un peu décousues. L'impression générale est celle d'une grande fraîcheur. Même quand elle fait de petites tartines, Pauline est ingénue, directe, candide, réaliste, simple. L'intérêt de son texte tient à la fois à cette candeur et à sa méticulosité. Ce journal n'est pas un journal de commande, mais un journal de prison. Elle parle de la pension en disant « notre chère prison ». Elle est comme un paquet qu'on a mis à la consigne, elle attend qu'un monsieur vienne la tirer de là en l'épousant. Elle attend en écrivant.

Reprenons notre journal avec courage et patience. Plus tard je serais bien heureuse de le relire et si ma mémoire me fait défaut de mon temps de jeunesse, je n'aurai qu'à jeter un regard sur ces pages malpropres et griffonnées et aussitôt tout me reviendra à l'esprit. La première fois que le libraire de la pension viendra je lui donnerai mes 15 petits cahiers de l'année dernière à relier je ferai mettre en lettres d'or journal 1858 et P.V. Je brûle d'impatience de l'avoir déjà je crains toujours que quelque indiscrète ne cherche à y lire, mais elle serait bien trompée, il n'y a pas de grands secrets puisque je n'en ai pas, c'est une conversation de tous les jours où je raconte ce que je fais et ce que je pense (4 janvier 1859).

Le relieur passe le lendemain. C'est un coquin.

Je viens à l'instant de donner mon journal de l'année dernière à relier, j'espère l'avoir bientôt. Monsieur Daudin m'a dit que si je voulais l'embrasser il me le ferait pour rien mais j'ai eu soin de refuser (5 janvier).

Plus d'une semaine passe, elle n'a plus de nouvelles, s'inquiète :

Depuis toute la semaine je suis tourmentée et inquiète, j'attends tous les jours le relieur qui doit venir m'apporter mon journal et je ne le vois toujours pas venir ; je crains vraiment qu'il ne lui soit arrivé malheur, non pas à l'individu mais à mon écrit. Je n'ai pas de goût à continuer l'année 1859 tant que je n'aurai pas reçu le précédent, en tout cas si je le reçois et que j'éprouve de la joie de l'avoir je pourrai dire que je l'ai gagnée par bien des tourments et des inquiétudes (20 janvier).

Mais peu de temps après, au cours de la même entrée de journal, elle annonce qu'à l'instant on vient de lui apporter le volume relié. Il est très beau et elle est pleine de joie.

Il y a d'autres visites : en particulier, une visite qui fait sensation dans le pensionnat : un inspecteur ! C'est la première fois qu'il en vient un. Il s'appelle Meyer. « *Il a trouvé que j'étais bien jeune pour diriger déjà une classe et il m'a demandé mon âge ; il m'a beaucoup conseillée de travailler pour passer mes examens mais je ne voudrais pas me remettre sérieusement au travail, d'ailleurs je n'ai pas le temps. Il a promis de revenir dans une quinzaine [...]* » (12 janvier). Il revient le 2 mars, inspecte la classe de Pauline, cela marche bien. « *Il m'a encore une fois demandé mon âge et lorsque Madame lui a raconté toute mon histoire il m'a vivement engagée à passer mes examens afin d'avoir une garantie pour l'avenir si par malheur je tombais dans l'infortune, ce qui n'est pas à espérer. Comme il voyait que j'hésitais, il m'a demandé si par modestie ou par timidité je craignais d'échouer, puis il a prié notre maîtresse de m'amener un samedi chez lui afin de me préparer et de me questionner. Mais je n'ai nullement envie de me rendre à ses désirs et plus on m'y forcera, plus je serai entêtée. Je n'ai point envie de recommencer à piocher, je travaille assez du matin au soir à donner des leçons pour ne pas me mettre encore un fardeau sur le dos. D'ailleurs si un jour j'étais obligée de gagner mon pain, je ne choisirais certainement pas l'état d'institutrice, je ne voue aucun goût prononcé à cette vocation, que le bon Dieu m'en préserve. Je préférerai mille fois être dans un comptoir ou un magasin occupée du matin au soir que de courir dans la ville donner des leçons particulières ou sous-maîtresse dans une pension ; non, non, j'aime trop ma petite personne pour me vouloir du mal et épuiser ma vie, ma santé aux dépens des autres. Aucun métier n'est aussi ingrat que celui-là, mieux vaudrait être chiffonnière. Si je donne des leçons c'est pour rendre service à notre bonne Madame, puis pour utiliser sagement mon temps jusqu'à ce qu'on me rende la liberté, mais cette existence ne me convient nullement, ma pauvre poitrine s'en ressent* » (2 mars).

Dans l'entrée suivante, le 7 mars, elle annonce fièrement qu'elle a réussi à imposer son choix : « *J'ai gagné mon procès auprès de notre maîtresse, enfin je suis sortie victorieuse de la lutte engagée avec elle depuis la fameuse visite de Monsieur l'inspecteur. J'ai déclaré nettement et à haute voix que je ne voulais plus entendre parler de mes examens, qu'il était inutile de s'en occuper vu que ce serait peine inutile. Quand on m'a vue ainsi résolue et déterminée on m'a laissé la paix et enfin Dieu soit loué je suis en repos à l'heure qu'il est. Voilà ce que c'est que d'avoir une volonté ferme, on finit toujours par rester maître sur le champ de bataille.* »

Ce problème réapparaîtra néanmoins une dernière fois en septembre 1859. A ce moment-là Mme Neymark vient de vendre son établissement, Pauline part en vacances (mais, dans son esprit, pour toujours) chez sa sœur Sophie à Haguenau, et l'inspecteur lui demande si elle n'accepterait pas de rester avec la nouvelle directrice... (12 septembre). Elle dit poliment qu'elle va consulter sa famille, mais sa décision est prise.

Elle attend d'être mariée. Certes, pas n'importe comment. Mais enfin mariée. A propos d'un bal auquel elle ne va pas, faute de la permission de son frère, le 23 mars elle médite sur les changements qu'apportera son mariage :

Une fois que je serai dame, que j'aurai fait choix d'un ami, d'un compagnon, il n'aura pas grande peine à me procurer des distractions, tout me paraîtra nouveau, et si j'aime sincèrement celui qui me servira de protecteur je me plairai partout dans sa compagnie. Pourvu qu'il soit bon et qu'il m'aime, je serai contente, cependant je tiendrai beaucoup à ce qu'il ne soit pas bête, l'esprit à mes yeux est mille fois préférable à la beauté. Avec cela on est reçu partout avec plaisir et l'on se fait désirer dans toutes les sociétés ; tandis qu'un sot m'abrutirait encore davantage et que deviendrai-je alors grand Dieu ? Dimanche mon frère avant de partir nous recommanda de bien travailler afin de pouvoir nous donner un mari pour récompense. Quel beau but n'est-ce pas. Nous avons bien ri et combattu cette fausse idée et pour ma part je lui ai fait entendre en termes clairs et précis que loin d'être une récompense pour moi j'appréhendais le moment de mon mariage avec dégoût. Je n'ai pas besoin, lui dis-je, de sortir des mains d'un tyran pour être sous le joug d'un autre. Il a fort bien compris l'allusion de tyran que je lui faisais et il n'en a pas paru fort satisfait. Tant pis pour lui. Un proverbe populaire dit avec raison. Qui se sent morveux se mouche.

Il n'est pas vrai qu'elle appréhende le moment du mariage avec dégoût. Elle l'attend avec impatience, mais sans hâte inconsidérée, parce que certainement elle veut pouvoir choisir. Le 11 juillet, il fait une chaleur accablante, elle écrit une longue lettre à sa sœur Sophie, et puis, comme toutes ses broderies sont finies, elle se met à écrire une lettre... à son futur époux !

Je me suis amusée à écrire une lettre à mon futur époux, ce qui a beaucoup fait rire mes amies et m'a procuré les épithètes de folle, exaltée, que j'ai acceptées comme cela m'était offert, c'est-à-dire en riant. Il n'en est pas moins vrai que sans le connaître, j'aime déjà mon mari, je vois quelque chose de vague, d'indécis, celui enfin qui deviendra le compagnon de ma vie et j'y pense très souvent, je ne souhaite pas qu'il soit beau, je demande avant tout qu'il m'aime et qu'il sache me comprendre, qu'il ait de l'esprit et qu'enfin il se connaisse aux affaires. Si j'ai le bonheur et la chance d'en avoir un comme je le désire, je le suivrai au bout du monde, s'il le faut j'irai en Océanie au milieu des sauvages. Je ne demanderai pas de plaisirs, je ne songerai pas au luxe mais à la propreté et je mettrai tout mon luxe dans l'amour et l'estime de mon second moi-même. Oh que je serais malheureuse si je savais n'être pas aimée, je n'hésiterai pas une seconde à me donner la mort, mais Dieu protège les orphelins, il veille sur eux et il étendra sa divine protection jusque sur moi.

De toute façon, le mariage rôde. Son frère Joachim organise une « rencontre » pour le mariage de Joséphine, sa sœur cadette ! On lui recommande de rester dans une honnête réserve, de ne pas attirer l'attention sur elle... (21 avril). Sa camarade de pension Cornélie se fiance ! (26 mai).

Quand elle échappe enfin à la pension et espère passer l'hiver à Haguenau auprès de sa sœur Sophie, c'est pour « apprendre à conduire un ménage et à faire la cuisine » (5 septembre).

Le mariage... mais l'amour ? Ce n'est pas son genre, dit-elle. Elle est entourée d'amies de son âge qui ont un amour au cœur. Par exemple Léonie Godechaux est rêveuse, fait des mystères, ne veut pas dire le nom du jeune homme... « *Voilà où j'en suis, je n'ai que des amies qui sont amoureuses, rêveuses, mélancoliques, pourvu que le contact ne me fasse pas gagner cette maladie, c'est tout ce que je demande. Non, je ne veux point que Cupidon me perce de ses flèches, je ne veux point qu'il m'atteigne, du moins tant que je serai jeune fille. Plus tard cela me sera permis et encore à l'égard de mon mari seul* » (24 février). C'est bien raisonnable, ou bien innocent. Que sait-elle, que devine-t-elle ? — Elle raconte longuement comment un jeune homme lui a fait du pied dans l'omnibus (30 janvier). — En revanche, elle refuse de raconter un épisode qui a fait scandale dans la pension, pour ne pas salir son journal : « *Vraiment je crois qu'un régiment de soldats n'est pas aussi difficile à mener qu'un bataillon de jeunes filles. Elles sont toutes plus indisciplinées les unes que les autres, en ce moment encore il y a toute une histoire qui met la maison en rumeur, je me dispense de la raconter ici, elle ne servirait qu'à souiller les pages où elles sont écrites* » (12 avril). — Mais ce n'est pas de cela qu'il s'agit. Mais des sentiments. Quand elle sort de la pension, c'est pour aller chez son frère Joachim, ou pour aller chez une amie de la famille, Mme Hayman. Et là il y a un garçon de dix-sept ans, qu'elle traite de gamin, qu'elle passe son temps à taquiner, mais taquiner, on se demande finalement pourquoi...

Ce n'est peut-être pas lui, mais un autre, de toute façon nous ne le saurons jamais, mais voilà qu'un soir du mois d'août, elle écrit dans son journal quelque chose d'incroyable : elle, Pauline, qui écrit un journal garanti sans secrets (4 janvier), il se pourrait bien qu'elle ait un secret !

Je ne sais ce qui me prend depuis quelque temps mais il se passe une chose étrange en moi, je n'ose y songer sans rougir et j'ose encore bien moins l'écrire sur ce chiffon de papier. J'espère qu'avec le temps cela se passera, j'y mettrai toute ma bonne volonté mais je crains fort que cela ne suffise pas. Enfin si d'ici à mon retour de ma ville natale je ne suis pas guérie de ce germe qui semble prendre naissance en moi je l'inscrirai cependant mais ce sera avec peine. En attendant je ne veux pas en faire mention ni en parler à personne, on a déjà eu des soupçons sur moi à ce sujet et ce n'est qu'avec le rire et le mensonge que je suis parvenue à faire disparaître la question sur le tapis (22 août).

Ces soupçons, on va les voir à l'œuvre quelques jours plus tard, lors d'une conversation avec des camarades. Pauline se montre en train d'en rire à en avoir un point de côté, mais cette fois semble-t-il pour de bon, et non par stratégie de protection. On n'y comprend plus rien. On a l'impression que Pauline a oublié ce qu'elle avait écrit six pages plus haut, ou plutôt qu'elle se méfie de son journal, – de nous.

J'ai passé toute ma soirée à causer avec plusieurs de mes compagnes, je me suis bien amusée et j'ai ri de grand cœur. Une de ces demoiselles prétendait que j'avais un amour et que je savais fort bien le cacher, chacune a dit son opinion sur moi, j'étais en bonne veine et je me pâmais de rire. A la fin j'ai presque eu un point de côté, c'est que vraiment il y a de quoi (26 août).

Nous ne saurons rien de plus. Le journal s'arrête quarante pages plus loin. Pauline a décidé de passer l'hiver à Haguenau. Si son cœur avait été vraiment pris, elle aurait choisi de rester à Paris, elle le pouvait, puisqu'on la suppliait de rester à la pension comme sous-maîtresse. Donc elle a dû arracher la flèche de Cupidon. Mais tout cela est hypothétique. Ce qui m'a frappé, c'est ce moment, si rare, où Pauline écrit qu'elle n'écrit pas tout.

J'avais pris, dans mes notes, d'autres points de repère. Je les donne plus vite, en vrac. Parfois elle est radieuse. Une fois elle dit qu'elle a voulu se tuer. L'ombre du suicide passe le 29 juin, après une horrible scène avec son frère Joachim. Elle a envisagé de se tuer avec du « sel d'oseille » (?), puis y renonce. Mais elle parle facilement de suicide, puisqu'elle envisage aussi de se donner la mort si elle découvre que son mari ne l'aime pas (11 juillet).

Certains moments m'ont séduit. Par exemple, à l'aurore d'un jour caniculaire, la voilà qui descend écrire son journal au jardin :

Il est de bonne heure, je suis encore à jeun et cependant je sens un besoin infini de causer, d'épancher mon cœur. A défaut d'amie sincère et dévouée, je prends la plume et le papier, ma main trace machinalement ce que ma tête et mon cœur dictent. Je suis assise au jardin, devant une table de bois sous l'ombrage, les coqs chantent tout autour de moi et m'étourdissent les oreilles et les poules après avoir gratté la paille et cherché leur nourriture près du fumier se promènent autour de moi comme si elles cherchaient à deviner ce que je puis faire à une heure aussi matinale. La chaleur est accablante depuis quelques jours c'est pourquoi je suis si nonchalante, je possède à un certain degré le farniente *des Italiennes* (3 juillet).

Je glane de petites remarques sur les pratiques d'écriture. Elle écrit des lettres, dont elle pense elle-même qu'elles ressemblent à un journal : « *J'ai écrit hier une lettre si longue, si détaillée qu'on pourrait la qualifier du nom de journal* » (27 mars). Elle écrit des lettres dont elle pense qu'elles ont la même fonction qu'une conversation : « *J'ai écrit une lettre de huit pages à ma bonne amie Léonie, il me semblait tout le temps que je lui causais et que je l'avais auprès de moi* » (12 septembre). Mais son journal lui-même, elle l'appelle une « petite causette » *(passim)*...

Parfois elle demande à des camarades ou collègues d'écrire une page dans son journal pour ne pas les oublier ensuite : Jenny (15 février), Louise (5 septembre)...

Broutilles que tout cela... L'essentiel, c'est cette information si détaillée, si fraîche, répétitive certes, qui donne saveur à cette chronique intime. Pauline parle de tout, ou presque. De ses lectures, des rares spectacles qu'elle voit, de ses habits, de ce qu'elle mange, des gens dans la rue, des grands événements, du temps qu'il fait, de son emploi du temps, de ses humeurs et soucis, de sa famille, de la vie quotidienne de la pension. Elle en parle à la fois sans modèle et avec autorité. C'est du travail bien fait. Il m'est arrivé de penser (honte à moi !) qu'elle n'était pas très intelligente. Mais elle a une formidable volonté d'organiser et de guider sa vie, c'est-à-dire ici de la transformer en un univers de langage. Malgré son immense étendue un peu répétitive, et le fait qu'il ne se passe rien de notable pendant ces deux ans, son journal reflète une attitude dynamique. Très différent des journaux moraux, des chroniques obligées de jeunes pensionnaires. Aucun doute : Pauline était une personnalité.

Émilie Girette

Émilie Soalhat est née en 1876. Milieu extrêmement riche. Son père adoptif, Jean Girette, est architecte. Elle passe la saison d'été à La Baule et à Vichy. L'hiver, à Paris, elle travaille la musique, qui est sa passion. Elle est soprano. Amie et admiratrice éperdue de Gabriel Fauré, qui de son côté apprécie la manière dont elle chante ses mélodies, et en compose une spécialement pour elle. Elle participe très souvent aux concerts de musique de chambre qui se donnent dans le salon familial, et parfois dans d'autres salons. Elle fréquente de jeunes musiciens comme Alfred Cortot (né en 1877) et Édouard Risler (né en 1873).

Elle a presque vingt-cinq ans déjà quand elle prend ce cahier. Elle va le tenir plus de deux ans, du 19 juin 1901 au 6 octobre 1903. 167 pages. La raison pour laquelle elle le termine permet de deviner pourquoi elle l'a commencé. Voici la dernière phrase : « Je me marie le 4 novembre 1903. »

Il y a deux manières de lire ce journal.

C'est un document remarquable sur la vie musicale à Paris au début du siècle. On verra un Fauré familier, un Cortot montant des opéras de Wagner, et surtout ces salons grâce auxquels la musique de chambre était si vivante. On croisera Straram, Reynaldo Hahn, et bien d'autres. La chronique de sa carrière de soprano occupe la plus grande place, d'autant plus qu'Émilie n'emporte jamais son cahier l'été, ni à la mer ni à Vichy.

L'autre manière de lire ce journal, c'est de l'*écouter* comme de la musique. Comme une sorte de chant, de mélopée lancinante et énigmatique. Émilie elle-même, dès la première page, compare écriture du journal et musique. Elle fixe, en tête de portée, la clef, la tonalité, la mesure...

19 juin 1901. Mercredi

Notes de ma vie, notes littéraires, notes intimes, de l'intimité que tout le monde peut connaître, non pas celle du cœur. Peut-être pourrai-je un jour reprendre des notes du fond de moi-même. Ce jour est très lointain, séparé de moi par la silhouette très noire de choses désirées, craintes, mais pressenties avec angoisse.

Je travaille mon chant... Oui, je chante... Ce mot n'évoque-t-il pas la plénitude de bonheur, de gaieté, l'épanouissement? Chanter, c'est le soleil, c'est la lumière, c'est un éblouissement, c'est l'infini? Chanter... Peut-être est-ce aussi pleurer, souffrir, donner une voix à sa douleur, une couleur à ce qui est gris, une lueur à ce qui est dans l'ombre. Chanter, c'est souffrir. Chanter, c'est être consolé.

Et elle enchaîne avec sa joie de chanter accompagnée par Fauré, c'est le bonheur qui se rapproche le plus de l'amour... Cette première page dit tout : le désir « *de se rapprocher d'une autre âme dont on devine la moindre impulsion* », et l'infériorité de l'écriture par rapport à la musique. On devrait pouvoir s'exprimer dans un journal comme en chantant. Pourquoi ne le peut-on pas?

Parce que le journal peut être surpris. Mais aussi parce qu'on a soi-même peur des mots qu'on devrait écrire. Une des règles du journal de jeune fille traditionnel est qu'on ne saurait parler trop directement des souhaits qu'on forme pour son avenir : on ne doit pas *nommer* l'élu de son cœur avant qu'il ne se soit lui-même déclaré. Une vraie jeune fille ne fait pas le premier pas, même pour elle-même, dans l'intimité et le secret de son journal. Ce serait inconvenant, et surtout imprudent : s'il ne se déclarait pas? Elle peut n'en point parler du tout, et certains journaux-chroniques, comme celui de Cécile de Lafitte-Perron, pratiquent une ellipse si totale que le lecteur n'en aurait même pas conscience si Cécile, une fois obtenu celui qu'elle aime, ne se livrait, rapidement, à des aveux rétrospectifs. Ou bien si la jeune fille en parle, ce sera à mots couverts, par allusions plus ou moins voilées. Ce jeu de frôler un point sensible n'est pas sans douceur, si l'on a quelque espérance. Le cœur bat de s'aventurer à parler de lui, d'oser de timides imprudences, qu'on relira peut-être plus tard en souriant près de lui... Claire Pic, dans les mois qui précèdent la déclaration d'Adolphe (il la fera le jour de son dix-huitième anniversaire), est sur des charbons ardents, s'exprime à moitié, mais use encore d'un codage — assez transparent — en écrivant « X » au lieu du nom aimé. En revanche si l'on aime sans être aimée, ou si l'on rêve d'aimer sans savoir qui, la plus grande prudence s'impose. Le journal n'en parlera pas, ou recueillera des plaintes générales sur la vie, pleines d'un lyrisme consolateur.

Émilie a presque vingt-cinq ans. C'est une artiste de grand talent. Elle vit, comme Catherine Pozzi, comme Aline de Lens, dans un milieu très fortuné. Elle est décidée à épouser seulement qui elle aimera. Mais elle craint que sa mère ne surprenne son journal. Elle utilisera donc le langage indirect sous toutes ses formes. Cela rend l'interprétation délicate. On saisit le code général, mais on peut hésiter sur l'objet des allusions ou l'étendue des ellipses. Et on risque, en sens inverse, ne pas saisir que si Émilie parle longuement, lyriquement, presque amoureusement, de ses relations privilégiées avec Gabriel Fauré, c'est parce que dans ce domaine l'expression est permise (c'est un génie, un homme d'une autre génération, il est marié) : les excès à son endroit compensent des manques à l'endroit d'autres personnes...

Je vais parcourir rapidement le journal. Émilie termine parfois ses entrées par un gentil « Bonsoir », mais plus souvent par un mot qui est sa devise et son refrain : « Spero ». Son journal n'a que deux thèmes : les joies de la vie musicale, l'attente désespérée du bonheur. *« Je me raccroche à mon chant autant que je le puis »* (30 juin 1901). Le premier thème est développé, le second rapide, mais ils sont toujours liés. Le croquis que je vais faire, centré sur le second thème, va apparemment inverser les proportions. En fait, dans mon idée, il les rétablit dans leur vérité. Après son mariage, la vie musicale et sociale d'Émilie a été encore plus riche et passionnante qu'avant, mais elle n'a plus éprouvé le besoin de la noter...

Les longues séquences de chronique finissent souvent par de brefs « envois » douloureux — pente fatale... Nous sommes le 30 juin 1901. Émilie fait des plans pour l'année prochaine, des petits « mardis » musicaux intimes... Mais...

Et puis il faut aussi que Fauré ne nous lâche pas trop ; en ce moment il est charmant pour nous, demain il peut nous avoir oubliés : c'est le droit des esprits de cette valeur d'être inconstants et fantaisistes.

Pour leur en vouloir il faut ne pas les comprendre ; cela me rappelle ce que me disait Henriette Régnier au sujet de sa harpe ; comme je lui demandais si cette extrême facilité à se désaccorder par la température n'était pas bien ennuyeuse : « comment voulez-vous que je déplore cette sensibilité puisque c'est elle-même qui fait le charme et la valeur de cet instrument ».

Je trouve une fois de plus que le bonheur ne consiste pas à être calme et j'aimerais mieux être, dans la vie, auprès d'esprits d'élite et de grandes intelligences, dussè-je en souffrir. Sans quoi ? que faire en la vie ? Ce qui ne supprime pas les devoirs du cœur, au contraire.

Ah mon Dieu, où en serai-je l'année prochaine à cette époque-ci ? L'attente d'une souffrance quelconque inévitable est affreuse. Mais je veux être courageuse. Je me sens triste aujourd'hui. J'attends trop de la vie et je serai déçue.

D'autres, comme la femme de Fauré, ont des bonheurs qu'elles n'apprécient pas et qui au contraire sont pour elles des chagrins. Elles sont jalouses au lieu de jouir d'être seulement un rayon, un parfum, pour une vie, pour un être si différent de la masse, si supérieur à la réalité.

Le journal s'interrompt le 10 juillet : elle part pour Paramé, puis Vichy. Il reprend à son retour à Paris le 6 novembre. Le 21 novembre, longue lamentation imprécise sur ses souffrances morales. Début décembre elle met au net quelques notes prises au cours de l'été : sa lecture de *Dominique* ; un clair de lune à Pau ; une mélancolie à Vichy. Puis c'est la chronique régulière d'un hiver occupé par ses leçons de chant, ses dialogues avec Fauré, des concerts, Cortot, une représentation de Sarah Bernhardt, qu'elle adore (« Que dis-je là... Heureusement que ce cahier est pour moi seule ! quels goûts ! », 1er février 1902), une soirée costumée avec Fauré... Justement il va composer une mélodie pour elle... En mars 1902, succès publics en chantant des mélodies de Fauré (8 mars) et le « Pie Jesus » de son *Requiem* (25 mars)... Joie et exaltation... Elle suit, au printemps, les répétitions du *Crépuscule des dieux* qu'Alfred Cortot est en train de monter. A un souper après une représentation (18 mai), elle note la gentillesse revenue d'Édouard Risler à son égard, et fait de lui un portrait enthousiaste :

Risler c'est un génie, car c'est l'homme complet. Il me plaît toujours autant. Je le trouve même un peu adouci. Il sera, un peu plus tard, si la souffrance lui met au cœur ce qui peut encore lui manquer, l'expression la plus complète, la plus définitive d'une grande intelligence humaine, il atteindra les sommets les plus hauts où l'esprit humain parvienne... Car la souffrance est sachante plus que tout, rien ne peut la remplacer, c'est la grande éducatrice des âmes. Il faut la connaître.

J'ajoute cependant que trop longtemps souffrir est peut-être inutile... est-ce une lâcheté de ma part, à un certain degré la souffrance peut rendre mauvais. J'en suis là en ce moment, à penser que le découragement est stérile, et que la vie grise est désabusante, alors on est stationnaire, même on peut reculer et le dégoût amène l'insensiblité avec le cynisme.

Nous voilà au printemps, et Émilie a horreur du printemps, *« la vie qui rayonne autour de soi vous fait trouver les pensées noires plus amères encore »*. Le mois de juin est particulièrement pénible : sa saison musicale est finie, elle n'est pas encore partie pour ses villégiatures d'été. C'est dans ce creux angoissant qu'elle avait commencé son journal l'année précédente...

Jeudi 19 juin 1902. 7 h.

Il y a juste un an que j'ai commencé ces petites notes. Quoi d'amélioré depuis ? ?

Je suis sans forces maintenant. J'ai hâte de quitter Paris. Et pourtant je redoute le voyage et l'arrivée là-bas, à La Baule. « Les Courlis », sera-ce bien ? « Les tristes courlis annonciateurs de l'automne. » Je pense toujours à cette phrase de Loti [...].

Oh ! comme je voudrais pouvoir tirer une ficelle, comme la petite fille dont parle un conte de fées que j'ai lu autrefois, et la bobine amènerait la fin de l'année. Je voudrais bien y être ; au mois de Décembre par exemple.

Enfin patience... pour changer !

J'ai arraché l'autre jour mes deux premiers cheveux blancs, à chaque tempe. Faut-il l'avouer ? j'ai pleuré. – Je ne suis plus une toute jeune fille. J'aurai 26 ans le 9 Sept. Et mon âme, et mon caractère surtout, sont encore bien plus vieillis. Pourrais-je jamais remonter le courant. Je suis très découragée et très aigrie.

Le mois de juin est interminable. Tous les ans je le redoute et il dépasse toujours en angoisse ce que je craignais.

Je voudrais revivre en Égypte, en Galilée, au milieu des mosquées et des tombeaux, voir le soleil se coucher au désert, avoir le rêve dans l'âme, le rêve lent et fataliste des orientaux. Enfin pour Maman *il* faut *que je vive. Mais j'ai besoin de plus d'énergie pr cette vie de tous les jours monotone que pour toute l'année entière.*

Le 22 juin elle arrache son troisième cheveu blanc. Elle se révolte :

Chaque être a évidemment le droit *de vivre et d'avoir le bonheur ; et ce* droit *devient un* devoir *quand le bonheur et l'existence d'une autre personne en dépendent. On doit affirmer sa volonté et sa personnalité à un moment donné et se dégager de ses entraves. Ensuite, mais seulement ensuite, on peut voir où est le devoir et mener une vie réellement* sienne. *Le reste est un état d'attente qui ne peut être que provisoire. Si la mort vous surprenait on pourrait dire qu'on n'a pas encore vécu réellement. Les actions bonnes ou mauvaises, le genre de vie bien ou mauvais, ne sont jamais que le résultat de l'impulsion des autres et non pas de* soi. *Le libre arbitre est presque supprimé mais chaque être ayant en soi un principe vital (et les natures très vulgaires peuvent seules en manquer) sent bouillir et éclater bientôt le rayonnement de cette vie, comme tous les êtres, même inférieurs, dans la nature ; les « devoirs envers soi-même » sont une mauvaise morale ou tout au moins une plaisanterie, mais les droits, en restant dans le bien et le beau, sont très vrais, et chacun sent en soi, à un moment donné, l'instinct, très noble pourtant, de vivre et d'agir, pour soi, ce qui est très compatible avec les devoirs envers les autres.*

Ce mois de juin ne finira jamais.

Je voudrais être déjà à La Baule.

Elle s'occupe à lire : Henri Heine, délicieux ; Stendhal, qu'elle n'aime pas, — elle lui préfère Renan. Elle envie ceux qui ont la foi, *« comme me disait Risler l'autre soir, "tout le monde est religieux". Je le suis en effet, mais le principe abstrait de beauté auquel je crois, est inactif »*. Elle a quelques conversations stimulantes avec Fauré, mais elle rit douloureusement quand il lui conseille... de ne pas se marier trop tôt ! (29 juin).

Il aurait grde envie de venir à La Baule. Mais à cause de sa femme, etc, il ne croit pas cela possible. « Ne vs pressez pas trop de changer votre vie [me marier] qui doit être délicieuse », m'a-t-il dit ! !

Comme l'année précédente, le journal s'arrête pendant la saison d'été (La Baule de juillet à novembre, Vichy en novembre). Il recommence le 8 décembre 1902, dans une tonalité très sombre. Émilie est dans « une mauvaise passe morale », se sent « misérable », multiplie les déclarations dépressives et... imprécises. A la fin de janvier et en février pourtant, on la voit aborder, pour la première fois dans ce journal, des sujets qu'on peut supposer liés à sa mélancolie : la sensualité, et le mariage.

Son ami Maurice Pilliard vient de commencer ses études de beaux-arts, et il a été surpris par la grossièreté de ses camarades d'atelier. Émilie, elle, n'est pas étonnée : l'art est lié à l'instinct. De l'artiste elle dit que *« ses sens, ses appétits grossiers qui ont servi à l'élever dans le domaine du Beau avec tant de violence souvent, font de lui ensuite un être matériel et tout d'instinct »*. Les littérateurs sont plus pervertis mais plus fins. La grossièreté de l'artiste ne l'étonne pas, mais la dégoûte. « *En ce moment la distinction, la finesse me sont plus chères que jamais. Je subis peut-être quelque influence* ». Ah !... De qui ? ce n'est pas dit. Elle enchaîne en faisant un très long compte rendu d'un livre de Ruskin qu'elle vient de lire (24 janvier 1903). Quatre jours plus tard, longue conversation avec Maurice (28 janvier) :

Hier j'ai parlé avec Maurice P. des artistes et de ce que je pensais à ce sujet (Ruskin, ses opinions etc.), il n'est pas toujours de mon avis (heureusement, car je le devine bien plus « fort » que moi et j'en jouis) – neot om ni dunqsipf vuykuy to coip iv qipfepv ryi pt deytoupt ettot tys mi fowep (rivov temup) nommi ofuit ni jepveoipv ryo m eyseoipv coip ivuppi – Je relirai ces lignes plus tard, je me comprends, cela me suffit... Où en serai-je dans un an le 28 janvier 1904 ? ?...

Je vais travailler mon chant pour demain.

Elle se comprend, et vous pas : elle a eu recours à un alphabet codé ! Un quart de seconde vous vous demandez ce qui est codé. Qui sait, de douces paroles ? un baiser ? Ne perdez pas votre temps. Rassemblez vos souvenirs d'enfance, votre intuition, et cherchez le code. Voilà : chaque voyelle a été remplacée par la voyelle suivante dans l'ordre de l'alphabet, chaque consonne par la consonne suivante. Je vous laisse le plaisir de déchiffrer.

On est frappé d'abord par le caractère élémentaire du code, et par la timidité du message codé. C'est à la fois une exhibition et une mise en abîme du secret. L'emploi du code envoie un premier message : « attention, je cache quelque chose ! ». Et le message codé ne fait que redire la même chose : « si Maurice savait ce que je cache, il serait bien étonné !... ». Bouche cousue fermée à double tour. Mais en même temps ces lettres brouillées permettent aux rêveries sensuelles d'Émilie de se promener librement dans le texte et de se vautrer sur le divan du petit salon sans que nous les voyions. Elles deviennent comme le symbole d'un fleuve de choses non dites qui coule sous le texte du journal, des couches géologiques profondes qui n'affleurent que dans cette faille, mais expliquent peut-être les vapeurs mélancoliques qu'on voit sourdre partout à la surface.

Le mois suivant Émilie reviendra sur son désir d'un espace d'expression intime protégé (28 mars 1903) :

Plus tard, j'aimerai à avoir un bureau fermant bien à clef, avec un mot par exemple, comme les coffres forts, et alors le petit cahier pourrait être réellement le récepteur de ma vie, de la seule vie intérieure; les événements sont secondaires, les pensées seules peuvent compter. Ici je ne puis pas écrire. Je crains les regards indiscrets.

C'est pourquoi l'essentiel du journal est en apparence une chronique, mais dérive sans cesse vers des confidences qui tournent court ou des déclarations générales dont l'enjeu précis reste voilé. Émilie se comprend. A nous de la comprendre non pas à demi-mot, mais à dixième de mot... L'hiver est la saison qu'elle préfère, l'activité musicale et sociale bat son plein. Elle chante le solo soprano de la messe de Beethoven pour remplacer une chanteuse défaillante... Elle fait le portrait du chef d'orchestre Straram et raconte son histoire, une vraie histoire à la Dickens... On reçoit des nouvelles de Risler (13 février)...

Maman reçoit à l'instant une carte postale de Risler. Il est gentil cette année et ns écrit souvent de Bayreuth et d'ailleurs. Voilà un artiste... un vrai. Un des plus grands qui soient actuellement. Ce sera gentil quand il va revenir. En ce moment le mariage me fait horreur. La vie que je mène, libre, indépendante, mouvementée, dans un milieu charmant, me plaît infiniment. A quoi bon me mettre sur le dos un mari jaloux, triste, exigeant qui me rendra malheureuse du matin au soir. Je sors seule, je travaille mon chant, je m'amuse, je vois des artistes... et je changerais tout cela? Non, mille fois non!...

La première fois que j'ai lu ce passage, je l'ai rapproché des déclarations analogues de Catherine Pozzi, et me suis demandé si elle rêvait à cette chose exorbitante, impossible : aimer en dehors du mariage. J'avais sous-estimé le rapport possible entre les deux parties du paragraphe. Les quelques lignes sur Risler semblaient si sereines : rien d'une passion contrariée... Il est gentil, ça sera gentil de le revoir. On verra que j'avais mal lu.

Le 29 avril, joie éclatante, triomphe. Elle remplace de nouveau au pied levé une chanteuse défaillante pour le solo soprano de la messe de Beethoven, cette fois avec orchestre, et c'est un succès. Elle le manifeste en écrivant deux fois plus gros que d'habitude. Vaudoyer, qui l'a demandée en mariage, et qu'elle vient de refuser, bénéficiera de cette écriture gigantesque :

Ce pauvre Vaudoyer se console... Juliette a très bien arrangé tout cela et il n'y a aucune gêne entre nous. Elle a dit seulement que je ne voulais pas me marier. *Il se consolera, il n'est pas le premier...*

Quand je pense que ceux que j'accepterais ne me demanderont jamais... ! Spero !

Quoi ?... Ai-je bien lu ? Pour la première fois, Émilie reconnaît explicitement qu'elle pense à quelqu'un. Une dernière pudeur lui fait dissimuler, sous un pluriel qui ne trompe pas, un choix bien évidemment singulier... Son dégoût du mariage n'est pas aussi général qu'il paraissait le 13 février, et il faut relire cette entrée d'un autre œil.

Mais ce n'est pas la peine : à partir du début de mai son cœur éclate, elle perd progressivement toute prudence. Le lecteur, qui n'a que le journal pour comprendre ce qui se passe, est stupéfait de ce changement de ton en quelques jours. Édouard Risler est revenu d'Allemagne. Il donne, le dimanche 3 mai, un concert « inoubliable de beauté complète » :

Melle Lyon aussi enthousiasmée que moi et que de Joville. Nous gémissons à l'unisson d'être forcés de retomber ds la réalité grise, de voir des boutiques ds la rue, de retourner chez soi... heures très douloureuses toujours, celles qui suivent les grdes émotions d'art, qui font oublier et qui procurent une joie profonde. Et Risler lui, porte tout cela en lui, partout... *Ah ! 10 ans de cette vie-là, et puis mourir ensuite.*

Ce qu'implique cette dernière formule sera explicité quelques jours tard après de nouvelles rencontres. Elle compare Risler à Cortot, grand artiste lui aussi, mais homme peu estimable...

Lui, Risler, qui est si grand, si beau, noble et sain, de corps et d'esprit – c'est un génie ! – Quelle joie d'être la femme d'un tel homme !
Mais en général ils ne tiennent pas à se marier.

La dernière, mais infime, réserve d'Émilie dans l'expression de sa passion consiste à employer des tournures impersonnelles et générales, en évitant la première personne. Dans le passage suivant (nous sommes toujours au début de mai), Émilie fait un pas de plus en juxtaposant les deux modes d'expression :

Pris ma leçon chant pas mal chanté amours du poète. Risler vient lundi. Que chanterai-je. Quel trac mon Dieu ! il ne m'a jamais entendue ! Spero ! ah ce rêve de vivre auprès d'un tel être. On doit devenir meilleur s'ennoblir à son tour près de tant de beauté. – Enfin – Je veux me raccrocher à la vie mais je suis désespérée.

Pourquoi Émilie devient-elle brusquement capable d'exprimer dans son journal un sentiment qui devait y couver depuis si longtemps, de franchir cette barrière ?... Le lecteur de journal doit construire un roman, voici mon hypothèse. Elle est capable d'écrire cela dans son journal parce que, depuis ce 3 mai, sa conduite l'a manifesté aux yeux d'Édouard Risler. Elle *sait*, au fond d'elle-même, qu'il a lu dans ses yeux ce qu'il en était, même si elle n'est pas sûre de sa réponse... Comment expliquer autrement, d'ailleurs, la suite foudroyante des événements ?

Lundi 11 mai, Risler est venu et après le dîner il a accompagné Émilie au piano. Elle avait d'abord le trac puis elle s'est remise... Il a été aimable, mais Émilie ne peut absolument plus se souvenir de ce qu'il lui a dit... Quelques jours plus tard il suggère à la famille Girette de l'accompagner dans le séjour qu'il doit faire à Londres au mois de juin... Elle espère que ses parents vont accepter. Ils acceptent... Jusqu'au début de juin Émilie est visiblement sur des charbons ardents, à un très haut degré d'émotion, elle essaie de ne pas s'abandonner à un espoir qui pourrait être déçu...

La dernière entrée avant le voyage en Angleterre est datée du 6 juin. Reprenez votre code secret :

Aujourd'hui j'étais rentrée seule à la maison. Vers 6 h, Risler est venu apporter lettre de Londres pr hôtel. – Je lui ai dit bonjour ds le bureau. Il a été très gentil. → Nous partons mercredi seulement ; à 11 h matin, à cause de Fridrich. Risler a invité sa sœur Amélie. Ce sera gentil. Il est bon et gentil, et pr les siens attentionné. om ni tineme ry om e ivi hipvom ewid nuo, om itv vuyv eyusi ruys nuo ! tapt fuyvi – ommytoup ! ki tyot oprgoivi – ft jyov kuyst ? ?

Elle est inquiète, se demande si cette gentillesse à son égard est une illusion...

Il va falloir qu'elle attende pour savoir...

Nous, il nous suffit de tourner la page... A Londres, le 16 juin, Édouard Risler demande Émilie en mariage.

Le journal est quasiment fini. Il ne reste plus que six pages, trois entrées. On sent qu'il n'y a plus aucun rapport entre ce que vit Émilie et les quelques phrases qu'elle écrit. L'effet produit par cette vertigineuse accélération et cette ellipse est d'autant plus intense que le lecteur a suivi pas à pas les mélancolies et les espérances de la jeune fille. Elle entrouvre son cahier trois fois, comme pour envoyer un ultime message à celle qu'elle a été... Il lui suffit d'inscrire les quelques mots qui donnent sens à tout ce qui a été vécu et écrit avant... Elle ne veut pas gâcher son bonheur à l'écrire. Et nous, lecteurs, nous sentons que nous n'avons plus rien à faire ici...

La première entrée date du 9/10 juillet 1903 à 2 heures du matin. En voici l'essentiel :

Il y aura demain (aujourd'hui) un mois du départ pour Londres. . . . .
. . . .
. . . .
. . . . *Je ne puis écrire*

à ce sujet, les mots sont trop brutaux... Les mots tuent *des choses morales aussi admirables...*

Le 16 juin, *un* mardi, *entre 11 h et midi ds* Hyde-Park *– des instants retirés de ma vie ! des moments où la réalité est loin, si loin ! – on y échappe, absolument. Il avoir traversé de ces heures-là pour* connaître, *pour vivre [...].*

Quel rêve mon Dieu ! Merci mon Dieu. Je pourrais plus facilement maintenant croire *puisque ma foi en la beauté de tout m'est revenue ds une plénitude éblouissante de confiance et de reconnaissance.*

Et ma Maman bien aimée ?

La seconde entrée est un petit mot bref écrit le 28 juillet avant de partir passer l'été à La Baule. Elle se termine par : « *Adieu à ma petite chambre rose. Spero ! Au mois d'Octobre ! !* » La dernière entrée est datée du 6 octobre. Émilie vient de revenir de La Baule, où Édouard Risler l'avait rejointe le 18 août. La dernière ligne annonce : « Je me marie le 4 novembre 1903. » Je laisserai à Émilie le mot de la fin en citant le passage où, « bouclant » son journal, elle compare, comme au début, écriture et musique.

L'écriture peut aider à passer des temps de douleur et à attendre. Elle est capable de dire « Spero ».

Sans doute la musique seule peut-elle dire « Amo »...

Retour de la Baule aujourd'hui. Temps de rêve, presque fou. Quels beaux souvenirs mon Dieu !

J'ai presque l'impression de n'en avoir pas encore assez joui ! Hier soir à cette heure je me promenai seule *sur la plage ds la clarté lunaire d'une lune invisible mais l'horizon était lumineux, c'était beau et je vivais mon bonheur !*

Ns voilà séparés ce soir pr la 1ère fois depuis longtps. Je suis triste. Pourvu qu'il n'arrive aucune chose mauvaise, obstacle quelconque à la réalisation de notre rêve... accident, que sais-je ?

Je n'écris que pr les dates car écrire en ce moment m'est impossible. Je craindrais de faire évanouir toutes ces visions en les précisant, et puis c'est trop beau pour pouvoir en parler... il faudrait le dire en musique.

Autoportraits

Claire Pic

Au reste, à quoi bon continuer : je me peins constamment en écrivant ce journal, et il n'est que pour moi.

Cette phrase m'a frappé.

Elle servait à clore un autoportrait, que je n'avais pas encore lu, dans le journal inédit de Claire Pic (1848-1931). Son arrière-petite-fille, Chantal Chaveyriat-Dumoulin, m'avait communiqué quelques extraits des commentaires que Claire faisait sur sa pratique du journal. Depuis, j'ai lu le journal entier, dont le début fourmille d'autoportraits. Avant de les évoquer, je voudrais dire pourquoi cette phrase m'a frappé. Mais d'abord, je présente rapidement Claire et son journal.

Son père est médecin à la maternité de Bourg-en-Bresse. Elle a un jeune frère, de trois ans plus jeune. Elle perd sa mère quand elle a onze ans. Elle commence à tenir son journal en décembre 1862, peu avant son quinzième anniversaire : quatre cahiers (1030 p.), où elle écrira pratiquement jusqu'à son mariage en 1869. C'est à la fois un journal de vie intérieure — l'étude des autoportraits privilégiera ici cet aspect — et une chronique précise de la vie familiale et sociale, menée avec perspicacité et spontanéité. Cette période se divise en deux : les fiançailles, qui ont lieu le 7 janvier 1866, sont un tournant dans la vie, mais aussi dans l'écriture du journal.

Avant les fiançailles, de quinze ans à dix-huit ans, Claire complète son éducation, et hésite sur sa vocation. Elle opte d'abord pour le célibat : elle se consacrera à aider son père et son frère, et à se perfectionner moralement. Ces idées de célibat s'estompent peu à peu : la présence, dans son entourage, d'un jeune homme qui s'intéresse à elle, qui ne lui déplaît pas du tout, et dont elle devine qu'on le lui destine, lui fait envisager la perspective du mariage. Les derniers mois, elle est sur des charbons ardents. Immédiatement après son dix-huitième anniversaire, le jeune homme, Adolphe Dufour, se déclare, et elle l'accepte.

Les fiançailles dureront plus longtemps que prévu. Adolphe, en effet, tombe gravement malade pendant l'été 1866. Claire n'a connu que quelques mois de fiançailles heureuses. Les trois années qui suivent seront pour elle difficiles et tourmentées.

La petite phrase qui m'a frappé date du 18 août 1863. Claire a quinze ans et demi, et vient de consacrer plusieurs pages à un grand autoportrait physique et moral. C'est la première fois qu'elle se peint ainsi de manière systématique. Ce n'est pas la dernière... Elle ne s'interroge sur les raisons de continuer que parce qu'elle vient justement de finir. Cette formule de prétérition conclusive m'a semblé éclairer d'un seul coup la plupart des questions qu'on peut se poser sur la fonction de l'autoportrait dans le journal intime. Je laisse Claire un instant pour suivre le fil des réflexions qu'elle m'a suggérées.

« *Je me peins constamment en écrivant ce journal...* » Il faut donc distinguer l'autoportrait « endémique » (fragmentaire, éparpillé, répété) de l'autoportrait « ponctuel » (synthétique, organisé, unique). Distinction parfois difficile, car il y a des formes intermédiaires : certaines notations développées prennent la consistance d'un autoportrait partiel. Mais distinction nécessaire, puisqu'elle met en évidence les deux pôles de la dynamique du journal : dissémination/concentration ; passage/permanence. Mon étude portera sur les autoportraits synthétiques, mais devra s'interroger sur leurs fonctions par rapport aux entrées « ordinaires » du journal.

Me voici donc avec une série de questions. Je les formule schématiquement. Un même journal peut-il contenir plusieurs autoportraits en forme ? L'autoportrait est-il la synthèse, la cristallisation d'une série d'observations antérieures ? Le journal serait alors une sorte de laboratoire, d'observatoire, et l'autoportrait le rapport de synthèse qui en est tiré. Cette synthèse est-elle fondée sur la *relecture* du journal? L'autoportrait, une fois construit et consigné, sert-il lui-même, dans la suite du journal, de point de repère ? Rend-il certaines choses inutiles à dire (à la manière du code chiffré employé par Benjamin Constant), ou au contraire est-il une vérité provisoire immédiatement remise en cause ? Cette remise en cause pourrait être rendue nécessaire par deux types de prises de conscience : l'erreur (on ne se connaissait pas bien, on va rectifier le portrait), le changement (on a évolué, il faut faire un nouveau portrait).

L'autoportrait « en forme » ne doit pas être isolé du mouvement du journal. Il est en interaction avec ce qui précède et ce qui suit. Mais pourquoi, à tel moment, ce désir de synthèse? Quels sont les événements déclencheurs? les éléments catalyseurs? Quels sont les modèles (religieux, sociaux, littéraires) de cet acte? et surtout les fonctions?

« ... *je me peins constamment en écrivant ce journal,* et il n'est que pour moi. » Claire a l'air de dire que construire un autoportrait en forme ne serait utile que si l'on voulait se présenter à autrui. Il ne serait pas nécessaire, pour soi-même, de rassembler sa propre image pour la regarder. On a bien sûr envie d'affirmer immédiatement le contraire. Dans les relations interpersonnelles ou sociales, l'autoportrait est une procédure exceptionnelle. Il est très rare qu'on ait à présenter aux autres une analyse de son caractère, ou un tableau de son physique. En peinture même, l'acte de l'autoportrait est un vrai paradoxe : vous présentez à autrui ce qu'autrui, par définition, connaît mieux que vous, et que vous êtes le seul à ne pas connaître directement! Ce qui domine dans les relations sociales, c'est le *portrait*, abondamment, et souvent méchamment, pratiqué. Votre image, la vérité de votre moi n'apparaissent rassemblées que dans l'œil et le discours des autres. On construit un autoportrait pour récupérer cette forme du regard d'autrui en lui donnant un contenu personnel, et cet acte de récupération a d'abord une fonction *pour soi*, même si on peut envisager une réutilisation sociale de cette construction. L'expérience intérieure est floue, labile, ambiguë. L'autoportrait est un moyen de se construire, de se repérer par rapport à des cadres (idéologiques, psychologiques, religieux) et d'acquérir un sentiment de maîtrise de son propre être. On prend le rôle de celui qui peut vous évaluer et vous définir. L'important est la position qu'on occupe imaginairement, celle d'une sorte de sur-moi, qui vous donne sur vous l'objectivité de l'autre...

Mais à ces réflexions il faut immédiatement que j'en ajoute d'autres, qui m'ont été inspirées par la lecture des autoportraits eux-mêmes. Je les évoquerai plus vite, puisque je vais les retrouver tout au long de cette analyse.

Les autoportraits successifs de Claire sont liés à la construction d'une identité *future* plus qu'à la constatation d'une identité présente : leur dimension projective est essentielle. Peut-être est-ce un trait particulièrement accentué dans l'écriture adolescente.

Les deux regards portés sur elle, et qu'elle tente de reprendre à son compte, sont, d'un côté celui de Dieu, de l'autre celui du (futur) fiancé. Dieu voit l'âme. Le futur fiancé voit le caractère et le physique. J'aurais pu appeler cette étude : « Le confessionnal et le miroir ». Deux « genres » discursifs correspondent à ces deux regards : l'*examen de conscience* et le *portrait*. Cette situation est imposée à Claire, comme à la plupart des jeunes filles bourgeoises catholiques de son époque. C'est d'une certaine manière *contre* cette situation qu'elle a cherché à se définir, en trouvant une troisième voie, la possibilité d'exister comme personne.

J'ai été impressionné par la sensibilité et l'intelligence de cette très jeune fille, par la qualité de son écriture, et par la rigueur de l'éducation dans laquelle elle s'enferme. Je ne dis pas qu'elle y est enfermée, puisqu'elle collabore activement à cet enfermement. Car les deux avenirs qu'elle envisage, le célibat ou le mariage, sont, en fait, deux versions d'une même servitude : se dévouer à son père, ou se dévouer à un mari. Il n'est pas prévu qu'elle vive pour elle-même, par elle-même. Une jeunesse étouffée :

J'ai eu tous ces jours des luttes assez vives contre mon imagination et mon cœur. J'ai souffert de les comprimer, et de réprimer ces élans de jeunesse si purs, et si vifs. La raison le voulait, mais j'en ai été très triste. Mon cœur s'est plaint hautement et vivement de cette vie, où dans les années réputées les plus belles, il est déjà froissé, renfermé, où on lui arrache ses illusions, où on heurte ses convictions, où on lui défend les rêves d'avenir qui lui paraissent si doux à former (8 octobre 1864).

J'ai été impressionné aussi par la quantité et la qualité des autoportraits, — du moins dans la période qui précède les fiançailles (décembre 1862–janvier 1866). Claire compose quatre autoportraits physiques, et au moins une quinzaine d'autoportraits moraux : dans les deux cas, la suite des portraits forme système, raconte son histoire. Du jour où elle se fiance, le flux d'autoportraits se tarit. Son identité sociale est décidée pour toujours, n'est plus sujette à interrogation. Non que le souci moral et l'esprit d'examen disparaissent, au contraire. Mais ses méditations ne prennent plus guère cette forme-là.

Dans les premiers temps, le journal de Claire est également plein de portraits (moraux et physiques) de ses amies, qu'elle pratique presque comme un jeu de société. Il sera tentant de voir si elle emploie pour se peindre elle-même la même technique.

Enfin, peu de temps avant son mariage, en 1868 ou 1869, elle a fait d'elle-même un portrait en peinture, qui a été conservé.

Donc un corpus d'autoportraits riche et fascinant. Est-il exceptionnel ou représentatif ? On trouve un autoportrait physique classique chez Mireille de Bondeli (il sera cité plus loin), et toute une série époustouflante chez Marie Bashkirtseff (qui n'a rien de la sagesse et de la modestie chrétienne de Claire Pic...) ; dans le journal d'enfance de Marie Lenéru, un long autoportrait moral fait selon la technique de l'examen de conscience, et on lira plus loin, dans un style plus moderne, celui de Renée de Saint-Pern. Marie Bashkirtseff et Julie Manet, qui étaient toutes deux peintres, ont bien sûr fait leur autoportrait. Les pratiques de Claire Pic sont celles des autres jeunes filles de son époque et de son milieu. Son originalité est d'avoir associé toutes ces sortes d'autoportraits et d'en avoir fait en quelque sorte la ligne directrice de son journal comme le fera plus tard, elle aussi, Catherine Pozzi.

Autoportraits moraux

Je vais tenter d'en donner une série de « croquis ». Le journal de Claire est inédit : impossible d'y renvoyer le lecteur. Les autoportraits sont parfois très longs (plusieurs pages) : impossible ici de les citer. Ils sont nombreux (seize, du moins dans mon découpage, qui comporte une part d'arbitraire). J'évoquerai un peu en détail les quatre premiers, puis regrouperai en série les douze autres. Mais voici d'abord leur liste, avec des points de repère chronologiques et thématiques :

1. 18 août 1863. Autoportrait systématique, physique et moral. Il se termine par la phrase que j'ai citée au début : *« Au reste, à quoi bon continuer... »*
2. 24 août 1863. *« Interroger les mystères de mon cœur, de ma pensée... »*
3. 8 janvier 1864. *« Qu'il est difficile de se connaître soi-même... »*
4. 14 avril 1864. Méditation sur l'observation de soi, ses dangers, ses limites.
5. 2 mai 1864. *« Si nous étions au temps des fées... »*
6. 14 mai 1864. Vers l'humilité. En lisant le journal, *« on me croirait bien meilleure que je ne suis... Je sais si bien me faire valoir... »*.
7. 20 août 1864. Portrait nostalgique du « double » qu'enfant elle s'était inventée : « Claire de Vergy ».
8. 19 septembre 1864. *« La jeunesse est bien précieuse. Je jouis vivement de cette fraîcheur d'impression... »*
9. 28 novembre 1864. Retraite. *« Je me suis confessée à lui. Il m'a dit... »*
10. 5 mars 1865. Examen de conscience.
11. 12 mars 1865. « *Je suis effrayée de mon orgueil...* » Autoportrait systématique en orgueilleuse.
12. 5 juillet 1865. Autoportrait en mère de famille.
13. 24 septembre 1865. Autoportrait en artiste.
14. 29 septembre 1865. Autoportrait en épouse.

15. 6 décembre 1865. Autoportrait en liseuse.

16. 16 décembre 1865. Autoportrait systématique, psychologique, intellectuel et moral.

Les autoportraits physiques que j'évoquerai ensuite sont, pour trois d'entre eux, des parties d'autoportraits d'ensemble (1, 7, 11), le quatrième est autonome. C'est d'ailleurs par le physique que Claire attaque, courageusement, son premier autoportrait le 18 août 1863. Elle a déjà fait le portrait de ses amies Laure et Gasparine (2 mai 1863) et celui de Noémi (23 mai 1863), au moral comme au physique. C'était « pour suivre l'exemple de ces demoiselles » (2 mai). Peut-être ces demoiselles ont-elles justement fait le portrait de Claire... Mais quand, le 18 août, elle décide de s'appliquer à elle-même cette technique de description, il s'agit de tout autre chose...

La technique est la même, apparemment. Le portrait est à la fois *cloisonné* (on prend successivement le physique, puis le moral ; chacun des deux est divisé en rubriques étanches ; pour le physique, un inventaire des différentes parties du corps ; pour le moral, on va parcourir successivement l'intelligence et le jugement, les défauts moraux, le « caractère », les humeurs, les goûts, l'application au travail et la foi religieuse) et *normatif* (le portrait physique renvoie à un canon de la beauté féminine, le portrait moral aux exigences religieuses, scolaires et sociales). Ce portrait est minutieux et attentif : il est sept ou huit fois plus long que ceux qu'elle a consacrés à ses amies ! Mais il reste timidement au seuil d'un examen original de soi. Claire accepte les formes et les normes de ce genre très « extérieur » : d'où un texte plutôt conventionnel et statique. Pourtant on sent en le lisant une indéniable tension, liée moins à la difficulté de se connaître, évoquée par Claire au début de l'entreprise, qu'à la difficulté de s'apprécier sans se vanter. Pour le physique, on le verra, la modestie lui est facile, mais douloureuse : elle n'est pas belle. Pour le moral, c'est autre chose. L'examen de conscience doit être exigeant et déjouer les pièges de l'orgueil ; mais la construction d'une image valorisée du moi est en même temps absolument nécessaire. Une lecture taquine montrerait facilement l'arsenal de scrupules, de restrictions, de nuances dont elle enrobe cette exploration, à laquelle elle se hasarde pour la première fois. Il en résulte tout de même qu'elle est intelligente, qu'elle a du jugement, qu'elle est réservée en société, altruiste, sensible à la poésie, travailleuse, qu'elle a une foi solide et une morale stricte. L'ordre des rubriques adopté dégage au centre du portrait une zone plus intime et libre, celle des humeurs et des goûts, qui échappent au jugement. Elle s'y détend un instant, jouit d'elle-même, avant de clore fermement le portrait par un retour à l'essentiel, la foi et la morale.

Si conventionnel et prudent qu'il soit, ce premier autoportrait a déclenché un mouvement qu'il sera difficile d'arrêter. Huit jours plus tard (24 août), par une chaude soirée, un beau soir de clair de lune, au lieu d'aller se coucher, elle prend son journal pour « causer » avec elle-même, *« interroger les mystères de mon cœur, de ma pensée »*. A l'autoportrait morcelé fait place une méditation synthétique (fondée à la fois sur l'introspection et l'observation des autres) sur les mécanismes de l'intelligence et ceux de la volonté. Claire à sa fenêtre, à la fenêtre de son esprit, est visiblement heureuse. Elle n'a plus souci de ses particularités individuelles. Elle a laissé aussi toute préoccupation éthique ou religieuse. Elle s'émerveille du mouvement des idées, de leurs associations, de leur flux, du circuit des énergies en elle, en chacun autour d'elle... Elle regarde la plume qu'elle a dans la main, qui bouge, qui écrit sa pensée ! Elle s'abandonne à une sorte de joie. Elle s'interroge sur ce qui se passe, de sûrement aussi compliqué, dans la tête des autres. Mais s'en rendent-ils compte ? Peut-on lire dans la pensée des autres ? Peuvent-ils lire dans la vôtre ? Je citerai la fin de cette méditation, qui montre que justement, ce qu'il y a de plus profond en nous, c'est ce qui échappe non seulement au portrait, mais même à l'autoportrait !

On dit que j'ai la figure très expressive. Cela m'inquiétait autrefois. Mais bah ! qu'y lira-t-on ? le plaisir, l'ennui, la contrariété, qu'est-ce que cela me fait ! Les paroles décèlent toujours ces dispositions. Mais les secrètes pensées, celles qu'on tient cachées, ne peuvent se lire. Il n'y a pas de caractères pour les écrire, pas plus sur une figure que sur du papier.

Ce moment de méditation est placé par Claire sous le patronage de Descartes. Elle écrit dans la marge (est-ce lors d'une relecture ?) : « *Je ne comprends pas qu'on puisse exister sans penser. Je dis comme Descartes : "Je pense donc j'existe ".* » Claire n'est plus la petite fille qui, la semaine précédente, dosait ses défauts, se mettait à elle-même des notes dans un bulletin trimestriel aux cadres préétablis. Visiblement, ce n'est pas seulement « penser », mais « penser qu'on pense » qui est le vrai chemin pour exister. Ou penser par soi-même... Le mouvement par lequel le moi découvre son centre, prend possession de son autonomie lui révèle en même temps le caractère dérisoire, impossible, du « portrait ».

Quelques mois plus tard, au moment même où elle entame une grande correspondance avec une amie un peu plus âgée, Eugénie Frézier (pendant un moment cette correspondance, qui n'a pas été conservée, tarira le journal), Claire revient devant le miroir. Son troisième autoportrait est en quelque sorte « brouillé ». Il est tout à fait comparable au premier, occupe le même terrain : évaluer ses péchés, sonder son caractère, caractériser sa sensibilité. Il se réfère aux mêmes normes, utilise les mêmes cadres. Mais il est beaucoup plus court et tout désordonné. Elle coupe à travers champs, saute d'une chose à l'autre, revient en arrière, s'exprime très directement. Elle se révèle instable, incertaine, inquiète. De nouveau elle jauge ses « défauts », puis s'inquiète de son manque de sensibilité : « *Je crains de n'être pas capable de sentir vivement.* » Puis elle en arrive à l'essentiel : « *Il faut souvent que je me tourmente, soit de mon peu de progrès dans la vertu, soit d'une faute, soit de mes défauts* ou bien du but que j'ai devant moi. » C'est moi qui souligne. Elle résume alors sa vocation de manière lyrique et exaltée : s'occuper de l'éducation de son frère, entourer la vieillesse de son père, et marcher elle-même vers la perfection. Elle prie Dieu de l'aider dans cette « belle et grande vocation », puis ajoute : « *Oui, c'est bien beau, mais on n'y arrive pas du premier coup.* » Elle prend de bonnes résolutions : commencer par les petites choses, être moins étourdie, moins bavarde... Puis elle va à la ligne, et de nouveau s'inquiète : « *Je crains de n'être pas capable de sentir vivement.* » Quel rapport ? Elle sait certainement la réponse à ma question, mais n'ose pas la dire, et la noie dans des réflexions très sincères sur le chaos qu'est sa tête :

Je pensais l'autre soir que j'étais peut-être trop repliée sur moi-même, souvent à me regarder, à m'examiner, toute occupée de mes leçons, de mes études, sans assez penser et vivre pour les autres. Que de pensées dans ma tête ! C'est un chaos ! En écrivant cela se débrouille un peu. J'aurai désormais plus souvent recours à ce cahier, seulement j'écris trop doucement, mille pensées ont passé quand j'en ai écrit une !

Ce chaos intérieur est lié à l'incertitude du but. Ses doutes portent-ils seulement sur les moyens de réaliser sa vocation de célibataire ? Il semble bien qu'ils portent sur cette vocation elle-même. Pourquoi s'interroger sur sa sensibilité et son imagination, sinon parce qu'elle se demande : « Saurai-je aimer ? » Célibat ou mariage ? La surface agitée et parfois incohérente de cet autoportrait s'explique par la présence de deux « courants » antagonistes...

Cet hiver-là (1863-1864), le journal se tait, supplanté par la correspondance avec Eugénie. Au printemps Claire reprend son cahier abandonné. Eugénie, comme certains des directeurs spirituels de Claire, l'a mise en garde contre les excès d'introspection. Ne pas trop se demander quelle est sa « nature » : cela ne sert à rien. S'efforcer, plutôt, d'être comme Dieu veut qu'on soit. Eugénie a raison. L'introspection a partie liée avec l'esprit d'examen. Se demander qui on est présuppose qu'on met en doute ce qu'on doit être. Mais chez Claire l'introspection est la plus forte, et le diable a plus d'un tour dans son sac. Elle va donc se livrer à l'introspection... sur son penchant à l'introspection. Elle écrit, le 14 avril, un texte au second degré assez vertigineux pour exorciser le démon de ce qu'elle appelle *censure*, mais ce n'est pas pour revenir à un moi solide et simple : le texte dérive vers une méditation, cette fois patronnée par Montaigne, sur le caractère « ondoyant et divers » de l'homme. Ce qui l'amène à rire de la prétention qu'elle avait eue le 18 août 1863...

J'ai exagéré une bonne chose : celle de se voir agir. Il m'arrive parfois de me voir si bien agir que je me sépare pour ainsi dire en observant et en agissant, ce qui me fait croire que ce n'est plus moi qui agis. C'est, je crois, l'histoire de la Bête de Xavier de Maistre, la bête agit et l'âme regarde. Ce n'est cependant pas tout à fait cela. Quelquefois après un élan de cœur, une émotion, voilà une faculté bien distincte en moi que je pourrais désigner sous le nom de censure, toujours prête à se moquer et à me faire douter de moi-même. Cette faculté s'éveille et me dit : « Comédie! tu joues la comédie avec toi-même, pour te faire croire à toi-même que tu es sensible, pleine de cœur, etc. » Mauvaise faculté, il faut toujours qu'elle me trouble. Je m'en inquiète déjà beaucoup moins qu'autrefois, grâce à Eugénie, ma chère amie et sœur. Bientôt je la laisserai ricaner sans y prendre même garde. C'est bien difficile d'exprimer ces idées-là par des mots, et de s'en rendre compte. On n'y arrive jamais parfaitement. J'ai assez souvent de ces pensées vagues et indistinctes que je voudrais pouvoir tenir et dévisager, de manière d'être à même de faire leur signalement. Malheureusement ce sont des nuages qui changent de forme avant qu'on les ait examinés suffisamment, ou des vapeurs qui se dissipent quand on en approche. Ce n'est pas grave heureusement.

Montaigne a dit que l'homme est ondoyant et divers. Je ne le contredirai pas à propos de ma nature. C'est si ondoyant et divers que je ris de la prétention que j'ai eue, ces vacances, de tracer ici mon portrait. Il faut un autre talent que le mien pour saisir et retracer le fond et l'immuable, et les changements du mobile. Je suis trop intime avec moi pour me bien connaître. Je suis trop étourdie par toutes les pensées, tous les sentiments qui me passent par la tête, venant de moi ou d'ailleurs, pour bien voir ce qui domine, ce qui est à moi.

Le texte, lui aussi ondoyant, vire alors : je m'échappe à moi-même, mais j'échappe également aux autres ! *« Je suis persuadée que personne ne me connaît bien... »*

Comme le texte du 24 août, ce texte n'est pas un autoportrait au premier degré mais un métadiscours sur la pratique (impossible) de l'autoportrait. On peut se demander si tout autoportrait ne doit pas engendrer un tel recul, une telle conscience que ce qu'on est vraiment, c'est ce qui échappe à ce qu'on vient d'écrire ! Le moi affirme son identité et récupère sa maîtrise en rejetant l'image de lui-même qu'il vient de produire : il ne s'y reconnaît pas.

Dans les premier et troisième autoportraits, Claire essaie de donner un contenu précis à l'image de son moi. Dans le second et le quatrième, elle se retire de cette image pour contempler la forme même de sa subjectivité en s'inspirant de Descartes (la conscience) ou de Montaigne (le passage).

Ce mouvement de retrait, ce passage au second degré apparaît en même temps, chez Claire, comme un geste de libération, une manière d'échapper aux catégories figées et aux choix limités que lui impose sa situation, une manière de revendiquer le statut de personne à part entière. La tradition philosophique française (Montaigne, Descartes, et même Pascal) lui offre une issue de secours, pour échapper à un discours religieux dont on verra combien, parfois, il l'écrase. C'est particulièrement clair dans une belle méditation, placée sous le patronage de Pascal, qu'on trouve plus loin dans le journal, et que je citerai avant de continuer la série des autoportraits :

J'éprouve parfois une exquise jouissance à savourer le bienfait de l'être, non pas l'existence banale et matérielle de manger, boire, dormir, voir de jolies choses, entendre de doux sons, mais le bonheur autrement délicat d'être une partie distincte du grand tout, d'être soi-même un tout ayant sa vie propre, ses impressions, ses pensées à lui. C'est une belle et grande chose que le droit que Dieu nous a donné de dire « moi », et c'est une bien plus grande dignité que d'être capable de penser [...]. L'homme est si heureux de sa personnalité, de son individualité, il en sent si bien l'importance qu'il s'y attache outre mesure, sa vie se passe dans l'inquiétude du « moi », se recherchant partout, même dans ceux qu'il aime, même dans ses dévouements, même dans ses sacrifices.

La pensée que je conserverai mon existence distincte dans une autre vie exempte de peines, me cause des transports de joie, sans que j'aie besoin d'y ajouter l'espoir de jouissances surnaturelles. Je sens si bien notre grandeur que j'ai peine à me mettre en des sentiments d'humilité chrétienne, et à me dire que notre nature est déchue [...] (24 février 1867).

J'ai regroupé les douze autoportraits suivants en trois séries : du printemps 1864 au printemps 1865, parallèlement, la série tragique des « autoportraits à l'orgueil » et la série romanesque des « autoportraits en jeune fille » ; à partir de l'été 1865, Claire sait que son avenir est du côté du mariage : c'est la série des « utopies » : elle va « essayer » les rôles que l'avenir lui réserve et ceux auxquels elle devra renoncer...

Autoportraits à l'orgueil

Les directeurs spirituels de Claire lui imposent une pratique de l'examen de conscience qui doit exclure toute complaisance à soi-même. Il faut se regarder sans s'aimer, se dire sans se vanter. Évidemment l'examen des péchés devient lui-même occasion de pécher : car l'orgueil et l'amour de soi trouvent matière à s'exercer dans ces examens de conscience. La pratique du salut devient un lieu de perdition ! Certains éducateurs finissent par condamner la pratique du journal, et essaient de limiter les examens de conscience, quand ils voient que son zèle religieux risque de mener Claire tout droit au culte du moi, ou plutôt à une inguérissable angoisse : car elle ne saurait s'abandonner à ce culte... Peut-être la situation torturante où elle se trouve, celle d'un moi dont les manifestations sont exacerbées par une passion religieuse qui par ailleurs les condamne, a-t-elle été l'apanage de bien des mystiques.

Le 14 juin 1864, Claire annonce que « d'après avis » elle tourne désormais toutes ses forces vers l'humilité. Elle décrit sa nouvelle conduite : un des pièges est d'aller trop loin (par orgueil ?) dans l'humilité : *« Parfois je désire et forme le projet d'être à dessein niaise et inintelligente dans la conversation, de m'accuser hautement de mes défauts et de mon orgueil, et de demander l'humiliation. »* Heureusement elle sait se reprendre et revenir vers le juste milieu. Mais elle regarde son journal avec suspicion : *« Je ne voudrais pas que ce journal soit lu. J'y mets le bien, rarement le mal. On me croirait bien meilleure que je ne suis, ce que tout le monde fait déjà.* »

Le 28 novembre 1864, elle suit une retraite avec les enfants de Marie, sous la direction du père François. « *Je me suis confessée à lui. Il m'a dit que mes penchants pouvaient se résumer en un besoin de connaître et le besoin de plaire. Il a paru attacher peu d'importance à mes autres défauts.* » Suit le détail du « règlement » qui lui est proposé pour mater ces deux penchants coupables.

Le 5 mars 1865, c'est le commencement du carême. Elle se livre à un très long examen de conscience. Elle s'interroge sur la volonté de Jésus à son égard. Elle n'exclut plus l'idée qu'il l'appelle au mariage. Le 10 mars, elle continue son journal malgré l'avis de Mme de Chantal (une des religieuses de l'institution Saint-Joseph), « qui n'aime pas qu'on écrive son journal », mais qui incite les jeunes filles à exprimer explicitement, pour les prendre en horreur, les pensées d'orgueil qui les traversent. Si bien que le 12 mars elle applique la consigne à la lettre et se met en devoir de rédiger ce que j'appellerai un « autoportrait en orgueilleuse ». C'est un morceau de bravoure, certainement très orgueilleux... En voici le début :

Quand je regarde en moi-même, je suis effrayée de mon orgueil. Le démon me tente constamment de ce côté-là. Parfois je consens à ces pensées, et je m'y complais sans me rendre compte que je pèche par amour-propre. Si je m'en aperçois, je les renvoie, quelquefois mollement, regrettant de le faire, et me disant au fond de moi-même : « Je les renvoie parce que je ne dois pas les garder, mais elles sont vraies », et cela me laisse une petite satisfaction. Je ne me rendais pas compte de cela jusqu'à présent. D'autres fois, enfin, je les combats, mais le fond d'orgueil est si grand chez moi que même en me raisonnant, en essayant de m'abaisser dans mon estime, j'ai une petite conviction intime et muette de mon mérite. Quelquefois même, le démon me suggère que je suis humble, et que c'est pour cela que je ne vois pas mes qualités.

Après ce préambule elle se met en scène dans son rôle d'orgueilleuse dans toutes les situations de la vie quotidienne où elle cherche à plaire, à paraître « spirituelle, causante, originale ». Ensuite elle se montre campée devant son miroir : et c'est l'occasion d'un autoportrait au second degré à la fois moral (comment je me regarde) et physique (ce que je vois), un morceau pathétique et charmant que je citerai plus loin. Puis elle revient à ses toilettes, et à des choses plus graves : l'orgueil qu'elle a de ses bonnes actions. A quoi elle oppose, pour se rabattre à elle-même le caquet, une évaluation au plus juste de ses différentes capacités intellectuelles et artistiques et de son jugement : tout se termine par un portrait de « moi en médiocre »...

Ces exercices d'humilité coexistent dans le journal avec d'autres portraits totalement différents, qui sans doute convaincraient les directeurs spirituels de la nécessité d'exercices plus sévères encore. Ce sont les « autoportraits en jeune fille », où Claire exprime le plaisir d'être elle-même et le désir de vivre...

Autoportraits en jeune fille

Il y a d'abord l'autoportrait aux fées. C'est le 2 mai 1864. Claire imagine les qualités qu'elle demanderait à une fée. Puis elle constate tranquillement qu'au fond une des trois choses qu'elle demanderait, elle l'a déjà... L'énergie du caractère laisse à désirer, dit-elle. Mais sur ces deux points, on peut penser que le rêve sert à faire le tour de ce qu'elle est. Le seul point d'anxiété est sans doute cette sensibilité, dont nous la voyons, à d'autres reprises, douter...

Si nous étions au temps des fées, et qu'on me donnât à choisir trois dons, le premier que je demanderais serait un esprit juste, le second serait l'énergie du caractère, le troisième serait, je crois, la sensibilité.

Peut-être pour ce dernier ai-je tort, ou du moins en est-il de plus essentiel, mais c'est dans ce moment les trois choses qui me viennent à l'esprit.

Puisque je le pense, je puis le dire : je crois avoir l'esprit juste. Des gens qui ne me flattent pas me l'ont dit. Du point de vue du monde, je ne l'ai peut-être pas juste, mais chrétiennement et raisonnablement parlant, je crois et espère l'avoir.

J'ai des idées assez roides et inflexibles sur le devoir, que je devrais bien tâcher de faire passer un peu dans ma conduite. En théorie je n'admets pas d'accommodements, et en pratique, hélas...

Il y a ensuite l'autoportrait en Claire de Vergy (20 août 1864). C'est l'évocation nostalgique d'un double qu'elle s'était inventée quand elle était petite :

Je vis, depuis ma très jeune enfance, et j'ai grandi, avec une petite fille d'abord, puis jeune fille ensuite, appelée Claire comme moi, mais que j'avais parée de toutes les grâces, de tous les talents, de toutes les vertus. Enfant, je lui donnais des poupées magnifiques aux trousseaux splendides, que j'analysais lentement. Jeune fille, je lui ai donné tous les bonheurs. Je composais ses toilettes et celles de sa mère, je me racontais en détail toutes ses parties de plaisir. Et quand mon intérêt faiblissait, je savais le ranimer, soit par l'invention et la description des châteaux magnifiques, des gracieuses villas que je lui faisais habiter, soit par un voyage que je lui faisais faire, soit par une chose ou l'autre.

Elle décrit d'abord la manière qu'elle avait de rêver, le soir dans son lit, sans que ces rêveries jamais l'empêchent dans la réalité de jouir de ce qu'elle avait. Puis elle décrit un à un les rôles de cette petite société idéale, Mme la duchesse de Vergy, le duc, Claire de Vergy (je donnerai plus loin son portrait parmi les « autoportraits physiques » de Claire), son frère, son fiancé, un abbé, des oncles, des tantes, des amies de la mère, un précepteur, une femme de charge modèle, etc. Tout le monde s'aimait. On s'oubliait soi-même et on se dévouait pour les autres. Mais ce sont des rêves d'autrefois...

Par moments il me manque quelque chose. Je finis par me rendre compte de ce que c'est : je crois que c'est assez bon pour mon imagination de s'échapper par une semblable soupape, mais il faudrait lui trouver un sujet qui l'intéresse désormais.

Cette phrase semble comme une annonce de la série des autoportraits projectifs auxquels Claire se complaira à partir de l'été 1865. Mais pour l'instant il y a une autre solution, c'est de jouir de ce qu'on est. Le 19 septembre 1864, Claire sort, victorieuse, d'une crise qui l'a opposée à sa grand-mère (celle-ci se méfiait de la correspondance de Claire avec Eugénie). Elle respire, s'épanouit, et se met à chanter son bonheur d'être jeune. C'est vraiment un « autoportrait en jeune fille », car elle dit autant « on » que « je » pour dresser le portrait d'une jeune fille idéale qui est en même temps la très réelle Claire.

Je jouis vivement de cette fraîcheur d'impression, et des principes qui font frissonner au récit, à la pensée d'une belle chose, d'une belle action [...]. J'aime cette confiance avec laquelle on croit au bien, ce besoin d'expansion, ces mille petites pudeurs d'une jeune âme qui ne veut pas se laisser connaître dans ses replis intimes, ces délicatesses qui font sentir si vivement une bonne parole, une action affectueuse, mais aussi une parole brusque ou une injustice [...].

Elle chante ensuite la manière dont la jeunesse reprend confiance à peine sortie d'une épreuve. Puis elle passe brusquement à la joie qu'elle éprouve à lire des poèmes qui « sentent le printemps », et elle fait une minuscule explication d'un poème des *Contemplations,* « Chanson du vieux temps », « J'allais au bois avec Rose... », fraîche idylle dont elle se délecte. Mais elle aime aussi le puissant et le sublime, comme « Le crucifix » de Lamartine. Ces lectures lui causent des émotions d'une vivacité qui l'étonne, et la poussent à la prière. « *Décidément c'est bien beau la jeunesse et ce sera bien bon d'être au ciel éternellement.* »

Ce serait beau si ces élans de jeunesse n'étaient constamment réprimés. Trois semaines après, le 8 octobre, elle s'en plaint tristement. J'ai cité une partie de ce texte au début de cette étude. En voici la suite, qui montre bien la douloureuse articulation des deux séries d'autoportraits parallèles que je viens de présenter :

C'est difficile de dire à l'imagination vive d'une jeune fille de seize ans : ne regarde pas devant toi, ne fais aucun château en Espagne, ne vis que sur le présent. Et plus difficile encore de l'y forcer. Avec l'aide de Dieu on en vient à bout, mais non sans entendre ses plaintes et ses regrets (8 octobre 1864).

Autoportraits programmatifs

A partir de l'été 1865, sans en être totalement sûre, Claire sent qu'on la destine à Adolphe Dufour, le fils du fondateur et directeur du *Courrier de l'Ain*, pour lequel elle est pleine d'estime et d'affection. La lutte entre le surmoi religieux et la jeune fille qui voudrait vivre n'est plus tout à fait d'actualité. Les châteaux en Espagne sont désormais non seulement autorisés, mais presque obligatoires : il faut se préparer à l'avenir. D'où quatre autoportraits programmatifs en mère de famille (5 juillet 1865), en artiste (24 septembre 1865), en épouse (29 septembre 1865) et en liseuse (6 décembre 1865). Il ne s'agit plus, comme pour certains des portraits antérieurs, d'une présence implicite de l'avenir. Explicitement ces portraits parlent d'un moi futur, définissent ce qu'il devra être, rêvent parfois un peu nostalgiquement à ce qu'il aurait pu être. Claire essaie des rôles, imagine des retouches. Elle fait des châteaux en Mariage.

Les rôles, ce sont ceux de mère et d'épouse. Le texte du 5 juillet est un vrai traité d'éducation, — mais d'éducation des filles : « Si jamais j'ai une fille... » C'est un texte extrêmement long, à la première personne du futur. Le programme qu'elle dresse reflète en partie l'éducation qu'elle a elle-même reçue, en partie celle qu'elle aurait aimé recevoir (elle a perdu sa mère à l'âge de onze ans) : elle devient sa propre mère. Ce programme très ouvert (il met l'accent sur l'instruction) mais très ferme ne laisse guère présager pour la génération suivante de grands changements dans la condition féminine. Le texte du 29 septembre définit le mari idéal que doit désirer « toute jeune fille raisonnable et bien élevée ». C'est son portrait en tant qu'épouse qu'elle dessine en même temps. Elle souhaite que ce mari ait une position honorable, un esprit supérieur au sien (« *une femme doit être heureuse de la supériorité de son fiancé, de son mari, sur elle* »), du goût pour les choses de l'esprit et un cœur aimant. Quant à l'extérieur, il suffit qu'il n'ait rien de désagréable ou de ridicule. On devine que ce texte est un peu comme l'autoportrait aux fées : elle « souhaite » ce qu'elle pense en fait avoir déjà trouvé.

Les retouches qu'elle imagine, ce sont celles qui feraient d'elle une personne autonome, en développant ses aptitudes pour la création et son goût de l'étude. Le 24 septembre, elle rêve à l'artiste qu'elle aurait pu être, mais y renonce sans peine, pour trois raisons :

Primo parce qu'il eût fallu beaucoup souffrir, beaucoup étudier, beaucoup penser. Secundo parce qu'une sensibilité trop délicate est le plus triste présent que Dieu fasse à une âme. Tertio parce que pour être une bonne femme de ménage bien dévouée, il faut de la patience, du calme, une activité et un zèle portant sur des choses aussi prosaïques que le pot-au-feu ou le raccommodage des bas.

Elle ne sera ni Marie Bashkirtseff ni Camille Claudel. Elle pratiquera les beaux-arts à ses moments de détente. Pourtant elle revient de manière insistante sur ce thème. Il n'est pas facile de renoncer à être soi, même s'il le faut… Le 6 décembre 1865, après la lecture d'un album sur l'histoire de la peinture :

Plus je vais, plus je désire apprendre, tant de fruits me tentent sur le bel arbre de la Science, que je me décourage en voyant l'avancée du jour qui ne nous donne que douze heures. Que de choses je voudrais étudier : à fond ces questions de peinture si attrayantes, à fond la littérature, et si je pouvais me lancer là-dedans, à corps perdu, je ne m'arrêterais jamais, c'est une mine si riche, et ce sont là des connaissances que j'aimerais tant à acquérir *plutôt qu'à* avoir. *Je voudrais étudier la philosophie, science qui me paraît si belle, bien comprise ; je voudrais au moins en avoir une vue d'ensemble, ainsi que de son histoire.*

Elle sait que c'est un rêve, mais ne faut-il pas rêver ? Ce long développement se termine par une déclaration d'amour qu'elle adresse à son journal. Ce n'est pas vain repli narcissique sur elle-même, mais choix du seul espace où elle puisse développer librement sa personnalité et sa pensée :

Cher journal, tu n'es qu'un aperçu, un vingtième, un centième de moi-même, car je n'y inscris pas la centième partie de mes pensées, de mes impressions. Tu es une vue d'ensemble, ce qu'en dessin on appelle une grande forme de moi-même, et je l'avoue naïvement, je t'aime pour cela, et je tiens à toi. Je veux te continuer jusqu'à la fin de ma vie, si cela m'est possible, et je crois que j'y trouverai du plaisir.

Cela ne semble pas avoir été possible : elle l'arrêtera avant son mariage. Quant aux autoportraits, eux, ils s'arrêteront bien plus tôt, avec les fiançailles. Le dernier autoportrait moral est daté du 16 décembre 1865. Il est incertain, tourmenté. Mais on est incertain de ce qui tourmente Claire, un peu comme dans l'autoportrait du 8 janvier 1864. Elle s'effraie de son orgueil, cherche les moyens de réformer cette personne « trop occupée d'elle-même » qu'elle croit être. Elle se penche sur son imagination « vive et inquiète », s'interroge sur le mal qu'elle a à fixer son attention. Elle constate, non sans satisfaction, l'amélioration de son caractère ces dernières années. Mais comme elle est lucide et honnête, elle est bien obligée d'admettre que son autoportrait est fait dans une perspective profane plutôt que sacrée : « *Je crains que dans les réponses que je tente sur mon caractère, il n'y ait beaucoup plus de motifs humains, que de vrai désir de plaire à Dieu.* » La chose devient encore plus claire et humaine quand il s'agit de décrire non pas son caractère mais son apparence physique.

Autoportraits physiques

Claire a fait son portrait physique à quatre reprises. Le système qu'elle emploie est le même pour elle et pour les autres.

Le début de son journal contient les portraits de toutes ses amies, puis des personnes qu'elle croise. Voici, à titre d'échantillon, les portraits de ses trois amies de cœur, Laure, Gasparine et Noémi :

Laure. *Elle est grande, mince, très bien faite, sauf les pieds et les mains. Elle a les cheveux un peu rouges, ou plutôt d'un blond rougeâtre. Son teint est d'une extrême blancheur, sa physionomie très mobile, ses yeux sont d'un bleu presque noir. Malheureusement elle a les cils et les sourcils extrêmement pâles et le menton grand et tendant à se rapprocher du nez* (2 mai 1863).

Gasparine. *Très grande, mince, G. B. a des pieds et des mains très bien faits, la peau blanche, les cheveux noirs. Ses yeux gris-brun foncé, quoique jolis, n'ont pas l'expression de ceux de Laure, cependant l'ensemble de sa figure est beaucoup mieux. Elle est jolie personne, sa démarche est assez gracieuse, sauf qu'en raison de sa grande taille elle se tient peut-être un peu courbée* (2 mai 1863).

Noémi. *Au physique elle est assez jolie, quoique ses paupières soient presque toujours rouges. Elle est blonde, de taille moyenne, parfaitement bien faite. Sa taille est charmante, et ses mains et ses pieds sont jolis. Sa démarche un peu sautillante est gracieuse* (23 mai 1863).

Il ne faut pas croire que ces portraits, parce qu'ils contiennent des détails négatifs, soient inspirés par une quelconque malignité. On verra que Claire est bien plus sévère pour elle-même. Ils sont de bons exemples de sa technique, que je résumerai en quatre points :

1. Le portrait est toujours morcelé, par rubriques bien séparées, qui bien sûr ne sont jamais toutes systématiquement présentes, mais quand on prend une suite de portraits on voit qu'il est question de : la taille (hauteur) ; la taille (minceur, manière dont on est « faite ») ; la démarche, la manière de se tenir ; les pieds et les mains ; puis tout ce qui touche à la tête : cheveux, teint, physionomie, traits, yeux, paupières, cils et

sourcils, nez, bouche, menton, etc. Les vêtements sont très rarement mentionnés.

2. Chaque trait est implicitement ou explicitement évalué selon un système très codé, d'après un modèle de la beauté ; il arrive qu'une qualification globale fasse le total des rubriques (« jolie », « assez jolie »).

3. Il n'y a aucun effort de description par analogie ou métaphore, et une très grande pauvreté, ou économie, lexicale, en particulier du côté de verbes : « être » et « avoir » reviennent tout le temps.

4. Le physique est systématiquement séparé du moral, aucun rapport n'est jamais établi entre eux (ces deux derniers points opposent la technique de Claire à celle de Balzac) ; le physique ne veut rien dire, c'est une enveloppe extérieure.

J'ai choisi de citer ces portraits avant les autoportraits de Claire, pour mettre ceux-ci en valeur tout en les replaçant dans le système d'ensemble auquel ils appartiennent. Les portraits des amies ou personnes rencontrées sont toujours très courts, et bien sûr, chaque personne ne fait l'objet que d'un seul portrait. Claire se décrira plus longuement, et à quatre reprises. L'enjeu n'est pas le même... Ces autoportraits sont pathétiques : d'un côté la modestie et la sincérité exigent qu'on ne se flatte pas, Claire est sévère en faisant l'état des lieux ; d'un autre côté, comment ne pas guetter dans le miroir quelques signes positifs, qui fassent qu'on ne se trouve pas totalement laide, qui donnent espoir qu'on puisse plaire à quelqu'un ? Pour qu'on sente mieux ce déchirement, je vais d'abord donner à lire deux autoportraits écrits par des jeunes filles plutôt satisfaites d'elles-mêmes.

Voici comment se peint en 1907 Mireille de Bondeli :

Je voudrais être adorée, adorée à genoux, si ce n'était un sacrilège, aimée de toute la force d'un homme droit et loyal. Et l'aimer lui-même, jusqu'à en oublier ma personnalité. N'est-ce pas là le paradis terrestre ? Mais le connaîtrai-je jamais ? Si j'étais belle, il y aurait quelque espoir ; mais je ne le suis pas. Je ne suis point laide, cependant. J'ai des yeux bruns très expressifs et doux, à ce qu'on m'a dit, le nez à peine relevé, la bouche riante et de taille moyenne ; j'aurais la peau très blanche si ces maudites taches de rousseur ne couvraient pas mes joues, à mon grand désespoir. Comme personne j'ai une assez jolie taille, les hanches et la poitrine bien développées. Pourquoi m'admire-t-on ? Parce que je suis très gaie, parce que mon expression est variable, parce que j'ai assez de coquetterie pour paraître le plus possible à mon avantage (22 juin 1907)[1].

Et voici comment se peint Marie Bashkirtseff en 1875 (cet autoportrait « nu » n'est qu'un maillon d'une longue chaîne d'autoportraits physiques qui court d'un bout à l'autre de son journal, et mériterait d'être étudiée en elle-même). Elle décrit son corps :

... *depuis la nuque jusqu'à la chose que je n'ose nommer, couvert d'un duvet doré, le duvet est surtout visible au milieu du dos le long de cette espèce d'enfoncement qui est si prononcé chez la Vénus de Milo. J'ai la poitrine extrêmement haute, blanche et veinée de bleu comme les bras et les épaules, les seins fermes d'une très belle forme et d'une blancheur éclatante et puis rose où il faut. L'endroit que je n'ose pas nommer est si opulent que l'on me croit toujours en grande tournure* (6 mai 1875)[2].

Jamais, on s'en doute, Claire n'arrivera à une telle impudeur ni à une telle autosatisfaction. Mais du premier au quatrième autoportrait, le trajet est tout de même celui qui va d'un examen sans complaisance à une acceptation de soi. Je me contenterai de situer et de citer ces quatre textes, laissant le lecteur les apprécier.

Le premier portrait physique est fait à l'occasion de l'autoportrait d'ensemble du 18 août 1863. Il est extrêmement détaillé et peu flatté. Cet exercice d'exactitude et de modestie paraît presque masochiste et fait penser à celui auquel se livrera Michel Leiris au début de *L'Age d'homme.*

1. Cité par Denis Bertholet dans *Le Bourgeois dans tous ses états*, Paris, Olivier Orban, 1987, chap. 3.
2. Cité par Colette Cosnier, *Marie Bashkirtseff. Un portrait sans retouches*, Paris, Pierre Horay, 1985, p. 62-63.

Je suis de taille moyenne, j'ai les épaules larges, la taille longue mais assez grosse d'en bas, le pied long et mince, la main ni petite ni grande mais assez mal bâtie, le teint brun et peu coloré, mes cheveux brun foncé deviendront noirs. J'ai la figure ronde et pleine, je suis au reste plutôt grasse que maigre, mes yeux, d'un brun très foncé, sont petits et enfoncés mais expressifs. J'ai le nez assez long et les narines grosses et gonflées. Ma bouche est plutôt grande que petite, n'a rien d'exagéré. Mes sourcils sont noirs et assez épais, mon front moyen est bombé, mes dents sont assez blanches et assez régulières, mais fort mauvaises en réalité. Enfin je suis très sujette aux petites éruptions de boutons, et j'en ai presque toujours quelques-uns à la figure.

Voilà comme elle est. Le second autoportrait montre comment elle aurait voulu être. C'est celui de son double, « Claire de Vergy », qu'elle avait parée de toutes les grâces, de tous les talents, de toutes les vertus. Pour décrire l'idéal, on peut être bref, surtout si on emploie une référence culturelle (qui, audacieusement, suggère le nu), celle de la statuaire grecque :

[...] *Claire, belle brune, régulière de traits comme une statue antique, et faite comme une Vénus de Praxitèle, gracieuse, distinguée, intelligente, spirituelle, pieuse d'une piété élevée et tendre...* (20 août 1864).

Ces deux premiers autoportraits sont extrêmes, l'un dans la sévérité, l'autre dans l'idéalisation. Les deux suivants vont nous montrer, devant son miroir, une Claire plus réaliste et nuancée.

Dans l'autoportrait en orgueilleuse (12 mars 1865), le portrait physique est en fait l'occasion d'un portrait moral. Claire ne peint pas directement son corps, mais le regard qu'elle porte sur lui. Le résultat est très touchant. C'est la première fois qu'on voit ainsi Claire dans une sorte d'attitude « humoristique » sur un tel sujet. Elle peint avec fidélité — au premier degré — ses grâces et ses disgrâces, en même temps qu'au second degré ses efforts pour se leurrer. Au moment même où elle cherche à s'accuser d'orgueil, nous entendons sa très légitime détresse. A la différence du premier autoportrait (morcelé et éparpillé) celui-ci a une grande unité, puisqu'il est centré explicitement sur le regard qu'elle porte sur elle-même. Et en même temps il est comme une sorte d'explication de texte indirecte du premier portrait...

D'autres fois, je me planterai devant ma glace, et je serai à définir ma figure : un gros nez, c'est vrai, la bouche un peu grande, sans finesse, mais c'est peut-être ce qu'on appelle d'un dessin ferme, j'ai un vilain teint mais cela ne se voit pas bien. Et alors j'arrive à mes yeux et je suis enchantée, mes yeux par exemple ne sont pas grands, mais ils sont doux, expressifs, d'un beau brun foncé, j'ai de la physionomie, etc., etc. Certains jours je me trouve franchement bien laide, mais d'autres je me dis avec plaisir : « Oh! mais comme je suis bien aujourd'hui! »

Et ma main, je la considère : je la trouve petite, potelée, j'avoue que mes doigts sont un peu carrés, mais l'ensemble me flatte, et dans une soirée dernièrement, j'ai tenu ma main haute tout le temps, pour la faire paraître plus blanche.

Ces petites satisfactions, qu'elle s'évertue ici à condamner, elle va les avouer sans fausse honte dans le dernier autoportrait, rédigé le 23 septembre 1865. C'est le seul portrait physique autonome. Elle se décide brusquement : *« Une idée, j'ai envie de refaire mon portrait physique. »* Il faut connaître le contexte pour comprendre cette impulsion. Claire se sent maintenant très proche d'Adolphe, et le sent proche d'elle. *« Je passe une partie de ma vie à désirer d'être aimée, à souhaiter de pouvoir me faire aimer, c'est-à-dire de voir X, de causer avec lui un peu librement, de lui laisser voir mes goûts, mes sympathies, en cherchant à connaître les siens propres »* (17 septembre 1865). Elle sent en particulier qu'il l'aime, et qu'il l'aime telle qu'elle est. Ce dernier autoportrait baigne dans une lumière très différente des autres, une lumière douce, une atmosphère détendue. Le portrait n'est pas le moins du monde flatté, mais pour la première fois Claire s'accepte « telle que Dieu l'a faite », parce qu'elle sait qu'elle est acceptée par Adolphe. Elle s'abandonne à la joie d'être aimée, et si elle se reprend à la fin, c'est dans une pirouette enjouée qui, elle aussi, exprime cette joie...

Une idée, j'ai envie de refaire mon portrait physique. Je commence. Je suis de taille moyenne, bien proportionnée. Je n'ai pas la taille d'une guêpe, mais je l'ai assez longue, et après tout comme Dieu l'avait jugée belle, car il n'a fait à aucune femme un tour de ceinture de 45 centimètres, et les belles statues antiques, si admirables d'élégance, de forme et de proportions, sont loin d'avoir la taille de guêpe. J'ai donc la taille comme Dieu me l'a faite, pas assez massive pour me faire désigner par l'épithète de tour, mais pas assez fine pour être admirée par la foule des badauds. Mon pied est assez ordinaire, ma main est potelée. J'ai le teint brun, mais d'un brun chaud, ce que je ne lui pardonne pas c'est d'être presque continuellement échauffé. J'ai le visage ovale, le front large mais moyen comme hauteur, mes cheveux châtain foncé sont abondants. Le principal charme de ma figure est dans mes yeux presque noirs qui ne manquent pas d'expression. Ils sont assez enfoncés sous l'arcade sourcilière, ombragés de sourcils noirs peu réguliers. Ajoutez le nez gros de la base, légèrement arqué comme forme, la bouche moyenne, d'un dessin peu délicat, de petites dents assez blanches, de la physionomie, et vous aurez mon portrait, aussi exact que je suis capable de le faire. En résumé je suis bien près d'être laide. Je suis même laide en analyse, mais je ne fais pas peur, parce qu'il y a une expression errante et changeante sur ce jeune visage, et que derrière ce masque les pensées vont et viennent se laissant apercevoir par mégarde, ou coquetterie.

Il me semble que voilà deux pages bien bêtes !

Réflexion aussi subite que finale.

Autoportrait peint

Cet autoportrait a été exécuté sans doute vers la fin des fiançailles. Il n'en est pas question dans le journal, tenu irrégulièrement puis abandonné dans les temps qui ont précédé le mariage. On pourra imaginer cet autoportrait peint d'après le « portrait » écrit qu'en a tracé son arrière-petite-fille, Chantal Chaveyriat-Dumoulin. C'est à elle qu'il revient de conclure cette étude. Je la remercie de m'avoir communiqué le journal de Claire et permis d'en reproduire ces fragments inédits ; et souhaite avec elle que ce journal, dont elle envisage une édition, puisse voir le jour en entier.

C'est un portrait à l'huile, grandeur nature, peint par Claire au temps de ses longues fiançailles.

La toile a 60 cm de haut, 46 cm de large. La facture est classique, techniquement respectueuse des règles, dans une harmonie de rose pâle, blanc et brun.

Claire porte une robe de mousseline blanche, transparente sur les épaules. Ses cheveux châtains, séparés en deux petites franges frisottées, cachent en partie son front. Ses yeux bruns, dans l'ombre de sourcils fermement dessinés, regardent bien en face : elle s'observe d'un air triste, interrogateur, légèrement arrogant. Sa bouche pâle et boudeuse, son menton rond, son teint rose, dégagent une impression de sérieux malgré la jeunesse. La tête est droite, sur un cou un peu fort, dont la ligne rejoint celle des épaules sous le fin bouillonné du sage décolleté. Le coude est replié. La main gauche – à gauche sur le tableau car Claire se regarde dans la glace – repose, à demi fermée, sur la poitrine. A l'annulaire luit doucement le petit diamant de la bague de fiançailles si chère à son cœur.

Ce tableau, je l'avais vu dans le grenier de mes parents, posé contre d'autres cadres. Il fut sorti de l'oubli tardivement, et placé au salon, dernier hommage de ma mère à la grand-mère janséniste qui avait influencé sa jeunesse. A la mort de mes parents en 1978, un peu par intuition, et parce qu'il trouvait que j'avais « l'air de savoir qui c'est », mon jeune frère décida de me l'attribuer.

J'ai accroché le portrait au-dessus de mon secrétaire. Mes enfants, comme mon père avant eux, le trouvaient « sinistre »... Peu à peu, je l'ai regardé, Claire m'a regardée, a suivi de son œil perplexe les péripéties de ma vie ; elle voyait ma vie, je pensais à la sienne.

Je regardais aussi l'album de photographies où Claire avait inscrit autrefois de sa main le nom de personnages portraiturés, dont la plupart m'étaient pratiquement inconnus. Je m'interrogeais sur Claire et sa jeunesse ; pour étoffer la silhouette stéréoty-

pée qui m'était parvenue d'elle par la tradition orale et quelques photos démodées, je bavardais avec les gens qui l'avaient connue, l'avaient admirée, ou la contestaient encore.

C'est dans ces dispositions d'esprit que j'ai descendu un jour du grenier un petit carton libellé « Journal de Maman Claire ». Au fil de la lecture, de l'exploration de ces mille pages à l'écriture fine et rapide, j'ai trouvé les noms des personnages de l'album, d'hommes et de femmes dont l'arbre généalogique ne donnait que les dates ; les grands-oncles barbus de mon enfance étaient des bébés à la mamelle.

Alors, je me suis aventurée dans la transcription intégrale du journal, et par cette immersion dans l'univers secret de sa jeunesse, m'est apparu peu à peu le vrai visage de Claire ressuscitée.

Ce portrait est sans doute la suite du journal. Claire l'a peint en 1869, alors qu'elle n'écrivait plus guère son journal. A-t-il eu les honneurs d'un accrochage ? Je crois qu'il était dans sa chambre les dernières années de sa vie, près du semainier où les cahiers de son journal étaient bouclés à double tour. Mais auparavant ? Avait-il orné la chambre conjugale dans l'antique demeure du « Courrier de l'Ain » ? Nous ne le saurons sans doute jamais.

Maintenant il me semble que Claire, du haut de son portrait, me regarde avec un air de connivence !

Catherine Pozzi

> *Je vais m'éplucher. Depuis que je ne me confesse plus – même avant, du reste – je l'ai toujours fait. Encore une manie protestante. Oh que ces trois siècles ont pesé sur ma petite âme !* (23 août 1900).

Est-ce vraiment la raison ? Mais le fait est là : Catherine s'épluche. Jamais la métaphore du journal-« miroir » n'a été aussi juste : elle passe son temps à s'y regarder. Elle relit ce qu'elle vient juste d'écrire, s'en décale immédiatement, s'étonne de sa bizarrerie ou se moque de son emphase ; elle relit ce qu'elle a écrit il y a un ou deux ans, et le truffe d'annotations sarcastiques ; elle relit l'ensemble de son journal pour ne pas perdre le fil de ses métamorphoses. Elle est toujours un cran au-delà. On a un peu le vertige, on titube entre l'ironie et le lyrisme, mais elle aussi ! Elle écrit sa relecture, on suit le regard qu'elle porte sur le portrait qu'elle vient de tracer, comme chez ces peintres qui se peignent peignant leur autoportrait. Mais ce ne sont pas deux figures face à face. Le texte avance, et tout est pris dans un mouvement de fuite, on va de déchirements en rebondissements… Mais il piétine aussi, car ces jeux de masques et de fuites sont comme des figures de danses qui reviennent avec une régularité tragique…

Éplucher n'est pas le mot. Il suggère la minutie d'un tri fait en fonction de normes. Mais Catherine « épluche » aussi les normes : elle s'établit à son propre compte. Peut-être est-ce cela, le trait « protestant » ? Je formulerais les choses autrement : ouvrant ces cahiers, j'ai eu l'impression que Catherine n'était plus une « jeune fille » du XIXe siècle, mais déjà une adolescente moderne.

Certes, elle se débat dans le piège du mariage, tente de s'engager dans la voie ouverte par Marie-Edmée Pau, Marie Bashkirtseff... Dans un monde où les carrières intéressantes sont fermées aux femmes, la création littéraire ou artistique est une des seules voies où elles puissent prouver leur valeur. Catherine regrette que son père ne lui ait pas fait donner une vraie culture scientifique, elle essaiera d'apprendre le grec, elle suivra des cours en Sorbonne... Mais son originalité est ailleurs : elle a eu le courage de rejeter, après examen, la religion catholique et de se lancer, à quatorze ans, toute seule, contre son milieu, dans une recherche intellectuelle et spirituelle exigeante qui occupera toute sa vie.

Peut-être trois siècles de protestantisme, du côté paternel, ont-ils favorisé la chose (quoique Catherine fasse un portrait très cruel, et drôle, de son grand-père pasteur). Mais cette conscience exacerbée peut aussi bien être attribuée à l'expérience précoce de la maladie, à la discorde qui règne entre ses parents, et à leur maladresse à l'aimer.

Son journal commence vraiment le jour de Noël 1895. Elle a treize ans et demi. Sa grand-mère lui offre un minuscule carnet. Elle tient déjà par ailleurs, depuis deux ans, un cahier, où elle note de petits événements, des charades, des choses qu'elle a lues. Mais ce carnet l'inspire, il arrive à son heure. Elle y inscrit d'abord la liste des cadeaux reçus pour Noël. Puis, qu'elle est « royaliste ». Puis, qu'elle est exactement le contraire de son frère Jean : aussi active qu'il est paresseux. Puis, qu'elle ne ressemble pas aux jeunes filles de son âge. Elle est en retard, ne sait rien, la maladie l'a empêchée d'étudier : *« Je suis une oie ! »* (1er février 1896). Elle se demande si elle est inconstante, s'inquiète d'être coquette. Une pente l'amène sans cesse, à propos de n'importe quoi, à tourner autour de la question : qui suis-je ? Elle se rend compte qu'à force d'être en retard elle est en avance : la maladie lui a fait tout sentir et comprendre. Voici en entier l'entrée du 3 mars 1896, dont j'avais cité un fragment dans mon journal d'enquête :

Mardi 3 mars

J'ai écrit à Valérie Kirmisson pour lui demander de venir jeudi chez moi, avec Magali. Elle est très gentille, Valérie, très bien élevée, très aimable et intelligente. Elle a 15 ans 1/2. C'est drôle cette préférence que j'ai à choisir toutes mes amies beaucoup plus âgées que moi : c'est peut-être à cause de mon caractère tellement au-dessus de mon âge. Je ne sais pas si c'est heureux ou malheureux pour moi, d'être ainsi, de savoir bien des choses que les enfants ignorent, d'avoir une certaine connaissance de la vie et de toutes ses horreurs. Je crois que je suis plutôt intelligente, je comprends facilement et j'en fais mon profit. Telle ou telle parole qu'une autre enfant laisserait passer inaperçue, je la relève et je cherche à l'approfondir. Est-ce un tort ? ?... Mais voilà bien des choses sur moi. Heureusement que je ne crains pas d'ennuyer un lecteur ombrageux et à l'humeur critique, puisque ce n'est que pour moi *que j'écris. Si je venais à mourir (qui sait, en effet, ce qui peut arriver ?) je laisserais ce carnet à maman, en souvenir de sa chère petite fille bizarre. Mais j'espère vivre* encore un brin, *comme aurait dit ma nounou, autrefois ; et cela me chiffonne de faire mon testament si tôt. Inepte enracinement de l'homme à la terre ! ! ! – Je remarque que je suis profonde aujourd'hui. J'aimerais bien l'être un peu plus en matière religieuse. C'est drôle, ou plutôt c'est triste, de voir comme nous vivons d'une manière insouciante cette vie, si inutile parfois ; sans penser le moins du monde qu'il y a la mort au bout. Sa* mort... *et après ? ? ? ? ?... Voilà à quoi ne songe pas le siècle présent. Il mourra. Il le sait. Mais après ? Advienne que pourra. En attendant, on jouit, on s'amuse, quelquefois d'une manière très immorale, mais, bah, personne n'est là pour nous châtier. Personne ! Malheureux, personne !... Et après ? ? ? ?... Croyez-vous que ce sera toujours Personne ? Ah ! malheureux maudits !... C'est qu'à la fin, après la mort, il y aura Quelqu'un ! ! Et alors... ce sera l'Enfer !...*

Catherine a treize ans et demi. On est en mars. Dans les mois qui suivent, son esprit bouillonne. Elle s'enthousiasme pour l'astronomie (23 mai 1896) :

L'astronomie me passionne, je commence à être assez forte là-dessus. J'adore aussi la géologie, et comme l'oncle Alfred est très savant là-dessus, j'aime à écouter durant des heures qui me semblent courtes, de longues dissertations sur la formation de la terre, sur l'époque préhistorique, et toutes sortes de choses savantes. J'aime, j'adore la science. Si j'étais un homme, j'étudierais ces questions si intéressantes. Mais je ne désespère pas de devenir savante quand même. Je ne serais pas la première femme qui se soit occupée de ces choses-là.

Son désir de comprendre et d'examiner s'étend à tout. Elle se sent elle-même en pleine métamorphose (27 juillet 1896) :

Et moi? Qu'est-ce que je deviens? Ah, vraiment, je l'ignore. Mon âme est en train de passer par je ne sais combien de phases successives : elle fait peau neuve. Je pense, je rêve. A quoi? Je serais moi-même bien embarrassée de le dire. A la Vie... A l'Infini... A la Mort... A la Terre, à la Société, aux hommes, au genre humain... Mon esprit marche, marche. Je découvre des milliers de choses sur tout. Je trouve la Vie, telle que nous la comprenons, idiote. Je trouve que personne ne songe assez à l'Infini et à la Mort. Je trouve que les règles de la Terre et des nations, qui sont faites par la machine sociale, sont ineptes.

Elle vient juste d'avoir quatorze ans. Cet examen généralisé va l'amener, dans les jours qui suivent, à perdre la foi. Le cahier qu'elle entame le 2 août 1896 commence par une méditation angoissée : la mort n'ouvre plus sur l'Enfer, mais sur un mystère insondable. Catherine vivra dans une solitude torturée cet écroulement de sa foi. C'est seulement en septembre 1897 qu'elle pourra en parler avec quelqu'un : son frère Jean, de deux ans plus jeune qu'elle, dont elle découvre que lui non plus, il ne croit plus, tout en continuant à jouer la comédie pour la famille. Elle passera, dans les années qui suivent, par des moments de désespoir, des retours vers la foi, des périodes où elle croira à la réincarnation (printemps 1897)... A l'automne 1897, un jour de soleil et d'optimisme, elle envisage de faire un... *coup d'État* quand elle aura vingt et un ans : elle lira tous les livres et fixera définitivement sa philosophie ! Au printemps suivant (1898, elle n'a pas encore seize ans), elle découvre avec éblouissement Nietzsche...

Bien plus tard, quand elle aura rencontré Paul Valéry, dans les années 1920, Catherine écrira un beau texte, intitulé « Agnès » (publié dans la *NRF* en février 1927, réédité récemment à La Différence), pour condenser en quelques pages, à la lumière de son évolution ultérieure, cette crise dont elle est née.

Cette jeune fille mal dans son âme, qui essaie de trouver un chemin dans les ruines de la religion, est en même temps une grande perche mal dans sa peau, pleine d'esprit, qui fait la gavroche en famille, sert poliment des tasses de chocolat aux invités dans le salon de sa mère, a horreur de l'idée de mariage, et se demande quoi faire de sa vie...

Mon intention n'est pas de suivre ici son itinéraire intellectuel et spirituel, mais la recherche d'identité si moderne qui l'accompagne et dont son journal est le théâtre. Il ressemble fort peu à ceux des jeunes filles sages de la génération précédente, dont l'identité était garantie par un Dieu auquel elles croyaient et un ordre social qu'elles acceptaient de perpétuer. J'avais été séduit par le journal de Claire Pic, parce j'y avais senti le frémissement de l'inquiétude, une expérience de la solitude et du malaise, un désir exigeant de réalisation personnelle. Mais cette recherche d'identité, qui l'a poussée pendant plusieurs années à l'autoportrait, s'exerçait dans un cadre malgré tout stable : une pratique religieuse sincère, un père aimant, un avenir d'épouse et de mère de famille qu'elle appelait de ses vœux. L'adolescence était un moment de transition un peu délicat d'un rôle à l'autre, dans une distribution qui avait fait ses preuves.

Rien de tel pour Catherine. Le monde est en ruine devant elle. Elle ne veut pas reproduire sa mère, elle ne peut pas reproduire son père, elle refuse d'appartenir à un homme, elle avance sans modèle dans une vie à inventer. Sans modèle, mais non sans contraintes, en particulier celles qui pèsent sur les femmes de son époque. Aussi son journal, depuis ce printemps 1896 où elle le commence pour de bon, n'est-il qu'une sorte d'autoportrait prospectif permanent. Il oscille entre l'attente (que serai-je ?), le projet (je voudrais être) et le regret (j'aurais pu être), et manifeste les errements d'une force qui ne trouve pas son point d'application.

J'ai été frappé d'y reconnaître les traits essentiels du journal d'adolescent moderne : l'angoisse métaphysique, la solitude, le sentiment d'être unique, contrebalancé par l'horreur de se sentir un produit de série, la discordance entre le dedans et le dehors (je joue la comédie, personne ne me connaît), mais aussi l'incohérence intérieure, les vertiges du dédoublement et les paralysies de la volonté... Humilité et orgueil, comédie et sincérité n'y sont que les deux faces d'une pathétique recherche de soi. Pathétique et humoristique, car, jusque dans l'intimité du journal, Catherine garde la verve de sa conversation, joue sur la parodie et le paradoxe, se moque d'elle-même, avec une gaieté de gamine au début, plus d'amertume ensuite : mais le fond est toujours grave. Son journal est un spectacle qu'elle se donne à elle-même, qui l'aide à assurer la continuité de sa vie et à se prouver sa valeur.

Je vous propose d'en suivre, pendant quelques pages, le déroulement. Certes, ce montage est un pis-aller : un journal ne se lit bien que dans sa continuité, avec son rythme, ses ellipses et ses redites. Choisir était d'autant plus difficile que la dimension d'autoportrait est presque constamment présente. On verra la variété des formes auxquelles Catherine a eu spontanément recours : dédoublements de voix, emploi du discours à la troisième personne, mime ou citation du point de vue d'autrui, mises en scène théâtrales, généralisations lyriques, listes et tableaux, et même allégorie. La mise en œuvre de ces procédés implique souvent dialogisme ou parodie, parfois un mélange des deux.

Les extraits couvrent la période d'août 1896 (Catherine a quatorze ans) à juillet 1901 (elle a dix-neuf ans). Son journal s'arrête entre 1901 et 1903, et j'ai évoqué plus haut, dans mon journal d'enquête (p. 107-108), la suite. On pourra compléter ces autoportraits en lisant plus loin (p. 406-410) le parallèle que Catherine fait, en 1900, entre son journal et celui de Marie Bashkirtseff. Un jour l'ensemble de ce journal de jeunesse, conservé par son fils Claude Bourdet, sera publié par les soins de Claire Paulhan : je les remercie tous deux de m'avoir autorisé à en réaliser ce croquis.

⁂

Dimanche 2 août [1896]

Je me sens un peu émue en commençant ce nouveau cahier. C'est toujours le même journal, et ceci n'est qu'une suite... Pourtant il me semble que c'est un Commencement. Oui ! Un Commencement ! Mes autres cahiers sont pleins des petits événements de ma vie d'Enfant. Celui-ci commence ma vie de jeune fille. Je n'ai que quatorze ans. J'en parais douze. Et pourtant... pourtant, je ne me sens plus une enfant !

Oh, qui pourra me dire ce que sera ma Vie ?

Oh, qui pourra me dire ce que j'écrirai sur toutes ces pages blanches ? Oh, le Doute de tout ! Le doute de l'Éternité, le Doute de Dieu, le doute de la Mort ! Qui pourra me dire ? ? ?... – Mais quelle est la voix lugubre que j'entends ? Quelle est la voix qui me dit : « Enfant ! *Personne* ne pourra jamais te dire si Dieu est Dieu, si la vie n'est pas un caprice de la nature, si ton âme existe, et si tu n'es faite que pour souffrir et mourir ! Personne ne pourra jamais te rien dire ! Va ! Cours, marche, cours, ne t'arrête jamais ! Va dans l'Inconnu ! Marche seule jusqu'au Néant ! Va, marche, va ! » [...]

*

Samedi 8 août [1896]

En relisant ce que j'ai écrit il y a 7 jours, je trouve ces pages bien lugubres pour un commencement. Et, en pensant que la plume qui a écrit ces paroles désabusées était tenue par une enfant, j'ai été prise d'une grande tristesse.

Quoi, cette âme est donc jeune ? Cette âme, à peine sortie de l'enfance, et qui n'a encore vu que des fleurs sur son chemin, cette âme ressemble déjà à celle d'un vieux penseur détaché des choses de la terre ?... Hélas, oui ! Je ne sais pas comment je m'y suis prise, moi qui n'ai encore vu que des sourires, qui tous les jours ai de nouveaux et charmants plaisirs, pour penser à des choses si profondes, à des choses qu'on écarte en frémissant de sa pensée. Le grand Problème a déjà pris possession de mon esprit, de mon cœur, de mon âme [...].

Mais voyons, secouons-nous un peu, oh mon esprit ! Pauvre esprit prisonnier dans ce vilain corps, comme il te tarde d'être libre et de pouvoir déployer tes ailes ! — Décidément, je suis bizarre. Je suis si autre que tout le monde ! Si maman et papa, par exemple, pouvaient se douter de toutes les choses profondes et lugubres que j'écris ! Comme ils seraient étonnés ! Moi qu'ils ne connaissent que comme une drôle de petite fille, très aimante, assez intelligente, et adorant s'amuser ! Comme les goûts de mon corps font un drôle d'effet à côté de ceux de mon Esprit !

Et comme on ne connaît que mes idées et mes goûts du dehors : aimer passionnément à lire, et ne détestant pas les romans ; aimer beaucoup jouer et courir avec des garçons, faire le collégien ; adorer le monde, la danse, le cheval, la bicyclette, et tous les exercices du corps. Aimer la musique, la poésie. Idées très arrêtées sur le mariage. Sur l'Amour, etc. « Ça va bien avec mes idées sur la mort, hein ? Et ce goût passionné pour le monde, pour la danse, pour le théâtre, pour les bals, et pour les aventures romanesques ? Ah, ah, ah, ah ! Voilà la Catherine du dehors, celle que tout le monde connaît, la drôle de fille aux yeux vifs et à l'esprit plaisant. Mais l'autre ? La Catherine songeuse, triste et pleine de douleur à la vue du monde, de notre pauvre monde ! La Catherine rêveuse et passionnée, celle qui voudrait pouvoir courir sur la terre en criant : "Mes frères, je vous aime ! oh pauvres humains, écoutez-moi ! Pensez que demain l'herbe sera poussée sur vos tombes ! Pensez-y ; et aimez vous tous ! Mes petits enfants, aimez vous les uns les autres ! " »

Ah, c'est cette Catherine-là que j'aime en moi, c'est elle que je chéris comme mon bien le plus précieux.

Que l'autre meure ! Que mon corps soit réduit en poussière ! Moi, la Catherine de mon Esprit, je m'envolerai vers la lumière ! ! !

*

Dimanche 16 août [1896]

[...] Tod m'adore toujours. Pauvre petit chien chéri, il est si malheureux lorsque je le laisse à la maison ! Je me demande si mon mari (si je suis jamais assez bête pour en prendre un), sera aussi tendre et aussi fidèle. Mais en voilà une bête d'idée ! Ça serait impossible de trouver un homme qui m'aime seulement la moitié autant que mon chien ne le fait, et qui reste fidèle à son amour seulement le quart de sa vie ! Et puis, je ne vois rien en moi pour inspirer une telle passion. Je serai laide, c'est un fait certain. Mes yeux sont beaux, mais mon nez, ma bouche et mes oreilles sont laids. Et je serai probablement malheureuse en amour, car ne pouvant pas inspirer de passion durable, je sais que je serai capable d'en éprouver une.

Bast ! Ineptie ! Tous les hommes qui demanderont ma main (et ma *fortune*) seront des imbéciles, dont je me soucierai fort peu. Car vraisemblablement ce seront des hommes du monde, des jeunes fats qui se croiront beaux comme des amours et qui croiront faire un grand sacrifice en épousant *ma dot* et moi. Le seul que j'aimerai, le seul homme qui saura me comprendre et qui m'aimera pour *moi seule*, celui-là, je ne le verrai probablement jamais, car ce doit être une chimère.

*

Samedi 24 octobre [1896]

Dans la vie, la jeune fille est un être seul. Ah, combien seule ! Enfant, elle fut gâtée, chérie, adulée. Jeune fille, on la laisse. C'est une fleur dont on ne *veut pas* respirer le parfum. Quand elle est dans le monde, une visible gêne et une contrainte pèsent sur les dames et les messieurs : on ne doit pas dire de légèretés. On s'observe. Quel ennui que la jeune fille !...

Pauvre jeune fille ! A qui pourra-t-elle se confier ? A qui dire les choses qui lui brûlent le cœur ? Près de qui pleurer ? avec qui sourire ? Hélas, avec personne. Et voilà pourquoi j'ai ce cahier, et voilà *pourquoi* j'écris, je pense et j'espère sur ces feuilles. C'est avec lui que je souris. Et c'est avec lui que je pleure... O mon ami ! ô ma chose à moi, ma chose adorée ! Oh combien je chéris chacune de ces feuilles où mon âme est écrite ! ! ! Mais des larmes me viennent aux yeux. Une amertume atroce me serre la gorge. Dire qu'il n'y a *personne* avec qui je puisse pleurer en paix ! Personne ne me comprendrait... pas même maman ! ! ! —

Oh mon âme, mon âme ! Tu voudrais mourir, n'est-ce pas ? Oh, mon cœur, mon cœur, cesse de battre, arrête, et tout sera fini... Mais mon âme a beau s'agiter comme un pauvre oiseau blessé, enfermé dans une cage, mon cœur ne s'arrête pas. Pourquoi suis-je née ? Personne ne me comprend. Personne ne saura jamais ce que sont les douloureuses, les terribles angoisses d'un cœur de jeune fille. Si on me voit pleurer, on ne comprendra pas pourquoi je pleure. Si on me voit rêver, on croira que je pense à mon piano, ou mon chien, ou ma nouvelle robe. – La jeune fille est un être seul.

*

Vendredi saint [1897] *[Après le récit d'une farce qu'elle vient de faire]*

Quel drôle de type je suis ! Tout le monde dit que je suis folle... mais on s'accorde à dire que c'est une folie douce, qui égaye et distrait tout le monde.

———

Maintenant, changeons d'âme. Assez de bêtises. C'est le tour de la Philosophie ; de la Méditation ; de la Prière à l'Être Suprême. Il faut que je me prosterne, que je crie, que je supplie. Puis, quand je serai arrivée un peu plus près de Dieu, je lui demanderai pardon d'être trop femme et de faire des folies. – Hélas ! malgré moi [*neuf lignes barrées*].

*

Samedi 23 octobre [1897]

Paris est gai et ensoleillé comme au printemps. Les arbres prennent des teintes dorées, les oiseaux chantent dans les branches ; le ciel est pur et bleu, tout le monde a l'air content... et moi-même je suis gaie, gaie malgré moi, parce que, quoique je sois souvent triste, je ne peux pas pleurer longtemps en voyant ce beau soleil... je ris et je suis heureuse, parce que, après tout, je suis une jeune fille, et non pas une vieille femme à l'agonie... je suis jeune, je suis riche, je suis aimée... le nom de mon père est célèbre, et, quoique je ne sois pas jolie, j'ai quelque chose en moi qui charme... j'ai une jolie taille, de beaux cheveux et de beaux yeux, des dents blanches ; malgré cela je suis laide, car mon nez est trop grand, et ma bouche aussi, et mon teint trop brun. Mais il y a des moments où je suis *presque* jolie... et cela me suffit. Demain est dimanche. Que ferons-nous ? Promenade avec nos amis Troisier, probablement. Ce sont des garçons très gentils que Jean et André, ce sont presque mes frères. – J'ai repris mes cours ! Je vais chez Mlles Haussoulier, c'est un cours très bien fait et très intéressant. Je trouve ma conversation d'aujourd'hui un peu décousue, je raconte toutes sortes de choses insignifiantes... c'est parce que je suis gaie, je pense. Le soleil m'a grisée.

Miss Bruce est une brave fille. Mais que ses idées sont étroites ! Le protestantisme est une belle religion, pourtant. Je le connais trop peu pour pouvoir savoir quoi dire là-dessus, vaut-il mieux, ou non, que le catholicisme ? Quand je serai mariée (si je me marie), en tout cas, quand j'aurai vingt et un ans, je ferai mon coup d'état. Cela sera : rassembler tous les livres sur le protestantisme, tous les livres sur le catholicisme, tous les livres écrits sur les diverses philosophies ; et tous les livres, aussi, d'Ernest Renan. Je lirai tout cela patiemment, peu à peu. Et je tâcherai de me former une opinion. Je sortirai de ces lectures, ou protestante enragée, ou catholique endurcie, ou swendenborgiste, ou matérialiste convaincue : ... l'avenir en décidera.

*

Mercredi 8 décembre [1897]

Je commence à lire dans le Grand Livre qu'est la Société, et il m'amuse et me passionne. Je regarde, comme un spectateur impartial et hors de cause, les drames et les comédies perpétuelles qui se déroulent devant mes yeux. J'apprends beaucoup, et des choses neuves. Mon esprit s'ouvre. Je comprends les hommes, ces marionnettes futiles et vaines, qui s'agitent avec tant d'orgueil sur la grande Scène, et je leur pardonne leurs faiblesses, leurs méchancetés, leurs mensonges, parce que, malgré mon impartialité, je suis aussi un acteur de la bande, un bien insignifiant acteur, et qui se repose parfois pour se faire spectateur et juger les autres. Mais je suis un acteur. Moi aussi, j'ai un petit rôle ; mon entrée en scène fut bien banale, et ma sortie le sera encore plus. Je suis entrée par l'universelle porte, je sortirai par l'universelle sortie, mon vagissement fut aussi commun, et mon râle sera aussi insignifiant que les autres ; mais en attendant de sortir, moi qui viens d'entrer, il faut que je joue, je jouerai. Comme tous je répandrai des pleurs, comme tous je sourirai, je mentirai, je désespérerai, j'aimerai, je souffrirai, et mes pleurs, mes sourires, mes mensonges, mes désespoirs et mes souffrances seront de vieilles choses déjà dites et faites par bien des millions d'autres acteurs disparus. Mais, comme chacun d'eux, je croirai que je suis unique au monde, que personne ne pleura mes larmes, ne souffrit mes souffrances, ne désespéra mes désespoirs, et j'irai, me plaignant et m'admirant, pauvre créature incomprise, millième exemplaire de légions de créatures pareilles à moi. Ah, Dieu, que sommes-nous ?

En ce moment, je suis sortie de moi-même, et je regarde avec pitié le genre humain, et je plains, avec tant soit peu d'ironie, la pauvre créature, orgueilleuse et humble, qui, dans un épisode de l'éternelle comédie, s'appellera Catherine Pozzi.

*

31 décembre 1897

Je me regardais dans la glace tout à l'heure, et j'ai vu clairement que je serai laide, banalement, irrémédiablement laide. Voici mon portrait : un vilain teint noir, foncé ; un front assez large, des sourcils noirs, jolis, bien dessinés, des yeux moyennement grands, mais d'une jolie forme, longs, mes sourcils et mes yeux sont mes seules beautés. Mes yeux sont très noirs parfois, mais ils changent et sont verts ou gris souvent. La pupille est très large. Mon nez est mince et grand, droit, mais le milieu est orné d'une légère éminence, la « bosse » des Pozzi... à vrai dire, ça n'est pas une bosse, et on ne la remarque qu'avec beaucoup de bonne volonté... — soit, mais mon nez est laid, décidément très laid, et, quoique le proverbe dise : « Jamais grand nez n'a gâté beau visage », je ne suis pas contente du mien. Après mon nez, une de mes laideurs est ma bouche : elle aussi est décidément trop grande, et l'épaisseur de mes lèvres me désole, quoiqu'elles aient beaucoup d'éclat, et que mes dents soient blanches. Et puis, un autre ennui est que ma personne est décidément propice aux poils follets, chose peu aristocratique. Me voyez-vous à quarante ans, portant favoris et moustache ? Mes cheveux sont très fins et d'une jolie couleur, le haut, châtain très foncé, le bas, doré, avec des reflets roux. Mon cou est long et brun, ma tête ovale est posée dessus assez aristocratiquement. Mes bras sont maigres, mon corps entier est long et mince. Ma taille est longue, assez bien, pour le moment elle n'est pas formée, mais je crois que plus tard elle sera fine et jolie. Mes jambes sont longues, ma cheville fine, et mes pieds très grands. Mes mains sont longues et effilées, elles seraient jolies si elles n'étaient pas si brunes. Cela forme un « tout » assez peu satisfaisant, en somme, mais, quoique laide, j'ai mes jours de beauté. Ce soir n'en sera certainement pas un, car mon rhume me rend atroce. Enfin, tant pis. Enfilons ma robe, elle du moins est jolie, et en route pour l'Opéra.

*

Mercredi 16 février [1898]

Nous sommes des gens du monde, des gens chics. Le salon de Mme Pozzi est un des plus brillants de Paris. Nous habitons un appartement, place Vendôme, qui a un loyer de 17 000 francs, nous avons 7 domestiques : deux femmes de chambre, une bonne allemande, une nourrice (pour Jacques), une cuisinière, un valet de pied et un maître d'hôtel ; nous avons une voiture et trois chevaux que nous louons à l'année (cela revient au même prix que de les avoir à nous, mais beaucoup d'ennuis nous sont épargnés).

En entrant chez nous, on se trouve d'abord dans une grande antichambre, d'aspect assez sévère. Le salon y correspond. Le salon se compose de deux pièces réunies, une immense et une plus petite. Il est meublé avec assez de goût, tapissé d'étoffes précieuses ; sur les étagères, des bibelots rares et des statuettes ; dans une vitrine, une magnifique collection d'antiquités. Les meubles ont une grande valeur, les tableaux sont admirables, mais malgré la richesse de l'ameublement on n'y est pas plus heureux, et ce grand salon froid a vu bien des drames intimes.

C'est le jour de réception. Madame, dans une toilette exquise, fait les honneurs avec grâce (quoique ça l'ennuie terriblement). Les plus célèbres personnages viennent la voir, aussi bien que les moins connus, et il est amusant de voir une modeste femme de docteur à côté de l'écrivain à la mode, un jeune homme simplement vêtu faire la cour à la beauté de la « saison ».

Parfois, au milieu de ces mondains, on voit une grande fille, à la taille trop mince, aux jambes trop longues, au corps trop plat, qui offre aimablement des tasses de thé ou de chocolat aux visiteurs de sa mère.

C'est moi. Elle s'ennuie beaucoup, cette grande fille, pourquoi a-t-elle un si charmant sourire sur les lèvres ? C'est qu'elle a déjà, hélas, ce vernis mondain, cette cuirasse d'hypocrisie polie.

Pourquoi est-ce que je m'amuse à peindre notre vie ? Je ne sais, mais c'est drôle.

La grande fille se lève. Elle est aussi grande que sa mère, elle est trop grande, elle a une taille et des manières de femme pour un corps d'enfant. La grande fille se lève. Elle va à la fenêtre, et regarde dehors. Elle regarde. Il fait nuit ; sur la place, illuminée par la clarté jaune des réverbères, une foule de gens passent ; ils sont noirs, ils marchent vite. Les voitures roulent, en voici, en voici, d'autres, d'autres, d'autres encore.

Où vont-ils ? La grande fille a oublié les visites, elle a oublié le thé à servir ; elle n'entend plus le bavardage stupide des jolies femmes. Elle ne voit que ces ombres noires qui passent, là-bas, au-dessous d'elle ; elle n'entend qu'une rumeur confuse qui monte, croît et grandit, des cris, des appels, des rires, des plaintes. En bas, deux cochers se disputent. Des gamins courent en chantant. Une femme et un homme, dans l'ombre, se baisent longuement la bouche. Et les ombres passent. La grande fille regarde passionnément, et voilà qu'il lui semble que c'est *Paris* qui passe, gronde et pleure sous ses yeux. Elle voit les femmes obscènes, elle voit les hommes faux, elle entend les mensonges, elle touche les ignominies. Voilà le comte Z. et sa maîtresse. Voilà la fille publique qui vend sa chair tous les soirs à l'acheteur inconnu. Voilà le romancier impudique, voilà le banquier voleur. Voilà le prêtre faux et lâche, voilà la vieille dévote abêtie. Voici les rois et voici les gavroches, voici les princesses et les filles. Ils s'enveloppent tous de loques dorées et se font des petits saluts bêtes. Voici l'actrice qui a de si jolies jambes et voici la petite épicière vertueuse. Les voici tous, ils passent, ils passent, elle les voit. Quelle foule, quelle foule immense ! Et pas un, pas un n'est un honnête homme ! La grande fille tressaille. *Elle se voit. Elle est là, au milieu d'eux, elle est là.* Oh misère ! elle a aussi sa loque dorée, elle dit aussi leurs mensonges, elle fait aussi leurs saluts. Et, les yeux agrandis, l'âme palpitante, elle se voit passer, lentement, donnant la main à ces misérables, souriant et mentant, jouant la comédie infâme. — Et, au-dessus, la colonne profile sa masse sombre, éternelle image du Temps qui seul ne change pas.

*

Jeudi 17 mars [1898]. — 9 heures du soir.

Je reviens d'une matinée costumée chez Mme Brouardel, je ne m'y suis pas beaucoup amusée. Mais pour la première fois de ma vie, je n'ai pas été laide. Je suis coiffée à la 1830, les cheveux bouclés formant deux bandeaux sur les tempes, le chignon très haut terminé par deux grandes coques. Avec ma robe en mousseline de soie blanche cela me donne un petit air étrange... — Ce n'est plus moi, cette jeune fille presque jolie... ce n'est plus moi, et pourtant c'est moi... oh c'est moi bien davantage que la Catherine que j'ai connue. C'est moi, cette figure longue et fine, ces yeux songeurs, cette grâce mièvre...

Je ressemble tellement à mon aïeule qu'il me semble que je suis elle. Sentiment extraordinaire... si je me regarde dans la glace en faisant des révérences, j'oublie qui je suis, et ma personnalité s'efface à ce point que je me sens une âme autre, une âme douce pleine de charme...

*

Samedi soir, 25 juin [1898]

J'ai un peu envie de me moquer de moi, de tout ce qu'il y a d'inconsciemment vaniteux dans mon petit être de jeune fille qui veut régénérer le monde et renouveler la Philosophie (avec un grand p). Il est certain que je me trouve très intelligente. *Très* n'est pas exact : *supérieurement* est le mot. Je me prends au sérieux.

J'ose parfois — oui, ma vanité va jusque-là —, j'ose pleurer sur les malheurs de l'humanité « égarée ». Je me plains *énormément* d'être incomprise. C'est poétique et élégant, cet état d'incomprise. Je me dis quelquefois : « Monsieur l'académicien qui me parlez, si vous saviez ce qu'il y a au fond de cette âme ignorée de jeune fille, vous seriez étonné, oh si étonné ! ! »

Je me crois un être d'élite, un être « à part ».

Un être qui a le droit de regarder jouer la comédie du monde en spectateur, et rire des autres.

Pauvre ver de terre ! Tu me fais pitié.

*

Samedi 16 juillet [1898]

Mes seize ans sont définitivement révolus depuis mercredi. Je devrai*s* être une jeune fille.

Hem ? Le suis-je vraiment ?

Je regarde dans ma glace, et voici ce que je vois : une très grande fille aux jambes longues, à la taille mince, aux bras démesurés ; tout est long dans son corps, sa figure, ovale et mince, son nez en soc de charrue, son cou, qui, s'il n'a la blancheur de celui du cygne, en a bien la forme, sa taille, ses pieds, jusqu'à ses mains qui n'en finissent plus !

Cette grande fille, elle est née sans doute sous l'influence du dernier croissant de la lune, c'est sans doute pourquoi elle en a la forme.

Deux choses décidément jolies chez elle : ses cheveux et ses yeux.

Une bouche grande, grande, aux lèvres épaisses, un teint noir, noir, noir, une peau trop fine qui se couvre de boutons pendant les fortes chaleurs. Cet ensemble, je ne le trouve décidément pas du tout satisfaisant. Je ne suis pas gracieuse, excepté quand j'ai très envie de l'être.

Le principal charme de Catherine, c'est une extrême mobilité d'expression, une vivacité très grande ; l'esprit prompt et très gai, la repartie facile, une conversation drôle, souvent originale.

Une personne qui aurait causé avec elle longtemps, qui aurait vécu avec elle quelques jours, une personne à qui elle aurait désiré être agréable résumerait probablement ainsi son opinion : « Catherine ? Nous nous sommes promenées, nous avons fait des parties et causé un peu ensemble : eh bien, c'est une drôle de fille, très amusante. Elle a beaucoup d'aplomb, beaucoup d'entrain et beaucoup d'esprit. Elle est laide, mais gentille et très agréable, on ne s'ennuie jamais avec elle ; elle est peut-être un peu trop originale. »

Je n'aurais probablement montré à cette personne que le côté de moi que je montre à tout le monde ; voici pourquoi son opinion de moi peut sembler fausse.

Je tiens à paraître gaie et folle et pleine d'entrain, on dit de moi « qu'elle est amusante ! ».

Si je me montrais ce que je suis, personne ne comprendrait, je serais « ennuyeuse ».

Il faut amuser ses amis.

Et je les amuse, que diable !

Première manière : dire des bêtises.

J'ai remarqué que les gens disant des bêtises étaient plus écoutés que les sages. Et j'en dis ! Plus c'est inconvenant, plus on rira. En avant la médisance, la moquerie, le rire ! Ah on vous en fichera, des paradoxes ! !

Deuxième manière : le sport. Aux gens sportifs, je plais énormément. Cheval, bicyclette, tennis, crocket, automobilisme, canotage, je suis au courant de tout cela, je l'adore, je ne vis que pour cela, etc. — Aux gens sérieux, je déploie l'étendard sacré : sciences occultes et psychiques, morale sociale, philosophie à l'eau de rose, littérature, etc., et cetera. Aux petites dames je parle chiffons une heure sans désemparer. Aux vieux messieurs, galanterie. Aux jeunes messieurs, théâtres et plaisanteries, flirt quelquefois, ça dépend.

Aux vieilles dames : morale et musique, Lacordaire et Chateaubriand, et Bossuet et Haydn et Mozart et Méhul et Meyerbeer, ouf, ouf, ouf.

Aux jeunes filles, bals et matinées et danses et toilettes et opéras de Wagner.

Aux enfants, Barbe-Bleue et de belles histoires.

Aux chiens, des tapes, ils aiment ça.
Habile jeune fille !
Quel diplomate n'envierait ces dispositions ?

Avec tout ça, s'il est une personne au monde que je ne connaisse ni ne comprenne, c'est moi-même.

*

[Sans date. Mars 1899]

Je me cherche moi-même et ne me trouve pas. Parfois, il me semble que je suis si près de saisir la vraie raison de mon être, la faculté conductrice, la force motrice... j'approche, j'approche... et c'est pour retomber dans mon incertitude et dans mon impuissance. Que suis-je donc ? Qu'est-ce que je veux ? Pourquoi est-ce que je le veux ? Suis-je un abîme de bonté ou un gouffre d'inconscient égoïsme ? Suis-je capable de sentir, au moins ? Par moments, je le crois... je me sens une âme de Marie-Magdeleine, des larmes de tendre pitié, de désir inconnu, un envolement de tout mon être vers quelque chose que je ne sais pas... et puis, je me trompe. Ce n'est plus cela.

C'est un autre moi, froid et calme comme un roc, une indifférence de pierre, vraiment, pour tout ce qui n'est pas mon sentiment ou ma douleur, une perversité voluptueuse, qui s'excite elle-même, une gaieté mordante et une rosserie impitoyable, un je m'en-fichisme enraciné, des envies de m'amuser de goûter, de jouir, fût-ce au prix de vies, de douleurs humaines, un plaisir de faire mal, et de faire le mal, d'être méchante pour quelqu'un en bravant la bonté et la vertu...

Je ne me trompe pas, je suis ces deux êtres.

Y aurait-il en nous, comme dit Leibniz, deux monades antagonistes se dominant tout à tour, pr le bien ou pr le mal ?

*

Samedi X mai [1899] *[Avant-veille d'une opération de l'appendicite : ce texte figure après une longue lettre d'adieu à sa mère, et avant les lettres d'adieu à son frère, à sa grand-mère et à son père]*

Moi :

gavroche	philosophe
sentimentale	réaliste
blagueuse	passionnée
fumiste	sérieuse
rêveuse	rosse
menteuse	amoureuse de vérité à en être bête
garçon	femme, coquette, flirt, etc.
littéraire	sportive
poétique	se moquant de tout
mystique	religieuse et matérialiste
volonté de fer	nervosité extrême
charmante !	ah oui ! ! ! ! !

11 juillet 1900

Je viens de relire une partie de ce livre charmant. Je suis très agacée, car je l'ai trouvé ridicule, et bien poseuse la petite fille qui l'avait écrit en pensant trop à la Postérité ! J'ai l'air franc, et mon grand défaut est le manque de sincérité aussi bien dans mes actions que dans mes paroles ; bien plus même.

Mes plus simples mouvements sont étudiés, comme mes états d'âme ; un masque de pose, de comédie, de « tout-pour-l'effet » est collé à mon être, et m'horripile, sans que je puisse le jeter loin de moi. Je me joue des personnages divers qui ne sont jamais moi-même ; un jour je suis la « jeune femme », ça dépend du chapeau que j'ai alors ; un autre, la grue ; un autre, le gamin de Paris ; un autre la jeune désabusée ; un autre « les aspirations d'une âme vers l'idéal » ; où est Catherine Pozzi dans tout ça ?

*

Mardi 17 [juillet 1900]

Je viens de raconter à tante Lène, en détail, l'histoire de mes crises religieuses.

Quel malheur que je ne l'aie pas eue près de moi alors ! Elle aurait compris, et m'aurait sauvée.

Est-il trop tard maintenant ?

Mon esprit est si loin de ses désespoirs naïfs et passionnés d'autrefois, de mes élans et de mes découragements, de mes larmes et de mes tortures secrètes — car tout n'était pas cabotinage dans ces cris vers quelque chose que je pressentais sans comprendre, dans mes pages brûlantes écrites les mains crispées — non, en cherchant, à présent, je me trouve plus orgueilleuse que fausse...

Non, je n'étais pas fausse ; j'ai aimé me sentir au-dessus des autres, exagérer mes luttes intérieures, les provoquer même ; elles étaient sincères ; ...

Si, j'ai cherché Dieu.

J'ai lu autrefois, c'est dans Renan je crois, une si belle page sur les âmes religieuses ; celles qui croyaient avec leur esprit, leur raison, la partie logique de leur âme, et qui, le doute venu, se détachaient doucement de leur foi, comme d'un théorème géométrique démontré faux, et la remplaçaient par une autre foi — foi à la solidarité humaine ; foi à la science ; foi à l'art ; et celles encore qui avaient cru avec leur chair, avec leur sang, avec leur cœur, et qui, le doute venu, s'arrachaient douloureusement de leur foi, comme du plus vivant de leur être, et s'en allaient après, désemparées, sans vie morale, tombant dans l'indifférence ou dans le désespoir.

Jean est des premiers. Est-ce de l'orgueil encore de dire que je suis des secondes ?

Ma vie morale est certainement moins intense qu'autrefois. Ah ma chair et mon sang, comme je voudrais avoir la lâcheté de revenir à vous ! Et ceci n'est point une phrase.

———

J'aurais pu être quelqu'un. J'ai eu en moi des possibilités que je n'ai pas développées. J'ai senti si souvent dans mon esprit ces germes des grandes choses, ces consciences inexplicables que j'avais en des profondeurs ignorées, ces élancements de tout mon être vers ma destinée... Ma Destinée ! que je sentais si haute, si terrible, si splendide, et que j'appelais...

Et maintenant ? Pourquoi ?

Quel travail lent et froid d'anéantissement a étouffé mon âme ? Car j'ai eu une âme. Une âme qui aurait été capable de se vaincre et de savoir. Pourquoi est-ce que rien ne me fait plus rien ?

Il me semble que j'ai gâché ma vie, et je n'ai que dix-huit ans. Je me méprise de n'avoir pas trouvé un trésor caché en moi, je me méprise d'avoir perdu ce que j'aurais pu être...

Quelle immense faute, quel crime j'ai commis là, par indifférence. Non, pas par indifférence. Je ne comprends pas. Je sais seulement qu'à dix ans, j'ai été une personne morale excessivement développée, je me rappelle seulement ces minutes profondes où il me semblait que l'avenir tremblait en moi — quel avenir ! Où je sentais des flots de poésie qui me faisaient pleurer sans que je puisse les écrire, où des idées qui n'avaient jamais été pensées par des enfants traversaient mon esprit comme des nuages calmes qui viennent de loin, et m'enflammaient, et me faisaient souffrir.

Avoir dix-huit ans, et déjà regretter !

Et c'est ma faute, c'est ma faute, c'est ma faute.

Jamais plus, jamais plus, jamais plus. Oh comme c'est cruel ! Quel châtiment ... avoir pu être ! Et ne pas avoir été...

Je me rappelle ces mots : « la récompense est en nous-même ». Et le châtiment aussi.

Quelle honte !

Si mon père avait voulu ! oh papa qui aurais pu créer un esprit, et ne l'as pas fait, comme je te sens coupable. Pourquoi m'as-tu dédaignée alors, quand tu avais devant toi la plus belle œuvre du monde, l'œuvre d'un ange plus que d'un homme : créer un esprit, éveiller un esprit à la conscience et à la pensée, le nourrir de ta science, l'élever de ta sympathie, le grandir de ce que tu avais appris et que je ne sais pas... Un père n'est-il pas responsable envers son enfant de la vie morale de celui-ci ? Et que dire de celui qui ignore son enfant plus que ses maîtresses, par dédain ou par indifférence ?

Que de joies tu t'es fermées. Je t'aurais aimé, compris mieux qu'elles, va. Mon père, comme je te sens coupable envers moi !

Tante Lène a beaucoup d'influence sur moi. Qui n'a pas beaucoup d'influence sur moi pour le bien ou pour le mal ? J'ai dans ma main le signe de cette malléabilité — « et ces gens-là seront héros chez les héros, mais pervertis chez les mauvais », dit Mme de Thèbes en substance.

J'ai peur de moi pour plus tard. Il y a tellement plus de démons que de saints dans la vie ! Je prévois quelquefois avec terreur un être de vice et d'immoralité m'entraînant facilement à sa suite, sans que rien résiste en moi, sans qu'un caractère quelconque s'oppose à ma chute. Je n'ai pas de caractère. Oh que je serai faible pour la grande lutte !

Je suis coquette — oh comme je suis coquette ! Je ferais des bassesses pour qu'un homme me regarde et il y a des instants où je me sens la chair d'une fille. C'est une partie de ma nature que de ne jamais se livrer sincèrement, — il n'est pas un de mes mouvements qui soit simple et sans arrière-pensée. Je pensais à cela hier dans le wagon en revenant de Paris, où j'étouffais (avec un boa de plumes blanches au cou — mais il m'allait bien), nous étions nombreux, deux hommes en face, un à côté de moi ; des hommes quelconques, ni beaux, ni striking, mais dont la seule présence suffisait à me faire désirer passionnément d'être jolie, et remuait en moi la « chair de fille ».

Chaque tunnel protégeait de son obscurité mes dents mordant vite mes lèvres pour les rougir. Je devrais être honteuse d'écrire cela, mais la sincérité envers moi-même est ma sauvegarde.

Quand j'eus fini de lire mon journal, je relevai le store près du vasistas du coin où je me trouvais, et comme la glace était baissée, je mis ma tête tendue devant pour rafraîchir mes yeux, mes joues et mon cou brûlants. Et je fis alors un petit mouvement très simple qui est tout moi, cependant. Comme j'étais de profil, je pris mon menton dans ma main en mettant deux doigts sur ma bouche. Je le connais, ce mouvement, et il me connaît !

J'ai de beaux yeux et de beaux sourcils, le haut de ma figure est ce que j'ai de mieux, — seulement ma bouche est trop grande et mon menton trop court.

Pour ces hommes qui m'étaient indifférents, il m'était pénible d'être vue en mal..., la main pensivement appuyée sur le menton, les deux doigts caressant la bouche, et de la tête tournée les grands yeux aperçus seulement, suivis du grand nez aristocratique... du nez des Pozzi, que je déteste moins maintenant, je sais qu'il a un certain air, et sans la bouche... et le menton, je serais heureuse. — Oh la « chair de fille » !

Alors, l'air des bois, l'air de la campagne qui a toujours été un si puissant talisman pour moi, me fouettant le visage avec force, chassa je ne sais comment la chair-de-la-fille, et me purifia, comme toujours.

Nulle lecture morale et nuls sermons — (j'en ai si peu entendu, c'est vrai !) n'ont jamais eu, et n'ont sur mon être la puissance morale inouïe qu'a la nature. Les arbres, les blés, le ciel, les champs, le vrai soleil sur les collines, les herbes et leurs parfums de vie mystérieuse qui pousse la sève tout doucement, l'air qui a passé sur les sources et les fleuves, le bruit du vent, sont pour moi comme une onde profonde qui m'enveloppe l'âme et la lave. (Ceci est réel, je ne fais pas des phrases quoique ça en ait l'air.) Il me semble que je sens le souffle lointain de Dieu ; alors je me méprise pour mes lâchetés, et je suis impitoyable pour la « chair-de-fille ».

Ainsi hier, devant la fenêtre ouverte du wagon par où sont entrées brusquement les odeurs des bois de Maisons-Laffitte, j'ai senti la honte de ce que j'avais été tout le jour ; — et laissant à nu mon profil accentué, j'ai lentement ôté la main qui cachait ma bouche.

*

Florence, 30 octobre 1900

[...] Je ne me crois intelligente que quand j'écris — car j'ai assez de goût pour comprendre que j'écris bien — je dis : je ne me *crois*, car ma famille et mes amis éblouis — de quoi ? — passent leur temps à me répéter que j'ai un « esprit d'homme »... hélas ! J'aurais pu, peut-être... mais savez-vous ce que c'est que mon esprit d'homme ? *Un esprit raté*. Un esprit capable de sentir, de penser et de deviner, de vibrer et de créer, et qui ne vibre, ne devine, ne pense ni ne crée par paresse — Par paresse ! Quelle tristesse ! Tiens, ça rime. Mais je ne ris pas, vous savez. Ça, c'est la plaie. La plaie qu'on ne sait pas et qui saigne fort, intérieurement, et que je touche quelquefois pour la réveiller, pour *sentir si elle est là* ; car tant qu'elle fera mal, je ne serai pas perdue... Oh ma terrible plaie chérie !

*

Dimanche 9 décembre [1900]

Je travaille un peu mon piano. Je vais chanter. Je monte à cheval. J'essaie des robes. J'essaie des chapeaux. Je ne suis aucun cours à la Sorbonne. Je ne lis presque pas. Je revis toutes mes âmes en feuilletant mon journal depuis douze ans. Ame de petite fille, âme de collégienne, âme de fillette, âme de grande fille, âme de petite jeune fille, âme de jeune fille.

A quand l'âme de femme ? ? ? La « désirè-je » ? Non ; j'en ai peur !

Cependant d'obscures inquiétudes passent en moi – je deviens *terriblement* coquette. J'ai conscience de m'épanouir en crétine jeune fille à marier. Comme c'est agréable ! Et mon esprit, ironique et amer, assiste sans presque protester, à l'éclosion du bouton en rose ! ! ! Dieux Olympiques, aidez-moi !

*

14 janvier 1901

J'ai le *cadre de vie* qui pourrait enfermer du bonheur, et je n'ai pas de bonheur. On m'aime, et je n'aime pas. Je suis intelligente, et je ne vis pas. Je suis riche, je possède le « levier puissant, clef de la Volonté », j'habite une splendide maison dans le plus clair endroit de Paris, mon père est une personnalité scientifique, un politique appelé à être ministre, un homme du monde et un dilettante, mon frère est remarquablement intelligent, d'une distinction morale rare, ma mère est une créature charmante, admirable et aimante. J'ai tout, la richesse, et l'affection, et le nom, aussi la capacité de *sentir* et de *devenir* – pourquoi ne pas me rendre cette justice-là, puisque tous me la rendent ?

... et mon existence est un cercle inutile et vide. Pourquoi un cercle ? ou n'importe quoi, mais un cercle me semble ennuyeux, et ressemblant.

Alors quoi [*une tache d'encre*] ? Alors ? (Oh si cette plume continue à suinter des horreurs, je lâche).

Réponse : *Paresse.*

Je ne connais pas un être animé, qui, dans une unique vie, ait pu flâner et gaspiller les bonnes heures du ciel autant que je l'ai fait.

Je me dis cent cinquante-cinq fois par jour : Misérable ! Infâme ! ! Criminelle ! ! !

Ça ne produit nul effet. Je me mets devant ma glace et je répète : Criminelle ! Infâme ! ! Misérable ! ! ! J'élève un bras, je roule mes larges yeux étoilés de points d'or, je me drape d'un châle antique, je crie à mon image tous les sentiments que j'ai d'elle – en vers et en prose – même en musique.

« ... Et d'ailleurs, sous le vain orgueil de mon sourire,
Je pense plus de mal de moi qu'on n'en peut dire »

Et lorsque j'ai fini, l'heure du dîner sonne, sans que j'aie travaillé, ou pensé.

Je *veux vouloir* ! Sois témoin, journal : *demain* je voudrai !!

*

17 juin [1901]

Je sens très bien que mon corps et mon esprit changent. Je ne suis pas triste, mais certainement pas gaie, plus si gaie, mes accès d'exubérance verbale et de brio sont très rares. On ne dira plus bientôt, ainsi qu'une chose parfaitement établie : Catherine est folle.

Ce « folle » qui dans la bouche de mes amis est le résumé de mes fumisteries passées et de mes paradoxes présents (où il y a, s'ils savaient ! avant tout, le dédain que j'ai d'eux !).

J'ai été, depuis un an, si continuellement dégoûtée par la vie – non pas La Vie – c'est enfantin que de cracher à la Vie, puéril et bien ignorant, mais mon dégoût à moi était tout pour la vie, en tant que manifestation mondaine, la vie en petites lettres et combien, hélas, en sales petites actions.

Comment dirai-je ?

Je sens mon être intime absolument *violé* – aussi sali et taché que, s'il pouvait lui en arriver de même, mon corps le serait.

Je ne peux pas être heureuse, parce que je n'ai pas la pureté du cœur. Ça ressemble à un axiome de catéchisme, mais c'est vrai.

———

« Je suis un lac empli de trésors étranges, de splendides plantes, de fleurs inconnues ; tout l'azur du ciel y brille et y tremble, le soleil et la lune y font des nappes d'or et d'argent. Mais les hommes des villes prochaines sont venus, ils ont jeté leurs ordures dans l'eau brillante ; chaque fois qu'ils passent, le lac est souillé par eux. Et voici que le soleil et la lune ne peuvent plus s'y refléter, et que les fleurs et les plantes rares périssent dans la boue qui monte. »

Exquis morceau. Il donne, quoique court, l'image transparente de l'âme de son auteur.

CORPUS

Répertoire des journaux de jeunes filles écrits en France au XIXe siècle

Répertoire

Ce répertoire recense les journaux écrits par des jeunes filles en France au XIXe siècle, en fonction des critères suivants :

Jeunes filles : personnes du sexe féminin non mariées et âgées de moins de vingt-cinq ans (c'est-à-dire, selon la tradition, n'ayant point « coiffé sainte Catherine »). J'ai fait quelques exceptions à cette règle, pour des raisons différentes, incluant par exemple Eugénie de Guérin, quoiqu'elle ait commencé son journal à l'âge de vingt-neuf ans, parce que son journal a été donné en modèle aux jeunes filles de la seconde moitié du siècle, ou Pauline Moreno, quoiqu'elle ait été mariée, parce qu'elle est morte jeune, à dix-neuf ans, et que son journal est comparable à d'autres ici répertoriés, ou Antoinette H. Q., qui tient son journal de vingt-six à trente-trois ans, mais l'intitule elle-même « mon journal de jeune fille ».

Journaux : il s'agira de tout écrit périodique référentiel, quelle qu'en soit la durée (celui de Berthe Bizot s'étend, par exemple, sur une dizaine de jours), quel qu'en soit l'objet (du journal de vie spirituelle à l'agenda), et, bien sûr, quelle qu'en soit la valeur (qui en déciderait ?). J'ai fait, là aussi, une ou deux exceptions, en incluant, à titre de comparaison, des cahiers d'enfants qui sont à la limite du journal : ceux de Marie Bonaparte (surtout des textes de fictions et de fantasmes), ceux de Thérèse Martin (carnets assez rudimentaires, appartenant par moments au genre, que j'ai par ailleurs exclu, des « carnets de retraite »).

Écrits : il s'agira aussi bien de textes publiés que de textes inédits. La seule condition est que je les aie eus sous les yeux. Dans presque tous les cas, il se pose des problèmes embarrassants : quelle confiance faut-il accorder aux textes publiés, le plus souvent sous forme d'extraits ? quel intérêt, pour le lecteur de ce répertoire, que je mentionne des textes inédits que j'ai lus, mais qui ne lui sont pas accessibles ?

Les carrés blancs permettront de différencier le statut du journal .

□□□□ publié du vivant de l'auteur
□□□ publié peu de temps après la mort de l'auteur
□□ publié longtemps après la mort de l'auteur
□ inédit

En France : ce répertoire concerne la France et les aires francophones immédiatement voisines (comme la Suisse romande), mais non le Québec, pour lequel je renvoie à la bibliographie d'Yvan Lamonde (*Je me souviens*, 1984), en recommandant la lecture d'un des journaux les plus remarquables écrits en langue française, celui d'Henriette Dessaules (1860-1946), tenu de 1874 à 1881 (édition critique par Jean-Louis Major, Presses de l'université de Montréal, 1989).
« En France » ne veut pas dire forcément en français (Mary Ourousov vit à Paris mais tient son journal en anglais) ni par une Française (Mary Ourousov est russe, comme Isabelle Eberhardt et Marie Bashkirtseff).

Au XIXe siècle : les journaux sont classés chronologiquement, d'après la date de naissance de leur auteur. En principe, journaux écrits entre 1789 et 1914. Dans la pratique j'ai inclus les trois seuls journaux de jeunes filles écrits avant 1789 que l'on connaisse, pour que le répertoire donne une idée continue du développement de cette pratique. La date de 1914, en revanche, a été respectée. Le choix de cette coupure historique correspond d'ailleurs à une nécessité pratique : il n'est guère pensable d'explorer au-delà de cette date des archives familiales par définition très sensibles.

J'ai renvoyé en fin de notice, le cas échéant, aux passages de mon « journal d'enquête » où le journal pouvait être décrit, et aux « croquis » ou extraits qui en étaient faits. Mais seule la consultation de l'index des noms propres permettra de retrouver toutes les références concernant chaque journal.

*

□□ **1766** **Germaine Necker**

« Je voulais entièrement faire le journal de mon cœur, j'en ai déchiré quelques feuillets : il est des mouvements qui perdent de leur naturel dès qu'on s'en souvient, dès qu'on songe qu'on s'en souviendra ; il semble qu'on serait comme les rois, ils vivent pour l'histoire, et l'on sentirait pour l'histoire... »
Pendant l'été 1785, à la veille de ses fiançailles avec le baron de Staël-

Holstein (qu'elle épousera en janvier 1786), Germaine Necker tient un journal intime, dont elle a déchiré elle-même les derniers feuillets pour préserver son intimité. Commencé le 26 juin, il s'arrête le 16 août, mais devait se poursuivre au-delà. Il a été publié pour la première fois dans trois livraisons d'*Occident et Cahiers staëliens* (1er juin 1930, 15 juillet 1931, 15 octobre 1932), puis dans les *Cahiers staëliens* en 1980 (nº 28, p. 55-79), en même temps qu'une étude de Jean Starobinski, « *Le Journal* de Mademoiselle Necker : Réflexion et passion » (*ibid*,. p. 25-32).

□□ 1766 Albertine de Saussure

Fille du célèbre naturaliste genevois H.-B. de Saussure. Dès l'âge de dix ans elle tient son journal dans des cahiers (encore inédits). En revanche le journal qu'elle a tenu à dix-sept ans a été publié : « Journal inédit d'Albertine de Saussure. Un tableau de la société genevoise au XVIIIe siècle », *Le Mois suisse*, nov 1939, p. 26-45, déc. 1939, p. 32-52, et janv. 1940, p. 68-91. Ce jounal va du 6 mars au 13 mai 1783, il est sur un petit cahier rose. Elle le commence après une longue interruption. Elle l'arrête parce que son amie Kitty quitte Genève : elle a promis de lui écrire chaque jour et ne veut pas faire deux fois les mêmes récits. Peut-être s'achève-t-il aussi parce que Jacques Necker, de son côté, vient de quitter Genève. Cet officier de vingt-six ans, neveu du ministre, et cousin de Germaine, a fait depuis plusieurs mois une cour assidue à la toute jeune Albertine, qu'il veut épouser (et que de fait il épousera). En même temps qu'une chronique de sa vie quotidienne, le journal d'Albertine est un récit de cette cour, à laquelle son père lui a ordonné de résister. C'est surtout une analyse très fine des embarras, des perplexités, mais aussi des émotions que cette aventure lui apporte.

Albertine Necker de Saussure publiera à la fin de sa vie un traité de pédagogie souvent réédité au XIXe siècle, *L'Éducation progressive, ou Étude du cours de la vie* (1828-1832).

□ 1770 Lucile Duplessis

Son père est premier commis au Contrôle général des finances. On habite Paris, mais on a une campagne à Bourg-la-Reine. Lucile y passe la belle saison avec ses parents et sa jeune sœur. En juin-juillet 1788, elle entreprend de tenir un journal, dont il nous reste, éparpillées, des pages charmantes (huit pages à la BHVP, Ms 986, Papiers Camille Desmoulins II, ff 167-170 ; deux pages à la Bibliothèque d'Amiens, dans la collection Arthur de Marsy; un fragment dans la collection La Caille...). On ne sait si elle a continué. Elle épousera Camille Desmoulins en décembre 1790. Elle tiendra de nouveau un journal en 1792. Elle sera guillotinée en 1794. Pour une évocation générale et des extraits du journal de 1788, voir André Monglond, *Le Préromantisme français*, Grenoble, Arthaud, 1930, t. II, p. 234-255. Pour le fragment de la collection La Caille, voir Jules Claretie, *Camille Desmoulins*, Paris, Hachette, 1908, p. 112. Pour les deux pages d'Amiens, voir H. Michel, « Camille et Lucile Desmoulins. Notes et documents inédits », *Mémoires de l'Académie des sciences, des lettres et des arts d'Amiens*, t. LIV, 1907, p. 383-419 (reproduction du journal p. 401-405).

« Il n'y eut pas, semble-t-il, un journal d'une seule tenue, mais, avec des interruptions, plusieurs cahiers successifs de Lucile, et les fragments en sont dispersés dans des collections diverses. Il serait bien intéressant, mais peut-être assez malaisé, de les réunir, de les classer et d'en publier le texte intégral » (H. Michel, *op. cit.*, p. 399). Ce souhait, formulé en 1907, reste toujours d'actualité.

Voir ci-dessus p. 45.

□□ 1793 Adèle Audouard de Montviol

Cette jeune fille, qui appartenait à une des familles les plus estimées de la région forézienne, se trouvait à Lyon chez l'une de ses sœurs en mars 1814 au moment où les Alliés entrèrent dans la ville. Elle se mit à tenir un journal-chronique de cette « occupation » qui allait ramener sur le trône, conformément à ses vœux, les Bourbons. Le journal commence le 20 mars (reddition de Lyon) jusqu'au 21 avril 1814 (Napoléon traverse Lyon vers l'île d'Elbe). « Le journal de Mlle Audouard de Montviol », publié par J. et P. Tézenas du Montcel, *Revue d'histoire de Lyon*, t. 10, 1911, p. 81-102.

□□ 1796 Caroline Le Fort

Fille d'un magistrat de Genève. Elle tient son journal sur des cahiers dont on ne possède plus, en copie, que la période du 24 décembre 1813 au 11 mars 1814. Caroline a dix-sept ans. Sa chronique décrit de manière très vivante l'existence de sa famille pendant cette période clef où Genève est libérée par les troupes autrichiennes et rendue à sa souveraineté. *La Restauration de la république de Genève, 1813-1814. Témoignages de contemporains recueillis par Lucie Achard et Édouard Favre*, Genève, A. Jullien, 1913, t. II, p. 159-234.

□□ 18.. Aurore Saint-Quantin

Aurore part de Nantes le 17 novembre 1824 pour aller séjourner chez son oncle paternel en poste à Cayenne. Par suite du mauvais temps, son bateau ne parvient à quitter l'Europe que le 5 janvier, et elle arrivera à Cayenne le 29 janvier 1825. Depuis son départ de Nantes elle tient un journal, précis et pittoresque, qu'après son arrivée elle enverra à ses sœurs restées à Nantes. Le journal (un petit cahier cousu de 60 pages) est conservé par la famille. Jacques Caillé, arrière-petit neveu d'Aurore, a présenté ce journal en en donnant des citations dans une brève plaquette auto-éditée, *Un voyage de Nantes à Cayenne en 1824-1825*, Montpellier, Impr. Dehan, [1975], 15 p. (Cote BN : 16° Ln^{27} 74649).

□□ **1804 Amélie Cyvoct**

Petite-nièce du mari de Mme Récamier, Amélie fut confiée à celle-ci en 1811, après la mort de sa mère. Elle fut élevée par elle et vécut auprès d'elle jusqu'à son mariage avec Charles Lenormand en 1826. D'avril 1822 à mai 1823, elle a tenu un journal, qui commence par une brève autobiographie, et se continue par une série d'entrées datées qui ne portent pratiquement jamais sur elle-même, mais sur Mme Récamier et son entourage, sous forme de portraits et d'anecdotes. « Le journal d'Amélie Cyvoct (Madame Lenormand). Souvenirs sur Mme Récamier et l'Abbaye-aux-Bois », *Revue des deux mondes*, 1er décembre 1922, p. 503-530.

□□□ **1805 Eugénie de Guérin**

Elle a commencé à vingt-neuf ans, en septembre 1834, un journal qui est en fait, selon ses termes, une « correspondance intime » avec son frère Maurice. Après la mort de celui-ci en 1839, elle le poursuivra quelque temps en prenant pour destinataire leur ami commun Barbey d'Aurevilly. Elle meurt en 1848. Son journal est publié en 1862 : *Journal et Lettres*, publiés avec l'assentiment de sa famille, par G.S. Trébutien, Paris, Didier, 1862, XII-496 p. (Cote BN : Z 50042). Très nombreuses rééditions jusqu'au début du XXe siècle. Une édition critique complète est publiée en 1934 : *Journal*, texte complet, précédé d'une Lettre aux lecteurs et suivi d'une table analytique, par Mgr Émile Barthès, Paris, Librairie Lecoffre, Albi, Imprimerie coopérative du Sud-Ouest, 1934, XV-424 p. (Cote BN : 8° Z 22934).

La plus récente biographie est celle de Wanda Bannour, *Eugénie de Guérin ou Une chasteté ardente*, Paris, Albin Michel, 1983. Depuis 1933 les Amis de Guérin publient un bulletin trimestriel, *L'Amitié guérinnienne*.

« Il sort de la vie d'Eugénie de Guérin, telle qu'elle l'a tracée elle-même, une grande leçon de force et de résignation [...]. Ce livre est d'un grand enseignement. Nous ajouterons qu'il est de la lecture la plus attachante et la plus pure » (Mme Bourdon, *Le Journal des demoiselles*, 1863, p. 105).

□□□ **1808 Alexandrine d'Alopeus**

Fille du comte d'Alopeus, d'origine suédoise, qui fut longtemps ministre de Russie à Berlin. En 1832, elle rencontre en Italie Albert de La Ferronnays, frère de son amie Pauline. Les deux jeunes gens s'aiment. Ils se marient en avril 1834. Albert meurt de tuberculose en 1836. Après sa mort, Alexandrine, qui était protestante, se convertit au catholicisme, et elle compose une sorte de récit-document de ces quatre années, à partir de lettres, des journaux tenus par elle et par Albert. A sa mort en 1848, ce récit est inédit. Plus tard Pauline de La Ferronnays (devenue en 1834 Mme Augustus Craven) reprend ce document, l'élague quelque peu, l'enrichit de nombreux autres documents (en particulier des journaux de ses sœurs, mortes entre-temps, et de fragments de son propre journal) et l'insère dans son propre récit, intitulé *Récit d'une sœur. Souvenirs de famille recueillis par Mme Augustus Craven, née La Ferronnays,* Paris, Impr. de J. Claye, 1866, 2 vol., 472 et 447 p. (Cote BN : Lm^3 983). Cet ouvrage connaîtra un succès comparable à celui du *Journal* d'Eugénie de Guérin, il sera réimprimé vingt fois entre 1866 et 1883. Sur l'ensemble de la vie de ce groupe, voir l'ouvrage de Marguerite Savigny-Vesco, *Une fresque romantique. Les La Ferronnays*, Éd. Sésame, 1957, 351 p. (Cote BN : 16 Lm^3 4780).

Alexandrine écrit en français. Elle tient parallèlement deux journaux : le livre vert, qui est un journal-chronique régulier ; et le livre bleu, plus intime et secret. Au début de ses relations avec Albert, en 1832, elle lui montre d'abord son livre vert ; un peu plus tard le livre bleu, mais en collant les dernières pages où il est question de lui, que bien sûr il décollera... De nombreux fragments de ces journaux sont cités dans le tome I de *Récit d'une sœur* (qui couvre la période 1832-1836, — le second couvrant la période 1836-1848), parallèlement aux citations des journaux d'Albert. On trouve de nombreux autres fragments inédits, à partir de 1829, dans *Une fresque romantique.*

Le livre vert est conservé dans les archives de la famille de Montalembert au château de La Roche-en-Brenil et il a été microfilmé par les Archives de la Côte-d'Or. C'est un volume de 566 pages. Alexandrine le commence le jour de ses vingt et un ans, le 13 juillet 1829. Elle y tient sa chronique jusqu'au 11 mai 1836, peu avant la mort d'Albert. Dans la marge elle note lettres reçues, lettres écrites et quelques autres informations supplémentaires. Peu après son mariage, pendant un an (mai 1834-avril 1835), elle le tient en abrégé sous forme de tableau avec cinq rubriques-colonnes : lettres reçues, lettres écrites, livres, personnes, événements. Puis elle reprend sa chronique rédigée jusqu'en mai 1836.

Voir ci-dessus p. 29-30.

□□□□ 1808 Pauline de La Ferronnays

Voir notice précédente. Pauline ne s'explique pas sur les débuts de son journal. Elle le cite très discrètement à partir de 1832 quand cela est nécessaire pour éclairer le récit de la vie de famille. Elle reste dans un rôle de témoin et de narrateur et ne met jamais en scène son histoire personnelle.

□□□□ 1813 Valérie Boissier

Du 15 novembre 1833 au 4 juin 1834, de Paris à Paris, en passant par le bagne de Toulon, Nice, Gênes, Rome, Naples, Florence, etc., cette jeune fille de vingt ans tient un journal de voyage, qu'elle publie elle-même à son retour sans nom d'auteur : *Voyage d'une ignorante dans le midi de la France et l'Italie*, Paris, Paulin, 2 vol., 375 et 423 p. (Cote BN : G 30129-30130). Voici la Préface, en entier : « Le seul mérite de cet ouvrage, journal d'une jeune dame, est d'avoir été écrit jour par jour et sur les lieux. » La narration est à la fois enjouée et prolixe : descriptions, réflexions sur des sujets divers, anecdotes de voyages et rencontres, etc. La narratrice ne parle jamais d'elle-même que comme « voyageuse », laisse totalement dans l'ombre sa vie personnelle, au point que l'on ne sait même pas avec qui elle voyage.

Valérie Boissier est la fille d'un médecin genevois. Elle épousera en 1837 le comte Agénor-Étienne de Gasparin et mènera une carrière de femme de lettres. Elle publiera notamment *Le Mariage au point de vue chrétien* (1843), des ouvrages de réflexion ou d'édification, des fictions, des récits de voyage, des traductions.

□□□ 1813 Eugénie de La Ferronnays

Voir notices précédentes. Eugénie était de quelques années plus jeune que Pauline. En 1835-1836, particulièrement au moment de la maladie de son frère Albert, elle tient un journal spirituel. Ce journal, qui fut lu par Alexandrine, elle-même voulut ensuite le brûler. Il fut sauvé par Alexandrine et par son autre frère, Fernand. Pauline en cite de longs extraits dans un appendice du tome I de *Récit d'une sœur, op. cit.*, p. 453-469. Eugénie épousa en 1838 Adrien de Mun, dont elle eut un fils, Albert. Elle mourut en avril 1842. Voir aussi sur ce journal *Une fresque romantique*, *op. cit.*, p. 185 et 189-193.

□□□ 1820 Olga de La Ferronnays

Sœur cadette de Pauline et d'Eugénie, voir notices précédentes. Elle commence son journal le 25 juin 1839, à l'âge de dix-huit ans. Pauline en cite à cinq reprises des extraits dans le tome II de *Récit d'une sœur* (p. 246-254, 256-260, 269-272, 278-287 et 292-294, les extraits s'arrêtent en septembre 1840). « J'ouvre donc, à son tour, écrit Pauline, le petit journal où, elle aussi, écrivait les pensées qui traversaient son esprit et quelques-uns des incidents de ses paisibles journées ; journal très incomplet sans doute, peut-être enfantin, mais qui cependant me semble exhaler un très doux parfum de jeunesse et de poésie, que la piété élève parfois bien haut. » Olga mourra en 1843.

□□□ 1820 Elizabeth-Fénéline de Sainte-Marie

Un ange sur la terre. Vie et écrits de Elizabeth-Fénéline de Sainte-Marie, publiés par M. l'abbé P.-A. J., Tours, Impr. Lecesne, 1849, VII-112 p. (Cote BN : Ln^{27} 18349). 2e éd. en 1860, Paris, Dillet. Cette biographie pieuse d'une jeune fille, originaire du Berry, et morte en septembre 1842, consacre la plus grande place à des citations de ses écrits. Au début un « Règlement de vie » et des « Résolutions », comme c'est souvent le cas dans les biographies pieuses. Ensuite des extraits d'un journal spirituel en forme de « pieux entretiens » avec Jésus et Marie, de 1833 à 1841 (p. 21-35) puis en 1842 (p. 87-94). Et un journal tenu pendant un voyage à Paris du 15 avril au 8 juin 1842 (p. 39-86), à mi-chemin entre le journal de voyage et le journal spirituel puisqu'elle visite principalement des églises.

□□□ 1821 Eulalie de G***

La Dernière Couronne d'Eulalie, ou Souvenirs sur une enfant de Marie du Sacré-Cœur de Metz, Metz, Impr. de Collignon, 1842, 84 p. (Cote BN : Ln^{27} 8110). 2e éd. 1842. Cette biographie pieuse d'une jeune fille morte en juin 1842 cite des notes prises au moment de sa confirmation en 1838, mais surtout des éléments d'un journal spirituel tenu à partir du moment où elle est revenue dans sa famille, de septembre 1841 à janvier 1842 (p. 50-61).

Cette publication et la précédente sont les premiers exemples que j'aie trouvés d'une pratique qui deviendra courante à partir du début des années 1860 : l'insertion d'extraits plus ou moins importants de journaux dans une biographie pieuse.

□□ 1823 Sophie Surville

Fille aînée de Laure Surville, la sœur de Balzac. Elle a vingt-cinq ans, pas de dot, n'est toujours pas mariée. On possède son journal du 1er janvier au 2 avril 1849. Mais très probablement elle le tenait avant. C'est une chronique très détaillée tenue absolument chaque jour, avec une récapitulation (dîners, visites, lectures, etc.) à la fin de chaque mois. Tous les aspects de sa vie sont passés en revue : occupations quotidiennes, portraits de l'entourage de la famille, lectures, spectacles, mais aussi sentiments et interrogations sur sa destinée. 102 pages sur des cahiers mensuels (Bibliothèque de l'Institut, Fonds Lovenjoul, A 380 bis). Une transcription partielle, qui met l'accent sur le témoignage

social, a été publiée par André Lorant dans *L'Année balzacienne 1964*, Paris, Garnier, 1964, p. 83-108.
Voir ci-dessus p. 67-68.

□□ 1824 Émilie de Cerilley

A dix-neuf ans, venant pour la première fois à Paris, elle tient pour sa petite sœur Clémence, âgée de dix ans, restée en province, un journal de voyage (février-mars 1843). Autant que d'un journal, il s'agit d'une correspondance différée, et d'un guide touristique. *Émilie*, texte présenté par Bernard de Fréminville, Paris, Éd. du Seuil, coll. « Libres à elle », 1985, p. 87-126.

□□□ 1825 Louise-Edmée Ancelot

Fille de M. et Mme Ancelot, tous deux écrivains et auteurs dramatiques. Élevée au couvent des dames de Picpus, elle se maria avec Charles Lachaud, avocat à la cour de Paris, dont elle eut deux enfants. Après sa mort en 1887, son fils Georges écrivit sa biographie. Dans le chapitre III, intitulé « Deux cahiers » (p. 33-68), il présente d'abord rapidement un « cahier de résolution » écrit lors d'une retraite, puis très en détail un cahier de journal correspondant à sa dernière année de couvent et à son retour dans sa famille (année 1841). Il en admire la maturité, la finesse, la netteté d'écriture : au vu des extraits proposés, le lecteur est lui aussi sous le charme. Louise note, le 28 février 1841 : « C'est décidément la mode dans la classe d'écrire son journal ; je donnerai un encouragement à celles qui le font et deux encouragements à celles qui ne le font pas. Les premières font bien, les secondes font mieux encore. Cela m'amuse d'écrire mon journal. Quand je serai vieille, bien vieille, et que je ne pourrai plus rire, j'aurai du bonheur à revoir ici mes joies et mes chagrins de pensionnaire » (p. 43). Georges Lachaud, *Histoire d'une âme*, Paris, 1888, 302 p. (Cote BN : Ln^{27} 45480).

□ 1825 Julie Arnaud

Il reste d'elle deux journaux.

Le premier, tenu de décembre 1844 à mai 1846. Elle vit en Italie avec sa tante, successivement à Rome, Sienne, puis Florence. Ces dames ont peu d'argent, connaissent peu de monde. Julie apprend à dessiner et à peindre, et étudie la littérature italienne. Elle consigne dans son journal tout ce qu'elle voit de notable (cérémonies religieuses, visites de galeries, le carnaval et la semaine sainte à Rome, etc.) et le peu de relations sociales qu'elle arrive à établir. A l'occasion, elle s'interroge sur sa destinée : elle exprime son spleen et son dégoût de la vie dans le monde (une semaine passée dans un couvent lui a paru délicieuse), mais aussi l'espoir, malgré les difficultés de sa famille, d'un « changement de position », qui ne saurait être que le mariage (Copie dactylographiée inachevée du journal original, exécutée par sa petite-fille Élise, cf. ci-dessous **1879**, 28 p.).

Le second journal, tenu à Paris du 31 mai à fin août 1847, est très différent. Écrit sur un album, il est adressé à Marius Le Vassor de Sorval, avec lequel Julie est virtuellement fiancée, et qu'elle aime. Elle commence l'album le jour où il doit regagner son poste en Algérie (il est militaire). « Vous me dites de vous écrire ; oh non ! mon pauvre Marius, la réserve ne me le permet pas encore, car mon langage pourrait malgré moi être aussi ardent que le vôtre, et je ne dois point traduire des sentiments qui ne doivent vous être connus que lorsque je porterai votre nom ! » (25 juin). Elle note pour lui sur l'album la chronique de sa vie quotidienne, ses réactions à ses lettres à lui, ses appréhensions devant le mariage (il y en a tant de mal assortis ou de malheureux !), jusqu'au moment où elle s'engage définitivement (20 juin) ; elle commence alors à lui adresser des lettres, mais le journal reste seul à pouvoir recueillir l'expression libre de ses sentiments, jusqu'à un audacieux « je t'aime » (31 juillet). L'attente est longue, Marius ne reviendra qu'à l'automne... (Manuscrit, 47 p., conservé dans les archives familiales).

□ **1825** **Z. B*****

De mai à septembre 1842, une jeune Parisienne de dix-sept ans passe la belle saison à la campagne dans le domaine familial près de Meaux. Elle aime Walter Scott, Beethoven, la nature, les émotions religieuses, se moque un peu de la société locale, essaie sa plume dans le style lyrique ou burlesque, mais tient aussi la chronique des petites choses de la vie quotidienne, promenades, visites, expériences culinaires. Elle est heureuse. Un petit carnet rouge, 161 pages, dont 4 manquent, tenu du 16 mai au 16 septembre 1842 (BHVP, Ms 1040).

Voir ci-dessus p. 62 et 65.

□□□ **1825** **Caroline Clément**

« Caroline Clément est une *victime de l'amour divin* : vocation la plus haute et la plus héroïque que le ciel puisse accorder à une créature humaine ». R. Henry, *Histoire d'une âme victime. Caroline Clément (1825-1887)*, Paris, Téqui, 1917, XVI-639 p. (Cote BN : Ln[27] 59940).

C'est la dernière des cinq filles de cultivateurs-commerçants aisés d'Andilly, en Lorraine. Elle fait vœu de virginité le 15 août 1846, journée extatique au cours de laquelle Jésus lui révèle qu'il faut qu'elle soit *victime* comme lui. A partir de la fin de 1847, elle tient pendant deux ans un journal pour aider son directeur de conscience à vraiment la diriger. « Dans ces pages, Caroline nous dira au jour le jour son insensibilité, son aridité, sa désolation toujours croissantes ; elle nous parlera de ses tentations, de la multiplicité, de la véhémence des assauts que lui livre l'enfer ; elle nous dira souvent la ligature de ses facultés toujours plus grande, à mesure qu'augmente sa nuit obscure, sa contemplation [...] ; elle exhalera les gémissements de la nature brisée sous l'action divine et l'action diabolique ; et ces gémissements deviendront comparables aux plaintes amères du saint homme Job [...] » (p. 132-133). Ce journal, tenu du 17 décembre 1847 au 27 août 1849, est pour l'essentiel reproduit p. 134-265. Pendant une période de six jours où elle entre en agonie (25-30 juin 1849), le journal n'est plus écrit, mais *dicté* par elle à ceux qui l'assistent (p. 225-230). Après août 1849, le journal changera de rythme, deviendra sporadique. Mais son biographe peut s'appuyer sur d'autres sources : en effet, à trois reprises, Caroline Clément a écrit, sur ordre, son autobiographie : en 1849 (elle a vingt-quatre ans), en 1860 (elle a trente-cinq ans), en 1881 (elle a cinquante-six ans). Elle meurt en 1887, à soixante-deux ans.

□□□ 1825 Herminie de La Bassemoûturie

Fille d'un officier de gendarmerie légitimiste. Sa mère meurt du choléra en 1832. Après son éducation au couvent, elle complète son éducation à la maison. Atteinte au poumon, elle sera souvent malade. Elle partagera la vie de sa sœur Pauline. Avec elle, en 1850, elle se retirera à la campagne dans le Cambraisis, où elles se consacreront aux bonnes œuvres. En 1859 elles entrent dans le tiers ordre de saint François d'Assise. A partir de 1861, Herminie est gravement malade. Elle meurt en 1864. Elle a commencé son journal à seize ans, en 1841, on en possède ce qui a échappé à la destruction par le feu, en 1845. Elle recommence un nouveau journal en février 1848 et elle le tiendra jusqu'à sa mort, même si elle écrit peu entre 1850 et 1860. Ce beau journal spirituel, qui accompagne ses épreuves physiques (maladie) et morales (par exemple mort de ses deux frères en 1848-1849), est cité de manière relativement abondante, mais discontinue, dans sa biographie. *Herminie de La Bassemoûturie. Souvenirs biographiques et littéraires recueillis par le R.P. Henri Thomas, des frères Prêcheurs*, Tournai, Casterman, 1867, 534 p. (Cote BN : Ln^{27} 23788).

□□□ 1826 Ernestine de Barante

Fille de l'historien. Elle entre au couvent des Oiseaux à l'âge de quatorze ans, pour se préparer à faire sa première communion. Elle tient à cette occasion, du 5 au 15 février 1841, un petit cahier intitulé « Sentiments et résolutions de ma retraite et de ma première communion ». Trois ans plus tard, elle tient un cahier à l'occasion d'une retraite prêchée par le R.P. de Ravignan. Elle meurt en 1847. Ces deux textes seront publiés en 1863 dans le *Mémorial des Enfants de Marie de la congrégation Prima Primaria établie dans le monastère des religieuses de la congrégation de Notre-Dame, maison dite des Oiseaux*, Paris, Lyon, Pélagaud, 2e partie, vol. 1, p. 22-43 et 55-63 (Cote BN : Ln25 110).

□□ **1829 Lucile Laloy**

Fille d'un percepteur dans une zone rurale en Franche-Comté. Elle perd sa mère à treize ans. Au retour du pensionnat, en 1845, elle occupe la place de sa mère, élève son jeune frère, gère la maison familiale. Elle commence à écrire des notes personnelles à la suite d'un petit *Règlement de vie* qu'on lui a donné à son départ du pensionnat. Mais le journal ne prend son vrai départ qu'en 1848 sur un petit carnet de cuir vert rédigé, au crayon, de manière cursive, elliptique et passionnée. Le journal couvre les années 1848-1851, puis devient sporadique, et s'arrête en 1854, elle le laisse mourir comme elle se laisse mourir elle-même (elle meurt de « consomption » en 1856). Le journal témoigne en permanence de sa mélancolie. Il est le confident, en 1848-1849, de la passion qu'elle éprouve pour une amie un peu plus âgée, Marthe, qui malheureusement lui préfère une autre jeune fille, Ernestine. Après une « rupture », fin 1849, Lucile s'enfonce sans retour dans l'amertume et le désespoir, sans que la religion adoucisse sa peine. Ce journal a été édité par un descendant de la famille Laloy, qui en a fait le centre d'une chronique familiale où sont évoqués à côté de Lucile son père et ses trois frères, dont la réussite sociale contraste avec l'échec de Lucile. Vincent Laloy, *Chronique intime d'une famille franc-comtoise au XIXe siècle*, *Annales littéraires de l'université de Besançon*, n° 313, Les Belles Lettres, 1986, 353 p. (Cote BN : 8° Z 34266 [313]). Le journal est reproduit p. 138-186, éclairé par des notes et suivi d'une étude.

Voir ci-dessus p. 91-92.

□□ **1830 Adèle Hugo**

Elle commence à tenir un journal au moment de l'exil (1852). Ce journal s'étend jusqu'en 1862 (l'année qui précède sa fugue au Canada), mais l'essentiel des textes date de la période 1852-1856. Les feuilles volantes réunies pour constituer ce journal correspondent à deux stratégies d'écriture différentes. D'une part (et c'est l'immense majorité de ces feuilles), Adèle tient une chronique détaillée de la vie, des rencontres, des propos de son père et du petit groupe qui l'entoure à Jersey puis à Guernesey : c'est d'ailleurs une entreprise collective puisqu'il arrive que d'autres personnes du groupe mettent la main à cette chronique. D'autre part Adèle consacre des textes, peu nombreux et plus brefs, à noter des épisodes de sa vie sentimentale. Ces textes intimes (comme d'ailleurs certains des textes de la chronique) sont écrits par elle avec un *code secret*, proche du « verlan » : inversion systématique de l'ordre des lettres ou des syllabes de chaque mot.

Les manuscrits ont été dispersés après la mort de Victor Hugo et la vente de la maison de Guernesey. Ils se trouvent actuellement éparpillés entre la Maison de Victor Hugo à Paris et la Pierpont Morgan Library aux États-Unis. Frances Vernor Guille a entrepris l'énorme travail de reconstitution et de déchiffrement qu'imposent la nature et l'état des manuscrits. Trois volumes sont actuellement publiés : *Le Journal d'Adèle Hugo*, Introduction et notes par Frances Vernor Guille, Lettres modernes, Paris, coll. « La Bibliothèque introuvable », *I, 1852*, 1968 ; *II, 1853*, 1971 ; *III, 1854*, 1984 (Cote BN : 16° Z 12430 [3, 5 et 12]).

Les textes intimes se trouvent plus particulièrement dans le t. I, p. 151-153 et 167-169 (petit carnet fait de feuilles pliées), dans le t. II, p. 457-470 (cahier consacré, de décembre 1852 à juillet 1853, à une aventure avec un jeune voisin), et dans le t. III, p. 17-67 (ensemble de feuilles datant de juillet à décembre 1854 consacrées à ses séances personnelles de tables tournantes et à sa vie sentimentale).

Voir ci-dessus p. 36.

□□□ 1832 Hermance Puech

Fille d'un capitaine des douanes, de bonne heure orpheline, recueillie par des parents, elle devient institutrice dans un cours pour jeunes filles à Versailles. Elle se marie en avril 1856 avec un veuf qui a deux petites filles. Elle-même n'aura pas d'enfants et mourra en 1871. Elle a tenu un journal intime du 1er janvier 1854 au 4 octobre 1857. Des extraits en sont donnés, accompagnés de nombreux poèmes autobiographiques, dans la biographie que Laure, l'une des deux filles, lui consacra plus tard : *Notre Ange gardien. Souvenirs intimes*, Paris-Auteuil, 1891, 161 p. (Cote BN : 8° Ln^{27} 40259). Le journal comporte, avant le mariage, une entrée qui porte un titre : « Mon dernier dimanche de jeune fille », où elle prend des résolutions pour l'avenir. Il se prolonge plus d'un an après le mariage. La seule ombre à son bonheur est qu'elle n'a pas encore d'enfant. La dernière entrée du journal est une prière à Dieu pour lui demander d'être mère.

□□□ 1834 Céline Renard, dite Marie Jenna

Fille d'un avocat à la Cour de cassation. Enfance parisienne. Elle perd sa mère en 1842. La famille se fixera en 1854 en Haute-Marne, à Bourbonne, au château de Montmorency. Céline entre en littérature, sous le pseudonyme de Marie Jenna, en 1864, par un livre de poèmes, *Élévations poétiques et religieuses*. Elle publiera de nombreux recueils de poèmes et des livres en prose jusqu'à sa mort en 1887. Voir sa biographie par Jules Lacointa, *Marie Jenna. Sa vie et ses œuvres*, Paris, Poussielgue, 1888.

Céline Renard avait tenu dans sa jeunesse des cahiers intimes qui ont été publiés, en extraits, un certain temps après sa mort : *Une âme de cristal, Marie Jenna, Cahiers intimes*, avant-propos par l'abbé Jean Vaudon, Paris, Lethielleux, 1913, 46 p. (Cote BN : Ln[27] 56874). Les extraits reproduits concernent les années 1852-1855. « En ces cahiers secrets, qui ne sont que pour elle, Marie Jenna n'écrit point, elle cause ; à mi-voix ; tantôt avec le Christ, tantôt avec sa mère, souvent avec tous les deux ; et ce sont des colloques très doux, des élans, puis des silences, des gémissements aussi parfois... des gémissements en face de la splendeur entrevue et jamais atteinte : la sainteté » (Avant-propos).

□□□ 18.. Eugénie

« Ici, comme aux catacombes, tout sera vague et mystérieux. A peine un nom : celui d'Eugénie... puis quelques prières, quelques pensées, quelques souvenirs enfin, réunis au hasard de trouvailles faites dans les papiers d'une enfant morte à vingt ans. »

Le biographe est anonyme, Eugénie n'a pas de nom de famille, le récit ne comporte aucune date. On sait seulement que le grand-père d'Eugénie avait onze ans en 1793. Les bibliographies indiquent que l'auteur est le marquis Charles-Albert Costa de Beauregard. Il utilise discrètement au cours du récit les cahiers intimes d'Eugénie. Mais à la fin il donne longuement (p. 206-247) sous le titre « Fragments de notes sur l'Italie » un journal de voyage d'Eugénie : du 16 février au 27 mai (d'une année non précisée) elle va de Marseille à Naples en passant par Nice, Gênes, Florence, Sienne et Rome. ***, *Prédestinée*, Paris, Plon, Nourrit & Cie, 1896, 247 p. (Cote BN : 8° Ln[27] 44012).

□ 18.. Mlle Julien

Un petit cahier de 48 pages, sans doute recopié ou même rerédigé après coup, intitulé *Excursion à Londres par un train de plaisir (juillet 1850)* (Bibliothèque nationale, Département des manuscrits, Fondation Smith-Lesouëf ms 165). Rédigé par la fille de Stanislas Julien enfant (sans doute une dizaine d'années), c'est le journal méthodique et touristique d'un voyage de dix jours à Londres, écrit en « nous ».

Voir ci-dessus p. 135.

□ 1837 Netty du Boÿs

Journal tenu du 16 octobre 1852 au 1er avril 1860. Netty du Boÿs vit à Grenoble, et l'été au château de La Combe où sa famille accueille régulièrement Mgr Dupanloup, ami et guide spirituel de la jeune fille ; elle fera de nombreux séjours à Paris. Sa santé sera toujours fragile (scoliose, croissance difficile). Netty prend en main rapidement sa propre éducation intellectuelle. Elle travaillera à l'histoire des saintes mérovingiennes (*Vie de sainte Bathilde*, 1864), publiera en 1872 *Le Mois de saint Joseph, d'après les docteurs et les saints* et s'intéressera surtout activement, dans la dernière partie de sa vie, à l'éducation des femmes, sujet qu'elle aborde dans sa biographie de *L'Abbé Hetsch* (1885). Elle meurt en 1890. Après sa mort seront publiés hors commerce, en 1912, son livre de témoignage autobiographique, *Souvenirs de La Combe (Mgr Dupanloup à La Combe)*, 330 p., et un livre sur elle organisé par son frère Paul du Boÿs, *Netty du Boÿs. 1837-1890,* qui comprend un texte sur sa jeunesse écrit par Mgr Dadolle et de longs extraits de sa correspondance, de son journal et de ses écrits, regroupés thématiquement. Son journal de jeunesse, à la fois chronique, journal intellectuel et spirituel, est conservé dans les archives de la famille du Boÿs : 9 cahiers, environ 450 pages. Le journal est visiblement incomplet (trou d'un an entre les cahiers 2 et 3) et par endroits mutilé (pages arrachées par Netty et ses exécuteurs testamentaires).

Voir *Les Catholiques libéraux au XIXe siècle*, Grenoble, Presses universitaires de Grenoble, 1974, p. 409-411 et 424-425, et la synthèse récente de Jacques Gadille, « Netty du Boÿs, 1837-1890 », dans la brochure du même titre publiée en 1992 à Grenoble par les *Cahiers de l'Alpe,* à l'occasion du centenaire de sa mort.

Voir ci-dessus p. 31-34.

□□□ 1837 Élisabeth de Prades

Famille noble du Tarn-et-Garonne. Après le pensionnat, Élisabeth complète son éducation à la maison. Elle joue du piano et de l'orgue, et se consacrera aux bonnes œuvres. Son journal montre « une âme pleine de foi et d'enthousiasme qui *s'écrit* et *se raconte* sans affectation, une âme d'artiste qui sent le besoin de s'épancher et qui dit, au courant de la plume, ses impressions, ses joies et ses peines » (p. 54). L'éditeur publie, après la biographie pieuse, le journal de son premier voyage à Rome (22 avril-23 mai 1861, p. 125-207), journal « touristique ». Il ne saurait donner une idée de son journal ordinaire, que l'éditeur affirme comparable à ceux d'Eugénie de Guérin et de Marie-Edmée Pau. *Élisabeth de Prades. Sa vie. Son journal. Ses funérailles*, par l'abbé

Henri Calhiat, Tours, Alfred Cattier, 1890, 211 p. (Cote BN : Ln27 38771).

□□□ 1838 Xavérine de Maistre

Petite-fille de Xavier de Maistre, elle entre au carmel de Poitiers en 1862. Après sa mort (1871) paraissent successivement une biographie (*Vie de la Révérende Mère Thérèse de Jésus, par Monsieur l'abbé Houssaye et Monseigneur Gay*, Paris, Oudin, 1882) et une anthologie en deux volumes de ses écrits : R.P. Mercier, *Xavérine de Maistre. Mère Thérèse de Jésus, carmélite. Lettres et Opuscules, recueillis par les carmélites de Poitiers*, Poitiers, Oudin, 1888, 2 vol., t. I, *Vie extérieure*, t. II, *Vie intérieure*, 514 et 504 p. (Cote BN : 8° Ln27 38083). Le t. II, sous le titre « Dix années de l'histoire d'une âme », regroupe par ordre chronologique de 1861 à 1871 des extraits de ses différents textes, en particulier de son journal spirituel.

□□□ 1839 Marie de Longevialle

De quatorze à seize ans, elle est en pension au Sacré-Cœur des Anglais, à Lyon, puis revient dans sa famille en Auvergne, mais reste sous la direction spirituelle de l'abbé G. Fillon. La biographie exemplaire composée par celui-ci après sa mort donne l'essentiel des lettres qu'elle adresse régulièrement à son directeur spirituel, et on y voit peu à peu s'affirmer sa vocation religieuse. Elle entre à la Trappe en 1861. Après sa profession religieuse en mars 1862, elle doit renoncer à cette correspondance. Elle tient alors un journal sur un petit cahier. Il est reproduit entièrement dans le second volume, par tranches qui alternent avec le récit biographique (II, p. 283-335, 372-384, 402-424, 500-501). La première année, il s'agit d'un bilan hebdomadaire dressé chaque dimanche. Ensuite le rythme est plus irrégulier. Le journal s'étend du 25 mars 1862 au 21 novembre 1863. Elle meurt en avril 1864. *Marie de Longevialle, en religion Sœur Marie-Bernard, trappistine*, par l'abbé G. Fillon, Lyon, Briday, 1866, 2 vol., 458 et 528 p. (Cote BN : Ln27 22410).

□ 1840 Charlotte-Marie de Tourtoulon

Journal tenu de quinze ans à dix-huit ans (de mai 1855 à février 1858) sur trois cahiers (166 p., 72 p., 338 p.) conservés aux Archives départementales des Bouches-du-Rhône (3 E Nouvelle, collection 241. Fonds d'Estienne Saint-Jean). Son exaltation religieuse et mystique, inspirée par la lecture de *Jocelyn*, s'épanchait aussi sur des feuilles volantes qu'elle brûlait ensuite. Elle se marie en 1860 et continue à tenir, pendant différentes périodes de sa vie, des journaux qui ont été également conservés.

Voir l'étude de Marie-Claire Grassi, « Journal intime et modèle littéraire », in *« Journal intime » e Letteratura Moderna*, a cura di Anna Dolfi, Bulzoni editore, 1989, p. 179-198. Cette étude comporte quelques citations du journal de jeunesse.

□□□ 1841 Julia, dite comtesse Adelstan

Le journal de cette jeune femme, morte en 1871, a été publié en extraits sous forme de citations dans un texte biographique par le père jésuite E. Marquigny, *Une femme forte. La comtesse Adelstan. Étude biographique et morale*, Paris, J. Lecoffre, 1873, 251 p. (Cote BN : 8° Ln27 27161). 2e éd. en 1873.

□□□ 1841 Caroline Normand

Journal tenu de juillet 1857 (seize ans) à avril 1861 (vingt ans). Elle meurt en août 1861. *Souvenirs et Pensées d'une jeune fille. Mlle Caroline Normand. Juillet 1857–avril 1861*, Rennes, chez les principaux libraires, 1865, XII-205 p. (Cote BN : Ln27 15264). Le livre s'ouvre par une Préface de P.-S. Vert. La partie « Souvenirs » (p. 3-145) donne tel quel son journal de 1857-1861. « Le journal d'une jeune fille admirablement douée qui étudiait, qui observait et qui écrivait sans prévoir la publicité [...] Les lecteurs seront étonnés de la sagesse et de l'élévation des sentiments, de la distinction et de la pureté du langage de cette jeune fille de dix-huit ans [...] J'espère que ce petit livre [...] rencontrera cette universelle sympathie qui s'attache toujours à ce qui est jeune, beau, suave et pur » (Préface). Ce journal est effectivement remarquable, comme celui de Marie-Edmée Pau quelques années plus tard. Il unit la sensibilité, le désir aigu d'avoir une vie intellectuelle personnelle, une piété modérée, et une grande justesse d'écriture.

□□□ 1841 Adèle Riobé

Adèle est morte en 1861. Elle s'était fait remarquer dès son plus jeune âge par ses vertus morales et son talent pour écrire. La « notice » écrite après sa mort par son père s'étend sur plus de 300 pages et cite de nombreux extraits de textes (compositions scolaires, lettres à sa famille, règlements et résolutions) et aussi deux brefs journaux, l'un tenu à neuf ans pendant des vacances (p. 37-45, 17 août-25 septembre 1850), l'autre tenu à dix-sept ans quand elle recommence à suivre des cours dans un pensionnat pour se préparer au brevet d'institutrice (p. 176 sq.). *Notice sur ma fille*, Le Mans, Impr. Monnoyer Frères, 1863, 359 p. (Cote BN : Ln27 21613).

□ 1841 Pauline Weill

Famille juive de Haguenau (Bas-Rhin). Pauline perd ses parents très jeune, et se retrouve sous la tutelle de ses frères aînés. En 1850, elle est mise en pension à Paris avec deux de ses sœurs, dans le pensionnat juif de Mme Neymark. Elle y reste jusqu'en 1856. Après un séjour en Alsace, puis chez son frère Joachim avocat à Paris, elle réintègre en août 1857 la pension Neymark. Elle a seize ans, sa scolarité est achevée, on la remet là en attendant de lui trouver un mari. Elle s'ennuie dans cette « chère prison », s'y trouve dans une fausse position. Mais elle s'occupe si bien des petites filles qu'en janvier 1858 on lui propose d'exercer les fonctions de sous-maîtresse. Elle le fera avec conscience pendant un an et demi, tout en refusant de passer les examens qui lui permettraient de devenir institutrice. Elle considère que c'est le dernier des métiers. Elle attend tout, liberté et bonheur, du mariage.

Fin 1857, elle se sent si seule qu'elle décide de tenir un journal. Elle est très méthodique : elle emploie la fin du mois de décembre à écrire une « Histoire de ma vie » qui servira de préambule au journal qu'elle commence le 1er janvier 1858. Elle le tiendra jusqu'au 5 octobre 1859. Elle l'a fait elle-même relier par année : 1858 comporte 427 pages, 1859, 380 pages. Du 1er janvier au 30 avril 1858, le journal est tenu chaque jour sans exception. Arrêt total jusqu'au 12 octobre 1858, puis reprise d'abord quotidienne, mais à partir de décembre Pauline décide de ne plus s'astreindre à cette régularité. Le journal n'en reste pas moins abondant, et gagne en liberté. Elle l'abandonne quand, en octobre 1859, elle se retrouve enfin à Haguenau chez sa sœur Sophie.

Elle appelle cela « faire sa petite causette ». C'est une chronique fraîche et détaillée de tous ses sentiments et ses occupations à l'intérieur de la pension et lors des sorties dans Paris pour voir son frère et les amis de la famille. Le journal est conservé par sa famille.

Voir ci-dessus p. 46-47, et le « croquis » du journal p. 208-221.

□□□□ 1843 Marie de B. de M.

En 1856, à l'âge de treize ans, fait sa première communion au couvent de Sainte-Clotilde à Paris. En 1883, à l'âge de quarante ans, mariée et mère de famille, elle publie en plaquette le journal tenu au moment de cette première communion : « Passages du journal de ma Première communion et de mon séjour à Sainte-Clotilde copiés et conservés pour mes chers enfants », *Journal d'une première communiante*, Saumur, Impr. Paul Godet, 1883, 29 p. (Cote BN : D 67255).

□ 1844 Cécile de Lafitte-Perron

Le troisième et dernier cahier de son journal a été acheté au marché aux puces de Toulouse pour 5 francs en avril 1977 (collection privée P.

Coulomb, un cahier cartonné, 109 p.). « Le cahier faisait partie d'un lot qui semblait venir du débarras d'un grenier ; j'ai fouillé en vain l'ensemble pour trouver un autre cahier » (P.C.).

Cécile vit dans le domaine familial de Perron, près d'Agen. Dans ce cahier, tenu d'octobre 1869 (elle a vingt-cinq ans) jusqu'à son mariage en janvier 1872, elle consigne les visites reçues ou faites, les petits voyages à Agen, Bordeaux, ou à Bagnères-de-Bigorre, mais ne parle jamais de sa vie quotidienne ni de ses sentiments. Interrompu de septembre 1870 au printemps 1871, le journal laisse ensuite percevoir fugitivement des drames sentimentaux et matrimoniaux qui avaient été passés sous silence. Tout finit bien *in extremis*, et elle épouse Paul de Gorsse, ancien zouave pontifical, qu'elle aime.

Voir ci-dessus p. 52-53.

□□ 1845 Geneviève Bréton

Journal commencé à l'âge de vingt-deux ans en 1867 (elle se fiance avec le peintre Henri Régnault, tué en 1871 ; elle épousera en 1880 Alfred Vaudoyer). Une trentaine de carnets, légués à la Bibliothèque nationale par son fils Jean-Louis Vaudoyer. L'essentiel des neuf premiers a été publié par sa petite-fille Daphné Doublet-Vaudoyer : Geneviève Bréton, *Journal 1867-1871*, Préface de Flora Groult, Paris, Ramsay, 1985, 269 p. (Cote BN : 8° Ln^{27} 94616).

□□□ 1845 Marie-Edmée Pau

Tenu depuis l'âge de quatorze ans (1859) jusqu'à sa mort en mars 1871 à l'âge de vingt-six ans. Marie-Edmée Pau vivait à Nancy ; elle ne s'est pas mariée et s'est lancée dans une carrière de dessinatrice et de graveuse (illustrations de livres, enseignement). Son journal a été publié quelques années après sa mort, en extraits, précédés d'une introduction biographique par Antoine De Latour : *Le Journal de Marie-Edmée*, Paris, Plon, 1876, XXXI-571 p. (Cote BN : Ln^{27} 29290), rééd. 1877 et 1891. Marie-Edmée Pau est aussi l'auteur d'une *Histoire de notre petite sœur Jeanne d'Arc,* Paris, Plon, 1874.

Voici un extrait de ce journal, qui est sans doute un chef-d'œuvre du genre, dont il serait passionnant de retrouver le manuscrit original complet, et qui mériterait d'être réédité.

« J'aime la peinture et le dessin véritablement *à la folie* ; mais plus j'aime l'art, et plus je le comprends ; et plus je le comprends, plus aussi je désespère de moi.

« Néanmoins je serai artiste, je dois l'être, tout m'y engage, et la nécessité s'en mêle, malgré les sages conseils et le demi-blâme de l'oncle le chanoine. J'émigrerai, je vivrai en bohème, je serai artiste ; advienne que pourra.

« Oui, il me faut cela pour vivre ; sinon je m'engloutirai, comme tant d'autres, dans le calme énervant, dans l'égoïsme officieux de la vieille fille. Je ne serais bientôt plus rien dans cette atmosphère étouffante de l'existence ordinaire. Il me faut, à moi, de l'air et de la liberté ; il me faut une position indépendante dont tout le soin repose sur moi seule ; qu'humainement je n'aie nul appui, afin d'en trouver un dans ma volonté. Ah ! que notre sexe est gênant pour tous ces beaux projets ! » (1er mai 1863).

Voir ci-dessus p. 18 et 143-144.

□□□ **1846 Ludovie**

Ludovie, entrée en religion en 1869, morte en 1874, a fait l'objet d'une biographie écrite par l'un de ses frères. Il y évoque les petits cahiers que leur mère leur faisait tenir à tous (p. 14-16), et le journal spirituel tenu par Ludovie dans son adolescence, que deux de ses sœurs surprirent, et qu'elle détruisit (p. 44-45). Il cite deux journaux tenus par Ludovie pour une de ses sœurs, pendant une absence, en 1866 (p. 78 *sq.*) et en 1867 (p. 110-120). *Ludovie dans la famille et la religion. Souvenirs recueillis par son frère*, Lyon, Imprimerie catholique, 1878, 263 p. (Cote BN : Ln27 30627).

□□□ **1846 Marie *****

D'origine populaire, employée depuis l'âge de quinze ans à Lyon dans une maison de commerce, elle se convertit à seize ans, et commence à dix-huit ans un journal spirituel qu'elle tiendra jusqu'à sa mort en 1868, à vingt-deux ans. *Mon cher petit cahier. Journal d'une jeune ouvrière*, 1re éd. en 1870 ; 2e éd. augmentée d'une notice biographique, Lyon, P.N. Josserand, 1872, 312 p. (Cote BN : D 60965).

Voir Préface ci-dessous p. 393.

□ **1847 Gasparine Barrelier**

Bourg-en-Bresse, 30 novembre 1862. Gasparine fête ses quinze ans en commençant son journal. Le premier cahier (seul conservé) couvre une année (jusqu'au 30 novembre 1863, 110 pages). C'est le journal-chronique, détaillé et pittoresque, d'une vie heureuse dans une petite ville de province, et le journal-examen de conscience d'une jeune fille pieuse et sans problèmes. On apprend en septembre 1865 par son amie Claire (voir **1848**) que Gasparine a arrêté de le tenir parce que les religieuses du pensionnat Saint-Joseph y voyaient une « affaire d'amour-propre ». Le journal est conservé par sa famille.

Voir ci-dessus p. 98-101.

□□ **1847 Caroline Brame**

Journal tenu essentiellement de 1864 à son mariage en 1866. Son journal a été acheté au marché aux puces de Saint-Ouen par Georges Ribeill. En collaboration avec Michelle Perrot, il en a donné une édition partielle : *Le Journal intime de Caroline B.*, Paris, Ed. Montalba, 1985 (Cote BN : 8° Ln¹ 257 [2]). Une photocopie du manuscrit intégral a été déposée à la BHVP. Le texte est suivi d'une étude de Michelle Perrot sur le journal lui-même (« Caroline, une jeune fille du faubourg Saint-Germain sous le Second Empire », p. 169-224), et d'une étude de Georges Ribeill sur la famille (« Les Brame. Une dynastie bourgeoise au 19ᵉ siècle », p. 225-254).

□ **1848 Claire Pic**

Bourg-en-Bresse, 15 décembre 1862. Claire est la fille d'un médecin. Elle va avoir quinze ans. A l'exemple de Gasparine (voir **1847**), d'Hedwige et d'autres amies, elle commence un journal, qu'elle tiendra jusqu'à son mariage en 1869 (quatre cahiers, 1030 p., conservés dans les archives familiales par Chantal Chaveyriat-Dumoulin, à Ambérieu-en-Bugey). Le journal de Claire est un journal intime original, dans lequel elle s'interroge sur sa personnalité et sur sa destinée, en même temps qu'elle tient la chronique du déroulement de sa vie. Elle se fiance en 1866 avec Adolphe Dufour, fils du fondateur du *Courrier de l'Ain*, mais il tombe gravement malade pendant l'été 1866 et le mariage n'aura lieu que trois ans plus tard.

Voir ci-dessus p. 58-59, 103-104, puis l'étude des autoportraits de Claire Pic p. 237-264, et les extraits du journal ci-dessous p. 383-389.

□□□ **1848 Joséphine Sazerac de Limagne**

Carnets tenus très tôt, certains ont été brûlés par elle. L'édition donne des extraits des journaux tenus de 1868 (dix-neuf ans) jusqu'à 1873, quand elle meurt de tuberculose à vingt-quatre ans. Elle a exercé le métier d'institutrice à partir de 1866 (leçons à domicile). Joséphine Sazerac de Limagne, *Journal, Pensées et Correspondance*, précédés d'une notice biographique, Paris, Librairie Adrien Le Clere, 1874, XXXI-291 p. (Cote BN : 8° Ln²⁷ 28135). 2ᵉ éd. 1875.

Voir extrait de la Préface ci-dessous p. 369-371.

□□ **1848 Marie Tassart**

Cette jeune fille, élevée au couvent du Sacré-Cœur d'Amiens, commence son journal en août 1866, à dix-huit ans, dans sa famille, au château de Breteuil en Picardie. Elle le tient jusqu'à son mariage en février 1868. D'abord envisagé comme journal-examen de conscience, il devient rapidement un journal-chronique, dans l'attente du mariage, qui en est le sujet principal à partir de la première « entrevue » en juillet 1867. Elle fera de loin en loin, après son mariage, quelques additions à son journal de jeune fille, pour témoigner de son bonheur. La dernière date de janvier 1891, après vingt-trois ans de mariage. Une présentation d'ensemble de ce journal est faite par Anne J.-M. Galichon-Robichez, épouse d'un de ses arrière-petits-fils, « Journal d'une jeune personne 1866-1868 », in *Cent Ans de littérature française 1850-1950, Mélanges offerts à Jacques Robichez*, Paris, SEDES, 1987, p. 163-170 (Cote BN : 8° Z 55164).

□□□ 1850 Berthe Bizot

Fille du général Bizot, mort à Sébastopol. Elle a fréquenté le couvent des Oiseaux, et meurt en 1868. La biographie pieuse qui lui est consacrée est fondée essentiellement sur sa correspondance, mais reproduit aussi (p. 88-101) le journal-examen de conscience qu'elle a tenu du 22 octobre au 2 novembre 1866. *Vie de Berthe Bizot. Simple histoire d'une âme*, par l'abbé L. Guépratte, Paris, Haton, 1872, 258 p. (Cote BN : Ln^{27} 26452). Berthe est la sœur cadette d'Alice Bizot, morte en 1862, qui l'avait précédée au couvent des Oiseaux. Une biographie pieuse d'Alice Bizot, fondée exclusivement sur sa correspondance, avait été publiée en 1864 dans la *Suite* du *Mémorial des Enfants de Marie de la congrégation Prima Primaria établie dans le monastère des religieuses de la congrégation de Notre-Dame, maison dite des Oiseaux*, 1864, p. 1-134.

□ 1850 Thérèse Bobillier

Bourg-en-Bresse, 12 décembre 1863. Thérèse est la cousine germaine de Claire Pic (voir **1848**). Son père est percepteur, ancien officier de cavalerie. Elle commence son journal, qu'elle intitule plaisamment *Le Courrier de l'Ain*. Il ne reste plus de ce journal que deux cahiers, le premier (tenu jusqu'en octobre 1864, 62 p.) et le quatrième (tenu du 10 septembre 1867 au 20 avril 1869, 191 p.). Elle s'est mariée en 1872 avec Henri Vicaire, notaire à Ambérieu-en-Bugey, conseiller général de l'Ain. Le journal reflète la vie tranquille d'une jeune fille qui s'entend bien avec ses parents, et se consacre aux visites familiales et amicales, au piano et à la couture. Conservé dans les archives familiales.

Voir ci-dessus p. 138-140.

□□□□ 1850 Marie-Anne de Fallois

Elle publie elle-même en 1907 les lettres de direction spirituelle reçues d'un père jésuite entre 1869 et 1890. Cette publication curieuse (hommage ambigu à un religieux qui éprouvait pour elle des sentiments trop passionnés, et à travers lequel elle attaque l'ordre des Jésuites) comporte en appendice (p. 175-226) la reproduction d'un journal tenu du 16 juillet au 2 novembre 1870. Il s'agit là d'extraits d'un journal plus important (la correspondance fait allusion à d'autres cahiers). La jeune fille de vingt ans, qui vit dans la propriété familiale en Lorraine, assiste à l'effondrement de son pays et à l'occupation prussienne. Celui qu'elle aime est à l'armée. Il est tué à la bataille de Rézonville le 16 août, mais elle ne l'apprendra que le 16 octobre. Le journal publié s'arrête le 2 novembre, jour des morts. Autant qu'un témoignage historique, il s'agit là d'un mémorial intime très elliptique. M.-A. de Fallois, *Lettres de direction du Père L... de la Cie de Jésus, 1869-1890, suivies du Journal d'une Lorraine pendant la guerre de 1870*, Paris, Lucien Bodin, 1907, 226 p. (Cote BN : D 85959).

□ **1850 Louise L*****

Famille catholique de négociants bordelais. Louise commence son journal en mars 1864, à quatorze ans, sur une série de cahiers qu'elle tiendra jusqu'au jour même de son mariage en août 1871, à vingt et un ans. Journal examen de conscience, journal-chronique de la vie familiale, journal d'attente d'une jeune fille qui se sait destinée au mariage. Le père meurt en mai 1865. Une période difficile s'ouvre alors pour la famille. Louise, comme sa sœur aînée, se présentera à un examen pour être institutrice. Mais les affaires s'arrangeront et toutes deux trouveront mari. Louise épouse un avocat. Le journal a été dactylographié par les descendants de Louise : *Mon journal, 19 mars 1864-6 août 1871*, 143 p.

Voir « croquis » de ce journal ci-dessus p. 200-207.

□□□ **1851 Caroline de K...**

Cette petite fille, morte peu avant son douzième anniversaire en mai 1863, s'était fait remarquer par sa piété. Sa mère a écrit et publié sa biographie : *Caroline. Notice sur la vie et la mort d'une jeune chrétienne, écrite par sa mère,* Valence, Impr. Jules Céas et Fils, 1866, 147 p. (Cote BN : Ln[27] 22071). Le chapitre V (p. 53-68), intitulé « Journal spirituel », reproduit les fragments retrouvés de son journal personnel, entre octobre 1862 et mars 1863. Elle avait déjà tenu un journal l'année précédente (1861-1862).

□□□ **1853 Joanna ***

Jeanne, dite Joanna, est morte en 1877, peu de temps après son mariage (1876). Sa famille publie une biographie commémorative qui retrace son enfance et sa jeunesse, et s'appuie, en particulier, sur le « petit journal » qu'elle a tenu à partir du 3 juillet 1874. Quelques extraits du journal (à la fois chronique quotidienne et vie spirituelle) sont reproduits (de juillet 1874 à mars 1875). *A la mémoire d'une sœur chérie*, Lyon, Imprimerie catholique, 1878, 57 p. (Cote BN : Ln^{27} 30693).

□ **1853 Eugénie Couturier**

Fille d'un médecin de Vienne (Isère). Elle tient son journal de onze ans à son mariage (huit cahiers conservés, 956 p., trois cahiers perdus ; archives familiales). Elle est élevée, en même temps que ses deux sœurs, par une institutrice qui applique la pédagogie représentée dans le *Journal de Marguerite*. Le journal est un « devoir de style » pour lequel il arrive à l'institutrice de suggérer des sujets, un « examen de conscience », dont elle contrôle l'exactitude, un guide moral, qu'elle nourrit parfois de ses préceptes. Quand il n'est pas tenu régulièrement, Eugénie est privée de communion le dimanche suivant. Il lui arrive de se battre les flancs pour trouver quoi dire. Mais dans l'ensemble elle y est à l'aise, s'épanouit visiblement dans cette éducation donnée avec amour, à laquelle le père a fait adjoindre des leçons de physique et de sciences naturelles. Été à la campagne tout près de Vienne, hiver en ville, rares voyages, à Paris, en 1867, pour l'Exposition universelle, plus tard à Marseille, où « Mademoiselle » s'est mariée. De tout cela le journal tient chronique. Les années 1869 et 1870 manquent. Le journal reprend en décembre 1870, commente longuement, dans une perspective à la fois patriotique et républicaine, les événements militaires et politiques jusqu'à la fin de février 1871, mais ensuite fait l'impasse sur la Commune. De 1871 au mariage en 1875, le journal est tenu irrégulièrement, par saccades. En 1872 et 1873, Eugénie raconte avec un an de retard les moments clefs de sa vie : le brevet d'institutrice qu'elle va passer avec sa sœur cadette à Lons-le-Saulnier, le mariage de sa sœur aînée. Encore plus cahotant et elliptique (et censuré : passages biffés, pages arrachées), le journal de 1873-1875 traverse la pénible période prénuptiale (entrevues, demandes, hésitations, appréhensions) et s'achève brusquement par le portrait du mari qu'elle a finalement choisi, et qu'elle aime.

Au moment de la naissance de ses enfants, Eugénie a repris un journal (tenu ensuite toute sa vie) et l'a fait précéder d'un récit autobiographique de son mariage, y compris la période prénuptiale, détaillé et continu. Ce récit éclaire le journal, mais en même temps réoriente tout en fonction de l'issue heureuse, en gommant sans doute des choses pénibles dont le journal porte cicatrice.

Voir ci-dessus p. 126-127.

□ **1853 Lucile Le Verrier**

Fille du célèbre astronome. Elle a commencé un premier journal, contrôlé par sa mère, à l'âge de onze ans (il n'a pas été conservé). A treize ans et demi (décembre 1866), elle en commence un nouveau, cette fois à son propre compte, pour faire comme ses amies (« Toutes mes amies font un *Journal* »). A partir de 1868, elle se lasse, se contente de garder copie de sa correspondance familiale et amicale. En 1869, elle décide de substituer ces copies au journal lui-même. « Voici ce que je vais faire : je n'écrirai plus ces copies sur des feuilles séparées, mais sur mes cahiers de journal, et par là j'aurai tous les événements marquants rapportés une et plusieurs fois. Quant aux actions de chaque instant, je les inscris sur un agenda. Enfin quand je désirerai faire quelque réflexion trop développée pour mon agenda, trop secrète pour ma correspondance, je l'intercalerai ici. » Elle reprend pour de bon son journal en 1873 après avoir rencontré celui qui va devenir son fiancé, puis son mari. Après le mariage (1874) le journal s'estompe. Il s'arrête en 1878 à la mort de ses parents. Inédit. Le manuscrit appartient à Lionel Mirisch, qui l'a présenté en juillet 1987 à Cerisy-la-Salle : « Une jeune fille Second Empire. Journal intime et lettres (1866-1878) », in *L'Épistolarité à travers les siècles* (Mireille Bossis éd.), Stuttgart, Franz Steiner Verlag, 1990, p. 152-156. Lionel Mirisch prépare, sous le même titre, une édition fondée sur un abondant montage d'extraits (460 p. dactylographiées) à paraître aux éditions Zulma.

Voir extraits ci-dessous p. 390-392.

□□□ **1854 Claire Gallet**

Elle est morte de tuberculose à quatorze ans et demi. Les religieuses de son pensionnat publient une plaquette fondée sur des extraits du journal spirituel qu'elle a tenu depuis sa première communion en novembre 1866 jusqu'en janvier 1869. Après cette date, « ses forces ne lui permirent plus de confier à son cher petit vide-pensées les pieux et intimes sentiments de son âme ». Elle meurt en avril 1869. *Un doux souvenir. Petite notice sur la vie et la mort de Claire Gallet, dédiée aux enfants de la 1re communion du Pensionnat des Religieuses de Louvain-court, à Amiens,* Amiens, Impr. de Lenoel-Herouart, 1873, 36 p. (Cote BN : Ln27 27146).

□□□ **1854 Marie-Antoinette de La Lande**

Le jour de sa première communion, elle a eu la révélation qu'elle mourrait avant d'avoir dix-huit ans. Elle est morte quelques jours avant son dix-septième anniversaire, en octobre 1871. Sa biographie utilise et cite, outre ses lettres, différents textes intimes écrits sur des carnets ou des feuilles volantes : un récit de son entrée au pensionnat du Sacré-Cœur de Poitiers, les « résolutions » prises lors de retraites, mais aussi une « correspondance céleste » (expression employée par la biographe) adressée à la Vierge et à saint Louis de Gonzague, et des carnets où elle note au jour le jour, jusqu'à l'été 1871, l'état de son âme. *Vie de Marie-Antoinette de Lavau de Saint-Étienne de La Lande, Enfant de Marie*, Limoges, Barbou Frères, 1880, 202 p. (Cote BN : Ln[27] 31690).

□□□ **1855 Pauline Moreno**

Née dans les Abruzzes, Pauline Colagrande épouse à Rome en 1873 Joseph Moreno. Elle tombe malade le 25 juin 1874, meurt le 13 septembre 1874 à l'âge de dix-neuf ans. Le journal qu'elle a tenu (en italien ou en français ?) pendant sa maladie du 30 juin au 5 août 1874 a été publié après sa mort par son mari, comme mémorial conjugal et récit exemplaire : *Souvenirs de Pauline Moreno,* Paris, s.d., 48 p. (Cote BN : 8° K Pièce 198).

□ **1856 Marguerite Rousset**

« Je commence mon journal à l'âge de 11 ans et 10 mois d'après l'ordre de Madame Marie-Louise qui est ma maîtresse actuelle » (18 octobre 1868). Fille d'un notaire de l'Allier. Elle est en pension à Cusset chez les dames de Saint-Joseph. Elle a tenu ce journal au moins jusqu'au 15 octobre 1870, treize cahiers, dont sept ont été conservés (archives familiales, transcription dactylographiée, 152 p.). Journal-examen de conscience, mais surtout journal-chronique, qui raconte au début de manière rapide, puis de plus en plus détaillée et évocatrice, la vie quotidienne dans un pensionnat religieux. Le journal est tenu sur ordre, il fait partie des « devoirs ». L'année de ses treize ans, Marguerite décide de l'interrompre : elle attribue au maléfique chiffre treize l'ennui et les pensées extravagantes qui lui viennent : la pension lui fait horreur ! (8 mars 1870). Sa manière d'exprimer ce trouble est de se mettre en grève de journal. Mais Mme Marie-Louise lui ordonne de continuer, et elle obéit.

□□□ **1857 Maria Le Chaplain**

Elle entre en pension au couvent des bénédictines de Valognes, puis, à dix-huit ans, à la trappe de Laval. Elle meurt à dix-neuf ans en 1876. Elle tient son journal à partir de quatorze ans. En quittant Valognes pour la trappe, pour se dépouiller entièrement, elle laisse son journal en dépôt aux bénédictines. A la trappe, on lui permet de reprendre le journal de ses pensées. La biographie cite de larges extraits de son journal des vacances de 1873 et 1874, et de mars 1876 à la trappe. *Maria*

Le Chaplain, Enfant de Marie, Présidente de la Congrégation, au couvent des Dames Bénédictines de Valognes (Manche). Simple histoire d'une belle âme, d'après le journal de ses pensées intimes, ses lettres ; les souvenirs de sa mère, de ses maîtresses de classe et des élèves de la pension, Meaux, Ch. Cochet, 1878, 212 p. (Cote BN : 8° Ln27 30405).

□□□ 1858 Marie Bashkirtseff

Elle a tenu son journal de 1873 à sa mort en 1884. Première éd. en 1887 : *Journal de Marie Bashkirtseff*, Paris, G. Charpentier, 1887, 2 vol. (Cote BN : 8° M 5184). Cette édition ne donne qu'environ un tiers du journal, en le censurant de plus dans le détail pour épargner la famille et les personnes vivantes, et gommer les audaces de Marie dans le récit de ses flirts. Elle reproduit néanmoins la Préface écrite par Marie elle-même, préface comparable au préambule des *Confessions* de Rousseau, dans laquelle celle-ci promet qu'elle dira « tout, tout, tout ». Pour l'inventaire et l'histoire (très compliquée) des éditions ultérieures, voir la biographie de Colette Cosnier, *Marie Bashkirtseff, un portrait sans retouches,* Paris, Pierre Horay, 1985. La plus récente édition du journal date de 1980 (Ed. Mazarine, Cote BN : 16 M 11963), elle est aujourd'hui épuisée. L'essentiel des manuscrits se trouve à la Bibliothèque nationale : BN, Département des manuscrits, N. a. fr. 12304 (préface de 1884) et 12306-12389 (84 cahiers et carnets, le premier cahier manquant). Deux équipes travaillent concurremment à leur transcription complète : Lucile Le Roy et Dominique Rochay dans le cadre d'une thèse sous la direction de Philippe Hamon (université Paris-III) ; et une équipe du « Cercle des amis de Marie Bashkirtseff » (fondé en 1986) sous la direction de Michel Fleury (IVe section de l'Ecole pratique des hautes études). Cette dernière a publié hors commerce en octobre 1991 un spécimen de son travail : Marie Bashkirtseff, *Journal. 10 mai 1876-16 août 1876*, Cahiers 60 à 64 transcrits intégralement par Ginette Apostolescu, Préface de Pierre-Jean Rémy de l'Académie française, Éd. Paris-Musées, coll. « Capitale », 1991, 377 p.

Voir ci-dessus p. 86, et les extraits de la Préface de Marie Bashkirtseff ci-dessous p. 401-402.

□□□ 1858 Adeline Lombrail

Après ses études en pensionnat, elle passe ses brevets d'institutrice, et en juillet 1878 suit sa famille qui s'installe en Algérie. Elle exerce son métier d'institutrice d'abord dans une pension privée à Alger (1879-1880), puis est nommée directrice de l'école publique laïque de Hussein Dey, où elle reste de 1880 à sa mort en 1890. Elle commence son journal à dix-huit ans (octobre 1877) en intitulant ses cahiers « Compte de mes journées à Dieu ». Elle le tiendra, avec quelques interruptions, jusqu'à sa mort. Après une première édition, intitulée *Souvenirs pédagogiques* (1897), son journal est publié de manière plus large dans *Une belle âme. Notice et souvenirs intimes de Mlle Adeline Lombrail*, Lille, Paris, Bruges, Société Saint-Augustin, Desclée-De Brouwer et Cie, 1913, 240 p. (Cote BN : 8° Ln^{27} 58768).

□ **1858 Vitalie Rimbaud**

Du 5 au 31 juillet 1874, elle tient un journal de son voyage à Londres, où elle accompagne sa mère pour rendre visite à Arthur. Le journal devait lui permettre de conserver ses impressions, mais il lui sert aussi à exprimer l'ennui de ce séjour à Londres (il fait chaud, elle ne parle pas anglais, n'a rien à faire) et le regret de sa chère pension du Saint-Sépulcre, à Charleville. Vitalie est morte l'année suivante, à dix-sept ans. Plus tard sa sœur Isabelle, de deux ans plus jeune qu'elle, et à qui ce journal était destiné, en a fait une copie, en sautant un certain nombre de descriptions et en faisant quelques commentaires. On ne connaît le journal que par cette copie, qui se trouve à la Bibliothèque J. Doucet (Vitalie Rimbaud, *Voyage en Angleterre [Journal]*, cote 8164 70 B I 2 [11], 32 ff).

□ **1858 Fanny R*****

Fille d'un entrepreneur de la région lyonnaise. Elle tient, l'année de ses quatorze ans, un journal de vacances qui doit être lu par l'institutrice à la rentrée. Quand l'année suivante elle quitte définitivement le pensionnat, elle le tient irrégulièrement pour elle-même, jusqu'à l'occasion d'un premier amour, où il se transforme, l'espace de quelques pages, en journal intime, puis s'arrête. Fanny mourra en 1878, peu avant ses vingt ans. Un cahier de 93 pages, conservé par la famille R***, en même temps que ceux de sa sœur cadette Fortunée (voir ci-dessous **1867**).

Voir ci-dessus p. 78, et croquis du journal p. 186-191.

□ **1859 Jeanne Cruse**

Fille aînée d'une riche famille protestante de Bordeaux. Elle commence son journal à l'âge de quinze ans en 1874. Jusqu'en 1880, son journal lui sert à composer la chronique assez elliptique d'une vie heureuse, partagée entre ses lectures, son piano, l'apprentissage de la tenue d'une maison, les hivers à Bordeaux, la belle saison dans des propriétés à la campagne, auprès d'une mère adorée. Sa mère tombe malade en 1880, meurt en février 1881. Le journal devient alors plus intime, plus suivi, Jeanne y épanche longuement son désespoir, ses révoltes, ses angoisses. En avril 1882, elle accepte une proposition de mariage. Le 16 juin, la veille de son mariage, elle clôt solennellement ce journal de sa jeunesse. Deux cahiers, 83 et 137 p., conservés dans les archives familiales.

Voir ci-dessus p. 34-36.

□ 1860 Augustine Bulteau

Fille d'un industriel du Nord, élevée à Paris. En 1880 elle épouse le romancier Jules Ricard. Elle eut un salon très fréquenté, écrivit de nombreux articles dans *Le Gaulois* et dans *Le Figaro* sous le pseudonyme de « Fœmina », et des romans sous le pseudonyme de Jacques Vontade. Deux éléments annexes de ses journaux de jeunesse ont été conservés, en même temps que ses immenses journaux ultérieurs. Tous deux datent des mois qui précèdent son mariage : un petit carnet (du 19 avril au 7 août 1880, 61 p.) où elle note en abrégé son emploi du temps de chaque jour (peinture dans son atelier, piano, lecture, et tenue du journal principal, hélas absent) ; et le journal d'un séjour en Angleterre (fin juin-début juillet 1880, 136 p.), dont le début, consacré à un récit détaillé de la journée qui a précédé le départ, permet d'imaginer le ton et le talent très « Bashkirtseff » que devait avoir le journal principal (BN, Département des manuscrits, N. a. fr. 17390 et 17391).

□□□ 1860 Marie-Louise Chavent

Journal commencé à l'âge de dix-sept ans. Marie-Louise Chavent (l'édition du journal ne donne que l'initiale du nom, C.), qui avait fait vœu de virginité pour se consacrer aux bonnes œuvres, est l'auteur de *La Vierge chrétienne dans la famille et dans le monde* (1887). Elle est morte accidentellement en 1892. D'importants extraits de son journal ont été publiés deux ans après. Regroupés thématiquement, ils concernent surtout la période 1880-1885. Le journal antérieur à 1880 est, selon les éditeurs, peu intéressant, « une simple nomenclature de faits ». *Journal et Pensées intimes de l'auteur de « La Vierge chrétienne », une des victimes de la catastrophe de St-Gervais, 12 juillet 1892*, Lyon/Paris, Delhomme et Briguet, 1894, 550 p. (Cote BN : D 83911). 3e éd. en 1895 chez le même éditeur ; 4e éd. en 1908 à Paris chez G. Beauchesne.

□ 1860 Élisabeth de Caraman-Chimay

Fille du prince de Caraman-Chimay qui, en 1876, est nommé gouverneur de Mons, petite ville si ennuyeuse qu'Élisabeth décide de recommencer un journal. Elle le tient sur un grand cahier cartonné (*Mon journal*, 92 p.) du 18 décembre 1876 au 11 mars 1877 (Archives nationales, AP 101 II, carton 150 ; consultation sur autorisation). Son instruction est terminée, couronnée par le brevet auquel elle vient d'être reçue. Elle est une jeune fille à marier, sa mère la sort dans les soirées et les bals, à Mons et à Bruxelles. « Suis-je laide ? ou suis-je jolie ? » Elle n'en sait rien malgré les discours flatteurs. Elle s'agace d'être ainsi jaugée, mais le rend bien au monde qui l'entoure, dans le secret de son journal. Pour elle, sortir est l'occasion d'exécuter des « études de mœurs ». Elle fait ses premières armes de moraliste, de psychologue. Croquis de scènes et de conversations, pleins de finesse et d'esprit. Elle s'interroge sur son avenir : sa famille n'ayant pas de fortune, elle est sûre de n'être pas épousée pour l'argent. Elle se penche sur son passé. Deux moments étonnants. Le 4 février, elle adresse à ses parents une « confession » (dont le brouillon est conservé dans le journal) sur un épisode qui l'a traumatisée (une déclaration d'amour impudente reçue, à l'âge de quatorze ans, dans un bal). Du 3 au 10 mars, son journal devient une sorte d'autobiographie, intitulée par elle-même *Mes premières amours*, et qui occupe 33 pages, le tiers du cahier. Elle y passe en revue les inclinations qu'elle a éprouvées, ou qu'on a éprouvées pour elle, depuis l'âge de huit ans. Bilan négatif : elle n'a rencontré aucun garçon dont aujourd'hui elle pourrait souhaiter faire son mari. Mais du coup le cahier est fini et le 11 mars elle lui dit solennellement adieu. On trouvera une évocation de ce journal plein de spontanéité et d'esprit dans la biographie écrite par Anne de Cossé-Brissac, *La Comtesse Greffulhe*, Paris, Perrin, 1991, p. 15-18. En effet Élisabeth a épousé l'année suivante, le 25 septembre 1878, le richissime comte Henry Greffulhe.

A l'inverse de la plupart des jeunes filles, qui abandonnent leur journal le jour du mariage, Élisabeth en a commencé un nouveau le soir de ses noces (AP 101 II, carton 1, consultation sur autorisation ; grand cahier de 73 pages, tenu du 25 septembre au soir au 31 décembre 1878), comme pour répondre à une lettre qu'elle s'était adressée à elle-même le 30 août et qui est conservée en même temps que le journal. C'est la chronique d'une lune de miel heureuse et d'une adaptation délicate à un nouveau milieu.

□□□ 1860 Valentine Riant

Après sa première communion, sa vocation religieuse se dessine peu à peu : elle finit par choisir la congrégation de Marie-Réparatrice, dont elle prend l'habit en décembre 1878. Elle meurt un an après, en décembre 1879. La biographie pieuse qui lui est consacrée est fondée sur sa correspondance, mais aussi sur ses « notes » (de retraites, de noviciat) qui constituent une sorte de journal spirituel. Elle fait apparaître une personnalité ouverte et dynamique, et une expression ferme et directe. *Valentine Riant. Notes et souvenirs. 1860-1879*, Bar-le-

Duc Impr. de l'Œuvre de saint Paul, 1880, 221 p. (Cote BN : Ln^{27} 33907), 3e éd. 1892.

□□□ 1861 Marie-Joséphine Morel

« J'ai dix-sept ans et demi, une santé délicate, c'est pour cela que je suis obligée de rester à la campagne. » Sa famille habite Lyon, on l'a envoyée essayer de guérir à la campagne chez sa grand-mère. Le 7 janvier 1879, elle décide de commencer un cahier : « Mon cher cahier, je te choisis pour être le confident de mes chagrins... » Elle le tient, semble-t-il, deux semaines, du 7 au 18 janvier. Ces quelques pages, retrouvées après sa mort (le 30 août de la même année), ont été publiées en une petite plaquette : *Souvenir d'une chère petite amie*, Lyon, Imprimerie catholique, 1880, 19 p. (Cote BN : Ln^{27} 31868).

□□□ 1862 Laure Frémont

Journal tenu pendant six mois, de janvier à juin 1880. Laure est à Paris dans un pensionnat où elle prépare son brevet d'institutrice. Elle meurt en juin 1881 à l'âge de dix-neuf ans. Le journal sera publié une vingtaine d'années plus tard, comme témoignage, par son frère, l'abbé G. Frémont, d'abord quelques chapitres en feuilleton dans la revue *La Femme contemporaine* (juin-septembre et décembre 1904), puis en livre : *Journal de Mlle Laure Frémont*, avec une Préface de M. l'abbé G. Frémont, Besançon, Éd. de la « Femme contemporaine », 1904, 110 p. (Cote BN : 8° Ln^{27} 51479). « Ce sont les pensées d'une jeune fille de dix-sept et de dix-huit ans que renferme ce modeste journal ; on sera donc d'autant plus frappé de leur maturité, de leur élévation, de leur mélancolie » (Préface).

Voir extrait du journal ci-dessous p. 394-395.

□ 1864 Eugénie Servant

Souvenirs de pension, puis *Mémoires d'une écouennaise*, tels sont les titres des huit cahiers soigneusement copiés dans lesquels Eugénie Servant a mis au net, après coup, le journal de la plus belle période de sa vie : son séjour de 1875 à 1881 à la maison d'éducation de la Légion d'honneur à Écouen. Les deux premiers cahiers et le début du troisième (217 p.), couvrant la période mai 1875-octobre 1879, sont en fait un récit autobiographique synthétique tout à fait maîtrisé et charmant écrit sans doute pendant les vacances d'été 1879 (?) à partir de calepins perdus ou détruits. Le journal n'est pas autorisé en pension. Son calepin ayant été surpris, elle a eu le choix entre le laisser lire ou le détruire elle-même : elle a préféré détruire. A partir d'octobre 1879 jusqu'à sa sortie d'Écouen en août 1881, elle parvient à tenir un journal qu'elle conservera et qui occupe le reste des huit cahiers (617 p.). Le journal est loin d'être quotidien : « C'est plutôt une revue mensuelle ou bimensuelle car beaucoup d'obstacles s'opposant à une rédaction quotidienne, j'ai pris l'habitude de résumer de temps en temps les événements qui me paraissent en valoir la peine. C'est bien plus commode et cela m'évite probablement des redites, les faits intéressants n'abondant pas dans notre existence » (mars 1880). Eugénie Servant ne s'est pas mariée, s'est consacrée à l'éducation d'une nièce. Un demi-siècle plus tard, au début des années 1930, elle a légué ces cahiers, dans un esprit militant, à la congrégation de la Mère de Dieu (14, rue de Calais, 75009 Paris), qui les conserve dans ses archives (série J3). Ce journal « est le témoignage éclatant d'un besoin d'expression et des ambiguïtés de la vie privée en pensionnnat », dit Rebecca Rogers, qui lui consacre la dernière partie de son livre sur *Les Demoiselles de la Légion d'honneur* (Paris, Plon, 1992, 5e partie, « Vivre à la Légion d'honneur : Eugénie Servant », p. 235-283). C'est un document remarquable qui mériterait de faire l'objet d'une édition.

Voir ci-dessus p. 78-79.

□□□ 1866 Élisabeth Leseur

Journal d'enfance tenu de onze ans à quatorze ans et demi, publié en 1935 : *Journal d'enfant, 1877-1881*, précédé d'une lettre de S.E. le cardinal Verdier, J. de Gigord, 1935, 118 p. (Cote BN : 8° Ln27 80354). Les écrits d'Élisabeth Leseur (1866-1914) ont été publiés après sa mort : d'abord son journal spirituel, *Journal et Pensées de chaque jour*, J. de Gigord, 1917 (qui couvre la période 1899-1914), puis *La Vie spirituelle, petits traités de vie intérieure*, J. de Gigord, 1919.

□□□ 1866 Amélie Nitot

Fille d'instituteur. Elle commence à tenir son journal en pension à treize ans et demi. Au sortir de la pension, deux ans plus tard, elle se prépare au brevet d'institutrice, qu'elle passe avec succès en 1883. Elle n'exercera le métier qu'épisodiquement, dans l'école de son père. Son journal, tenu jusqu'à sa mort en 1892, témoigne de ses inclinations pour la vie religieuse. Extraits rapides dans la biographie pieuse qui lui est consacrée. *Histoire d'une âme. Amélie Nitot, de Boissy-le-Chatel (Seine-et-Marne)*, par l'abbé Amand Cacheux, curé de la paroisse, Coulommiers, Impr. Paul Brodard, 1893, 170 p. (Cote BN : Ln27 41458). 3e éd. en 1894.

□ 1866 Olympe S***

Elle appartient à une famille d'instituteurs du sud de la France. Elle-même institutrice, et tuberculeuse. En novembre 1892 elle reprend, pour se désennuyer, son journal. C'est la chronique mélancolique de sa maladie, de la vie familiale et locale vue de sa chambre, de ses lectures, de ses réflexions... Elle arrive au bout du cahier à la fin de février 1893. Elle mourra au printemps (Copie manuscrite du journal original, 39 p. ; archives familiales).

Voir ci-dessus p. 89-90.

□ **1866 Mathilde Savarin**

« Va dans ma poche, petit cahier !!... » Mathilde est la fille du notaire de Jujurieux (Ain). En pension à Mâcon depuis six ans, elle occupe ses deux derniers mois (juin et juillet 1881) à noter en cachette sur un minuscule carnet la chronique quotidienne de cette vie de pensionnaire qu'elle va quitter. Une fois de retour à la maison, elle aide son père en copiant des actes, elle prépare son trousseau (« Terminé aujourd'hui ma première douzaine de chemises pour mon trousseau ! », 6 février 1883), attend le mariage, et continue à tenir, avec des interruptions, la chronique simple et précise de la vie familiale et locale, et de sa longue attente : elle ne trouvera mari qu'en... 1893. Elle épousera Eugène Robin, notaire en Saône-et-Loire. Trois petits carnets (11 × 7 cm) tenus du 18 juin 1881 au 1er octobre 1893, 225, 157 et 37 p. Conservés dans les archives familiales.

□□□ **1867 Jeanne Angèle Dupasquier**

Journal tenu pendant son dernier hiver par une jeune fille sans doute tuberculeuse. On l'a envoyée à la montagne, le journal commence à son retour à Lyon le 5 septembre (1894 ?), il sera tenu jusqu'au 22 mars de l'année suivante, douze jours avant sa mort. Journal de maladie, journal spirituel. Les extraits occupent les pages 29-80 de la biographie composée par sa mère. *Ma Fille*, Lyon, Impr. A. Rey, 1895, 87 p. (Cote BN : Ln27 43058 microfiche).

□□ **1867 Augustine Guillemiau**

De famille parisienne, Augustine est élève de la première promotion de l'école normale d'institutrices de la Sarthe, ouverte en novembre 1882. Elle tient un journal intitulé *Ma première année à l'école normale. Le Mans 1882-1883*, du 9 janvier au 25 mai 1883. C'est une chronique minutieuse, même si elle est irrégulière, de la vie quotidienne de l'internat, du travail, des relations avec les professeurs, des amitiés avec les autres élèves. Augustine s'abstient de toute confidence sur sa vie personnelle en dehors de l'école, parce que son journal pourrait être surpris : « Mon journal, j'ai peur que vous ne soyez un indiscret et je ne vous le confie pas » (10 mars). Son journal a été effectivement surpris, lors d'une fouille générale à l'occasion d'une affaire disciplinaire. C'est ce qui a assuré sa survie : il a été transmis au rectorat de l'académie de Caen, dont Le Mans dépendait alors (Archives départementales du Calvados, cote T 1537). Il a été publié par Gérard Boeldieu, avec une présentation et des notes, dans les *Mémoires de la Société d'agriculture, sciences et arts de la Sarthe*, année 1989, p. 41-64.

□□□ 1867 Mary Ourousov

Fille du prince Ourousov. Pianiste de grand talent. Elle est née à Saint-Pétersbourg en 1867. Sa famille s'établit à Paris en 1875, quand elle a huit ans, et y reste jusqu'en 1890. A cette date, retour en Russie, où Mary mourra en 1895. Jusqu'en 1888, Mary notait ses impressions sur des feuilles volantes, qui ont été perdues. De 1888 à sa mort elle tient (essentiellement en anglais) un journal intime sur un cahier qui a été conservé, et dont des extraits assez abondants sont donnés dans le livre (anonyme) que sa mère lui a consacré : *Histoire d'une âme. Mary. Souvenirs recueillis par sa mère*, Paris, Fischbacher, 1898, 278 p. (Cote BN : 8° M 11128). « Sometimes I wonder why I keep a diary, the *innermost* soul is never in it, how could I write down all I feel and " ahne ", and wish for and despair at, and love and fear » (1890, p. 178). Cette phrase donne le projet du journal qui, en même temps qu'une chronique, est notation des émotions et recherche spirituelle.

□ 1867 Fortunée R***

Sœur cadette de Fanny R*** (cf. **1858**). Deux journaux d'elle ont été conservés. A quatorze ans, sur le conseil des religieuses, elle tient un petit cahier pendant les vacances (15-23 avril, 18 août-28 septembre 1881 ; 38 p.). Elle a dû en tenir d'autres ensuite, puisque ce cahier porte le n° « 1 ».

A vingt ans, elle a un amant, on l'a découvert, elle vient de se sauver de chez elle, la voilà seule dans un hôtel à Paris, elle va essayer de vivre comme ouvrière. Elle commence un journal qu'elle intitule : « Toute seule ! » (6 p.). Ce journal, où elle exprime son désarroi, puis son désir de mourir, n'aura que trois entrées : jeudi, dimanche, lundi. Le samedi suivant, elle se jette dans la Seine.

Les journaux de Fanny et de Fortunée sont conservés par la famille R***.

Voir ci-dessus p. 76-77, et le croquis du journal p. 191-199. Le second journal y est reproduit en entier.

□□ 1867 Madeleine Rondeaux

Deux petits carnets (304 p. manuscrites) tenus en 1891-1892, pendant la période où elle tente de s'éloigner de son cousin André Gide, et où elle cesse toute correspondance suivie avec lui. Conservés par Gide, jamais mentionnés par lui, ces carnets ont d'abord été publiés en extraits par Jean Schlumberger dans le chapitre IV de son livre *Madeleine et André Gide* (Paris, Gallimard, 1956, p. 40-77 ; cote BN : 16° Ln^{27} 86088).

« Dans ces carnets, rédigés de janvier 1891 à juillet 1892, c'est-à-dire pendant les quelques mois qu'a duré sa tentative de complète libération, elle a consigné les pensées qu'elle ne pouvait confier à personne, tâchant de voir clair en elle-même et de soutenir son courage souvent près de défaillir. Ces notes au jour le jour livrent d'elle ce qu'on chercherait vainement dans toute sa correspondance : l'aveu non surveillé de ses soucis intimes » (*ibid.*, p. 40).

Le texte intégral a été publié vingt ans plus tard dans le *Bulletin des amis d'André Gide*, n° 35, juillet 1977, p. 7-34, et n° 36, octobre 1977, p. 7-23.

Voir ci-dessus p. 144-145.

□□□ 1868 Marie Danré

Cette jeune fille, qui a choisi la vie religieuse, tombe malade peu avant sa prise d'habit et meurt en mai 1888. Le prêtre chargé de publier quelques pages de souvenirs sur elle décide, en découvrant le journal qu'elle a laissé, de lui consacrer un livre. Ce journal est propre à montrer « quel est le prix d'une éducation vraiment chrétienne, à quelles hauteurs elle peut élever une âme ». Tout en regrettant de devoir se contenter d'extraits (« Ce petit *Journal* serait à transcrire et à publier tout entier », p. 27), il en nourrit largement cette biographie développée. *Marie Danré ou La Jeune Postulante de Marie-Réparatrice*, par l'abbé Poindron, Saint-Quentin, Impr. J. Moureau, 1888, 134 p. (Cote BN : Ln^{27} 38080).

□□□ 1868 Marie Pérignon

Commence son journal vers treize-quatorze ans et le continue, avec des intermittences, jusqu'à sa mort à l'âge de trente-huit ans en 1906. Cette jeune fille a choisi de ne pas se marier et de devenir dame d'œuvres. Son journal, où se dessine « l'exquise silhouette de ses aspirations mystiques », a été publié après sa mort en extraits sous forme de citations dans un texte biographique : *Hostia pro hostia. Autobiographie de Marie Pérignon (1868-1906)*, Se vend au profit de ses œuvres, Impr. de Montligeon (Orne), 1912, 166 p. (Cote BN : 8° Ln^{27} 58332).

« D'année en année nous suivrons cette âme s'élançant vers Dieu dans un cœur généreux et brûlant, et bien qu'obligée, à grands regrets, de supprimer de nombreux passages, il nous a semblé néanmoins qu'on demeurait sous le charme de ce cantique d'amour dont la note harmonieuse s'exhale en un crescendo sublime, jusqu'au jour où l'instrument qui la produit se brise dans un dernier accent » (Avis au lecteur).

□□□ 1871 Marthe Dufour

Fille aînée de Claire Pic (**1848**), morte à l'âge de quinze ans. Elle a tenu en 1884 et 1885 un journal-examen de conscience, adressé à la seconde personne à une cousine, sa contemporaine, morte au début de 1884. Des extraits de ce journal sont cités (p. 10-12 et 21-22) par Claire dans la biographie qu'elle publie l'année suivante : *Souvenirs de Joséphine-Virginie-Valérie-Marthe D.*, Mâcon, Protat Frères, 1887, 53 p. (Cote BN : Ln^{27} 37165).

□□ 1873 Thérèse Martin (sainte Thérèse de l'Enfant-Jésus)

Elle n'a pas tenu de journal. Mais ses carnets d'enfant, récemment publiés (*Études thérésiennes*, n° 74, avril 1979, p. 129-137), contiennent, parmi d'autres choses, la notation rapide et datée de quelques petits faits et la liste de ses communions (carnet 2, 1884-1886), des notes de retraite (carnet 3, 1884-1885), et quelques comptes datant de 1887 sur un agenda de 1885 (carnet 4).

□□□ 1873 Marie-Marguerite R...

Née à Moulins, elle entre à six ans en pension au couvent des Oiseaux (congrégation de Notre-Dame) et y reste jusqu'à seize ans. De retour dans sa famille (1889) elle commence à tenir un journal, qu'elle envisage d'abord d'intituler *Labeur*. Elle devient enfant de Marie, fait des retraites, et en 1894 s'engage avec ardeur dans la fondation, à Moulins, d'une école dominicale (« L'Œuvre dominicale du Sacré-Cœur »). Elle enseigne et fait des conférences de 1894 à 1898. En 1898 elle est très ébranlée par la mort de son jeune frère (tuberculose). Atteinte elle-même, elle meurt en septembre 1899. Son journal, très vivant et direct, a été publié en extraits après sa mort par la congrégation de Notre-Dame : *Un souvenir de la congrégation de Notre-Dame. Marguerite*, Préface de M. Henri Joly, Moulins, Crépin-Leblanc, 1908, XIX-225 p. (Cote BN : 8° Ln^{27} 53397).

Le préfacier situe la publication de ce journal exemplaire d'une vraie jeune fille chrétienne comme une réplique à l'appel indiscret de Goncourt en 1881 et à la réponse à cet appel qu'avait semblé être, en 1887, la publication posthume du journal de Marie Bashkirtseff.

□□□□ 1874 (?) Marguerite Aron

Journal tenu pendant ses trois années d'études à l'École normale supérieure de Sèvres (1893-1896), puis au début de sa carrière de professeur de lycée. Marguerite Aron a elle-même mis au point une sorte de reconstruction stylisée de ce journal, qu'elle a publiée dans un but militant pour contrebalancer un roman tendancieux présenté comme un témoignage sur l'école de Sèvres (*Les Sévriennes*, de Gabrielle Reval, 1900). Publié d'abord dans la revue *L'Enseignement secondaire de jeunes filles* (janvier-juillet 1901), puis en volume : *Le Journal d'une sévrienne*, Paris, Alcan, 1912, XI-239 p. (Cote BN : 8° Y^2 59698 microfiche ; le classement sous la cote Y^2 [roman] s'explique sans doute par certains passages, ambigus, de l'avant-propos).

□ 1874 Antoinette H. Q.

Famille de propriétaires terriens en Bretagne. Antoinette commence ce qu'elle intitule elle-même son « journal de jeune fille » à l'âge de vingt-six ans en 1901 et elle le tiendra jusqu'à son mariage en 1907. La ligne principale du journal est l'attente du mariage, et le récit des négociations matrimoniales dont elle est l'objet (« entrevues », enquêtes, demandes, entremises, refus, etc.). En contrepoint, les événements familiaux, les voyages, et l'histoire d'un autre mariage, celui de son frère Maurice en 1902. Antoinette s'est engagée dans des œuvres sociales et à la Croix-Rouge, et attend de trouver un mari qui lui convienne vraiment, ce qui arrivera en 1907. Copie du manuscrit effectuée par son fils, 86 p. et photographies.

Antoinette a plus tard, au soir de sa vie (elle est morte en 1950), écrit une chronique familiale intitulée *Souvenirs de ma jeunesse* qui évoque avec nostalgie tous les personnages de la famille et le domaine de La Molière (copie, 89 p. et photos).

□ 1874 Gabrielle Laguin

Jeune bourgeoise de Grenoble. Commence son journal le 12 juillet 1890, à l'âge de seize ans et demi. Elle est amoureuse de son cousin Louis Berruel (qui a vingt-huit ans) et secrètement fiancée à lui. Le journal, tenu régulièrement, lui sert à supporter cette longue attente et en même temps à se faire mieux connaître de Louis (au 1er janvier 1891, elle lui en communique une partie). Après le mariage, qui a lieu en octobre 1891, le journal change de rythme, il n'est plus tenu que de loin en loin, et finalement une fois tous les deux ou trois ans : elle est pleinement heureuse (surtout après la naissance, impatiemment attendue, de sa première fille, Renée, en 1894) et les années passent si vite… Dernière entrée du journal : 1er janvier 1911. Inédit (archives familiales). *Mon journal,* 6 cahiers, 218 pages. Voir Anne Martin-Fugier, in *Histoire de la vie privée,* t. IV, Paris, Éd. du Seuil, 1987, p. 195-196. Sa fille Renée tiendra elle-même un journal (voir ci-dessous, **1894**).

Voir croquis de ce journal ci-dessus p. 155-164.

□□□ 1875 Gabrielle

Elle a tenu son journal de sept ans et demi à sa mort en 1901. A dix ans sa mère lui lit le *Journal de Marguerite*. Des extraits clairsemés de son journal d'enfance sont donnés au début de sa biographie. Ses cahiers d'adolescence ont disparu : Gabrielle a brûlé son journal pour la période 1890-1897. De 1897 à sa mort la biographie cite plus largement le journal qui alterne avec des correspondances. Journal spirituel d'une jeune fille qui a décidé de se consacrer au service du Christ, fait le catéchisme, dirige un patronage. Jean Vaudon, *Une âme de jeune fille*, Bourges, Annales de sainte Solange, Paris, Lethielleux, 1904, 111 p. (Cote BN : Ln[27] 50885).

□□□ 1875 Marie Lenéru

Brest, milieu catholique, famille d'officiers de marine. Elle perd son père quand elle a deux ans. Elle commence son journal à l'âge de onze ans, sur le conseil de sa mère, et le tient jusqu'en 1890. A quatorze ans une grave maladie la laisse définitivement sourde, et sa vue est atteinte. Elle reprend son journal à dix-sept ans (septembre 1893), et elle le tiendra jusqu'à la fin de sa vie. Elle écrira des pièces de théâtre. La première, *Les Affranchis*, fut jouée avec succès par Antoine à l'Odéon en 1911. Elle meurt en 1918, âgée de quarante-trois ans. Son journal est publié peu de temps après sa mort : *Journal de Marie Lenéru*, avec une Préface de François de Curel, Paris, G. Crès, 1922, 2 vol. (Cote BN : 8° Ln[27] 60729). Edition complète : *Journal,* précédé de *Journal d'enfance*, éd. complète établie par Fernande Dauriac, Paris, Grasset, 1945, 401 p. (Cote BN : 8° Ln[27] 60729 A). Le manuscrit du journal d'enfance est conservé par la famille, le manuscrit du journal depuis dix-sept ans est conservé à la Bibliothèque nationale (BN, Département des manuscrits, N. a. fr. 12692, 5 cahiers).

Pour une vue d'ensemble de sa destinée et de son œuvre, voir le livre de Suzanne Lavaud, *Marie Lenéru. Sa vie. Son journal. Son théâtre*, SFELT, 1932, 281 p. (Cote BN : 8° Ln[27] 64183).

□ 1876 Émilie Girette

Fille adoptive d'un architecte parisien. Musicienne (soprano), amie de Gabriel Fauré, dont elle chante les mélodies. Saison d'hiver à Paris, petits concerts dans les salons ; villégiatures l'été. Elle commence son journal en juin 1901. C'est essentiellement la chronique d'une vie musicale et mondaine passionnante, à l'occasion de laquelle elle exprime indirectement les tourments de son cœur à la recherche d'un bonheur qui tarde à venir. L'admiration, puis l'amour, qu'elle éprouve pour le pianiste Édouard Risler ne sont vraiment exprimés qu'à partir de mai 1903. Le journal s'arrête pratiquement quand, en juin 1903, Édouard Risler la demande en mariage. Le mariage a été célébré en novembre 1903. Un cahier de 167 p. conservé dans les archives familiales.

De larges extraits du journal, concernant uniquement la relation avec Fauré, ont été publiés par Jean-Michel Nectoux dans « Deux interprètes de Fauré : Émilie et Édouard Risler », *Études fauréennes*, n° 18, 1981, p. 3-25. Voir aussi l'étude de Myriam Chimènes, « Le salon des Girette. Un modèle exemplaire de collaboration entre musiciens amateurs et professionnels à Paris vers 1900 », à paraître dans les Actes du XVe congrès de la Société internationale de musicologie (Madrid, avril 1992).

Voir ci-dessus p. 115-117, et le croquis du journal p. 222-234.

□ 1876 Odette Maurel

Dès 1900, elle participera aux luttes féministes, en particulier en collaborant à la presse féministe. elle sera aussi romancière et traductrice, sous le nom de Marion Gilbert. On trouve dans ses archives, déposées à la Bibliothèque Marguerite-Durand, un cahier acheté par elle pour tenir son journal en novembre 1893. De 1893 à son mariage en 1902, elle n'arrivera à remplir que 27 pages de ce cahier, dont le reste lui servit, après son mariage, de cahier de brouillon pour ses articles ou fictions. C'est un curieux exemple d'obstination dans l'échec. Conçu dès le départ comme un journal-chronique, il se traîne d'abandon en abandon. « Quel besoin ai-je d'écrire une existence aussi calme que la mienne ? *Qui lo sa ?* » (février 1895). Ces entrées sporadiques s'arrêtent en 1897, et la dernière page porte en biais les mentions suivantes, sur trois lignes : « demandée le 29 août 1901/fiancée le 8 septembre/mariée le 7 mai 1902 (mercredi) ».

□□ 1877 Isabelle Eberhardt

Née en Suisse d'une mère allemande et d'un père russe, élevée dans la plus grande liberté, convertie à l'islam, Isabelle Eberhardt tient ses « Journaliers » du 1er janvier 1900 jusqu'au 31 janvier 1903, quatre cahiers à l'écriture régulière, ornés de dessins, qui l'accompagnent tout au long de ses pérégrinations mouvementées en Algérie et de ses retours en France. Ces cahiers sont à la fois chronique de sa vie errante, carnets de route, et journal d'une vie intérieure exigeante et originale.

Elle meurt accidentellement en octobre 1904. Elle fut d'abord connue par les textes écrits pour le journal *L'Akhbar*, que le directeur du journal, Victor Barrucand, publia sous leurs deux signatures (*Dans l'ombre chaude de l'Islam*, 1906). Les « Journaliers » n'ont été publiés que plus tard : Isabelle Eberhardt, *Mes journaliers*, précédés de *La Vie tragique de la bonne nomade, par René-Louis Doyon*, Paris, « Les textes », La Connaissance, 1923, LXXXIII-300 p. (Cote BN : 8° Z 21009 [4]). Cette édition a été reproduite en fac-similé en 1985 aux Éditions d'aujourd'hui (83 Plan de la Tour). Voir aussi *Lettres et Journaliers. Sept années dans la vie d'une femme*, présentation et commentaires par Eglal Errera, Arles, Actes Sud, 1989, 422 p.

□□ 1878 Julie Manet

Fille de Berthe Morisot et d'Eugène Manet, frère d'Édouard. Elle commence son journal à quatorze ans, et le tient jusqu'à son mariage (1900). Elle le reprendra après son mariage, mais dans une perspective, semble-t-il, d'introspection et de piété. Deux publications différentes d'extraits du journal d'adolescence ont été faites : l'une par Jean Griot (Julie Manet, *Journal 1893-1899. Sa jeunesse parmi les peintres impressionnistes et les hommes de lettres*, Paris, Klincksieck, 1979 ; Cote BN : 8° Ln^{27} 93017), l'autre par Rosalind de Boland Roberts et Jane Roberts (Julie Manet, *Journal 1893-1899*, Éd. Scala, 1987 ; Cote BN : 4° Ln^{27} 95545). Les manuscrits sont conservés dans les archives familiales.

□ 1879 Chouchik Babaïan

Jeune pianiste d'origine russe (arménienne) établie à Paris depuis le début du siècle. Elle tient son journal, en russe, du 21 novembre 1904 au 22 février 1906. Le journal reflète les fluctuations de ses humeurs et cafards, les impressions de sa vie musicale, l'amour qui lui prend pour Pablo Casals, amour qu'elle décide d'« enterrer » quelque temps après... Le journal s'achève en février 1906 sur une mention de l'amitié délicate de Louis Laloy (neveu de Lucile Laloy, voir **1829**), ancien normalien, musicologue et sinologue, secrétaire général de l'Opéra, qu'elle épousera à la fin de la même année. Ce journal, traduit du russe par son petit-fils Vincent Laloy, se prête à une comparaison avec celui d'Émilie Girette (**1876**), dont il se distingue par une plus grande liberté d'expression.

Chouchik fut pianiste de concert entre 1920 et 1930. Elle est morte en 1952. Manuscrit conservé dans les archives familiales.

□ 1879 Élise Chaumery de Sorval

Fille aînée d'un négociant retiré qui vit de ses rentes à Aix-en-Provence ; petite-fille, par sa mère, de Julie Arnaud (cf. **1825**). Élise tient son journal du 2 janvier à décembre 1896 (4 cahiers, 77, 74, 28 et 38 p., conservés dans les archives familiales). Son éducation générale est terminée, son éducation mondaine commence. Danse, dessin et surtout musique. Elle joue du piano, de la mandoline, et commence à chanter. Hiver à Aix, été à la « campagne » du Tholonet. En juin, un voyage à Paris avec sa mère et sa sœur. Son journal est la chronique fraîche et spontanée de cette année de transition entre l'univers de l'enfant et celui de la jeune fille. Élise manifeste à la fois un authentique goût pour les arts, et une attention narquoise à la vie de la petite société aixoise où elle fait ses débuts.

Elle ne s'est pas mariée. Elle est devenue peintre (pastels et miniatures). Elle a tenu journal de 1914 à 1918. Elle s'est passionnée pour l'histoire de la famille et a écrit, en 1951, peu avant de mourir, un récit de souvenirs d'enfance.

□□□ 1880 Élisabeth de la Trinité

Élisabeth Catez, fille d'officier, entre au carmel de Dijon en août 1901. A la veille d'entrer au cloître, elle détruisit l'ensemble de son journal ; seul un cahier intime, où elle notait aussi ses réflexions sur ses lectures, échappa à la destruction. Des extraits de ce cahier, qui doit être conservé au carmel de Dijon, sont utilisés dans la première partie (« Les prévenances divines ») de la biographie publiée peu après sa mort : *Sœur Élisabeth de la Trinité, religieuse carmélite, 1880-1906. Souvenirs*, Dijon, Jobard, 1909, x-368 p (Cote BN : 8° Ln^{27} 54218), 11e éd., Paris, Éd. Saint-Paul, 1945.

□ 1881 Aline de Lens

Fille d'un chirurgien parisien. Elle a commencé son journal à vingt et un ans, le 31 mars 1902. Elle a choisi de ne pas se marier, souhaiterait gagner sa vie, en tout cas désire devenir une artiste. Elle a un atelier chez elle, entre à l'automne 1902 à l'Académie Julian, en octobre 1903 elle est reçue à l'École des beaux-arts. Son journal, tenu irrégulièrement (il s'interrompt même complètement de mars 1903 à avril 1905), accompagne cet effort pour se créer une destinée autonome et pour vivre selon la morale exigeante qu'elle s'est définie. « J'ai eu vingt-six ans il y a deux jours... c'est bizarre. Qui suis-je en somme ? Une vieille fille ? Pas encore, et du reste je parais à peine vingt ans, dit-on [...]. Une jeune fille alors ? Oh ! non, je n'en ai plus aucunement la vie ni les idées... ni l'âge. Je voudrais bien être simplement une artiste » (4 mars 1907). Le 8 juin suivant, un long texte autobiographique résume sa destinée et son projet.

Le journal a été tenu tout au long de sa vie : les soixante pages initiales qui la mènent de vingt et un à vingt-six ans n'en sont que le préambule. Le texte (dactylographié pour l'édition) comporte 371 pages. Découverte de l'Espagne et du soleil en 1908. En 1909 une amitié platonique avec un jeune homme, qui aboutira en 1911 à un mariage. Départ pour l'Afrique du Nord, la Tunisie, puis installation au Maroc, où elle restera jusqu'à sa mort en 1924. Elle apprend l'arabe, s'habille comme les Marocaines et se mêle à leur vie. Elle tire de son expérience des récits qui sont publiés : *Le Harem entr'ouvert*, *Derrière les vieux murs en ruines* (1922) et *L'Étrange Aventure d'Aguida* (1925).

La publication de son journal intime est annoncée en 1925, mais ne se fera pas. Il nous en reste une dactylographie préparée pour l'édition, conservée dans les archives des frères Tharaud en même temps que des notes pour leur livre *Les Biens-Aimées* (1933) (Cote BN : Manuscrits, N. a. fr. 18211).

Voir extrait ci-dessous p. 411-414.

□□□□ **1882** **Marie Bonaparte**

Cinq cahiers tenus par la petite fille entre sept et dix ans, et interprétés, après son analyse avec Freud, par l'adulte elle-même. Liés à l'apprentissage des langues étrangères, ils ne sont pas vraiment des journaux, malgré la présence assez régulière de dates. Ils contiennent essentiellement des fictions, contes, projections fantasmatiques, exercices d'expression de toutes sortes accompagnés de dessins. Marie leur donne des titres, fait des tables des matières. Les quatre premiers cahiers sont rédigés dans un anglais enfantin assez personnel, le cinquième en allemand. Marie Bonaparte les a auto-édités avec traduction et commentaires : *Cinq Cahiers écrits par une petite fille entre sept ans et demi et dix ans et leurs commentaires*, Paris et Londres, 1939-1951, 5 vol., le dernier consistant en la reproduction en fac-similé des cinq cahiers (Cote BN : Réserve, p. R. 640 [1 à 5]).

Sur Marie Bonaparte, voir Élisabeth Roudinesco, *Histoire de la psychanalyse en France,* t. I, *1885-1939*, Paris, Éd. du Seuil, 1986, p. 320-342.

□□□ **1882** **Jacqueline de Croze**

Famille lyonnaise. Le père et la mère se séparent et les enfants, trois filles, sont confiées à la garde du père et de la grand-mère paternelle. Au moment de la séparation, la mère donne à Jacqueline, treize ans, un cahier en tête duquel elle inscrit le programme suivant : « Écris simplement, franchement tes joies, tes occupations de ta petite vie, ma chérie, sois toujours simple et vraie dans tout ce qui t'arrive, dans tout ce que tu racontes. Nous lirons cela ensemble et je revivrai ainsi les jours que nous aurons passés séparées. » Jacqueline tiendra le cahier un peu plus d'un an, du 25 juin 1895 au 27 juillet 1896, ensuite la mère suppose que le père lui a interdit de continuer. Ce cahier, enrichi de quelques lettres, est reproduit (p. 123-263) dans la biographie que la mère écrit après la mort de Jacqueline (1900). Il s'agit d'un journal très factuel, dans lequel Jacqueline ne fait que des allusions voilées aux tensions familiales. La suite de la biographie est fondée sur la correspondance de la jeune fille. *Jacqueline*, Paris, 1903, VIII-383 p. (Cote BN : Ln[27] 49511 microfiche).

□ 1882 Catherine Pozzi

Fille du Dr Samuel Pozzi, fondateur de la gynécologie en France. Elle a tenu son journal pendant presque toute son enfance et son adolescence. Huit cahiers ou carnets (887 p.), de novembre 1893 à novembre 1906, de onze ans à vingt-quatre ans, conservés par son fils, Claude Bourdet. Le journal ne prend son vrai départ qu'à la fin de 1895, à treize ans. Mûrie par la maladie, elle manifeste de manière précoce les choix qui seront ceux de sa vie adulte. A quatorze ans elle traverse une grave crise religieuse, perd la foi catholique, et s'interroge sur le sens de la vie. Elle est décidée à ne jamais appartenir à un homme et à vivre indépendante. Et manifeste une grande curiosité intellectuelle. Mais en même temps elle est espiègle, enfantine, et tout à fait spontanée. Après une interruption entre 1901 et 1903, le journal reprend jusqu'en 1906 dans une perspective plus tendue. Elle épousera en janvier 1909 Édouard Bourdet.

Le journal d'adulte de Catherine Pozzi (*Journal 1913-1934*, Préface de Lawrence Joseph, Paris, Ramsay, coll. « Pour mémoire », 1987, 678 p.) a été publié par les soins de Claire Paulhan, qui prépare actuellement une édition du journal de jeunesse.

La première partie de la biographie de Lawrence Joseph, *Catherine Pozzi. Une robe couleur du temps*, Paris, Éd. de la Différence, 1988, évoque l'enfance et la jeunesse de Catherine Pozzi en s'appuyant sur ce journal et des correspondances inédites.

Voir ci-dessus p. 79-81, 83, 97, 102, 107-108, la présentation de ses autoportraits p. 265-290, et les extraits ci-dessous p. 403-410.

□□□□ 1883 Madeleine d'Arvisy

Journal commencé en octobre 1902, au moment où sa sœur aînée prend le voile. Madeleine vit à Poitiers, mène une vie assez mondaine, s'interroge sur sa destinée. Le journal s'arrête en décembre 1903, au moment où elle vient de repousser une demande en mariage pour rester auprès de son père malade. Il s'agit probablement de la réécriture d'un journal authentique, avec changement des noms, faite et publiée par Madeleine d'Arvisy elle-même quatre ans plus tard : Madeleine d'Arvisy, *Ce qui passe et ce qui reste. Pages détachées d'un journal de jeunesse*, Paris, P. Lethielleux, 1907, 344 p. (Cote BN : 8° Ln^{27} 52927).

□□□□ 188. Madeleine Lobit

Un père offre à sa fille, pour son mariage, l'impression de ses notes de promenades ou de voyages. Madeleine Lobit, *Promenades et Esquisses (Impressions d'une jeune fille. 1900-1905)*, Biarritz, Impr. Lamaignière, 1907, 83 p. (Cote BN : 8° G 8466). Il s'agit essentiellement de promenades au Pays basque, avec quelques notes de voyages (Bretagne, Angleterre, Côte d'Azur, Saint-Moritz). « Je sais bien, ma chère enfant, que ta modestie va traiter d'*honneur immérité* l'hommage rendu à tes écrits. Le lecteur, si tu le veux bien, sera le meilleur juge de notre différend. Et, s'il te donne raison, qu'il veuille bien se rappeler que le père seul est coupable. »

□ 1884 Yvonne Doux de Labro

Fille d'un haut fonctionnaire. Enfance en province jusqu'en 1900. A Paris de 1900 à 1904, puis à Nice. Yvonne commence son journal en 1902 et le tient jusqu'en 1912, puis le reprend en 1915-1916 (15 cahiers, 2384 p., collection privée, Bibliothèque Armendraya). De 1902 à 1905, le journal d'Yvonne « est le miroir d'une jeune fille très douée, admirée pour son intelligence précoce, pour ses dons littéraires déjà affirmés et pour son exigeante curiosité du monde », en particulier de la vie politique de l'époque. A partir de 1905, un amour passionné mais inabouti transforme le journal en « roman sentimental où se lisent certes les naïvetés d'un amour naissant, mais bien davantage le caractère qui apparaissait dans cette jeune fille passionnée pour les idées généreuses et pour les héros malheureux ». Après la guerre Yvonne deviendra l'assistante de Marie Curie, puis se consacrera à la composition musicale pendant les années 1930 (sous le pseudonyme de Max Hellé). Elle est morte en 1970.

Elle avait légué ses écrits au Musée basque de Bayonne. Mais le journal a connu un autre sort. Abandonné dans une malle, il a été retrouvé chez un antiquaire, et acheté par un collectionneur. Évelyne Berriot-Salvadore, à qui sont empruntées les citations ci-dessus, en prépare une édition pour les Éditions du Cerf. Elle a évoqué un aspect du début du journal (1902-1904) dans « " L'effet 89 " dans le journal intime d'une jeune fille de la belle époque », in *Actes du colloque international 12-13-14 avril 1989, Les Femmes et la Révolution, 3, L'effet 89*, Toulouse, Presses universitaires du Mirail, 1991, p. 143-148.

□□□ **1885 Jeanne G.**

Journal tenu depuis son anniversaire de dix ans jusqu'à sa mort à quinze ans en 1900. Publié quelques années après sa mort avec des lettres : *Journal et Correspondance de Jeanne G., recueillis et publiés après sa mort*, Marseille, Librairie religieuse M. Verdot, 1906, VIII-289 p. (Cote BN : 8° Ln^{27} 52272). 3ᵉ éd., Marseille, Desclée de Brouwer, 1923.

Voir ci-dessus p. 19-20.

□□□ **1885 Renée de Saint-Pern**

Journal de juin 1900 (quatorze ans) jusqu'à juin 1904 (dix-huit ans). Renée de Saint-Pern a dû mourir peu de temps après. L'édition donne uniquement le texte du journal (en extraits, semble-t-il), sans préface explicative. En tête du livre, une photo de Renée, avec une citation impliquant qu'elle est morte. *Journal de Renée de Saint-Pern*, Angers, J. Siraudeau, 1906, 198 p. (Cote BN : 8° Ln^{27} 52046). Le manuscrit intégral est actuellement conservé par la famille de Renée.

Voir ci-dessus p. 42, 146-148, et extrait ci-dessous p. 396-397.

□ **1888 Mireille de Bondeli**

Fille du directeur du Crédit Lyonnais à Paris. Milieu protestant. Elle commence à tenir son journal à dix ans. Son journal d'enfance, irrégulier et épisodique, est rédigé en anglais (un anglais impeccable). De la fin de 1906 à la fin de 1908, il est désormais tenu en français, régulièrement. Mireille de Bondeli y consigne en détail la chronique de ses flirts, dans l'attente d'un mariage qui seul peut lui révéler l'amour Le journal s'arrête avant la période de ses fiançailles et de son mariage (mars 1909). C'est seulement fin 1909 qu'elle reprendra la plume pour écrire un long récit rétrospectif des fiançailles et du mariage qui lui ont apporté le bonheur. Le journal proprement dit (1899-1908), tenu sur deux cahiers reliés à serrures de 196 pages, est conservé par ses petites-filles, Clémence et Diane de Biéville. Une analyse du journal de flirt 1906-1908, appuyée sur de larges citations, a été proposée par Denis Bertholet : « Du flirt à la nuit de noces : le journal intime d'une jeune fille », chap. III de *Le Bourgeois dans tous ses états*, Paris, Olivier Orban, 1987, p. 56-78 (Cote BN : 8° L^{14} 129).

□ **18.. Lysie Lannes**

Deux carnets de voyage (53 et 56 ff) tenus par la nièce de R. Poincaré, sans doute âgée d'une vingtaine d'années, lors de voyages en auto : en août-septembre 1910, en Alsace, puis en Belgique et au bord du Rhin (carnet 1) ; en septembre 1911, en Belgique et en Allemagne (carnet 2). Notations rapides, assez personnelles, centrées sur le voyage. Le texte du journal est accompagné d'un certain nombre de tickets d'entrée ou de billets de transport collés dans le carnet. A la fin, quelques cartes postales (Bibliothèque nationale, Département des manuscrits, N. a. fr. 16830-16831).

Voir ci-dessus p. 135.

□ **1894 Renée Berruel**

Fille aînée de Gabrielle Laguin (cf. ci-dessus **1874**), elle commence son journal à la Toussaint 1902, à l'âge de huit ans et demi, après avoir vu *Le Manuscrit de ma mère* de Lamartine. Elle le tiendra sans interruption jusqu'au 30 juillet 1911, sur des cahiers (au nombre de treize) dont elle numérote les pages. Le 9 mars 1910, elle fête la cinq-centième page de son journal (elle a seize ans). Quand elle arrête son journal en juillet 1911, il a environ 840 pages. Elle a dix-sept ans et demi et vient de s'engager auprès de celui qu'elle épousera effectivement en 1916, pendant la guerre. Les cinq cents premières pages (dont quatre cents environ ont été conservées, il y a une lacune entre neuf ans et dix ans et demi) sont la chronique détaillée, fraîche et naturelle de la vie d'une petite fille de famille bourgeoise à Grenoble, qui va d'abord à l'école, puis en 1906 entre au lycée de jeunes filles, où elle passera des années heureuses. Les trois cent quarante dernières pages, d'avril 1910 à juillet 1911, sont l'histoire de son amour pour Aimé, jeune lycéen de son âge, auquel elle se « fiance » malgré les réticences de sa famille. Elle met fin à son journal par une dernière entrée écrite en novembre 1911 : elle n'a plus besoin de confident puisque maintenant elle peut tout dire et tout écrire à Aimé. Le manuscrit, comme celui de Gabrielle Laguin, est conservé par sa famille.

Voir le croquis d'ensemble du journal p. 165-185, et des extraits ci-dessous p. 398-400.

□ **1895 Germaine Cornuau**

Journal-chronique tenu sur des « Almanachs » du magasin Le Printemps. Les années 1913, 1915 et 1916 ont été conservées un peu par hasard (soustraites au moment d'un vidage de grenier dans un lot de livres destinés à être détruits). Notations quotidiennes rapides d'abord au crayon, puis à l'encre. Famille bourgeoise parisienne. Germaine Cornuau tient la chronique de ses activités (cours, visites, sorties), de la vie familiale et sociale, et du temps qu'il fait.

□ **1899 Denise Dufour**

Petite-fille de Claire Pic (**1848**). Son père est professeur de lettres à Grenoble. Elle-même est élève du lycée de jeunes filles. Elle commence

son journal à douze ans et demi (*Mon journal, Cahier I*, 192 p.). Elle le tient d'abord de mars à août 1912, puis recopie le journal de ses vacances de 1911, qu'elle avait tenu sur un petit carnet. Le cahier est ensuite repris pour un journal très détaillé des vacances 1913 (139 p.). Le journal de 1914 est éclaté entre le *Cahier 2*, utilisé pour les vacances de Pâques, et deux petits agendas du Bon Marché, le sien et celui de sa jeune sœur Chantal, tous deux offerts par leur grand-mère. En 1915, parallèlement à son agenda, elle ouvre sur un cahier un journal spécial, intitulé « L'esprit en classe », destiné à fixer tout ce qui fait rire la classe... Denise Dufour continuera, après le lycée, des études supérieures d'anglais. Journaux conservés dans les archives familiales par sa fille, Chantal Chaveyriat-Dumoulin.
Voir ci-dessus p. 104-106.

□ **1901 Louise Weill**

Petite-fille de Pauline Weill (**1841**), fille du pédiatre André Weill. Elle est élève au lycée de jeunes filles de Lyon. Elle tient son journal du 18 février au 7 mars 1914, puis régulièrement à partir du 1er juillet 1914 jusqu'au 31 décembre 1920 (5 cahiers, 95 p., 91 p., 84 p., 94 p. et 93 p.). Ce journal est à la fois une chronique minutieuse de sa vie scolaire, et, à partir d'août 1914, de l'actualité militaire. Il est illustré de quelques photos. Louise Weill deviendra elle-même pédiatre. Elle est morte le 30 mars 1944 à Auschwitz. Le journal est conservé par sa famille.
Voir ci-dessus p. 95-97.

Points de vue

Les extraits ici rassemblés feront entendre, et permettront de comparer, deux types de discours :

— celui que tiennent les éducateurs, directement, ou à travers des fictions données en modèle aux jeunes filles ;

— celui que tiennent les jeunes filles elles-mêmes dans leurs journaux quand elles commentent leur pratique.

En parcourant les traités d'éducation des filles, j'ai été frappé de voir que ce point y était rarement abordé. Peut-être est-ce à cause de la position contradictoire du clergé catholique : il prône l'examen de conscience, mais redoute le dérapage vers le narcissisme et la complaisance à soi. Le journal est une arme à double tranchant : instrument de contrôle, porte ouverte à toutes les dérives. Il a pu être parfois toléré dans les pensionnats ou les couvents, mais y a été, semble-t-il, rarement conseillé. C'est dans l'éducation à la maison, sous la conduite de la mère ou de l'institutrice, qu'il joue un rôle essentiel.

Le discours prescriptif se déploie donc surtout dans les romans-journaux destinés aux jeunes filles. Ils leur proposent à la fois des modèles de conduite et des modèles d'écriture. Le plus illustre est le *Journal de Marguerite* (1858) de Mlle Monniot, un best-seller aujourd'hui oublié, qui a formé la sensibilité de plusieurs générations de petites filles.

Les textes datant de la fin du siècle feront apparaître deux nouvelles postures par rapport au journal de jeune fille : l'appel au témoignage d'un romancier (Goncourt), et la méfiance d'une éducatrice militante quant à l'utilisation pédagogique du journal (Marie Rauber).

La seconde partie présentera, en gros dans l'ordre chronologique, un certain nombre de fragments de journaux réels. Il s'agira souvent de prologues, ou déclarations d'intention. Mais parfois aussi d'évaluations faites en cours de route, occasions d'autoportrait, ou de confrontation avec d'autres journaux, comme lorsque Catherine Pozzi, à dix-huit ans, compare son journal (inédit) avec le journal (publié) de Marie Bashkirtseff.

J'ai appelé ces deux parties : « Le journal vu du dehors », et « Le journal vu du dedans ». On sentira la différence d'atmosphère. Même si l'écriture du journal est en quelque sorte « commandée » par l'institution pédagogique, les cahiers réels ont l'imprévisibilité, la liberté et la richesse de la vie. La fin de la seconde partie, avec les extraits des journaux de Marie Bashkirtseff, de Catherine Pozzi et d'Aline de Lens, montrera le journal de jeune fille en train de s'émanciper de cette tutelle et de s'engager dans les voies modernes de l'affirmation et de l'exploration du moi.

Le journal vu du dehors

Le journal d'Amélie (1834)

Extraits de Journal d'Amélie, ou Dix-huit Mois de la vie d'une jeune fille. Scènes de famille, *par Mme Tourte-Cherbuliez, Paris et Genève, Cherbuliez & Cie, 1834, 2 volumes (passages cités : I, p. 7-8 et 9-10, II, p. 314-318 et 325-326).*

Amélie a dix-huit ans, elle vient de perdre sa mère. Après une conversation avec son père, elle se retire pour écrire ce qui constitue la première entrée de ce roman en forme de journal.

En me quittant il s'est enfermé chez lui pour écrire à mon frère ; moi, je suis venue ici dans le cabinet de maman, m'asseoir à sa place, devant son écritoire. Le besoin impérieux que j'éprouvais de me confier à quelqu'un m'a fait prendre mon journal et y écrire tout ceci. Hélas ! à quoi servira-t-il désormais, ce journal ? Plus de maman pour le lire avec moi, en corriger le style, en rectifier les idées ! Je chéris papa et j'en suis tendrement aimée, mais il me semble que je n'oserai jamais lui dire toutes les niaiseries que je disais à maman ; je ne pense pas qu'il fût plus sévère, mais je crois que cela l'ennuierait. Et puis, il a la bonté de me montrer tant de considération que je craindrais de déchoir dans son esprit en lui laissant voir une à une toutes mes imperfections [...]

Le même jour, en me couchant.

[...] Ce soir, après avoir longtemps médité sur ma situation, une idée a fini par s'emparer de moi, qui me semble pouvoir amener un résultat utile... Je continuerai ce journal, et je l'écrirai avec une parfaite franchise. Maman ne sera plus là pour le lire, le juger ; mais il me semble que l'examen sincère auquel je soumettrai mon cœur pour en peindre les mouvements sera un moyen de m'affermir dans la bonne route où je voudrais marcher. En écrivant les événements de ma vie, j'entrerai surtout dans le détail des impressions qu'ils auront produites sur mon âme ; je dirai mes résolutions, mes efforts, leurs résultats, bons ou mauvais : je voudrais avoir le courage de ne m'y faire grâce d'aucune faiblesse. Je sens que ce n'est qu'avec une parfaite sincérité qu'un tel travail peut être réellement utile ; il faut que mon journal devienne pour moi un juge, qui accorde la louange ou le blâme selon le mérite. Il me semblera en l'écrivant m'occuper encore de maman.

Amélie exécute ce projet, et c'est le roman, en deux volumes, que nous lisons. Nous la voyons, jour après jour, affronter une série d'épreuves, que la tenue du journal l'aidera à surmonter : son père se remarie avec Cécile, une jeune fille de l'âge d'Amélie, qui devient sa belle-mère... Elle-même éprouve une inclination pour un jeune homme, Charles, mais est-ce la bonne voie ? Son journal, qu'elle relit souvent, lui permet de voir ses propres changements, et de finir par diriger sa vie de manière satisfaisante. Après différentes crises, ses rapports avec Cécile deviennent excellents. Elle a la sagesse d'accepter d'épouser un homme moins séduisant que Charles, mais qui a un cœur en or. Juste avant de se marier, elle a une dernière appréhension : dans trois mois, sera-t-elle heureuse ? Nous sommes à la fin du second volume :

6 octobre

Les voilà écoulés, ces trois mois qui m'effrayaient tant ! Je souris en relisant les dernières pages de ce journal, je souris, et je remercie Dieu du bonheur et de la douce sécurité qui ont succédé à ces jours d'orage. Avec quelle rapidité les jours, les semaines se sont envolés pendant ces trois mois ! Combien j'ai été, et combien je suis heureuse ! Je ne demandais que la paix, que l'union entre nous tous, je les ai obtenus au-delà même de mes souhaits. Mais combien je devinais peu les douceurs que me réservaient l'affection de mon mari, et celle qu'il a su m'inspirer ! Oui, je l'aime très sincèrement, très vivement même. Et comment ne pas aimer celui qui nous témoigne amour, estime, confiance sans bornes, qui voit, qui sent comme nous en toute occasion, enfin celui que notre amour rend heureux ?......... J'avais peur de ne pas avoir toute sa confiance, folle que j'étais ! D'abord je lui ai donné toute la mienne, et cela sans y songer seulement, tant j'y trouvais de plaisir et de sécurité. Comment pourrait-il me cacher ses pensées, ses projets, les moindres mouvements de son cœur, quand tous les miens lui sont si bien connus ?

Je me suis demandé bien souvent depuis ces trois mois pourquoi je n'avais plus rien à dire à mon journal : ce n'est pas le temps qui m'a manqué ; établie à la campagne avec Cécile, passant mes journées entre le travail, l'étude, la lecture, quelques courtes promenades avec elle, j'ai eu le loisir d'écrire des volumes ; mais à quoi bon ? ce que j'avais à dire devait être écouté avec délices le soir par mon ami. Si j'avais une détermination à prendre, un conseil à demander, je savais à qui m'adresser ; si quelque faute chargeait ma conscience, j'étais bien sûre qu'en m'en accusant franchement, je recevrais de lui moins de reproches que de consolations et d'encouragements.

J'ai compris enfin que l'utilité d'écrire un journal n'existait plus pour moi, et qu'il fallait y renoncer. Cependant, avant de terminer celui-ci, je veux le relire tout entier avec attention pour me faire une idée juste du bien qu'il m'a fait. Si cet examen journalier de ma conduite, ainsi consigné dans des pages impartiales, m'a été réellement utile, ne pourrais-je pas le conseiller à d'autres, l'indiquer à ma fille, si j'ai le bonheur d'en avoir une ?

Huit jours plus tard

[...] J'ai relu ces jours passés tout mon journal, et, je l'avoue, cette lecture m'a donné de la satisfaction. Le but que je me proposais en l'écrivant, celui pour lequel maman m'avait conseillé de le continuer, me paraît avoir été rempli. Il m'a aidé à m'étudier, à me connaître, à me juger, sinon avec toute la sévérité possible, du moins avec justice et candeur; il m'a accoutumé à examiner journellement les sentiments qui m'animent, les motifs qui me font agir, et je crois devoir à cette habitude plus d'une bonne résolution.

Si j'ai une fille (cette pensée me fait battre le cœur), si j'ai une fille, je lui ferai lire une fois ce journal. Peut-être ne sera-t-il pas sans utilité pour elle. Elle y verra qu'on peut se procurer la paix et le bonheur en s'oubliant pour les autres, en prenant son devoir pour guide et pour but. Dans la position la plus modeste comme dans la plus brillante, la vie se compose d'une multitude d'épreuves. Les plus difficiles à supporter ne sont pas toujours celles qui semblent les plus fortes, ce ne sont pas celles que les événements nous imposent, mais bien plutôt celles qui naissent de nos passions et des défauts des personnes avec lesquelles nous sommes appelées à vivre, celles qui se renouvellent chaque jour, à chaque heure. C'est contre ces traverses journalières que doit s'armer une femme ; c'est ce courage de détail, cette volonté de bien agir dans tous les instants, qu'elle doit travailler à acquérir. L'occasion de faire quelque action d'éclat, de montrer un dévouement héroïque, se présente rarement dans la vie du plus grand nombre d'entre elles ; mais il est au pouvoir de chacune de ne pas passer un seul jour sans donner à ceux qui l'entourent des preuves de son affection, de son support, de son empire sur elle-même.

Celle qui commence par faire toutes ces choses par devoir les fait bientôt par affection et avec plaisir ; car il est impossible de ne pas s'attacher aux êtres qui nous ont beaucoup coûté.

« Une très bonne habitude » (1847)

Extrait de Du perfectionnement de l'éducation des jeunes filles, *par la comtesse de Basanville, Paris, Alph. Desesserts, 1847, p. 16-17.*

Étudiez votre caractère, de même que vous faites votre examen de conscience pour vous présenter au tribunal de la pénitence ; examinez vos penchants, vos goûts et vos pensées quand vous vous présenterez à votre jugement et à votre esprit. Il faut, si l'on veut apprendre à bien connaître les autres, commencer à se bien connaître soi-même ! Pour arriver facilement à cela, il y a une très bonne habitude à acquérir ; c'est, tous les soirs avant de se coucher, d'écrire le *journal* de ses pensées et de ses actions pendant la journée qui vient de s'écouler ; vous voyez alors si vous tombez souvent dans les mêmes fautes, et vous vous en corrigez pour n'avoir pas la honte de vous en corriger encore. Le plus petit défaut devient grave à la longue : « Un philosophe trouvant un enfant, le reprit de quelques défauts, l'enfant lui dit : — Vous êtes trop sévère, car vous me reprenez de bien peu de chose. — *Nul défaut habituel ne peut être petit*, répliqua le philosophe. » Et cela est très vrai, mon enfant ; mettez donc une attention sévère à vous observer, et vos défauts disparaîtront en peu de temps.

« Fais comme moi : donne un miroir à ta vie »

Alix des Roys, mère d'Alphonse de Lamartine, a tenu un journal dès sa jeunesse, peu avant 1789. Elle a repris cette habitude de 1801 à sa mort en 1829. Alphonse de Lamartine a fait un montage d'extraits de ces cahiers, Le Manuscrit de ma mère, *qu'il a réservé pour une publication posthume (1871). Mais de son vivant il a évoqué les cahiers maternels dans ses récits autobiographiques. Il raconte en particulier comment sa mère lui avait conseillé de suivre son exemple. Il dit lui avoir obéi. A ma connaissance il ne reste aujourd'hui aucun journal de jeunesse d'Alphonse de Lamartine, ni de ses sœurs, auxquelles ce conseil s'adressait certainement aussi.*

Le petit récit qu'on va lire a été inséré par Lamartine lui-même en 1854 dans un volume anthologique qui a eu une grande diffusion : Lectures pour tous, ou Extraits des œuvres générales de Lamartine, choisis, destinés et publiés par lui-même, à l'usage de toutes les familles, de tous les âges. *De 1854 à 1920, il a été régulièrement réimprimé, et j'en ai trouvé mention dans certains des journaux que j'ai recueillis. En 1863, Eugénie Couturier a recopié en entier ce passage dans son propre journal. En 1910, au lycée de jeunes filles de Grenoble, la phrase de Mme de Lamartine est proposée comme sujet de « psychologie » (voir ci-dessous p. 399-400).*

Ma mère avait l'habitude, prise de bonne heure dans l'éducation un peu romaine qu'elle avait reçue à Saint-Cloud, de mettre un intervalle de recueillement entre le jour et le sommeil, comme les sages cherchent à en mettre un entre la vie et la mort. Quand tout le monde était couché dans sa maison, que ses enfants dormaient dans leurs petits lits autour du sien, qu'on n'entendait plus que le souffle régulier de leurs respirations dans la chambre, le bruit du vent contre les volets, les aboiements du chien dans la cour, elle ouvrait doucement la porte d'un cabinet rempli de livres d'éducation, de dévotion, d'histoire ; elle s'asseyait devant un petit bureau de bois de rose incrusté d'ivoire et de nacre, dont les compartiments dessinaient des bouquets de fleurs d'oranger ; elle tirait d'un tiroir de petits cahiers reliés en cartons gris comme des livres de comptes. Elle écrivait sur ces feuilles sans relever la tête, et sans que la plume se suspendît une seule fois sur le papier pour attendre la chute du mot à sa place. C'était l'histoire domestique de la journée, les annales de l'heure, le souvenir fugitif des choses et des impressions, saisi au vol et arrêté dans sa course, avant que la nuit l'eût fait envoler ; les dates heureuses ou tristes, les événements intérieurs, les épanchements d'inquiétude et de mélancolie, les élans de reconnaissance et de joie, les prières toutes chaudes jaillies du cœur à Dieu, toutes les notes sensibles d'une nature qui vit, qui aime, qui jouit, qui souffre, qui bénit, qui invoque, qui adore, une âme écrite enfin !...

Ces notes jetées ainsi à la fin des jours sur le papier comme des gouttes de son existence, ont fini par s'accumuler et par former, à sa mort, un précieux trésor de souvenirs pour ses enfants. Il y en a vingt-deux volumes. Je les ai toujours sous la main, et quand je veux retrouver, revoir, entendre l'âme de ma mère, j'ouvre un de ces volumes et elle m'apparaît.

Or tu sais comme les habitudes sont héréditaires. Hélas ! pourquoi les vertus ne le sont-elles pas aussi ? Cette habitude de ma mère fut de bonne heure la mienne. Quand je sortis du collège, elle me montra ces pages, et elle me dit :

« Fais comme moi : donne un miroir à ta vie. Donne une heure à l'enregistrement de tes impressions, à l'examen silencieux de ta conscience. Il est bon de penser, le jour, avant de faire tel ou tel acte : " J'aurai à en rougir ce soir devant moi-même en l'écrivant ". Il est doux aussi de fixer les joies qui nous échappent ou les larmes qui tombent de nos yeux, pour les retrouver, quelques années après, sur ces pages, et pour se dire : " Voilà donc de quoi j'ai été heureux ! voilà donc de quoi j'ai pleuré ! ". Cela apprend l'instabilité des sentiments et des choses ; cela fait apprécier les jouissances et les peines, non pas à leur prix du moment qui nous trompe, mais au prix seul de l'éternité, qui seule ne nous trompe pas ! »

Le Journal de Marguerite (1858)

Extraits du Journal de Marguerite, ou Les Deux Années préparatoires à la première communion, *par Mlle Monniot, Versailles, 1858, 2 volumes.*

*Marguerite tient un journal depuis l'âge de huit ans. Le livre commence le jour de ses dix ans, le mardi 7 octobre 18**. Son institutrice, qu'elle adore, « Mademoiselle », vient de lui faire une sévère leçon de morale. Voici la fin de la scène.*

Après avoir encore embrassé Mademoiselle et lui avoir fait mille promesses, j'allais m'éloigner, quand elle m'a dit : — « Marguerite, j'ai une prière à vous faire ; car, puisque ce jour vous est donné, c'est à vous d'accorder ce que je désire ; en laissant de côté tous vos autres devoirs, *gardez votre journal* et faites-le, au contraire, avec plus de soin que de coutume. Tout ce que je viens de vous dire s'effacerait vite de votre mémoire, si vous ne l'écriviez aussitôt, et vous avez grand besoin de vous en souvenir. Vous savez combien cette précieuse habitude de raconter fidèlement votre histoire de chaque jour vous procure d'avantages et de jouissances ; vous aimez à la relire de temps en temps, et ce qui vous intéresse le plus, ce sont les choses les plus sérieuses. Ne regardez donc pas comme perdu le temps que vous mettrez à écrire tout ce qui concerne cette journée, et faites ce récit très consciencieusement. » Je l'ai promis et je crois que j'ai réussi. D'ailleurs, je prierai Mademoiselle de relire ce journal. C'était un peu long, quoique j'aie écrit le plus vite possible. Mais maintenant je vais jouer. Pourvu que le bon Dieu permette que je ne me fâche pas aujourd'hui ! [I, p. 6].

Hélas ! Voici le début de l'entrée du jour suivant, mercredi 8 octobre :

Eh ! bien, je vous demande un peu comment je puis compter sur mes bonnes résolutions ! J'ai eu une querelle avec Gustave, hier, le jour de mes dix ans... Par exemple, ça n'a pas été aussi fort que quelquefois ; et puis, je ne me suis pas fâchée du tout contre Stéphanie, ni contre Berthe, quoiqu'elles aient joué de travers au jeu de l'oie. Et Gustave, lui, s'est mis en colère, et les a fait pleurer ; mais je ne peux pas le raconter, puisque Mademoiselle dit toujours que c'est mon journal que je dois écrire, et non celui des autres [I, p. 7].

Marguerite a commencé son journal à huit ans. Du haut de ses dix ans, elle sourit de la simplicité de ses débuts (22 octobre) :

Ces commencements-là sont bien drôles ; je mettais tout bonnement : « Je me suis levée à sept heures ; j'ai joué ; nous avons déjeuné à onze heures et demie » ; puis : « J'ai lu et écrit un peu. J'ai été à la promenade. Gustave m'a tapée » ; ou bien : « J'ai tapé Gustave » (Dieu merci, à présent je ne le fais plus !). Il n'y a rien de joli dans tout ce premier cahier, que le jour où je me suis confessée pour la première fois ; et encore je n'ai pas raconté mes impressions. Oh ! cette confession-là ! je me la rappelle si bien ! [I, p. 20].

Pour obéir à Mademoiselle le journal doit s'accroître en proportion des fautes commises (samedi 25 octobre) :

C'est très malheureux que Mademoiselle ait tant de confiance en moi pour mon journal ! Depuis qu'elle m'a dit, un jour : – « Marguerite, votre journal doit ressembler à une confession ; il doit être aussi sincère, aussi complet, aussi sacré. Je ne veux donc pas vous obliger à me le montrer et vous ne me le donnerez que les jours où vous le voudrez bien ; mais aussi, promettez-moi que vous l'écrirez encore plus scrupuleusement que si je devais le voir. » – Depuis ce jour-là, comme je me suis engagée à mettre tous les détails possibles sur mes fautes et sur les conseils qu'on me donne, je suis forcée d'écrire des volumes. Mais je les montre presque toujours à Mademoiselle, pour qu'elle ait la bonté de corriger un peu les instructions que j'ai racontées ; car cela me procure de grands avantages de les relire et de revoir mes torts. Aussi, je vais faire mon journal d'hier avec soin, pour bien garder ce que Mademoiselle m'a dit. Ah ! une colère à 10 ans ! J'en serai honteuse toute ma vie. — Mais voyons que je me dépêche, car ce sera très long.

Hier matin, j'étais donc dans ma chambre et je venais d'écrire mon journal. Juste au moment où j'essuyais ma plume, Mademoiselle est entrée [...] [I, p. 24].

Le journal, en même temps qu'une pratique d'hygiène morale, est un exercice de rédaction (vendredi 14 novembre) :

Mademoiselle veut que je raconte ma journée d'hier, à la place de mon devoir de style, pour que cela me serve de narration. On croirait que c'est plus facile que de dire l'histoire des autres, puisque c'est à moi que tout est arrivé, et que pour mon journal, je ne me gêne guère ordinairement. C'est vrai que ce n'est pas très difficile ; mais aussi, c'est très mal fait pour une narration. Je répète cinquante fois les mêmes mots, et puis je mets tout trop longuement, parce que je ne sais pas résumer, comme dit M. Martin ; et enfin, je ne peux jamais bien écrire les conversations, quoique, cependant, je les dise mieux qu'autrefois, à ce que m'assure Mademoiselle (c'est parce que je deviens plus grande) ; et elle veut que cette narration-ci soit comme mon journal de tous les jours. J'essaierai donc, et voici que je commence.

[...]

Voilà ma narration finie. Mademoiselle trouvera qu'il y a encore des longueurs, des inutilités peut-être, et de mauvaises tournures de phrases, et que je ne mets pas bien les imparfaits du subjonctif ; et puis, que je répète trop : *j'ai dit,* ou : *elle a dit,* etc. Mais, ma chère Mademoiselle, je vous assure que j'ai fait tout ce que j'ai pu. Je m'arrête maintenant, car ma main est très lasse, quoique j'aie écrit cela en plusieurs fois [I, p. 46 et 54].

A qui peut-on donner son journal à lire ? A son institutrice, ou à une amie qui est une autre vous-même. Marguerite a pour amie Marie, un peu plus âgée qu'elle, originaire de l'île Bourbon, qui a perdu ses parents et a été recueillie par son grand-père (lundi 22 décembre) :

J'ai bien des choses à raconter et je ne sais pas si j'en aurai la patience, parce que Marie est là, qui brode à côté de moi, et j'aimerais mieux causer avec elle, que d'écrire. Mais voilà qu'elle me dit de bien m'appliquer, et qu'elle me demande si je ne la laisserai pas lire le journal que je vais faire. Je n'aime pas trop cela et elle le verra là-dedans ; je le mets exprès ; mais je ne veux pas lui donner un refus, à elle qui a tant de chagrins ! Et puis, je l'aime tant, que je voudrais toujours lui faire plaisir. Je ne crois pas qu'elle m'aime autant que je l'aime, parce que c'est beaucoup, beaucoup, beaucoup ! – Mais je commence : eh bien ! donc, samedi, maman m'a menée voir encore Marie, pendant ma récréation, et nous avons trouvé là le gros cousin. (J'espère que ça ne fera pas de peine à Marie que j'appelle ainsi ce monsieur, puisqu'elle ne le connaît pas beaucoup et que d'ailleurs elle doit bien voir elle-même qu'il est cinq ou six fois plus gros qu'Albéric.) [...] [I, p. 105].

*Le journal fait partie des devoirs, les jours de fête on a des dérogations (vendredi 2 janvier 18**) :*

Comme c'est drôle de mettre le chiffre d'une nouvelle année ! Je suis sûre que je me tromperai bien souvent et que j'écrirai encore 18**.

Quelle bonne journée j'ai passée hier ! Excepté que Marie a été trop triste et que cela me faisait de la peine ; mais c'est égal, j'aimais à l'avoir avec moi, et elle m'a dit qu'elle était aussi bien contente d'être ici, et que sans nous elle aurait été beaucoup plus malheureuse. – Mais il faut que je raconte tout, en ordre ; j'en ai bien le temps, puisque Maman a été assez bonne pour demander à Mademoiselle de me donner encore congé aujourd'hui et que Mademoiselle m'a même dit d'écrire mon journal en deux fois, pour ne pas me fatiguer [I, p. 125].

Au milieu de l'année Marguerite part pour un long voyage : son père a été nommé gouverneur de Pondichéry. Elle écrit une dernière fois, avant qu'on n'emballe son pupitre (lundi 19 juillet) :

Mon Dieu, c'est donc *demain !* Et voilà la dernière fois que je fais mon journal en France !... J'ai une foule de choses à raconter, puisque je n'ai pas pu écrire hier ; et encore, il faut que je me dépêche, car Joséphine me demande mon pupitre pour le mettre dans la grande caisse de maman ; toutes nos autres malles sont déjà au roulage. Je ne pourrai le ravoir qu'à bord, ou peut-être à Brest, si nous y restons quelque temps. Heureusement que Mademoiselle a eu la bonté de me donner un charmant petit calepin, pour écrire, en route, les choses dont je voudrai me souvenir ; sans cela j'oublierais tout, tant je suis agitée [I, p. 187].

C'est la séparation, Marie et Marguerite vont se quitter :

Je lui ai demandé hier une chose qui nous a fait plaisir à toutes deux : nous étions à nous promener ensemble, dans le jardin, avant le dîner, et nous convenions de nous écrire une espèce de journal. Marie m'a dit : — « Si j'osais, Marguerite, je vous prierais de m'envoyer celui que vous faites chaque jour : ce serait un si grand bonheur pour moi ! Je sais bien que je suis peut-être indiscrète, en vous demandant ainsi toute votre histoire ; mais est-ce que vous ne m'appelez pas votre sœur ? Et deux sœurs ne peuvent pas avoir de secrets l'une pour l'autre, n'est-ce pas ? — Oh ! ma chère Marie, lui ai-je répondu, je n'aurai jamais de secret pour vous, je vous l'assure, et je vous promets tous les cahiers de mon journal. Par exemple, je ne ferais jamais cela pour personne autre, car c'est comme si je montrais mes confessions ; mais avec vous, ça m'est égal. — Oh ! Marguerite, je ne veux pourtant pas vous demander un trop grand effort... — Non, Marie, ce n'est pas un effort du tout, parce que je pense que vous prierez encore plus pour moi, en voyant mes défauts. Seulement, gardez-moi bien tous mes cahiers, pour me les rendre plus tard, afin que je les relise quand je serai grande » [I, p. 190-191].

*Finalement Marie accompagnera la famille de Marguerite dans le voyage : son oncle, à l'île Bourbon, va la recueillir. Les voici en mer. Il n'est pas facile d'écrire son journal quand il y a du roulis (dimanche 15 août 18**, à bord de* l'Isère*) :*

C'est aujourd'hui la fête de la sainte Vierge ; aussi j'ai voulu reprendre son journal sous sa protection ; cela me portera bonheur. Mais ce n'est pas facile d'écrire sur mer. Mon Dieu, quel roulis ! Mon pupitre va tout de travers sur mes genoux, et je crains, à chaque instant, que l'encre ne passe par-dessus le bord de mon encrier et ne tache ma robe, et encore j'en ai mis une très jolie ce matin, pour la première fois depuis que je suis embarquée ; c'est celle en mousseline fond blanc, avec de petites fleurs bleues ; j'aurais bien regret de la gâter. – Mais j'ai des choses plus importantes à raconter, pourvu seulement que je puisse continuer. Quelle drôle d'écriture ce roulis-là me donne ! Moi qui n'écris pas déjà très bien sans cela ! je crois que je ne pourrai jamais me relire. Enfin il est bien temps d'essayer, car voilà *seize jours* que nous sommes à bord, et je n'ai encore rien fait : aussi, c'est que j'ai été très malade. Ah ! quel hôpital nous faisions tous ! [I, p. 207].

Après une longue escale à Rio de Janeiro, les voici de nouveau en mer. Le jeudi 7 octobre, jour de ses onze ans, Marguerite a une dispute avec Adèle, une petite fille de son âge qui fait le même voyage. Elle demande à Mademoiselle, après lui avoir fait le récit des événements, des conseils sur sa conduite, et la permission de ne plus parler à Adèle... :

Seulement, comme je serais trop honteuse, si vous me répondiez à tout cela, en face de moi, je vous supplie et je vous conjure de vouloir bien être assez bonne pour le faire *par écrit, sur mon journal*, afin que j'aie vos conseils toujours avec moi et votre permission aussi, si vous me la donnez ; mais je crains bien que non. Vous allez peut-être même dire que je suis très coupable de me conduire ainsi, le jour de mes *onze ans*... Eh ! bien, ma chère Mademoiselle, expliquez-moi alors comment il faut que je fasse.

Mademoiselle répond, le même jour, à onze heures du soir, sur le cahier de Marguerite :

Vous savez, mon enfant, que depuis le moment où vous avez pu commencer enfin à faire votre journal facilement et consciencieusement, j'ai cessé de m'en occuper, vous laissant livrée à vos propres forces et ne lisant même votre travail, que lorsque vous me l'apportiez. Je ne sortirais donc pas aujourd'hui de cette habitude, en prenant la plume, pour tracer quelques lignes à la suite des vôtres, si je ne m'y sentais poussée par la nécessité de vous faire entendre, de la manière la plus propre à graver mes paroles dans votre esprit, un langage sérieux, — peut-être sévère ; — mais dont vous comprendrez la justesse, car vous devinez à l'avance ce que je vais vous dire.

Je suis profondément affligée, ma chère enfant, de ce qu'après tant d'instructions pieuses, de grâces en tout genre, que la bonté de Dieu vous a accordées, vous ne sachiez pas encore ce qu'est la *charité*, l'amour de Dieu et du prochain pour Dieu... [I, p. 348 et 349-350].

Au début du tome II, un grand malheur arrive : la mort de son jeune frère, Baby. La mère est si affectée par cette perte, et si éprouvée par ce long voyage, que le père décide de la laisser à l'île Bourbon avec les enfants et Mademoiselle, pour reprendre des forces, pendant que lui continuera seul vers Pondichéry (si bien que toute la fin du roman se passe à l'île Bourbon). Le 12 décembre Marguerite raconte le départ de son père. Le 13 décembre, relisant l'entrée précédente, elle se reproche de s'être perdue dans des digressions :

Vous voyez bien, ma chère demoiselle, que je n'apprendrai jamais à raconter ! J'ai beau faire, je n'y réussis pas ; ainsi, hier, je voulais parler de papa, avant tout ; je commence, et puis, voilà qu'au beau milieu, je m'arrête pour passer à autre chose, et je n'en finis pas ! C'est très mal et je vous prie de lire tous ces derniers journaux, pour que vous m'en montriez les défauts et que vous m'expliquiez comment m'y prendre maintenant. Je crois que je suis trop bavarde. Gustave le dirait, si j'avais encore le bonheur qu'il pût me taquiner. Enfin, je vais tâcher de mieux faire aujourd'hui [II, p. 63].

Décrivant le programme d'instruction suivi chaque jour par Mademoiselle, Marguerite note que, quand son journal, chargé de détails, est long, il peut tenir lieu du devoir de style quotidien (samedi 22 janvier) :

Lorsque notre extrait de la veille est corrigé, et que Mademoiselle nous a donné ce que nous devons faire le jour même, nous nous mettons aussitôt à écrire ce devoir, Marie et moi ; tandis que les petites travaillent à leur tour avec Mademoiselle. Puis, viennent le calcul et la géographie, que nous faisons alternativement tous les deux jours, parce que nos cartes ou nos problèmes nous prennent beaucoup de temps. Ensuite c'est le devoir de style ; nous écrivons une lettre, ou une petite composition, ou une narration ; quelquefois, mon journal m'en sert, lorsque j'ai de trop longs détails à raconter. [II, p. 173]

En mars, sa petite sœur Stéphanie fête ses huit ans et, comme Marguerite au même âge, commence un journal (mercredi 9 mars) :

Stéphanie a commencé aujourd'hui a écrire un journal, elle aussi ; mais elle m'a déclaré qu'elle ne le fera pas aussi détaillé que le mien. Je lui ai dit : « Tu as bien raison, va ; car je n'en finis jamais et c'est bien ennuyeux. Pourtant, ces longueurs ont leurs bons côtés ; j'aime à relire tout cela, puisque c'est notre histoire, et tu sais que toi-même, tu veux toujours que je te prête mes cahiers. » — Elle m'a répondu : — « C'est bien vrai ; mais comme j'ai les tiens, je n'ai pas besoin que les miens en disent trop. » — D'ailleurs, cela l'arrange, de compter sur moi pour tout ! [II, p. 180].

Le séjour se prolonge. Le 21 juillet, Marguerite fait sa première communion, c'est le plus beau jour de sa vie.

Plus tard, en déplacement à l'intérieur de l'île, à Salazie, Marguerite est privée du confort nécessaire à l'écriture du journal (jeudi 18 août) :

C'est samedi dernier que nous sommes arrivées ici ; mais il m'a été impossible de recommencer plus tôt à écrire mon journal, tant nous étions dans le désordre et l'agitation. Aujourd'hui même, c'est très difficile, car je suis horriblement mal installée et sans mon petit pupitre, qui me sauve toujours des embarras, je ne saurais où trouver de l'encre et des plumes, ni comment me placer pour écrire. Il n'y a qu'une table pour nos deux chambres, et pas du tout de bureau, ni de secrétaire [II, p. 275].

Peu de temps après, le 8 septembre, son amie Marie, qu'elle appelle sa sœur, meurt. Le journal est interrompu pendant quinze jours (jeudi 22 septembre) :

Il y a quinze jours aujourd'hui... Oui, c'était le *jeudi, 8 septembre, jour de la Nativité de la sainte Vierge...* Oh ! moi qui avais tant prié... — Mais je serai calme ; je l'ai promis à Marie... — Marie !... Ah ! quand je prononce ce nom, mon cœur est déchiré... Et pourtant, je veux le dire à chaque instant ; je veux crier : — « Marie ! Marie ! Ma sœur ! Où es-tu ? Pourquoi es-tu partie ? Pourquoi as-tu laissé là ta petite sœur Marguerite ? Est-ce qu'elle peut vivre sans toi ? Est-ce qu'elle pourra jamais faire autre chose que de te pleurer, de t'appeler, de se désoler ? O Marie, Marie ; non, je me résigne pas ; je ne le peux pas... Pardonne-moi, je n'ai pas de courage ; mais c'est que mon cœur est brisé tu le vois bien, ma sœur chérie. Si tu étais là, tu me ferais faire tout ce que tu voudrais ; sans toi, cela n'est pas possible...

Je me suis arrêtée quelque temps ; j'étouffais ; et puis mon papier était trempé de mes larmes. Mais que faire, excepté mon journal ? Je n'ai plus de goût à rien. Le travail ? — je ne sais pas quand je m'y remettrai, puisque nous allons partir pour l'Inde incessamment [...]

Vendredi 23 septembre

Je recommence aujourd'hui à essayer de faire mon journal. Hier, maman m'avait défendu de continuer ; elle était entrée dans ma chambre et me trouvant en larmes, elle s'était mise à pleurer avec moi ; puis, comme j'étais brûlante et que j'avais mal à la tête, elle m'avait envoyée auprès de Mademoiselle et des petites, en me défendant d'écrire de nouveau. Ma chère Mademoiselle a cherché à me ranimer par ses bonnes paroles ; mais elle ne peut pas me rendre ma sœur, et c'est cela qu'il me faudrait... Il n'y a que mon journal qui me fasse un peu retrouver Marie, parce que je m'occupe d'elle tout à mon aise et que je rappelle tous mes souvenirs ; aussi j'ai supplié ma bonne mère de me le laisser écrire ce matin [...] [II, p. 298-299].

Le 7 octobre, Marguerite a douze ans, et elle mesure, grâce à son journal, le chemin parcouru depuis deux ans. C'est la fin du livre...

Je n'en reviens pas d'avoir *douze ans* maintenant ! Et encore, on m'en donne bien davantage, tant j'ai grandi et je suis devenue sérieuse. On dit que je ne suis plus une enfant, mais une jeune personne, et je crois que c'est un peu vrai. Je m'occupe, depuis quelques jours, à relire les trois derniers cahiers de mon journal, afin d'y chercher tout ce qui me parle de ma sœur, dans les deux années pendant lesquelles j'ai eu le bonheur de la connaître et de l'aimer. Que d'événements je retrouve, à partir du jour où j'ai eu dix ans, jusqu'à aujourd'hui ! Ah ! quand j'ai revu le premier moment où j'ai aperçu pour la première fois Marie et Jeanne au Catéchisme, quelle impression cela m'a faite ! Il me semblait y être encore. Et puis, toutes nos conversations, à ma sœur et à moi, sur la mort de sa mère chérie, qu'elle devait aller retrouver si vite, sans que je m'en doutasse alors. La mort de son bon grand-père ; notre traversée ensemble et ma joie de cette réunion ; toutes les consolations que Marie m'a données quand le cher ange est parti !... Hier, j'en étais à ces horribles pages de la mort de Baby, et je m'étais arrêtée pour sangloter, en criant malgré moi : — « Baby ! Marie ! vous nous avez quittés tous les deux... » — Mais Mademoiselle est arrivée ; elle m'a retiré doucement le cahier, en me disant : — « Et la communion à laquelle tu te prépares, ma Marguerite ? Je ne t'ai permis cette lecture que parce qu'elle pouvait te rapprocher de Dieu ; mais il ne faut pas de désespoir. — Oh ! ce n'est pas du désespoir ; c'est seulement un grand, grand chagrin... » [II, p. 347].

« Je n'exige rien ; *j'engage* » (1870)

L'extraordinaire succès du Journal de Marguerite *a amené M*[lle] *Monniot à écrire d'autres ouvrages récréatifs et instructifs. Elle a composé en particulier sur le même modèle un livre pour les mères,* Simples Tableaux d'éducation maternelle et chrétienne, *Paris, 1870, 2 volumes. Ce traité d'éducation prend la forme d'un roman-journal : on lit le « journal d'éducation » tenu par une mère, M*[me] *de Gaillac, tout au long de l'enfance de Marie et de Pierre. Le texte suivant est extrait du tome* II, *p. 414-415. C'est, avec celui de Marie Rauber qu'on trouvera plus loin, le seul texte éducatif que j'aie rencontré qui aborde le problème de la différence d'attitude et de performance entre filles et garçons en ce domaine.*

[...] Depuis l'âge de dix ans, elle écrit *son journal* ; et Pierre en fait autant maintenant. Les heureux résultats ne sont pas aussi frappants chez lui que chez sa sœur ; nous les obtiendrons avec le temps. — Par ces récits quotidiens, le style se forme, et la facilité de rédaction s'acquiert. — Ce qui est plus important, le jugement se mûrit, par l'obligation où est l'enfant de réfléchir sur les faits et les leçons qu'il rapporte. — Marie se laisse entraîner quelquefois à de très longues narrations ; mon Pierre est fort laconique, ce dont je ne me plains pas, pourvu qu'il soit exact. — Du reste, comme je veux faire pour eux de cet exercice un *plaisir*, je n'exige rien ; *j'engage*... Et cela me réussit ! Surtout à l'approche de la première communion, semblable habitude me paraît excellente. Les souvenirs et les enseignements de la sainte époque resteront inscrits là en caractères ineffaçables.

« Bien des pages charmantes ont été sacrifiées... » (1874)

Comment éditer *un journal ? Toutes sortes de problèmes se posent : longueur des cahiers, nécessité de discrétion, inégal intérêt des entrées, répétitions, etc. Le travail de « stylisation » indispensable est fait dans une perspective idéologique déterminée. Les éditeurs s'expliquent parfois dans leur préface sur les principes qui les ont guidés. A titre d'exemple voici la fin de la notice biographique (non signée) où l'éditeur du* Journal *de Joséphine Sazerac de Limagne présente sa méthode et ses intentions* (Journal, Pensées et Correspondance, *1874, p.* XXVIII-XXXI*).*

Les extraits qu'on vient de lire montraient comment l'institution familiale encourage et encadre la pratique du journal. Dans celui-ci, comme dans les deux suivants, on verra que l'institution religieuse est beaucoup plus réservée. Elle voit les dangers possibles : orgueil, complaisance à soi, littérature.

Mlle de Limagne prit de bonne heure l'habitude de noter les petits incidents de ses journées ; plus tard elle ajouta peu à peu à ces comptes rendus les réflexions que lui suggéraient ses retours sur elle-même, le spectacle de la vie humaine et les terribles événements qui se sont succédé en France durant ces dernières années. Ces modestes petits carnets de jeune fille, dont beaucoup ont été brûlés par l'auteur, ainsi que le carnet contenant le journal de 1869, et qui tous ont été écrits, est-il besoin de le dire ? sans la moindre préoccupation de publicité ultérieure, ont servi à faire la présente publication. Il eût été facile de la rendre plus volumineuse, mais on a préféré se borner aux notes qui étaient l'expression de tel ou tel état de l'âme ou qui avaient trait à quelque événement public. C'est surtout l'histoire d'une âme qu'on a voulu donner.

Bien des pages charmantes ont été sacrifiées, bien des récits pleins de fraîcheur ont été mis de côté, parce que ces récits contenaient quelque nom propre ou certains détails trahissant un nom propre.

Du reste, dans le spectacle de la vie humaine, rien n'intéresse davantage, rien ne passionne comme la lutte contre la souffrance et contre la mort, et, à ce point de vue, l'œuvre de Mlle de Limagne offre bien des passages que le lecteur ne lira pas sans une émotion profonde. Depuis ce cri d'angoisse que laisse échapper la pauvre enfant et qui rappelle les accents de Pascal : « Je sens que je descends dans l'abîme, et je dois être déjà à une grande profondeur puisque la lumière ne m'arrive plus et que les ténèbres me gagnent », jusqu'à cette fière demande qu'elle fait à Dieu : « Mon Dieu, je vous demande d'aimer la mort » que d'émotions, que de joies et que d'angoisses ont agité cette âme !

A ce point de vue, ce livre vient à propos ; on l'a déjà dit bien des fois, en France nous avons présentement à nous régénérer par la conception chrétienne de la souffrance et par le mépris de la mort. Or, il me semble que ces deux grandes choses ressortent de chacune des pensées de Mlle de Limagne. Savoir souffrir et mourir chrétiennement toute sa vie est là, tel est l'enseignement de ce livre. Qu'il me soit donc permis de l'envoyer au nom de la chère morte à tous ces amis inconnus, à toutes ces âmes, et elles sont nombreuses, qui, en face de nos tristesses nationales et religieuses, se sont repliées sur elles-mêmes comme dans un dernier et suprême sanctuaire, et qui, sous le regard de Dieu, veulent apprendre à souffrir et à mourir pour payer leur rançon et celle de leur pays.

Une dernière remarque avant de finir : Mlle de Limagne avait l'habitude de faire des extraits des divers ouvrages qu'elle lisait, et elle n'indiquait pas toujours le nom de l'auteur. Aussi avons-nous dû parfois, en étudiant les carnets qu'elle a laissés, rechercher si tel fragment était d'elle ou si elle l'avait copié dans l'un de ses auteurs favoris. Quoique de minutieuses précautions aient été prises pour éviter toute erreur, il se peut qu'il nous en ait échappé quelqu'une, et, dans ce cas, nous serions reconnaissant à l'égard des personnes qui voudraient bien nous les signaler.

« Quand elles peuvent dire : *moi !* » (1879)

Extrait des Lettres sur l'éducation des filles et sur les études qui conviennent aux femmes du monde, *par Mgr Dupanloup, évêque d'Orléans, Paris, J. Gervais, 1879, p. 269-270. Mgr Dupanloup ne parle pas ici directement de la pratique du journal, mais de la « formation du langage ».*

Que ce langage, que ce style soit simple et naturel. Le contraire a plus d'un inconvénient, même moral. Chose singulière, et vraie pourtant, les filles ont la manie du style sublime *dans l'intime de la vie* ; on dirait qu'il répond à l'étonnement, à l'admiration qu'elles ont, hélas ! naturellement de leurs petites idées et de tout ce qu'elles découvrent *elles-mêmes* : au fond, tout cela est romanesque ; mais vous découvrirez sans peine, mon enfant, où pourraient conduire de telles habitudes d'esprit, si de bonne heure on ne savait y opposer les habitudes contraires, de simplicité, de naturel et de vérité.

Quand elles peuvent dire : *moi !* dans quelques écrits ou quelques récits, elles chaussent aussitôt le cothurne, passent aux temps héroïques, et demandent aux Muses leur langage : c'est très remarquable. Aussi, quand on voit de loin causer des petites filles, des adolescentes... et nous pouvons ajouter, quand des femmes parlent, au moment où vous en distinguez une qui s'émeut, prend des poses, s'agite avec enthousiasme, vous êtes presque toujours sûr qu'elle *parle d'elle.* C'est la personnalité vaine qui se déploie. Ne négligez pas de les prévenir de bonne heure contre ce défaut, leur en montrant le ridicule.

« A tout prix il faut en chasser le moi » (1885)

*Extrait d'*Histoire d'une âme. La servante de Dieu Mathilde de Nédonchel*, par l'abbé L. Laplace, Lyon, Witte et Perrussel, 1885, p. 51-55.*

Dans la Préface de cette biographie pieuse, qui utilise le journal de Mathilde, l'abbé Laplace nous propose la formulation la plus claire de la position du clergé catholique.

C'est une excellente chose qu'un journal, et avec toutes les réserves que commande la prudence, il a sa place dans la vie d'une jeune fille pieuse. Quand la nuit est venue et qu'on se retire dans sa chambre, le cœur meurtri peut-être, la conscience en peine, et l'âme fatiguée des mille petits riens qui trop souvent ont rempli la journée, il est bon de se retrouver un moment seul avec soi-même, de revenir sur tout ce qui s'est passé, de secouer la vile poussière du péché amassée durant ce jour, de le finir par une prière, quelquefois aussi par une larme, en s'excitant à des actes meilleurs. Par le journal on revient aux idées sérieuses, si on a eu le malheur de les oublier. Qu'il est cher cet ami et ce confident de tous les secrets, d'autant plus cher qu'on lui dit davantage et que Dieu seul le voit ! Mais à tout prix il faut en chasser le moi, ce moi haïssable et si subtil qu'il se glisse jusque sous les apparences de la plus sévère humilité. On fait de la littérature, on s'admire tout bas dans ses propres pensées, et, quand il faudrait gourmander sa paresse et former de généreuses résolutions, on s'abandonne à une douce rêverie, à je ne sais quelle poésie vaporeuse et sentimentale qui énerve l'âme. Là, plus qu'ailleurs, il faut dédaigner la phrase ; la phrase est un parasite qui dévore le temps et la pensée. Ces longues élaborations, ces alignements de mots cherchés avec soin, comme il serait mieux de les laisser de côté, et au risque de n'être pas parfaitement littéraire, de voler droit à la pensée solide et vraie ! Le principal attrait que l'on trouve dans le journal de Mathilde, après le parfum de piété qui embaume toutes les pages, c'est certainement cette ingénuité qui lui fait jeter son âme sur le papier sans préoccupation de la forme et sans complaisance en soi-même. On croirait lire un compte de conscience, presque une confession, avec d'admirables mouvements vers Dieu, et des cris profonds qui trahissent la haine de soi. « Hélas ! ô mon Dieu, pourquoi suis-je si imparfaite que je ne m'aperçois même pas de mes fautes ? C'est que je suis si orgueilleuse !... Je découvre en moi quantités de fautes auxquelles je n'avais pas pris garde jusqu'ici... Oh ! comme ce petit journal sera bon pour faire mon examen de conscience !... Il me semble qu'en l'écrivant je deviens meilleure. Mon Dieu ! je suis honteuse d'écrire pour vous seul des choses si peu intéressantes. Mais en revoyant mes faiblesses à côté de vos grâces, je ne puis m'empêcher de me confier à vos divines bontés pour vous dire tantôt pardon, tantôt merci, et finir par cacher tous ces secrets dans les plaies de vos pieds sacrés où mon âme se plonge pour en sortir plus pure et plus blanche que la neige. »

Elle écrivait à la hâte et à la dérobée ; aussi, bien qu'elle vînt presque chaque soir établir sur son cher petit cahier le compte de sa conscience, on ignorait autour d'elle l'existence du journal ; seul, son directeur de Tournai en savait quelque chose ; de même, plus tard, afin de se faire mieux connaître, elle en lut quelques passages à la supérieure du couvent de Carmélites, où elle espérait entrer. Mais à part ces deux personnes, nul ne pénétra dans le mystère de ses pensées intimes ; c'étaient les confidences de son âme avec Jésus, elle ne se croyait pas en droit de les trahir.

Commencé aux premiers jours de l'année 1862, le journal fut arrêté brusquement par la mort. Mathilde était à Rome, elle repassait avec délices la suite des grâces signalées qu'elle avait reçues dans l'année. Le matin même elle avait communié, et elle se laissait aller aux élans de sa piété à la pensée de Jésus-Hostie. Un incident resté inconnu, ou plus probablement la maladie et la fièvre lui firent tomber la plume des mains ; la dernière phrase est restée inachevée, comme si, pour nous ravir cette âme et l'emporter au ciel, la mort avait voulu choisir le moment où elle était toute frémissante des saintes ardeurs de la communion.

Certains cahiers ont disparu. Mathilde seule aurait pu dire comment. Dieu a permis que l'on ne sût pas toutes les insignes faveurs qu'il avait accordées à cette enfant privilégiée. Dans ce qui reste, nous ferons désormais de nombreux emprunts.

Appel aux « documents humains » (1881)

Dans la Préface de La Faustin *(1881), Edmond de Goncourt a lancé à ses lectrices l'appel qu'on va lire. Les réponses et les confidences qu'il a reçues, certains documents qui lui ont été communiqués, lui ont permis d'écrire* Chérie *(1884).*

On remarquera qu'il ne demande pas des textes écrits par des jeunes filles, mais des souvenirs que des femmes écriraient maintenant sur leur vie de jeune fille.

Marie Bashkirtseff fera allusion à cet appel dans la Préface de son journal.

Aujourd'hui, lorsqu'un historien se prépare à écrire un livre sur une femme du passé, il fait appel à tous les détenteurs de l'intime de la vie de cette femme, à tous les possesseurs de petits morceaux de papier, où se trouve raconté un peu de l'histoire de l'âme de la morte.

Pourquoi, à l'heure actuelle, un romancier (qui n'est au fond qu'un historien des gens qui n'ont pas d'histoire), pourquoi ne se servirait-il pas de cette méthode, en ne recourant plus à d'incomplets fragments de lettres et de journaux mais en s'adressant à des souvenirs vivants, peut-être tout prêts à venir à lui ? Je m'explique : je veux faire un roman qui sera simplement une étude psychologique et physiologique de jeune fille, grandie et élevée dans la serre chaude d'une capitale, un roman bâti sur des *documents humains* *. Eh bien, au moment de me mettre à ce

* Cette expression, très blaguée dans le moment, j'en réclame la paternité, la regardant, cette expression, comme la formule définissant le mieux et le plus significativement le mode nouveau de travail de l'école qui a succédé au romantisme : l'école du *document humain*.

travail, je trouve que les livres écrits sur les femmes par les hommes, manquent, manquent... de la collaboration féminine, – et je serais désireux de l'avoir, cette collaboration, et non pas d'une seule femme, mais d'un très grand nombre. Oui, j'aurais l'ambition de composer mon roman, avec un rien de l'aide et de la confiance des femmes, qui me font l'honneur de me lire. D'aventures, il est bien entendu que je n'en ai nul besoin ; mais les impressions de petite fille et de toute petite fille, mais des détails sur l'éveil simultané de l'intelligence et de la coquetterie, mais des confidences sur l'être nouveau créé chez l'adolescente par la première communion, mais des aveux sur les perversions de la musique, mais des épanchements sur les sensations d'une jeune fille, les premières fois qu'elle va dans le monde, mais des analyses d'un sentiment dans de l'amour qui s'ignore, mais le dévoilement d'émotions délicates et de pudeurs raffinées, enfin, toute l'inconnue *féminilité* du tréfonds de la femme, que les maris et même les amants passent leur vie à ignorer... voilà ce que je demande.

Et je m'adresse à mes lectrices de tous les pays, réclamant d'elles, en ces heures vides de désœuvrement, où le passé remonte en elles, dans de la tristesse ou du bonheur, de mettre sur du papier un peu de leur pensée en train de se ressouvenir, et cela fait, de le jeter anonymement à l'adresse de mon éditeur.

Edmond de Goncourt

« Du journal intime comme moyen d'éducation » (1896)

Marie Rauber, inspectrice de l'enseignement primaire, a dénoncé avec véhémence dans une série de trois articles du Journal des instituteurs *(11, 25 octobre et 8 novembre 1896), l'emploi du journal intime comme moyen d'éducation . Les extraits qu'on va lire sont tirés de l'article du 25 octobre, p. 115-117.*

Son attaque porte non seulement sur l'emploi du journal comme moyen d'éducation, mais sur la pratique même du journal. Le troisième article est consacré à montrer, par l'exemple de Michelet, d'Eugénie de Guérin, d'Amiel et de Goncourt, que le journal intime est une maladie. Alors que son attitude est nettement anticatholique, elle rejoint d'une certaine manière les positions de Mgr Dupanloup et de l'abbé Laplace, mais en leur donnant une expression plus moderne, psychopathologique autant que morale.

Marie Rauber a tenu elle-même tout au long de sa carrière un journal (inédit), dont je suis actuellement le dépositaire.

[...] Ainsi donc, nous voyons que l'écolier, auteur de journal, est le plus souvent enclin à avantager ses qualités, à atténuer ou à taire ses défauts. Il ne veut pas paraître en trop mauvaise posture devant son lecteur, camarade ou maître. Il a de la tenue et pas de spontanéité.

Bref, il n'est pas vrai, et il n'a pas encore assez de force ni d'expérience pour savoir être simple.

A quoi bon alors le journal personnel pour l'enfant, si ce n'est pas pour lui un acte de franchise, de modestie et de ferme propos de s'améliorer ?

Et d'autre part, à quoi bon ce surcroît de besogne pour le maître qui lit ces confidences, devoirs supplémentaires, si ces confidences incomplètes ne lui font pas mieux connaître l'âme de ses élèves ?

Ce défaut de vérité, de sincérité, avons-nous dit, est inévitable parce qu'il tient essentiellement au genre même du journal ; mais c'est aussi parce qu'il est naturel aux êtres faibles, qui fuient la responsabilité. Et l'enfant est faible, comme un petit homme. Mis en demeure d'écrire ses fautes, il cherche tout humainement à abréger ou à nier. L'épreuve est trop forte pour lui devant laquelle on le place en lui demandant d'*écrire* sa confession. Il la ferait plus volontiers de vive voix [...].

Cependant, il y a des journaux sincères.

Eh bien, la caractéristique de ceux-ci, c'est la tendance à la tristesse et, chez l'adulte déjà grand, au pessimisme.

C'est ici que le journal intime fait ses ravages. Ce sont, en effet, les mélancoliques qui s'épanchent le plus volontiers ; de même que ce sont eux encore qui se complaisent le plus dans l'analyse personnelle : ils s'abîment dans la contemplation de leur « moi ». A se tâter le pouls si souvent, ils se donnent la fièvre, et quand ils se sont rendus vraiment malades d'esprit et de corps, ils s'apitoyent sur eux-mêmes. Ils se trouvent malheureux et le disent à satiété. Peu à peu, ils se mettent hors de la vie ordinaire, se découragent ou s'aigrissent. Ce sont des résignés ou des mécontents, suivant que, dans leur caractère de sensitifs, domine ou l'humilité ou l'orgueil.

Au lieu de surexciter leur mal en rédigeant leur journal qui les ramène sans cesse sur leur cher « moi », ces jeunes tristes, qui sont souvent des natures délicates, feraient bien mieux, pour eux et pour autrui, de s'intéresser à l'action, aux œuvres utiles et nécessaires qui sollicitent chaque jour davantage les hommes vivants dans la société civile. Ce sont là des sujets d'observation plus émouvants que les « états d'âme », surtout les états d'âme confus d'un jeune homme ou d'une jeune fille que la vie n'a pas instruits, ou qui ne sont tourmentés ni par un génie précoce ni par des études supérieures.

C'est pitié vraiment de voir ainsi les jeunes gens perdre leurs forces vives dans la méditation à vide.

Mais cet attrait du journal intime, je le redoute encore plus pour les jeunes filles que pour les garçons, à cause de l'inclination native des femmes à la rêverie, tendance latente ou manifeste, momentanée ou permanente. A se pencher si fréquemment sur leur chétif « moi » si mouvant, elles perdent l'équilibre et la vision nette de la réalité, de la nécessité qui s'impose à chacun d'accepter purement et simplement la vie avec ses tâches précises, ordinaires et essentielles de chaque jour.

Qu'elle s'est donc montrée avisée, Mme de Maintenon, sur ce point capital de l'éducation féminine, quand elle recommande instamment aux dames de Saint-Cyr, d'inspirer aux demoiselles le goût des occupations utiles, le goût de « l'ouvrage » comme elle dit.

J'imagine encore que la femme forte de l'Évangile, dont la vertu se résout en action, n'aurait pas songé à rédiger son journal, même si elle avait su écrire.

D'ailleurs, voici une observation tirée de l'expérience : nous constatons que généralement les jeunes filles délaissent leur journal dès qu'elles se marient ou qu'elles entrent dans une carrière active, ou qu'une grande tâche s'impose à elles, comme de diriger la maison, de soigner des malades, des enfants, bref quand elles sont aux prises avec des obligations positives et strictes.

Sans doute, nos journaux intimes d'écoliers ou de jeunes gens, faute d'expérience et de talent, n'accusent encore que faiblement cette mélancolie ou ce pessimisme destructeur d'énergie ; mais c'est déjà trop qu'ils l'accusent ; le symptôme du mal est inquiétant et ce n'est pas aux maîtres, certes, à le favoriser ; or c'est, croyons-nous, le favoriser que d'encourager la pratique du journal intime.

Le journal vu du dedans

« Ces pages blanches m'écoutent patiemment »

Claire Pic

Mon Journal.

En commençant mon journal, je vais d'abord clairement exposer le but que je m'y propose afin de le revoir et de ne pas l'oublier. Je ne me propose pas le moins du monde de faire un devoir de style bien poli, bien soigné, mais un compte rendu de mes impressions, de mes pensées bonnes ou mauvaises, d'autant plus franc que j'écris ce journal pour *moi seule*, et je prie instamment les personnes qui pourraient jamais le trouver de me le rendre ou de le jeter au feu sans le lire. Après tout, il ne peut être intéressant que pour *moi seule* de relire mes pensées d'autrefois, de me rappeler les petites circonstances de ma vie bien simple de jeune fille, mais je le répète, si je savais que ce journal dût être lu par quelqu'autre personne que moi *quelle qu'elle fût*, je ne le commencerais pas, et comme dans le cas où quelqu'un serait assez indiscret pour ne pas tenir compte de cette prière, je ne désignerai personne par des noms propres [1].

Mardi 16 décembre 1862

Je commence ce journal dans ma chambre, près de mon frère qui est malade, il a les ourles, je pense que ce ne sera rien. Je

1. Elle va donc, dans les premières pages du journal, désigner ses amies par des chiffres. Comme elle a ensuite noté le code, nous savons que plus loin, par exemple, 3 désignera Gasparine, 4 Hedwige et 5 Emma.

commence ce journal le 16 décembre, le finirai-je ?... Qu'aurai-je à y enregistrer ?... Graves questions. Je me fais à moi-même cette réponse : que la volonté de Dieu soit faite et tout sera pour le mieux. Je veux surtout dans ce journal penser par écrit, c'est un moyen de réfléchir sérieusement sur les choses si sérieuses auxquelles on pense trop peu.

[...]

3 et 5 me parlaient de leur journal, j'ai vu quelques passages de celui de 4. Je ne veux pas faire le mien comme ça, je m'y occuperai moins de ces petits incidents, de ces babioles de tous les jours, mais j'y causerai avec moi-même plus souvent de choses sérieuses que d'enfantillages, et je prie Dieu et la Sainte Vierge de le bénir

28 décembre 1862

L'autre jour 3, 4 et 5 disaient devant moi qu'elles voudraient bien qu'après leur mort ou à la fin de leur vie, quand elles seront vieilles, on trouvât leur journal de jeune fille. Je suis bien loin de penser comme elles, j'espère au contraire que moi seule le lirai jamais, et je pense bien, si je ne meurs pas subitement, le mettre au feu moi-même lorsque je jugerai ma position désespérée. Quoi ! quelque indiscret viendrait lire mes plus secrètes pensées, blâmer mon style, rire de mes désirs de devenir bonne et pieuse ! Oh non ! je l'espère, si je savais que cela fût, je jetterais ce cahier au feu, et tout serait fini là.

Août 1863

Vraiment mon journal est d'un décousu ! Jamais je n'aurai de plaisir à lire ces bouts de ficelles rattachées. J'écris ce qui me passe par la tête, et si je pense à Brunette, j'écris Brunette.

14 juin 1864

Je ne voudrais pas que ce journal fût lu. J'y mets le bien, rarement le mal. On me croirait bien meilleure que je ne suis, ce que tout le monde fait déjà. Je vais tâcher d'éviter ces mots, ces insinuations adroites, ces mille petites choses par lesquelles je

243

En retournant en arrière dans ce journal, je vois une réflexion qui est comme très vraie. Je mets dans ce journal des fréquemment de bonnes pensées, de bons mouvements, mais tant d'idées mauvaises, de pensées mesquines, de malices soumises, tant de fautes journalières, mais les défauts qui percent à chaque instant, de tout cela, rien ou presque rien. De les plus [illegible] inconvénients, le moindre est que si ce journal était lu, on aurait de moi une opinion beaucoup trop favorable, ne voyant que le bon côté; un autre inconvénient plus grave c'est que quand je le relis, loin de me faire faire des actes d'humilité, elle me donne un certain petit contentement de moi-même qui m'est peu évangélique. Désormais je tâcherai d'être plus humble.

Si j'ai jamais un mari, ce journal lui passera par les mains, s'il le désire bien entendu, et si ce n'est pas un imbécile ou un moqueur acharné. Dieu me préserve de l'un et de l'autre.

Dans ma position actuelle, [illegible] que j'ai un [illegible] dans la tête, ne serait pas [illegible]

Claire Pic, *Mon journal*, 29 septembre 1865.

sais si bien me faire valoir, avec un petit air humble qui est fort menteur.

17 septembre 1864

Même dans son journal, pourquoi ne veut-on pas tout s'avouer à soi-même ? il y a beaucoup de petites faiblesses que je me reconnais mais qu'il me coûterait beaucoup d'analyser ici par écrit, quelqu'intime et secret que soit ce journal, il est du reste bien incomplet.

Dimanche 5 mars 1865

Il pleut, je n'ai guère envie de travailler, c'est le cas d'ouvrir ce pauvre journal si délaissé. Que dirai-je ? Si je voulais, je n'aurais que l'embarras du choix, mais je n'ai pas besoin de deux confidents, et je préfère l'amie, si digne et si distinguée, que Dieu m'a donnée, à ce pauvre cahier qui, s'il est discret, est aussi muet et ne peut ni répondre à mes questions, ni sympathiser à mes ennuis, à mes peines, à mes inquiétudes, à mes aspirations.

24 septembre 1865

Sœur Jeanne de Chantal a raison : écrire son journal est bien un peu une affaire d'amour-propre, et le relire c'est se mirer, et quelquefois s'admirer en cachette. Mais je n'ai pas la vertu de Gasparine, et je ne renonce pas à mon journal malgré cette découverte.

6 décembre 1865

Cher journal, tu n'es qu'un aperçu, un vingtième, un centième de moi-même, car je n'y inscris pas la centième partie de mes pensées, de mes impressions. Tu es une vue d'ensemble, ce qu'en dessin on appelle une « grande forme » de moi-même, et je l'avoue naïvement, je t'aime pour cela, et je tiens à toi. Je veux te continuer jusqu'à la fin de ma vie si cela m'est possible, et je crois que j'y trouverai du plaisir.

Lundi 18 décembre 1865

Voilà comme j'aime à écrire mon journal, seule le soir au coin de mon feu, le cahier sur mes genoux, l'encrier sur la cheminée et la lampe derrière l'épaule. Ma pendule me pousse doucement, car il est une heure que je ne dépasse pas, sur ma table sont des livres que je viens de quitter, volontiers ou à regret, mon piano semble frileux sous sa couverture de nuit, et enfin, perspective charmante pour une dormeuse comme moi, je vois mon lit entrouvert comme pour m'appeler et me montrer la place où je serai si bien tout à l'heure sous l'édredon de soie verte [...]. C'est un bon moment pour rêver, il fait bon laisser passer devant ses yeux les images, les souvenirs doux au cœur, faire des projets même irréalisables, entretenir avec ses aimés, par l'imagination, des conversations dont seule on fait les frais, et qu'il est si facile de conformer à ses secrets désirs. Il fait bon encore, et c'est ce que j'aime davantage, prendre la plume et se faire à soi-même les plus intimes confidences, fixer sur un miroir discret et fidèle les faits, les impressions, les souvenirs de la journée écoulée, de cette journée qui ne reviendra jamais, qui sera peut-être pour nous un remords, un regret, une consolation selon que nous l'aurons passée.

31 août 1866

Voilà quelques soirs que je suis tellement lasse, tellement endormie, au moral et au physique, que je n'ai pas le courage d'écrire ce journal, et cependant c'est un très grand plaisir pour moi. Je tâcherai de me mettre à le faire à la fin de chaque journée. Je crois que cela vaut mieux. Je prends la plume alors encore animée, agitée de mes impressions, elles parlent d'elles-mêmes : il peut y avoir un inconvénient, en ce sens qu'elles parlent toutes à la fois, et que je suis moins à l'aise que le lendemain pour choisir entre elles, émonder et réduire, mais c'est insignifiant ici, mon cher petit journal n'a pas d'autre prétention que d'être une chambre obscure où se fixent une série d'épreuves dont je fais une galerie, afin qu'au bout de quelques années je puisse me rafraîchir, me retremper dans ces souvenirs de jeunesse, et vivre de nouveau ces belles années qui se feront regretter malgré leurs soucis et leurs peines. Au reste tout naturellement l'impression la plus forte parle le plus haut, les lois de la perspective s'observent d'elles-mêmes, chaque pensée prend sa place.

7 septembre 1866

J'aime ce pauvre journal comme un être vivant et sympathique, mes peines journalières, petites ou grandes, seraient pour la plupart si peu comprises autour de moi. Ces pages blanches m'écoutent patiemment, n'oublient rien, et sont tout à moi, sans aucune personnalité à opposer à la mienne. Leur silence, leur complaisance sont comme des signes qu'elles comprennent ce que je leur confie et qu'elles y sympathisent. Sitôt que je le veux, elles sont là. Enfin c'est un ami parfait que ce journal, il n'a qu'un tort qui peut-être est assez grave, celui de me disposer à l'égoïsme en ne mettant jamais que moi en scène.

13 septembre 1867

Je commence seulement à m'habituer à ce petit papier, jusque-là je me sentais comme mal à l'aise dans son format mignon, habituée que je suis à mon cher grand cahier, offrant si débonnairement ses grandes pages à mes racontances peu variées[1]. Je le gribouille, je le noircis, je l'abîme, il est toujours aussi complaisant, aussi longanime. En somme il me rend service, dans le présent il me soulage, il ouvre une soupape à l'ébullition de ma cervelle, il reçoit le trop-plein qui me fatiguait ; pour l'avenir il prépare un *memento* de ces années difficiles toutes de tressaillements, de frissons et de soubresauts : tressaillements d'amour, frissons de craintes et de tristesse, brusque passage de la joie, des rêves d'avenir heureux, aux amertumes et aux découragements poignants. Il me rappellera si jamais je l'oublie ce qu'est la jeunesse, si merveilleusement pourvue de ressources, de courage, de vaillance, d'espoir, alors même qu'elle croit n'en plus avoir et qu'elle est convaincue que tout son être va succomber à l'épuisement ; il me rappellera ce que c'est

1. Format mignon : 10,7 × 13,7 cm ; grandes pages : 17 × 25,2 cm.

que d'avoir vingt ans et de ne pas vouloir que jamais on eut autant aimé, autant lutté, autant souffert que l'on aime, que l'on lutte, que l'on souffre alors ; d'être aussi libérale d'opinion et de goût qu'intolérante de fait. Je me rappellerai en lisant ces pages que, raisonnable dans la forme, j'étais au fond une véritable enfant, capricieuse, fantasque, livrée pieds et poings liés à une imagination extravagante, pleine de bons sentiments, de bonnes résolutions, et ne sachant en soutenir aucune. Peut-être je sourirai, peut-être je pleurerai parce que ces années d'épreuve demeureront les meilleures de mon exil terrestre.

Samedi 28 septembre 1867

J'ai quitté Jasseron cette après-midi pour coucher ici et passer la journée de demain à La Vavre. Pour être privée de ce cher gros cahier, je n'ai pu me résoudre à me passer de confident, et j'ai écrit chaque soir sur des feuillets détachés que je portais constamment dans un sachet sur ma poitrine afin d'être bien assurée qu'ils seraient à l'abri de toute indiscrétion.

Samedi soir, 16 novembre 1867

En avant la plume. C'est bien mauvais signe quand j'écris tant ici. Mais je ne puis dire à personne, absolument personne ce qui est si intime, je ne puis m'en décharger qu'en faveur de mon journal. Quelquefois cette expression me soulage, d'autres fois elle empire le mal, à tout hasard, j'essaie.

« Toutes mes amies font un journal »

Lucile Le Verrier

Extraits du journal de Lucile Le Verrier (née en 1853), Une jeune fille Second Empire. Journal intime et lettres (1866-1878), *présenté par Lionel Mirisch, dactylographie, p. 3-4 et 8. La première entrée présente une déclaration d'intention suivie d'un autoportrait, qu'on pourra rapprocher de ceux de Claire Pic et de Catherine Pozzi, et de celui de Renée de Saint-Pern, qu'on trouvera plus loin. Trois jours plus tard, un petit incident avec son amie Élisabeth l'amène à réaffirmer clairement ses intentions : son journal n'est que pour elle.*

Lundi, 24 décembre 1866

Toutes mes amies font un *Journal* et me demandent avec étonnement pourquoi je n'en fais pas. J'en ai commencé un à 11 ans ; j'ai fait consciencieusement UN volume, mais il m'a été impossible d'aller plus loin. Je dois dire, pour ma justification, que je griffonne quantité de devoirs et qu'il est peu attrayant pour moi d'écrire un journal pendant ma récréation, en plus des lettres que je fabrique. Pourtant, je l'avoue, plus d'une fois, en fouillant dans mon passé, il m'est revenu de vagues souvenirs que j'aurais désiré rendre plus précis : un journal m'eût donc été agréable. Aujourd'hui j'ai 14 ans (du moins je les aurai dans deux mois), je suis assez sérieuse. Il est probable qu'à 20, 25 ans, il me sera doux de revenir sur les années que je commence et qui sont, dit-on, les plus belles. La conclusion de tout ceci, c'est que je vais essayer de faire un journal. Je le commence sous les auspices de l'Enfant Jésus, dont nous célébrerons l'avènement dans 6 heures. Puisse-t-il m'accorder la persévérance !

Comme je l'ai déjà dit, je vais avoir 14 ans. Dieu m'a beaucoup donné : mon père est un astronome célèbre, un *grand homme* ; ma mère est une *femme d'élite* ; mes frères me chérissent et sont pleins d'aptitudes remarquables ; j'ai des amies dévouées, une position magnifique. Et que dirai-je de *moi-même* ? Je dirai franchement ce que je pense de moi ; ce journal est mon confident, je peux lui dire tout. Je suis très intelligente, j'ai un grand talent sur le piano, une voix charmante, et je suis remarquablement musicienne. De ma personne, sans être régulièrement jolie, je suis attirante, à cause de ma physionomie ; j'ai, de vraiment *bien*, les cheveux, le front, les yeux, le menton, les joues, la taille, et j'ai l'air très comme il faut ; mon nez est mal, ma bouche médiocre, ainsi que mon teint ; j'ai la peau fine, mes mains sont tout à fait laides. Mes cheveux sont blond cendré, mes yeux moyennement larges, assez longs, d'une jolie forme, d'une jolie expression, et noirs ; mon nez trop gros et légèrement *de travers* ; ma bouche insignifiante, pas très grande, un peu rose ; j'ai un menton à fossette et petit ; je suis grande pour mon âge, mince et assez maigre *. Voilà un portrait complet, j'espère. Je le déclare : il n'est ni flatté, ni enlaidi ; je le crois exact.

Ma vie a été heureuse, jusqu'ici. Mon premier et mon seul chagrin a été le départ d'une bonne qui m'avait élevée et qui m'aimait comme sa fille. Je suis obligée de reconnaître qu'elle a été réellement insolente avec maman, mais je ne puis m'empêcher de la regretter et de l'aimer toujours. C'est maman qui a commencé mon éducation et c'est encore elle qui m'apprend l'histoire, la géographie et à bien réciter les vers, mais j'ai des maîtres pour l'anglais, l'italien, le piano et l'harmonie. Je suis le catéchisme de Saint-Jacques-du-Haut-Pas, ma paroisse : c'est une église pauvre et assez vilaine, mais elle a toujours été ma paroisse et je l'aime.

Qu'on n'aille pas croire que je n'ai pas de défaut sérieux ;

* Les changements après plusieurs années sont : le teint : bien ; la bouche, colorée et bien dessinée ; les mains, petites et blanches ; les cheveux ont raccourci beaucoup dans mes maladies.

hélas, j'en ai beaucoup trop : je suis colère, raisonneuse, coquette et pas assez franche. Quand je pense que je n'ai aucune victoire (ou du moins bien peu) remportée sur moi-même à offrir à Jésus, qui m'a comblé de ses bienfaits, je frémis. O Jésus, soutenez ma faiblesse et faites que l'année prochaine, à pareille époque, je puisse vous offrir un bouquet de mérites.
[...]

Jeudi, 27 [décembre 1866]

Aujourd'hui, soirée passée avec Élisabeth très tranquillement, très heureusement. Elle a voulu voir le portrait que j'ai fait d'elle dans ce journal et m'a déclaré qu'elle me volerait ce cahier, car j'ai refusé de le lui donner, à cause de ce que j'ai dit sur sa figure et surtout sur son père. Si je fais un journal, je le fais *pour moi seule*, afin d'y mettre vraiment ce que je pense ; maman même ne sait pas que j'en fais un, car elle voudrait le lire, et alors ce journal deviendrait un devoir de style, non plus un confident. Non, *personne* ne le verra, je le fais dans le but *unique* de le relire plus tard, et entre lui et moi je ne veux aucun tiers.

« Sois discret, et tu as ma confiance »

Marie

Préambule de Mon cher petit cahier. Journal d'une jeune ouvrière, *Lyon, P.N. Josserand, 1872, p. 1.*

Mon cœur a un grand désir de s'épancher et de raconter en détail tout ce qu'il éprouve.

Il a un ami, je ne te le cacherai point, dans le cœur duquel il trouve de la tendresse et de la consolation. Mais il ne sait pas assez lui dire toutes ces petites choses que je cacherai dans tes plis. Souvent, ce que je te dirai, cet ami le saura déjà. Ainsi je te dirai que j'aime Jésus, il le sait ; je te dirai que je suis l'enfant de sa Sainte-Mère, il le sait ; mais je te le dirai tout de même à toi. Sois discret, et près de toi chaque soir je viendrai me délasser. Je veux aussi te confier le nom de celui qui le premier m'inspira la pensée de te prendre pour ami, c'est le Vénérable M.A.P.*** qui, alors que je n'avais pas quinze ans, me conseilla de raconter en peu de mots ma vie à un petit cahier, et c'est toi que j'ai choisi.

Tu riras quelquefois de ma naïveté, mais cela m'est bien égal. Je te parlerai simplement, je te dirai les choses comme elles me viendront. Sois discret, et tu as ma confiance.

« Les idées qui se heurtent dans un cerveau de dix-huit ans »

Laure Frémont

Extrait du Journal de Mlle Laure Frémont, *1904, p. 98-99. Laure Frémont a dix-huit ans, et se prépare au brevet d'institutrice. Ses réflexions prennent un tour pédagogique : son journal d'adolescente l'aidera plus tard à comprendre ses élèves.*

22 mai 1880

Mercredi je voulais écrire quelque chose qui m'avait fait plaisir ; mais n'en ayant pas eu le loisir, j'ai renvoyé au lendemain ce que je ne pouvais faire la veille.

Oui, et le lendemain j'avais complètement oublié ce qui m'avait plu la veille : voilà ce qui fait que quatre longs jours se sont passés sans que je marque le moindre petit événement.

J'aime pourtant à tout remarquer et à tout dire. Il arrive un moment dans la vie où nous ne vivons que de souvenirs.

Le passé contient toutes les joies et toutes les espérances que, jeunes, nous aimions à caresser ; à ce moment-là, l'avenir ne sourit plus, parce qu'il ne peut rien apprendre et que tout fait présager qu'il sera court ; nous sommes donc tout entiers au passé, ne pouvant être à l'avenir, et c'est alors que nous aimons à revoir les mille choses qui nous ont occupés et fait vieillir [...].

J'écris mes impressions de chaque jour à cause de cela. Je veux me retrouver plus tard, dans ces lignes qui contiennent toutes mes pensées, afin de vivre doublement.

Et puis en lisant ce que j'étais, dans ces années de passion qu'on appelle la jeunesse, je ne serai pas tentée de faire ce que font toutes les personnes âgées : de rire de ces ennuis, profonds comme la mer, qui attristent les jeunes fronts à leur entrée dans la vie.

Je comprendrai mieux les idées qui se heurtent dans un cerveau de dix-huit ans qui n'a encore que le pressentiment des choses et qui en soupçonne plus qu'il n'y en a véritablement.

Je respecterai ces illusions, derniers voiles de l'enfance, et prenant plus de précautions qu'on n'en prend généralement pour l'enlever, ce dernier voile, je préparerai la jeune intelligence et le cœur adolescent à ce qui les attend dans la vie et à ce qu'ils doivent faire pour se soustraire aux rêveries qui attristent et fatiguent à cet âge difficile.

« Je vais me montrer telle que je suis »

Renée de Saint-Pern

Renée n'a pas encore seize ans. Extrait de son journal publié après sa mort par sa famille, Journal *de Renée de Saint-Pern, Angers, J. Siraudeau, 1906, p. 59-60.*

25 mai [1901]. — Je vais faire mon véridique portrait aujourd'hui, je vais me montrer telle que je suis. J'ai pour moi la grandeur de la taille, sinon celle de la sagesse ; une chevelure châtain, très frisée et très épaisse ; des yeux d'une couleur indéfinissable, tirant sur le vert foncé ; le teint d'une personne exubérante de santé et la maigreur d'une allumette chimique. Les mains, surtout, sont effrayantes de souplesse, longues, fines, déliées : « Avec de telles mains, me dit bien souvent Mademoiselle, comment jouez-vous si mal du piano ? » Chacun son goût en ce monde, après tout. Je déteste la musique, et j'adore la littérature, aussi est-ce cette dernière étude, qui fait le charme de mes heures de travail et même de mes récréations. Il n'est pas rare, en effet, de me voir seule, dans nos bois, m'abandonnant à ma rêverie ; quelquefois je parle seule, me récitant à moi-même des poésies enivrantes ou des passages d'ouvrages célèbres. D'ordinaire, j'affectionne les pièces de vers, tristes et désolées ; les dernières feuilles de Millevoye, les adieux à la vie de Gilbert ou la jeune captive de Chénier ont mes préférences. Je suis élégiaque et parfois morose ou très gaie ; mon caractère est comme le temps qui varie de nuance à chaque heure du jour : bleuté à l'aurore, doré à midi, rose le soir... Hélas, il y a bien des orages dans le ciel de ma fougueuse nature. Chassez le naturel, il revient au galop, dit un sage proverbe. Bien souvent je me

sermonne, en me disant : « Allons, volage Renée, deviens enfin raisonnable, songe que les dernières feuilles t'apporteront seize ans, et qu'à cet âge, il est temps de le devenir. » Hélas ! hélas ! pendant cinq minutes qui me semblent cinq siècles, je suis sérieuse comme une docte dame, et puis, je redeviens l'enfant étourdie, turbulente et originale d'autrefois. Bien souvent, je me promène, un livre sérieux à la main ; des principes littéraires sont ma lecture favorite. Ma mémoire est un arsenal où je conserve tout ce qui charme mon enthousiaste nature. Les ouvrages de Chateaubriand transportent mon âme. Un autre jour, je parlerai de ce grand auteur. Pour aujourd'hui, je clos ce bavardage.

« Cinq cents pages ! »

Renée Berruel

Renée Berruel a seize ans. Le 9 mars 1910, elle fête la cinq centième page de son journal. Elle est élève au lycée de jeunes filles de Grenoble.

Le 5 novembre 1910, la composition de psychologie porte sur la pratique du journal. Elle est première ! Elle a gardé le brouillon de sa composition, qu'elle recopie dans son journal. Texte inédit. On a pu lire plus haut un croquis d'ensemble de son journal (p. 165-185).

Mercredi le 9 mars 1910

J'écris aujourd'hui la cinq centième de mon journal. Cinq cents ! ! ça commence à faire ! Cinq cents pages. C'est vrai qu'il y a bientôt 8 ans que j'ai commencé à le faire ; je me rappelle bien du jour où j'ai eu cette idée géniale ! C'était pour la Toussaint, nous étions tous réunis dans la salle à manger près du feu à la Buissière : Pera, Mera, Bonne Maman, Papa, Maman, Dédette, bien petite alors, elle avait quatre ans, l'âge qu'a Vouvou aujourd'hui. Moi, je ne savais pas que faire et je fouillais dans la bibliothèque : j'y trouvai « Le manuscrit de ma mère » de Lamartine. L'idée m'est alors venue d'écrire un journal moi aussi ; depuis ce jour, j'ai été constante, je l'ai toujours écrit. Aujourd'hui écrire mes pensées m'est devenu indispensable, si je cessais d'écrire ce que je pense, il me semblerait qu'il me manque quelque chose dans ma vie, je ne pourrais pas.

[...]

Samedi le 5 novembre [1910]

Ce matin nous avons eu composition de psychologie « Sur ces paroles de Mme de Lamartine à son fils : "Fais comme moi, donne un miroir à ta vie ". » Il me semble que j'ai bien su faire, car j'ai parlé de mon cher journal.

[...]

Jeudi 24 novembre 1910

[...] Je suis bien contente : j'ai été 1re en psychologie : Nous avions eu comme sujet : Mme de Lamartine disait à son fils : « Fais comme moi, donne un miroir à ta vie. » Du moment qu'il fallait parler d'un journal, j'ai su faire, et... j'ai été 1re. J'ai été très, très contente. J'ai encore le brouillon et un jour que j'aurai le temps je le recopierai.

[...]

Dimanche 27 novembre 1910

Voilà ma composition en psychologie :

Madame de Lamartine a dit à son fils « Fais comme moi, donne un miroir à ta vie. » Elle avait écrit son journal et conseillait à son fils de l'imiter.

Elle le désigne par ces termes : « un miroir de la vie » ; c'est en effet comme un miroir où restent fixés l'âme et les sentiments, dans lesquels on écrit ses pensées, ses joies et ses chagrins. Faire un journal, c'est s'analyser, c'et un moyen d'apprendre à se connaître, puisque pour écrire ses pensées il faut les voir nettement, il faut les comprendre et pour cela s'examiner. Il peut arriver pourtant que nous écrivions une pensée sur le coup d'une impression très intense sans l'analyser, alors cela ne nous servira à rien ; mais quelque temps après, si nous relisons ces pages, nous nous apercevrons peut-être qu'à ce moment nous étions trop exaltés ; alors nous pourrons réfléchir, nous examiner, et cette fois encore notre journal aura eu une grande influence sur la connaissance de notre moi.

Un second avantage qu'on y peut trouver, c'est qu'un journal est un confident. N'avons-nous pas souvent besoin de dire à quelqu'un nos joies et nos peines, nos hésitations, nos actions. Pour les personnes très expansives peut-être trouveront-elles quelqu'un à qui dire ce qu'elles pensent, mais il arrivera aussi qu'elles parleront trop. Pour les natures plus renfermées en elles-mêmes, il arrive souvent qu'elles pensent beaucoup, qu'elles voudraient dire leurs joies, leurs chagrins, mais n'aiment pas faire connaître le fond de leur âme et pourtant elles sentent en elles un besoin immense de se confier parce qu'en exprimant notre joie il semble qu'elle augmente et au contraire notre peine, il semble qu'elle diminue. Eh bien ! un journal est un confident, un confident que l'on aime et dont on ne peut plus se passer lorsqu'on l'a connu. Il semble qu'il manque quelque chose si l'on est privé de cette confidence faite pour ainsi dire à soi-même.

Enfin le journal est bien le miroir de la vie ; nous pouvons y retrouver nos impressions, nos pensées de jours passés ; en les relisant nous pouvons revivre les instants de grande joie et nous prendrons plaisir à revoir ces pages écrites les années auparavant.

J'ai vu un jour ce titre « Doit-on faire son journal ? », je me suis empressée de lire pour voir ce qu'on en disait, mais je n'ai pas trouvé grand-chose. On remarquait seulement que cela dépendait des natures et on terminait ainsi : « Enfin nous conseillons de ne pas passer à son journal un temps qu'on pourrait employer à faire du bien à son prochain. »

J'ai souvent réfléchi à cette idée, il est sûr qu'il ne faut rien exagérer et ne pas y passer un temps considérable, ce qui aboutirait à l'idée unique du moi, à l'égoïsme, au dilettantisme.

Mais comme Mme de Lamartine je trouve aussi qu'il est bon d'avoir un journal, un « miroir de sa vie ».

« Je dis tout, tout, tout »

Marie Bashkirtseff

Préface écrite par Marie Bashkirtseff elle-même en mai 1884, pour l'édition posthume de son journal. Elle est morte en octobre 1884. Cette préface a été placée en tête des extraits de son journal publiés en 1887. On en lira ci-dessous le début et la fin. La partie médiane présente un tableau de la famille Bashkirtseff et un récit de la vie de Marie jusqu'à ce qu'elle commence son journal.

A quoi bon mentir et poser ? Oui, il est évident que j'ai le désir, sinon l'espoir, de *rester* sur cette terre, par quelque moyen que ce soit. Si je ne meurs pas jeune, j'espère rester comme une grande artiste ; mais si je meurs jeune, je veux laisser publier mon journal qui ne peut pas être autre chose qu'intéressant. — Mais puisque je parle de publicité, cette idée qu'on me lira a peut-être gâté, c'est-à-dire anéanti, le seul mérite d'un tel livre ? Eh bien ! non. — D'abord j'ai écrit très longtemps sans songer à être lue, et ensuite c'est justement parce que j'espère être lue que je suis absolument sincère. Si ce livre n'est pas *l'exacte, l'absolue, la stricte* vérité, il n'a pas raison d'être. Non seulement je dis tout le temps ce que je pense, mais je n'ai jamais songé un seul instant à dissimuler ce qui pourrait me paraître ridicule ou désavantageux pour moi. — Du reste, je me crois trop admirable pour me censurer. — Vous pouvez donc être certains, charitables lecteurs, que je m'étale dans ces pages *tout entière. Moi* comme intérêt, c'est peut-être mince *pour vous*, mais ne pensez pas que c'est *moi*, pensez que c'est un être humain qui vous raconte toutes ses impressions depuis l'enfance. C'est très intéressant comme document humain. Demandez à M. Zola et même à

M. de Goncourt, et même à Maupassant ! Mon journal commence à douze ans et ne signifie quelque chose qu'à quinze ou seize ans. Donc il y a une lacune à remplir et je vais faire une espèce de préface qui permettra de comprendre ce monument littéraire et humain.

Là, supposez que je suis illustre. Nous commençons :

Je suis née le 11 novembre 1860. C'est épouvantable rien que de l'écrire. Mais je me console en pensant que je n'aurai certainement plus d'âge lorsque vous me lirez.

Mon père était le fils du général Paul Grégorievitch Bashkirtseff, d'une noblesse de province, brave, tenace, dur et même féroce [...].

. . . .

[...] Quand je serai morte, on lira ma vie que je trouve, moi, très remarquable. (Il n'aurait plus manqué qu'il en fût autrement !) Mais je hais les préfaces (elles m'ont empêchée de lire une quantité de livres excellents) et les avertissements des éditeurs. Aussi, j'ai voulu faire ma préface moi-même. On aurait pu s'en passer, si je publiais tout ; mais je me borne à me prendre à douze ans, ce qui précède est trop long. Je vous donne, du reste, des aperçus suffisants dans le courant de ce journal. Je reviens en arrière souvent à propos de n'importe quoi.

Si j'allais mourir comme cela, subitement, prise d'une maladie !... Je ne saurai peut-être pas si je suis en danger ; on me le cachera et, après ma mort, on fouillera dans mes tiroirs ; on trouvera mon journal, ma famille le détruira après l'avoir lu et il ne restera bientôt plus rien de moi, rien... rien... rien !... C'est ce qui m'a toujours épouvantée. Vivre, avoir tant d'ambition, souffrir, pleurer, combattre et, au bout, l'oubli !... l'oubli... comme si je n'avais jamais existé. Si je ne vis pas assez pour être illustre, ce journal intéressera les naturalistes ; c'est toujours curieux, la vie d'une femme, jour par jour, sans pose, comme si personne au monde ne devait jamais la lire et en même temps avec l'intention d'être lue ; car je suis bien sûre qu'on me trouvera sympathique... et je dis tout, tout, tout. Sans cela, à quoi bon ? Du reste, cela se verra bien que je dis tout...

Paris, 1er mai 1884

« Un intéressant document psychologique »

Catherine Pozzi

Catherine Pozzi a seize ans quand elle commence son quatrième cahier (texte inédit). Elle le relira avec agacement, deux ans plus tard *(voir ci-dessus, p. 283)**.*

Mercredi 2 mars 1898

D'ordinaire, en commençant un nouveau livre, je mets quelques mots sur moi, mon état d'âme... ce me semble inutile avec celui-ci, qui est tellement une suite de l'autre, du bien-aimé qui dort, là-bas, caché à tous les yeux. Ce n'est que pour moi que j'écris ces livres — je me le suis dit bien souvent — mais au fond, tout au fond, ce n'est pas *très* vrai. Ce n'est pas *très* vrai en ceci : j'ai toujours eu une espèce de souci atavique de la postérité, de l'Après... Je dis atavique, car il est d'abord en mon père, qui, sans penser à l'opinion des envieux d'à présent, a toujours un peu travaillé pour son siècle, pour les siècles futurs... Mon père est un homme célèbre dont le nom restera — je suis fière de lui. En écrivant ces pages, je ne voudrais pour rien au monde qu'elles fussent profanées par un regard indifférent, mais je voudrais qu'elles *restent*. Qu'elles restent, non pas comme un exemple de style — oh loin de moi cette idée ! je ne travaille pas ces lignes : j'écris sans chercher ce qui me vient du cœur — *mais* comme un intéressant document psychologique sur ce que pouvait être l'état d'âme d'une petite fille, qui écrirait sincèrement, par cela même qu'elle écrirait pour elle, et qui dirait simplement tout ce qu'elle ressent, tout ce qu'elle souffre ou tout ce qu'elle pense. Je voudrais que ces livres restent, parce que je veux qu'on connaisse mieux les enfants — on ne les connaît pas : la plupart voient en eux de petits êtres frivoles incapables de penser. Je veux dire aux indifférents combien un enfant peut souffrir, combien une jeune fille peut être seule.

Oh vous, tous les petits délaissés, que je vous aime ! Est-ce le petit d'un, de deux mois, qui m'est cher ainsi ? Non — celui que vous câlinez tant, Madame, le petit joufflu qui tète encore, ne m'inspire aucun intérêt. Mais c'est vous, pauvre enfant de dix ans, qui cherchez Dieu dans les ténèbres, c'est vous que j'aime et voudrais consoler. C'est vous, petite fille passionnée, qui avez pleuré et prié toute la nuit, qui avez appelé Jésus avec toute la confiance, tout le désir pur de votre petite âme naïve, et qui vous levez le matin le désespoir dans le cœur, car Il ne vous a pas répondu ! ! C'est vous, petit poète, qui, toute une journée, fixez le ciel et tâchez d'apercevoir, à travers les nuages, les ailes des anges... mais toujours une ombre vous les cache. C'est vous, vous tous qu'on n'a pas compris, vous tous, enfants de l'âge ingrat. « L'âge ingrat » ! c'est l'âge où l'on aime et où l'on cherche, l'âge où l'on est seul...

Et plus tard, quand l'enfant devient jeune homme ou jeune fille, il n'est pas moins seul.

Quelle est cette loi étrange et terrible, qui veut que tout en vivant au milieu d'amis, de parents qui vous aiment, on soit aussi loin d'eux moralement, que l'étranger le plus inconnu ?

*

Catherine Pozzi a dix-huit ans quand elle commence ainsi son cinquième cahier (texte inédit) :

Florence, hôtel d'Italie, 30 octobre 1900

Est-ce bien utile d'écrire, là, à gauche, sur cette misérable couverture rose, en caractères ronds, harmonieux et réguliers, d'une plume digne, vaniteuse et aristocratique : « Une nouvelle page dans l'histoire de ma vie » ?

Chacun des cahiers de couleurs et de prix divers qui furent appelés, jusqu'ici, à recevoir, garder, ... et transmettre aux générations très reculées... ! les plus considérables des effluves mystérieux et profonds de mon âme, s'ouvre par un prélude en mode grandiloquentement ému : « et vous allez lire... ce que vous allez lire ! »...

— Purée ! Non, ce que j'ai envie de rire de moi !

Soyons sérieuse. Ce cahier a des dehors piteux. Nous allons l'emplir de telles choses, que les bibliothèques rétrospectives des siècles prochains se l'arracheront, si l'encre tient encore... et si elle ne tient plus, ils la feront revenir sous des acides, des oxydes et des drogues dont les formules dorment entre les circonvolutions des cerveaux futurs ! ! !

Certainement, si je peux soutenir encore ce style épatant pendant soixante pages, ma réputation est faite.

Silence. Je ne me suis pas assise à cette table pour écrire des bêtises. C'est drôle, dès que j'ai une plume, voilà que ça part... Fffttt ! et ça court, ça file, ça ne s'arrête plus, ça dit des tas de choses inutiles, y a pas de plan, quoi.

Mais je me fiche du lecteur — non, je ne m'en fiche pas du tout, puisque ce sera moi — mais j'aime ça, moi, je m'y retrouve, avec ce talent si pittoresque, mouvementé, naturel, facile et gracieux qui est le mien. Je m'aime ! Chérie !

Mais *non*, je ne suis pas assise *là* pour écrire *ça*. Zut !

« Je lis le journal de Marie Bashkirtseff »

Catherine Pozzi

Catherine Pozzi a dix-huit ans quand, en septembre 1900, elle lit le journal de Marie Bashkirtseff, le compare au sien, et se compare à elle. Texte inédit.

Je lis le journal de Marie Bashkirtseff. Il faut que j'écrive ; me voici reprise de la rage d'écrire. J'ai sommeil, et mes yeux se ferment après cette journée d'Exposition passée à Paris, ces courses et piétinements dans la poussière, mais je ne peux pas me coucher avec cela dans l'esprit.

Comme je la comprends, cette femme ! C'était tellement étrange : il me semblait être morte et me lire. Elle ne me ressemble pas ; seulement, voici mon immense orgueil, encore plus obsédant chez elle ; ces pages et ces pages, où elle se torture en se cherchant, ces désirs et ces ambitions folles qui lui semblent dépasser le monde, et ces spasmes d'enfant qui veut vivre cent vies à la fois ! Moi aussi, oh, moi aussi !

Elle était plus violente que moi, et, c'est drôle à dire, je suis plus tendre. Ensuite, je suis beaucoup plus naturelle, et *tout à fait* sincère. Lorsque j'ai commencé à écrire régulièrement — j'avais douze ans, je crois — la même idée poignante de « ne pas mourir tout entière » me tenait — je me rappelle même un passage où je cite ce journal comme « un document intéressant pour la postérité » (!) : je l'ai retrouvé chez elle ! ! ! Mais ce qui faisait dans mon journal l'émotion et l'enthousiasme si touchant, naïf et sincère, c'était le sentiment religieux profond de mon âme de petite fille ; Marie n'a pas connu ces heures désespérées et seules, elle n'a pas cherché Dieu comme la raison de sa vie…

Son journal, dès le commencement, est *composé* ; elle essaie de bien écrire, de dire joliment.

Si vous existez, indifférent qui me lirez (bon, voilà que je reprends mon style pompier), regardez cette écriture bouleversée, en traits impatients, et jugez combien je rédige mes œuvres !

J'écrirais très bien, si je voulais, et ce cahier aurait pu être une chose d'art – mais, au *fond*, je sais bien, très bien, qu'il ne sera jamais lu, et l'art m'est devenu si égal !

– Oui, ma fille. Cinq lignes au-dessus, tu as mis le mot « bien » – et le voilà de nouveau deux fois de suite, tout près – Ah ! Et puis zut ! –

J'ai beaucoup, – *totalement* changé depuis mon opération. La gloire ne m'est plus de rien. Mon âme m'est plus chère que mon esprit. J'essaie d'être meilleure. Je suis très paresseuse et prends mon parti d'ignorer les sciences. J'écrivais pour « *vous* », j'écris pour *moi*. J'étais une petite Marie Bashkirtseff – qui s'est joliment calmée. Il y a plus de doux. Plus d'indulgent. Plus de *femme. Je suis devenue très coquette.*

Il y a une grande différence entre nous deux : je vois la vie triste. Depuis que j'ai pris l'habitude d'être malade, l'avidité de s'amuser qui me tenait s'est effacée ; je ne suis, ne peux plus être joyeusement, follement, pleinement gaie, comme à douze ans !

Oh la gaieté saine d'alors ! Et la vie triomphante et rose...

Je le vois – quel changement s'est produit en moi !

Pourquoi est-ce que j'écris ces réflexions inutiles, à onze heures du soir ? Ma chemise de nuit est froide ; j'ai des frissons dans les jambes et mes bas ont glissé dans mes souliers. Je ferais bien mieux de me coucher. Les draps vont être froids, oui, mais après ! J'écris parce que je viens de lire un journal qui ressemblait au mien, – j'aime mieux le mien, il est plus candide – et que cela m'a donné la fièvre de la plume.

Je suis bien plus intelligente quand je tiens une plume.

Ah, et puis je vais me coucher.

———

Je suis toujours dans Marie Bashkirtseff. C'est une petite créature sans cœur, auprès de laquelle je me fais l'effet d'une son journal, dès le commencement, est composé ; elle essaye de bien écrire, de dire joliment.

Si vous étiez indifférents pour me lire, eh bien, voilà que je reprends mon style pompier ! regardez cette écriture bouleversée, ces traits impatients, et jugez combien je rédige mes oeuvres !

J'écrirai très bien, si je voulais et ce cahier aurait pu être une chose d'art — mais au <u>fond</u>, je sais bien, très bien, qu'il ne sera jamais lu, et l'art m'est devenu si égal !

— Oui, ma fille. Cinq lignes au-dessus, tu as mis ce mot « bien » — et le voilà de nouveau deux fois de suite, tout près — Ah ! et puis zut ! —

sainte embrasée. Elle est flirt, celle-là, terriblement plus que Lydia. Dès treize ans, un grand amour emphrasé et enflammé pour un comte H. – durant trois années de journal, elle se joue les grandes amoureuses en paragraphes retentissants, drôles, vifs, hystériques et colériques. Ce sont des apostrophes à Dieu, ordonnant un bonheur immédiat et toutes les joies de la terre... sans ça, elle ne sait pas ce qu'elle fera ! Dieu ne l'exauçant pas au point de vue du comte H., elle se roule par terre dans des crises d'enfant furieux.

Elle a, du reste, la sincérité d'avouer quelques années plus tard que tout ça, c'est du roman. Merci de l'avis. Je me rappelle avoir eu un ou deux de ces amours aussi injustifiés qu'incompris, de onze à seize... mais j'en ai sans doute toujours senti le ridicule, la faiblesse ou l'inconstance, car jamais ces malheureuses pages ne s'en sont trouvées accablées.

Ah ; je viens de chercher quelques épanchements sentimentaux au commencement de ce livre, et je n'ai trouvé, au 17 avril 1898, que l'aube du flirt avec Babut, ce grand beau garçon blond, maigre, fat, drôle, vicieux, crétin, chic et poseur, flirt platonique et facile, surtout de son côté, car, mea culpa ! j'étais plus excitée que lui, qui se fichait de moi tant qu'il pouvait, je l'ai enfin vu avec douleur plus tard !

Nous disons donc : ce flirt commence le 17 avril 1898 sur un air gamin qui fuit et change et s'aggrave – 28 juin – et s'attendrit – novembre – pour faire place au silence – de novembre 98 à maintenant. – Je n'ai rien d'autre à me reprocher et suis vraiment la Vierge Forte... pour toujours, avec l'aide de ma volonté.

Marie Bashkirtseff, elle, va plus loin ; après H., c'est un comte romain, très réel celui-là, et à qui elle se repent plus tard d'avoir donné sans l'aimer ses mains, ses yeux, ses cheveux et sa bouche... – c'est tout, par bonheur –. Mais elle était si jolie ! Son portrait est encore d'un charme prenant ; et je me représente l'éclat de ces grands yeux gris dans cette petite figure ronde, rose et blanche, ce nez droit et délicat, cette bouche sérieuse et fine, ce menton volontaire et gracieux, sur ce cou mince, souple et blanc, – tout est parfait, intelligent et séduisant en elle – comment ne pouvait-elle pas être coquette ?

Je ne le suis pas dans ce sens-là, moi, je ne m'amuse pas à torturer les hommes, à les rendre fous, mais le pourrais-je ? Je me vois si bien telle que je suis ; je me connais aussi, et sais que cela m'amuserait *tant* d'être jolie, que je bénis en mon âme le ciel de ne l'être pas !

« Je me sens fière vis-à-vis des hommes »

Aline de Lens

Aline de Lens vient d'avoir vingt-six ans. Elle a décidé de ne pas se marier, et de faire de la peinture. Elle a été reçue au concours d'entrée à l'École des beaux-arts. Elle fait dans son journal le bilan de sa vie. Texte inédit (BN, N. a. fr. 18211).

8 juin 1907

Parce que je suis inoccupée, la fatigue m'ayant empêchée d'aller à l'atelier cette semaine, parce que le jour est doux, clair, un peu voilé, un de ces jours où la douceur ambiante pénètre, alanguit et donne le désir du calme, du repos, du silence, je pense... Je pense à ma vie passée, pas bien longue encore, pas bien extraordinaire, sans drame, sans secousses, presque sans événements, et cependant si différente de celle des autres jeunes filles, des autres femmes...... Presque toutes mes amies sont mariées ; la plupart semblent heureuses. Je ne les envie pas, je ne regrette rien. Non, sûrement, je ne regrette rien ! ce que j'ai fait, je le recommencerais maintenant sans une hésitation, sans une arrière-pensée ; cependant on me dit qu'il ne faut pas chercher le bonheur hors de la loi commune, qu'il ne faut pas faire de sa vie une exception, qu'un jour viendra où je pleurerai amèrement ce que j'ai fait. Et n'aurais-je pas pleuré déjà depuis longtemps si je m'étais mariée comme les autres, comme on se marie en France dans la société moderne, par présentation, par amour de commande, aussitôt éteint qu'allumé... quel ennui aurais-je traîné dans la vie d'une femme d'aujourd'hui : l'intérieur, les visites, le monde, moi qui déteste tout cela également, qui, depuis mon enfance, n'ai aimé que le travail de l'esprit, l'étude, la lutte......, qui, lorsque les fillettes rêvent au mari futur, songeais au bonheur d'avoir une profession « comme un homme », qui n'aimais pas les poupées mais dévorais les livres à m'en rendre malade... Pauvre garçon manqué, né par erreur sous un déguisement féminin un jour de carnaval ! Non, tout cela ne trompe pas, c'était instinctif, irraisonné, nul n'a jamais eu aussi peu la vocation du mariage et autant la vocation « d'autre chose ». Autre chose, hélas, voilà le point noir, je n'ose pas dire la vocation d'artiste ; sans doute j'ai toujours aimé le dessin, la couleur. Toute petite j'ai colorié avec passion des journaux de mode, des images ; j'essayais même de dessiner, d'après nature, des arbres, des maisons, mes frères et sœurs *vus de dos*... jeux d'enfants, mais rien de ces avertissements précoces, de ces griffonnages où l'on découvre la marque d'un futur talent ; je m'ennuyais au Louvre et dans les musées quand nos promenades y dépassaient un certain temps, et les tableaux ne m'y frappaient que par le sujet. Le couronnement de Joséphine ou les Naufragés de la Méduse se dévorant entre eux excitaient ma curiosité, mais je passais, insensible, devant les chefs-d'œuvre de Rembrandt, de Rubens ou de Vinci. Non, vraiment, ils n'ont jamais rien fait vibrer en moi quand j'avais dix ou douze ans. J'ai commencé à dessiner quelques fleurs à quinze ans, mal dirigée par M. d'A., et, tout de suite, j'ai aimé cela passionnément. Cependant, à cette époque encore, je n'envisageais pas l'art comme but de mes efforts. J'étais sollicitée de tous côtés, j'aimais l'étude, j'étais douée pour les lettres et pour les sciences... Je voulais passer mon baccalauréat, premier jalon à poser en vue d'une carrière libérale. J'aurais peut-être été médecin, chimiste... c'est la maladie qui s'est chargée d'éloigner de moi ces ambitions. Après une terrible année d'anémie dont je me suis tirée avec ma santé... actuelle, j'ai dû songer à autre chose qu'à ces études exténuantes. J'avais des dispositions pour beaucoup de choses, et j'aimais la musique, la littérature, l'aquarelle. La musique... J'aurais fait un bon amateur, rien de plus ; aucune voie ne m'était ouverte de ce côté. La littérature... j'ai été très sollicitée par ma famille et en particulier par Mère, Marguerite, Tante Laure, de m'y adonner ; j'avais eu au cours de petits succès d'enfant qui ne prouvent rien, mais j'aimais, j'aime passionnément, écrire. En travaillant beaucoup, qui sait ? mais je n'ai pas eu d'hésitation à ce moment-là ; déjà je commençais à comprendre, à aimer par-dessus tout la peinture. Je ne savais rien, absolument rien, Monsieur d'A... m'avait appris à peindre gentiment un bouquet de fleurs, et inculqué beaucoup de principes absolument faux en matière d'art. Je sentais que ce n'était pas cela, je voulais quelque chose de sérieux... alors je suis entrée chez Julian. J'avais 21 ans, je ne savais pas tenir un fusain, je n'avais jamais dessiné un plâtre, j'ignorais l'emploi du fil à plomb... et puis ça a été pour moi la découverte de l'art, l'idée du beau, la passion qui grandit chaque jour, qui écarte tout, qui absorbe tout. J'ai renoncé à la vie chez moi, aux visites, aux plaisirs mondains, à tout ce qui avait accompagné jusqu'alors ma vie de jeune fille aimant l'étude... Renoncement facile, renoncement joyeux. L'art est un amant jaloux qui ne veut pas que l'on se donne à d'autres qu'à lui. Et maintenant je suis une étudiante, rien qu'une étudiante, une élève de l'École des beaux-arts...... il m'est doux de penser cela, de l'écrire. J'en suis fière. J'aime cette vie de travail, j'aime notre atelier, mes camarades d'école. C'est le plus doux temps de ma vie qui passe, je le sais ; plus tard, j'aurai les déceptions, les difficultés, les découragements, les jalousies inséparables d'une carrière d'artiste. Maintenant j'ai l'enthousiasme, l'ambition, les joies du travail. Je suis au début, j'ai le droit d'espérer, de faire des rêves. Je me sens fière vis-à-vis des hommes. Pour les uns je suis seulement une rivale, pour les autres, je suis une égale puisque je travaille comme eux, pour me faire une position comme eux. Je suis entrée dans une école qui leur était primitivement destinée, en concourant avec eux... ils n'ont pas le droit de ne voir en moi qu'une femme comme les autres, sœurs de toutes celles qui ne vivent que pour eux, que par eux, instruments d'amour... L'amour, je le supplie de m'épargner. Je n'ai jamais aimé d'amour, jamais aimé aucun homme. Je suis calme, je suis tranquille, toute à mon travail. L'amour serait un grand malheur pour moi, il briserait tout ce qui fait ma vie, je n'y pense pas, je ne le cherche pas, je le redoute... Ah ! que l'amour m'oublie ! Je me suis garée du mariage, des toquades de jeunes filles... Mais il y a l'amour-passion, l'amour souverain, l'amour fou, auquel nul ne peut se vanter d'être assez fort pour échapper quand il passe. Il passerait sur moi comme un cyclone, en ne laissant que des ruines... Mais je n'y pense pas, ce serait une de ces choses extraordinaires auxquelles on ne pense pas plus qu'à gagner le gros lot ou à mourir dans une catastrophe. Et puis, moins on y pense, moins on a de chance qu'il vienne. Et puis, j'ai vraiment bien autre chose à faire !

JOURNAL D'ENQUÊTE 2

octobre-novembre 1992

9 octobre 1992, vendredi

Me revoici, deux mois et demi plus tard, à l'autre bout de ce qui est maintenant à coup sûr un livre, puisque j'ai trouvé un éditeur. J'ai eu de la chance. Mi-août, j'ai envoyé mon tapuscrit chez Gallimard et au Seuil. Mi-septembre, quasiment le même jour, l'un refuse, l'autre accepte. Comme pour « *Cher cahier...* » en 1989, sauf que les rôles sont inversés. Tous deux ont raison. Il faut tomber pile sur la collection qui a votre profil. Au Seuil, *Psyché* a « la couleur de la vie ». J'en suis rose d'émotion. Ailleurs, ce n'est qu'un fatras gris. Vrai aussi. C'est un livre un peu bizarre. Il faudra que mon lecteur s'accroche, suive mon allure. Je vais à sauts et à gambades, comme disait Montaigne. *De cent membres et visages qu'a chaque chose, j'en prends un tantôt à lécher seulement, tantôt à effleurer et parfois à pincer jusqu'à l'os.* Trop facile : si tous les pagailleux et brouillonneux s'abritaient derrière les *Essais* !...

Simplement, j'ai fait pour de bon ce que Pierre Nora a appelé de l'« égo-histoire ». D'habitude ça se passe en deux temps : 1) l'historien publie ses travaux, bien sérieux, bien vérifiables ; 2) plus tard il raconte comme il était « égohiste » : l'histoire de son rapport à l'histoire. Mais c'est du rétrospectif, du global, du survolé. Je suis passé au sur le vif, au sur le tas. En anthropologie, la chose se fait même en trois temps : 1) Journal de terrain pour soi. 2) Publication scientifique. 3) Ensuite on a le choix : ou bien on meurt (de toute façon !), et la postérité publie posthume le terrain (Malinowski). Ou bien on ne meurt pas (!), on veut publier son terrain soi-même, il est impubliable, profus et indiscret, alors on le réécrit à quatre mains avec une amie (Jeanne Favret-Saada, *Corps pour corps*). J'ai pris mes précautions : je me suis réécrit d'avance, et le terrain tiendra lieu de publication scientifique. Tout en un ! Livré en kit ! Montage à la maison avec un simple tournevis ! Existe en trente-six chandelles, la couleur de la vie...

11 octobre 1992, dimanche

Mon chapitre Pozzi vient de s'écrire comme un souffle. Je m'étais imaginé un long mois de travail, j'avais peur de n'être pas à la hauteur. Dès que j'ai replongé dans les cahiers, c'est devenu évident. Il fallait expliciter le moins possible, juste une brève introduction, les grandes lignes. Et tout suggérer par le montage. Laisser parler Catherine sans mettre mon grain de sel. Les idées me sont venues en manipulant les fragments, en ménageant des rebondissements, en cherchant son rythme. Trois jours de passion à tout relire, choisir, articuler. C'est une analyse en acte, et comme une édition de poche, en attendant l'intégrale que prépare Claire Paulhan. Ma seule crainte : que Catherine n'écrase sans le vouloir ses petites camarades...

12 octobre 1992, lundi

Où en est mon répertoire ? Tout l'été, j'ai continué à lire : les journaux que j'avais en réserve, et d'autres trouvés depuis. Un ultime ratissage à la BN, au mois d'août. Le dernier journal lu, c'était samedi soir dans le train en revenant des « 24 heures du livre » : celui d'une jeune normalienne de seize ans au Mans en 1883. Ces écoles normales étaient genre « couvent laïque », hyper-surveillées, elles devaient être irréprochables. Le journal d'Augustine a été saisi lors d'une fouille générale de l'internat ! transmis à monsieur l'Inspecteur ! archivé à Caen ! où il aurait dormi pour toujours si un magasinier des Archives, cent ans plus tard, ne s'était trompé de carton en servant un historien qui travaillait sur l'école normale de garçons, et qui s'est retrouvé chez les filles, où traînait ce cahier... C'est à peu près l'aventure des pirogues néolithiques de Bercy... Miracle que ça ait été conservé, nouveau miracle qu'on tombe dessus... Mais en même temps, on est dans l'ultra-ordinaire : là où il y a une pirogue, on peut en supposer des milliers... Selon l'historien qui, au Mans, est venu m'offrir son édition du texte, ce même carton contiendrait deux autres cahiers, plus rudimentaires... Non, je ne suis pas encore arrivé à saturation. Pas blasé. Chaque journal ou presque m'apporte de l'inédit, ou des variations nouvelles. Par exemple : Julie Arnaud (1825), un journal adressé à son fiancé, mais écrit pour soi ; Caroline Clément (1825), un journal dicté pendant l'agonie ! Eugénie Couturier (1853), une éducation réelle strictement conforme à la fiction du *Journal de Marguerite* ; Eugénie toujours : un double récit de la même période prénuptiale (journal, puis autobiographie) ; Élisabeth de Caraman-Chimay (1860) : un récit autobiographique thématisé (*Histoire de mes amours*) dans le journal ; et puis un nouveau journal commencé le soir du mariage, la première entrée s'arrête quand le mari frappe à la porte !... Augustine Guillemiau (1867) : un journal-chronique clandestin tenu à l'École normale ; Yvonne Doux de Labro (1884) : ... je ne l'ai pas lu, mais j'y pressens du nouveau ! A cette excitation de voir paraître de nouvelles « figures », et se combler des lacunes, s'est mêlé le regret de ne pouvoir en rendre compte dans mon propre journal. Du coup les notices rédigées cet été sont plus substantielles, elles frôlent parfois le croquis : le Répertoire, devenu mon confident, sera un peu boursouflé par endroits...

15 octobre 1992, jeudi

J'ai aussi profité de l'été pour mettre de l'ordre. Le 1er août, un soir d'orage, à Matten, dans l'Oberland bernois, j'ai pris mon courage à deux mains et j'ai fait le plan de l'article destiné à ce volume américain, *Inscribing the Daily*, dirigé par Suzanne Bunkers et Cynthia Huff. J'en ai terminé la rédaction le 1er septembre, à La Cadière, un jour de mistral. Un mois pour écrire un texte si simple ! J'avais l'impression, justement, de lutter contre le vent, de remonter le courant... J'avançais centimètre par centimètre... C'était un exercice de concentration mentale, de distillation intellectuelle, de renoncement... J'espère que le résultat est limpide. Mais ça m'en a donné, un mal !... En gros mon texte a trois parties. D'abord j'explique mon projet, où j'ai trouvé les journaux et surtout comment j'ai appris à les lire. Ensuite je fais un panorama du journal dans l'histoire du siècle : apparition dans les années 1780, éclipse entre 1789 et 1830, le journal « romantique » 1830-1850, le journal « ordre moral » 1850-1880, la démocratisation et laïcisation à la fin du siècle, apparition de la jeune fille moderne... Enfin je situe le journal dans le développement d'une jeune fille, en prenant la période « ordre moral » comme référence : le journal de première communion, dix-douze ans ; le journal commandé à la maison, clandestin en pension ; le journal de jeune fille, les trois voies qui s'offrent à elle, couvent, célibat laïque, mariage, les types de journaux correspondants, et les lignes de fuite... Et je conclus en rebrouillant les cartes, un peu honteux d'avoir simplifié, espérant quand même avoir donné le *goût* de ces cahiers... Ça doit paraître en américain l'année prochaine (Univ. of Massachusetts Press). Demandez le programme ! *Our approach addresses questions of race, class, gender, genre, audience, strategies or ideologies of reading,* « *truth value* », *as well as problems and challenges of editing diaries.* Ouh là là, je couvre pas tout ça... Mais je suis dans le champ, tout de même...

17 octobre 1992, samedi

Je me revois à Matten, ce soir d'orage : la maison paysanne, la chambre au plafond bas, les fenêtres à géraniums, la petite table couverte d'un napperon blanc, le bruit du torrent.

J'avais déballé mon Répertoire pour faire mes comptes : tableaux chronologiques, essais de périodisation... Je recommence aujourd'hui : 113 notices. Inédits : 37 (un tiers) ; publiés : 76 (deux tiers). Je répartis par décennie de naissance, sur deux colonnes : inédits ou publiés tardivement (□ et □□), et publiés rapidement posthumes ou anthumes (□□□ et □□□□). Vous ferez vous-même le tableau, j'aurais honte de le donner ici.

Il ne représente que ce que je connais de la réalité, non la réalité elle-même. Ça a l'air bête de dire encore ça, au bout d'un livre si épais. Tant pis je le répète. J'ai donc des spécimens relativement abondants pour les jeunes filles nées entre 1820 et 1889 : avant et après, c'est le désert. Supposons, d'abord, que la production de journaux de jeunes filles ait été constante pendant ce siècle et demi. Ces distorsions s'expliqueraient par deux phénomènes :

a) le vide avant 1820 s'explique par la *destruction* (faible intérêt attaché, à l'époque, à des textes appartenant à un genre qui n'avait pas encore été légitimé par des publications [voir petit b] ; probabilité de plus en plus grande, quand on s'éloigne dans le passé, que les papiers privés aient été détruits ; le vide après 1890 s'explique, lui, par la *rétention* (c'est l'inverse : ces journaux sont trop proches, trop liés à l'histoire familiale actuelle, ce sont des archives encore « tièdes », elles commencent tout juste à devenir communicables...) ;

b) le mouvement de publication posthume immédiate n'a vraiment commencé que dans les années 1860, et il a été cassé par la guerre de 1914, n'a jamais vraiment repris après.

Cela dit, la production de journaux de jeunes filles n'a aucune raison d'avoir été constante. L'idée même du journal intime paraissait encore chimérique à Diderot en 1762 (14 juillet, lettre à Sophie Voland). On ne connaît en France qu'un seul journal de jeune fille avant 1789, ces feuillets épars que j'ai lus à la BHVP et que la petite Lucile Duplessis écrivait à deux pas d'ici, à Bourg-la-Reine... Les jeunes Genevoises étaient plus avancées... Ensuite c'est le trou complet pendant quarante ans : de 1789 à 1829, quelques pages de journaux *historiques* tenus par des jeunes filles, aucun journal personnel... George Sand et Marie d'Agoult disent dans leurs Mémoires en avoir tenu pendant cette période... On les croit sur parole mais il n'en reste pas une ligne... Et si la destruction a pu s'exercer de manière aussi totale, c'est que la pratique devait être sporadique... J'hésite. Parfois je pense que la Révolution a atteint de plein fouet les classes susceptibles d'avoir des jeunes filles à journaux, et détruit les institutions religieuses capables de les encourager, retardant de trente ans l'éclosion... A d'autres moments je me dis qu'il faut attendre de nouvelles découvertes, comme en archéologie. Il suffirait d'*un* texte, pour me faire changer de discours... J'attendrai. Dans l'état actuel de mes connaissances, donc, c'est seulement au début de la monarchie de Juillet que la pratique semble s'établir et se répandre...

Plusieurs phénomènes rendent difficiles comptages ou périodisations. Il existe des variétés ou des sous-branches qu'on ne saurait additionner : journaux spirituels, journaux-chroniques, journaux de voyage, journaux vraiment personnels... D'autre part il y a une sorte de rémanence : les périodes que je distingue (romantique, ordre moral, Troisième République) ne sont que des dominantes. On trouve des journaux romantiques en plein ordre moral, des journaux ordre moral tard dans la Troisième République. Eugénie de Guérin est « en retard » : elle écrit dans les années 1830, n'est publiée que dans les années 1860. Marie Bashkirtseff est en avance : son journal, publié en 1887, n'est pas plus représentatif que la tour Eiffel ne le sera, en 1889, de l'architecture parisienne moyenne. Sa publication est une sorte d'attentat anarchiste, elle sape tous les principes d'humilité, de pudeur et de réserve prônés par l'ordre moral... Et puis le faible nombre de ces journaux rend hasardeuse toute généralisation. Je me risquerai quand j'en serai à... cinq cents !

17 octobre 1992, samedi soir

Je viens de relire ceci, et ce que j'écrivais en juillet 1991. L'écart est mince : je termine avec une prudence de débutant. J'ai étendu mes connaissances sans perdre mes doutes. Cela ne fera peut-être pas l'affaire du lecteur : passe encore de me suivre pas à pas, pourvu qu'on arrive quelque part ! Mais c'est ça la recherche : toujours « à suivre ».

18 octobre 1992, dimanche

Je me suis replongé dans le *Journal de Marguerite* (1858), pour ce congrès à Bordeaux, vendredi prochain. Le thème de ma communication sera : l'appeau. *Sifflet avec lequel on imite le cri des animaux, pour les attirer*, dit le dictionnaire où je vérifie l'orthographe de ce mot bizarre. Piéger les enfants en mimant leur langage pour les attirer dans une logique et une morale adultes. Marguerite est un agent double ! une petite fille de quarante ans ! J'exagère, bien sûr... Mlle Monniot avait un vrai talent, l'oreille fine, une bonne écoute, et même un (petit !) brin d'humour... Elle a charmé deux ou trois générations de petites filles... en faisant leur désespoir ! Marguerite écrit trop bien..., elle est trop bonne... Malgré sa langue familière et ses étourderies, elle reste inimitable... On la lira jusqu'en 1914. Puis ce sera le vide jusqu'à ce que l'abbé Michel Quoist prenne le relais avec *Donner ou le Journal d'Anne-Marie* (1962), journal-modèle composé à partir de la lecture de journaux réels auxquels il incorpore l'information (sexuelle en particulier) et les messages moraux qu'il veut faire passer. J'imagine une passionnante étude de psycho-sociologie historico-littéraire et religieuse : comparer ces deux appeaux catholiques écrits à un siècle de distance. On s'amusera à faire une étude parallèle de leurs préfaces. Tout les rapproche, tout les sépare. Mlle Monniot faisait l'impasse sur la puberté et l'adolescence, qui sont au cœur du livre de Quoist. Mlle Monniot vivait dans les beaux quartiers ou sous le ciel des tropiques, Quoist dans les fumées populistes du Havre. Son livre, que j'ai acheté en 1989, en était à son « 265e mille, 17e édition », diffusion énorme. J'ai voulu connaître l'auteur, je suis allé déjeuner au Havre avec lui en septembre 1989. Le rêve, après, c'eût été de prendre une tasse de thé avec Mlle Monniot.

Il paraît qu'à l'École alsacienne, aujourd'hui encore, tenir un journal est une obligation pour les élèves. Pédagogie protestante ? Oui, s'il n'y a pas contrôle. Car ce qui distingue la pédagogie catholique, c'est de prôner le journal tant qu'on peut le contrôler, et de le combattre dès qu'il échappe. L'appeau est au centre du système de contrôle : on pompe en amont la *manière* de journaux réels, on mixe vigoureusement avec le message éducatif, et on réinjecte en aval...

21 octobre 1992, mercredi

Déjeuné avec Saverio Tutino, de passage à Paris. Il a des projets grandioses : lancer un mouvement européen autour de l'Archivio Diaristico Nazionale de Pieve S. Stefano, avec notre Association, et, qui sait, Charlotte Heinritz et le centre de Hagen en Allemagne, Dorothy Sheridan et Mass-Observation en Angleterre ?... Pendant que nous divaguons, je pense brusquement : « Jeunes filles de tous les pays, unissez-vous ! » A propos, et les Italiennes ? Y a-t-il à l'Archivio des journaux comme ceux que j'ai trouvés en France ? Au moins trois, selon Saverio. Je lui demande sur chacun une fiche descriptive, qu'il va m'envoyer dès son retour. — J'ai des remords : j'aurais dû faire des recherches plus poussées sur les domaines étrangers. Mais je ne sais ni l'allemand, ni l'italien. L'anglais oui, mais je lis lentement, et les contextes m'auraient échappé, je n'aurais rien compris, on ne saisit l'implicite que dans sa propre langue, et encore !... Puis je me dis : malgré le sérieux des Anglais et des Allemands, ont-ils jamais fait une enquête aussi acharnée que la mienne ? J'ai décrit ce qui s'est passé chez nous, c'est une pièce de comparaison, à eux la balle. Peut-être les rites matrimoniaux, les modèles culturels étaient-ils différents ? Et le protestantisme ?... La jeune fille n'est ni la miss ni la fraulein... On verra plus tard. Pour l'instant, j'attends mes Italiennes.

23 octobre 1992, vendredi, Bordeaux

Retour au pays natal, pour ce colloque « Enfance et écriture ». J'ouvre le colloque, je présente *Le Journal de Marguerite*, puis j'écoute. Quelqu'un parle du livre d'Élisabeth Badinter, *XY*, « on naît femme, on devient homme » (? ?). Je rêvasse, je revois mes photos d'enfance. L'habit fait-il le... moi ? Tout petit j'ai eu longtemps de beaux cheveux blonds et bouclés, avec une

« chouquette », et un tablier sur mes vêtements de garçon. Sensation à l'école de Caudéran le jour où, cheveux coupés, je suis arrivé déguisé en garçon ! Plus tard, en deux occasions, je me suis trouvé habillé en fille. Été 1946, réunion familiale à Athis, avec les cousins venus d'Écosse. Qui a eu cette drôle d'idée ? On nous met par couple d'âge et on nous fait échanger nos vêtements. J'enfile la robe de Marie, qui met ma salopette. J'ai huit ans, elle sept, je flotte dans sa robe et elle craque dans ma salopette. Je suis maigre et rêveur, elle pleine et décidée. Plus tard, j'ai douze ou treize ans, c'est Carnaval, je me déguise en jeune miss anglaise, et me voilà parti pour le bal, mon premier bal !... On est gentil, on fait semblant de ne pas me reconnaître, on invite à danser la timide demoiselle... Mais j'arrête cette enfance sur mesure, taillée pour l'auteur de *Psyché*, simplette à souhait. Juste trois bouts de fils qui dépassent, pour entrer dans le labyrinthe, trois petites amorces. Ce n'est pas ici que j'irai jusqu'à... *Z*.

29 octobre 1992, jeudi

Reçu le numéro d'automne du *Diarist's Journal*. C'est un vrai journal, 32 pages sur papier grisâtre, composé dans sa cave par Edward Gildea en Pennsylvanie, patchwork de fragments de journaux intimes de ses abonnés... Le mouvement perpétuel... il n'est jamais à court de copie... Il assaisonne le tout avec deux ou trois articles de réflexion. Cette fois-ci, Donald Vining pose le grand problème, celui des... trous ! En cinquante-sept ans, son journal intime n'a connu que deux interruptions : un séjour en prison dans son adolescence, un séjour à l'hôpital récemment. Il s'interroge gravement sur la manière de rattraper les petits retards de deux, trois jours... Au secours, j'étouffe ! A la page suivante Jane Begos fait un tableau documenté des anthologies de journaux de femmes. La dernière en date, celle de Harriet Blodgett, elle la trouve bien faite et surtout *politically correct*. Brusquement j'ai la berlue ! Je vois le respectable Donald Vining avec une petite robe et un cerceau : c'est Marguerite ! et l'affable Jane Begos en chasuble et en crosse : c'est Mgr Dupanloup !

L'Amérique fait de la confiture avec son âme ! des journaux intimes pasteurisés !... Croisades, contrôles, normes, modèles... L'ordre moral 1850-1880, suffit de traverser l'Atlantique pour l'observer en direct... Mlle Monniot doit diriger un département de Women's Studies... Ma sensation d'étouffement en dépouillant la cote Ln[27], c'est la même qu'en débarquant en 1989 à Portland, South Maine, dans un colloque PC sur l'autobiographie. La panique ! je me rue aux issues... Mais je cogne dans des miroirs... Spécialistes d'autobiographie, tous, partout !... cerné !... La honte ! Confiseurs ! Curés ! Un créneau ? Tu parles... France, 1970, oui... Là c'est l'embouteillage... Cinquante comme moi à trifouiller dans l'auto... Curé moi aussi, au fond ! Onctueux, bêlant !... Jardinier !... Large d'idées !... Salades... Mon anticléricalisme, mais c'est du suicide ! — Là, là, on se calme... Ça ne me réussit pas de lire le *Diarist's Journal.* J'ai parfois (rarement) des bouffées de dégoût. Je repense alors à François Wahl, à qui j'apportais « *Cher cahier...* » et qui m'a paternellement admonesté, quittez donc l'autobiographie, cher Philippe Lejeune, renouvelez-vous, faites peau neuve... Je peux pas quitter, mais rester non plus. Ce que j'aime c'est dériver... aller ailleurs... échapper au rôle, partir en vadrouille... *Psyché* c'est un pique-nique, un déjeuner sur l'herbe...

1er novembre 1992, dimanche

Un an, et un mois. J'arrêterai ce second journal dimanche prochain, le 8. Je ferme chantier, provisoirement. Le journal de jeune fille est lié au moment tragique du choix, à cette période instable et vide que l'éducation de l'époque ménageait entre l'enfance et, dans la plupart des cas, le mariage. Moment des choix individuels, lieu des évolutions collectives. Rien de tel chez les garçons, bien occupés et dirigés vers une carrière. A la fin du siècle apparaissent des conduites « mutantes », comme le flirt, la perte de la foi religieuse, le choix d'une destinée professionnelle autonome, et la revendication du Moi. Si différentes soient-elles, Marie Bashkirtseff et Catherine Pozzi sont les deux figures phares de cette révolution. Peut-être ai-je trop peu parlé de

Marie Bashkirtseff, et ceux qui ne connaissent qu'elle s'en étonneront. Mais ils la verront se détacher encore plus triomphante sur cette toile de fond. J'ai d'autres scrupules. Le ton enjoué que j'ai pris souvent ne risque-t-il pas de masquer le tragique de mon propos ? (Et n'aurais-je pas dû résister, jeudi dernier, à cette petite bouffée délirante ?) Mais comment exprimer les tensions, les contradictions, les émotions violentes d'une telle exploration, où j'allais à l'aveuglette à la rencontre de moi-même ? Un peu de jeu était nécessaire pour mettre du jeu, de la distance. Autre problème : on va se perdre dans tous ces noms propres, ces prénoms, entre mon carnet d'adresses et le Répertoire. J'espère que non, les lecteurs de journaux acceptent en général d'entendre nommer des personnes qui ne seront pour eux que des silhouettes. Le répertoire final donne corps à la plupart de celles qu'on aura croisées...

Qu'y a-t-il de « provisoire » dans la fermeture de ce livre ? Bien sûr, les pistes en suspens, d'ultimes réponses que j'attends... J'ai pris contact avec Charles de Montalembert qui, mi-novembre, à La Roche-en-Brenil, cherchera pour moi dans ses archives les journaux du groupe La Ferronnays... Des recherches négatives (finalement, rien dans les archives Goncourt).... Ou bien les petites choses trouvées cet été et pas dites ici (par exemple : comment Alain-Fournier a jeté au feu, devant elle, le journal intime de sa sœur Isabelle, parce qu'elle y évoquait une « flamme » pour une amie. Ah, les frères...). Etc. Broutilles, vu l'immensité de ce que j'ignore encore.

Le provisoire, c'est plutôt que j'ai vécu le trajet de ce livre comme un dialogue, mais un dialogue où je parlais peut-être un peu fort, un peu trop, et que j'espère poursuivre en écoutant mieux... Les nouveaux textes qu'on me proposera... Mais surtout les idées qui viendront aux lecteurs, les conclusions qu'ils proposeront à la place de celle qui manque ici... Au fond, c'est à eux de répondre à la question qu'on me pose déjà parfois sur... mon « prochain livre » ! Quand celui-ci n'est pas fini... Il y a deux ans, je ne savais même pas que je l'entreprendrais. De sa publication j'attends maintenant d'imprévisibles rebondissements..

3 novembre 1992, mardi

Arrivée annoncée d'un ultime journal. Un monsieur de Dijon signale à notre Association qu'il a transcrit pour ses petits-enfants le journal d'enfance (onze-treize ans) de sa grand-mère, Marguerite Rousset. Je lui téléphone, il va me l'envoyer. Il me dit que le journal a été écrit *en pension, sur ordre de l'institutrice !* Je rougis en me rappelant mon entrée du 11 juillet. J'aurais dû être plus prudent encore...

Reçu les fiches de Saverio. L'Archivio a trois journaux : ceux de Rosa Vaccari (née en 1840 à Ferrare ; catholique bien-pensante, elle tient, à dix-neuf ans, une chronique horrifiée des troubles qui vont mener à la réalisation de l'unité italienne) ; de Francesca Sancasciani (née en 1864, fille d'un médecin, elle a perdu sa mère jeune, elle tient, à quinze ans, un journal remarquable par le sens critique, l'ouverture, la générosité, je lui sens des atomes crochus avec Claire Pic) et de Rosina d'Amico (née en 1878 à Rome, dans la haute société, elle a quinze ans aussi, étudie pour être institutrice, et tient un journal spirituel). Dans sa petite note de présentation, Saverio souligne la rareté des écrits féminins au XIXe siècle. Plus rares encore, selon lui, les journaux de jeunes filles. Son envoi me donne l'impression inverse. L'Archivio n'existe que depuis huit ans. Ces trois spécimens révèlent que c'était une pratique ordinaire. Il est vrai que je ne sais rien du système d'éducation appliqué aux jeunes filles en Italie. Soyons prudent : disons que rares sont les journaux *conservés* dans des archives publiques. Pour le reste, attendre qu'une vraie enquête soit faite.

4 novembre 1992, mercredi

J'arrêterai donc ce journal le 8, le manuscrit définitif doit être livré au Seuil le 15... A l'horizon immédiat, ensuite, le 20 novembre, colloque « Autofictions & Cie », où je parlerai de « l'irréel du passé », la manière dont on rêve aux autres « soi » qui eussent été possibles, si... Je prendrai mes exemples dans

Chateaubriand et Stendhal, mais il y en a partout, jusque dans mon journal d'adolescence, où je viens de remettre le nez. En janvier 1956, je me demandais quel garçon je serais devenu si, le 25 avril 1952, je n'étais pas tombé malade : déraillement imprévisible, coup de pouce du destin... Ensuite, le 22 novembre, réunion chez moi de l'Association pour l'autobiographie, ce sera notre premier anniversaire !... Après, je vais me remettre à Sartre...

En ce moment je révise, je vérifie tout. J'écris aux familles qui m'ont communiqué des documents et à ceux qui m'ont aiguillé ou aidé, pour les informer de la publication prochaine, les remercier de leur accord ou leur demander de le confirmer. Mais je veux les remercier aussi en public, ici, tous, chaleureusement. C'est vraiment une aventure de groupe, comme « *Cher cahier...* ». La dérive dont je parlais jeudi dernier a eu l'avantage de me mettre en relation, depuis plus de quinze ans, avec les personnes les plus variées, d'âge, de profession, de pays... J'ai du mal à me sentir « spécialiste », parce que ça évoque l'idée de cercle fermé, d'élite, de compétence pointue, alors que ma vie est pleine de courants d'air et de va-et-vient, de lettres, d'échanges et d'apprentissages réciproques.

5 novembre 1992, jeudi

Mon livre est accepté, mais le titre reste en suspens. Depuis six mois, je vis avec *« Psyché »* : c'est peut-être une erreur ? Mais impossible de retirer le mot de mon journal... — Ça doit vous faire bizarre, lecteur, de voir flageoler l'identité du livre que vous avez entre les mains. Vous êtes plus avancé que moi ! — *Les Encrières*, c'était mignon, mais il faudrait, comme pour *Psyché*, un sous-titre, *A la découverte du journal de jeune fille* ? — Pourquoi couper des cheveux en quatre ? Et si le titre était simplement : *Le Journal de jeune fille ?* Écho, en amont, de « jeune » avec mon nom propre. Et, en aval, avec un sous-titre : *Journal de voyage* (comprendrait-on que c'est le mien ? peut-être plutôt *Récit de voyage ?* ou *d'un voyage au* XIXe *siècle* ?). —

Hum... J'arrête. . J'ai l'air de quoi, à essayer ainsi des chapeaux devant une glace ?

Mais je garde cela présent à l'esprit en lisant le *Journal* de Michel Leiris. Je viens juste de le commencer, je le lis par tous les bouts, émerveillé. Même bonheur qu'en 1983 avec *Les Carnets de la drôle de guerre* de Sartre : découvrir qu'un inédit posthume, loin d'être le simple cahier de brouillon qu'on pouvait attendre, est un chef-d'œuvre. Le journal de Leiris est aussi important que celui de Kafka. Joie de le lire pour moi, sans avoir l'obligation d'en parler. Je me fais des petites dégustations privées. — Or plus son journal avance, moins Leiris écrit de livres, plus il cède au plaisir d'inventer... des titres ! Ça devient presque un tic les dernières années, ou pourrait les tresser en poèmes : *La Débandade, La Triste Entourloupette, Les Moyens du bord, A qui mieux mieux, D'arrache pied ou Les Bouchées doubles, C'est-à-dire, Du pareil au même, Les Petits Plats dans les grands, Le Couteau dans la plaie*, etc.

Je me souviens d'un titre qui m'avait frappé, au moment où j'étudiais la Pensée universelle. Une dame avait trouvé l'arme absolue : son livre s'appelait *Lisez-moi !*

6 novembre 1992, vendredi

Ça fait tout drôle d'écrire un journal pour qu'il soit lu. Je l'ai communiqué autour de moi, par tranches, à mesure que je l'écrivais. Ça plaisait (quand ça plaisait) peut-être parce qu'on me connaissait, et que c'était tout frais. Lu dans dix ans, par des inconnus, cela tiendra-t-il le coup ? C'est un problème. Un autre est de savoir si ce système nuit à la vérité. N'est-ce pas de la comédie ? Je dirai que c'est *ma* comédie et qu'on m'a bien reconnu. En quoi serais-je plus vrai d'écrire sans me corriger, ou d'accumuler des informations indigestes ? J'ai trié. J'ai regardé mes émotions en face. Le temps que j'ai passé à les polir m'a permis de les cerner. C'est vrai que j'ai cherché à plaire, et que quand je suis seul avec moi, c'est le cadet de mes soucis, j'ai d'autres problèmes que de me séduire. J'ai voulu plaire parce que j'avais peur. Ambassade difficile que la mienne, il fallait vaincre les préjugés, présenter des cahiers réputés illisibles, faire sentir le drame de ces âmes captives, ces libertés piégées, au moment où elles palpitent dans l'illusion et la réalité du choix... Ambassade d'autant plus délicate qu'en même temps je souhaitais que le lecteur finisse par s'exclamer, comme à l'acte V de *Cyrano*, « Comme vous les lisez, ces cahiers ! »...

J'ai retrouvé dans mon journal d'adolescent une page qui semble plaider, *a contrario*, pour ma pratique d'aujourd'hui...

13 avril 1956, vendredi

Je mens dès que j'ai une plume à la main.

Quand je parle avec un autre être pensant, quelque chose m'empêche de divaguer : c'est qu'il m'écoute, me juge, me contredit. Dès que je me retrouve seul, le monde s'allonge, s'étire en tous sens d'une manière bizarre. Les liens logiques, la distinction entre l'important et le futile, le vrai et le faux, s'estompent. Je me noie dans le rêve de mon existence.

Ce que j'écris dans mon journal est toujours plus ou moins faux, ou faussé. Je compose de moi une image truquée qui montre plus l'idée que je me fais de moi que ce que je suis vraiment. Mon romanesque personnel, ma sensibilité, tendent à me déformer à mes yeux à mon insu. – Souvent même, à moitié volontairement, je déforme la réalité, je brode, j'invente, pour réaliser un rêve. Et si je ne suis pas convaincu sur le moment, le temps qui efface en moi le souvenir donne de plus en plus de vérité à cette fiction.

8 novembre 1992, dimanche

Ça fait tout drôle de quitter un livre. C'est comme un petit enfant qu'on envoie à l'école, on vérifie qu'il a sa trousse au complet, un mouchoir dans sa poche, les oreilles propres, les lacets noués, et puis qu'il a bien pris ses précautions, on le quitte à la grille, avec une petite tape encourageante, il va s'avancer timidement dans la cour de récréation, au milieu des petits camarades qui jouent bruyamment...

On rentre à la maison, on se sent bizarre, c'est un peu vide, on est en vacances, à la retraite, ou plutôt en convalescence. On sort d'un rêve. On vient de faire un gros caprice. Maintenant c'est fini, on est raisonnable. On se remet à voir autour de soi les choses qu'on ne voyait plus. On a envie de ranger et de classer. De faire le ménage. On fait des plans. Vraiment, il était temps d'en finir. Le ciel est clair. On se sent tout léger...

Bibliographie

Albistur, Maïté, et Armogathe, Daniel, *Histoire du féminisme français du Moyen Age à nos jours*, Paris, Éd. des Femmes, 1977, 509 p.
Archives autobiographiques, textes réunis par Philippe Lejeune, *Cahiers de sémiotique textuelle,* n° 20, 1991, 192 p.
Ariès, Philippe, *L'Homme devant la mort*, Paris, Éd. du Seuil, 1re éd. 1977 ; rééd. coll. « Points », 1985, 2 vol., 311 p. et 349 p. (chap. x, « Le temps des belles morts », vol. II, p. 119-177).
Arnold, Odile, *Le Corps et l'Ame. La vie des religieuses au XIXe siècle*, Paris, Éd. du Seuil, 1984, 375 p.
Bernfeld, Siegfried, *Trieb und Tradition im Jugendalter. Kulturpsychologische Studien an Tagebüchern*, Leipzig, 1931 ; reprint en 1978, Frankfurt am Main, päd-extra Buchverlag.
Bertholet, Denis, *Les Français par eux-mêmes. 1815-1885,* Paris, Olivier Orban, 1991, 362 p.
Bertier de Sauvigny, Guillaume de, et Fierro, Alfred, *Bibliographie critique des Mémoires sur la Restauration, écrits ou traduits en français*, Genève, Droz, 1988, 280 p.
Blanc, Dominique, « Correspondances. La raison graphique de quelques lycéennes », in *Écritures ordinaires,* sous la direction de Daniel Fabre, à paraître, Paris, POL.
Blodgett, Harriet, *Centuries of Female Days. Englishwomen's Private Diaries*, New Brunswick, N. J., Rutgers University Press, 1988, XIV-331 p.
–, *Capacious Hold-All. An Anthology of Englishwomen's Diary Writings*, University of Virginia Press, 1991.
Boland, André, « Journal spirituel », in *Dictionnaire de spiritualité ascétique et mystique*, t. VIII, Paris, Beauchesne, 1974, col. 1434-1443.
Bricard, Isabelle, *Saintes ou Pouliches. L'éducation des jeunes filles au XIXe siècle*, Paris, Albin Michel, 1985, 351 p.
Bühler, Charlotte, *Zwei Mädchentagebücher*, Iena, 1927.
–, *Jugendtagebuch und Lebeslauf. Zwei Mädchentagebücher mit eine Einleitung*, Iena, 1932.
–, *Drei Generationen im Jugendtagebuch*, Iena, 1934.

Chanfrault-Duchet, Marie-Françoise, « Microsillons : l'enregistrement du moi présent », in *Le Journal personnel,* colloque de Nanterre, mai 1990, Nanterre, Publidix, université Paris-X, 1993, p. 21-38 (Analyse de journaux d'adolescentes d'aujourd'hui).

Dauphin, Cécile, « Les manuels épistolaires au XIXe siècle », in *La Correspondance. Les usages de la lettre au XIXe siècle*, sous la direction de Roger Chartier, Paris, Fayard, 1991, p. 209-272.

Didier, Béatrice, *L'Écriture femme*, Paris, PUF, 1981, 286 p.

—, *Le Journal intime*, Paris, PUF, 1976, 205 p. (biblio. p. 196-202).

Fierro, Alfred, *Mémoires et Révolution. Bibliographie critique des Mémoires sur la Révolution, écrits ou traduits en français*, Paris, Service des travaux historiques de la Ville de Paris, 1989, 484 p.

Galtier, Brigitte, *L'Écrit des jours. Journaliers des années 1890-1935 : Alice James, Eugène Dabit, Sandor Ferenczi*, thèse de doctorat, université Paris-III, décembre 1991, ronéoté, 422 p.

Girard, Alain, *Le Journal intime et la Notion de personne*, Paris, PUF, 1963, 638 p. (biblio. p. 609-623).

Grellet, Isabelle, et Kruse, Caroline, *Histoires de la tuberculose. Les fièvres de l'âme. 1800-1940*, Paris, Ramsay, coll. « Les raisons du corps », 1983, 333 p. (biblio. p. 320-321).

Gusdorf, Georges, *Lignes de vie,* 1, *Les Écritures du moi,* 2, *Auto-biographie*, Paris, Odile Jacob, 1991, 431 p. et 504 p.

Hébert, Pierre, *Le Journal intime au Québec. Structure, Évolution, Réception*, avec la collaboration de Marilyn Baszczynski, Québec, Fides, 1988 (biblio. p. 165-203).

Histoire de la France religieuse, t. III, *XVIIIe -XIXe siècles*, sous la direction de Philippe Joutard, Paris, Éd. du Seuil, 1991, 557 p.

Histoire de la vie privée, sous la direction de Philippe Ariès et Georges Duby, t. IV, *De la Révolution à la Grande Guerre*, sous la direction de Michelle Perrot, Paris, Éd. du Seuil, 1987.

Histoire des femmes en Occident, sous la direction de Georges Duby et Michelle Perrot, t. IV, *Le XIXe siècle*, sous la direction de Geneviève Fraisse et Michelle Perrot, Plon, 1991, 640 p. (biblio. p. 591-616).

Huff, Cynthia, *British Women's Diaries*, N.Y., AMS Press, 1985, XXXVI-139 p.

Knibiehler, Yvonne, Bernos, Marcel, Ravoux-Rallo, Élisabeth, et Richard, Éliane, *De la pucelle à la minette. Les jeunes filles de l'âge classique à nos jours*, Paris, Messidor/Temps actuels, coll. « La passion de l'histoire », 1983, 259 p.

Lamonde, Yvan, *Je me souviens. La littérature personnelle au Québec (1860-1980)*, Institut québécois de recherches sur la culture, 1983, 276 p.

Lejeune, Philippe, *« Cher cahier... » Témoignages sur le journal personnel,* Paris, Gallimard, coll. « Témoins », 1989, 259 p.

—, *La Pratique du journal personnel. Enquête, Cahiers de sémiotique textuelle,* n° 17, 1990 (biblio. p. 191-198).

—, « La cote Ln 27 », in *Moi aussi,* Paris, Éd. du Seuil, 1986, p. 249-272.

—, « Le journal de Cécile », *Nouvelle Revue de psychanalyse,* n° 40, automne 1989, p. 47-60.

—, « Comment Anne Frank a réécrit le journal d'Anne Frank », in *Le Journal personnel,* colloque de Nanterre, mai 1990, Nanterre, Publidix, université Paris-X, 1993, p. 157-179.

—, « Les journaux de jeunes filles en France au XIXe siècle », *La Licorne,* 1992, n° 22 (Colloque de Poitiers, octobre 1991, La dynamique des genres), p. 7-17 (prépublication des Notes préparatoires, ci-dessus p. 15-27).

—, « Autoportrait et journal intime. Le journal d'une jeune fille, Claire Pic (1862-1869) », in *Mimesis et Semiosis. Littérature et représentation. Miscellanées offertes à Henri Mitterand,* Paris, Nathan, 1992, p. 534-554 (prépublication du chapitre Claire Pic, ci-dessus p. 237-264).

—, « Le je des jeunes filles », *Poétique,* n° 94, avril 1993.

—, « Le Journal de Marguerite », in *Enfance et Écriture,* colloque de Bordeaux, 23-25 octobre 1992, à paraître.

Leleu, Michèle, *Les Journaux intimes*, avant-propos de R. Le Senne, Paris, PUF, 1952, XII-355 p. (biblio. p. 327-340).

Lévy, Marie-Françoise, *De mères en filles. L'éducation des Françaises 1850-1880*, Paris, Calmann-Lévy, 1984, 190 p. (biblio. p. 171-188).

Lourau, René, *Le Journal de recherche, Matériaux d'une théorie de l'implication,* Paris, Méridiens Klincksieck, 1988, 271 p.

Luna, Marie-Françoise, « L'autre lieu de moi. Étude de trois journaux de jeunes filles », in *Le Journal intime et ses formes littéraires*, Acte du colloque de septembre 1975, Genève, Droz, 1978, p. 299-318.

Madame ou Mademoiselle? Itinéraires de la solitude féminine 18e-20e siècle, rassemblés par Arlette Farge et Christiane Klapisch-Zuber, Paris, Éd. Montalba, 1984, 303 p.

Mayeur, Françoise, *L'Enseignement secondaire des jeunes filles sous la Troisième République*, Paris, Presses de la Fondation nationale des sciences politiques, 1977, 489 p.

—, *L'Éducation des filles en France au XIXe siècle*, Paris, Hachette, 1979, 207 p.

—, « L'éducation des filles en France au XIXe siècle : historiographie récente et problématiques », in *Problèmes d'histoire de l'éducation*, Rome, École française de Rome, 1988, p. 79-90.

Mendousse, Pierre, *L'Ame de l'adolescente*, Paris, PUF, 1928, 277 p.

Mension-Rigau, Éric, *L'Enfance au château. L'éducation familiale des élites au XXe siècle*, Marseille, Rivages/Histoire, 1990, 320 p.

Monicat, Bénédicte Marie Christine, *Les Récits de voyage au féminin au dix-neuvième siècle*, thèse de Ph. D., University of Maryland College Park, 1990, 320 p. (cf. DAI, vol. 51, n° 5, novembre 1990, p. 1632 A).

Pachet, Pierre, *Les Baromètres de l'âme. Naissance du journal intime*, Paris, Hatier, « Brèves Littérature », 1990, LIV-145 p.

Perrot, Michelle, « Journaux intimes. Jeunes filles au miroir de l'âme », *Adolescence,* IV, n° 1, printemps 1986, p. 29-36.

Pierrard, Pierre, « Le roman pieux ou d'édification en France au temps de " l'ordre moral " (1850-1880) », in *La Religion populaire*, colloque CNRS, octobre 1977, Paris, Éd. du CNRS, 1979, p. 229-235.

Planté, Christine, *La Petite Sœur de Balzac. Essai sur la femme auteur*, Paris, Éd. du Seuil, 1989, 380 p.

La Première Communion. Quatre siècles d'histoire, sous la direction de Jean Delumeau, Paris, Desclée de Brouwer, 1987, 315 p.

La Presse d'éducation et d'enseignement du XVIIIe siècle à 1940, sous la direction de Pierre Caspard, par Pénélope Caspard-Karydis, André Chambon et coll., INRP, Presses du CNRS, 1981-1991, 4 vol.

Proal, Louis, *Le Crime et le Suicide passionnels*, Paris, Alcan, 1900, VI-683 p.

Raoul, Valérie, « Women and Diaries : Gender and Genre », *Mosaic*, 1989, vol. 22, n° 3, p. 57-65.

Troude, Thérèse, « Une oubliée : Victorine Monniot, auteur du *Journal de Marguerite* », *Bulletin de l'Académie de l'île de la Réunion,* vol. 12, 1933-34, p. 57-87.

Tulard, Jean, *Nouvelle Bibliographie critique des Mémoires sur l'époque napoléonienne, écrits ou traduits en français*, Genève, Droz, 1991, 320 p.

Vernet, F., « Autobiographie spirituelle », in *Dictionnaire de spiritualité ascétique et mystique*, t. I, Paris, Beauchesne, 1937, col. 1141-1159.

A Woman's Diaries Miscellany, ed. by Jane DuPree Begos, Weston, Conn., Magic Circle Press,1989, VI-302 p.

Yalom, Marilyn, *Blood Sisters. The French Revolution in Women's Memory,* New York, Basic Books, à paraître en 1993.

Index des noms propres

En caractères gras, les noms des jeunes filles qui ont une notice dans le Répertoire, et la page de la notice.

Index thématique

Cet index ne suit pas l'ordre alphabétique. Il s'emploie à regrouper logiquement l'ensemble des sujets abordés ou évoqués dans ce livre. Après une première section de « généralités », il esquisse donc ce qui pourrait être la table des matières d'un autre ouvrage.

Généralités

Éducation

Le corps, l'amour, la mort

Choix de vie : les trois routes

Le journal : pour qui et pourquoi ?

Le journal : comment?

Le journal : son contenu, ses variétés

Le journal : sa destinée

L'enquête

IMPRIMERIE S.E.P.C. À SAINT-AMAND (CHER)
DÉPÔT LÉGAL MAI 1993. N° 19597 (581-502)

LA COULEUR DE LA VIE

Lou Andreas-Salomé
En Russie avec Rilke
1900
Journal inédit

Robert Bly
L'Homme sauvage et l'Enfant
L'avenir du genre masculin